#수능공략
#단기간 학습

수능전략
국어 영역

Chunjae
Makes
Chunjae

▼

[수능전략] 국어 영역 언어와 매체

개발총괄 김덕유
편집개발 고명선, 송자영, 황준택
디자인총괄 김희정
표지디자인 윤순미, 심지영
내지디자인 박희춘, 한유정
제작 황성진, 조규영
조판 한서기획

발행일 2022년 2월 1일 초판 2022년 2월 1일 1쇄
발행인 (주)천재교육
주소 서울시 금천구 가산로9길 54
신고번호 제2001-000018호
고객센터 1577-0902
교재 내용문의 (02)3282-8525

※ 정답 분실 시에는 천재교육 교재 홈페이지에서 내려받으세요.

수능전략

국·어·영·역

언어와 매체

BOOK 1

이 책의 구성과 활용

본책인 BOOK 1과 BOOK 2의 구성은 아래와 같습니다.

BOOK 1
1주, 2주

BOOK 2
1주, 2주

BOOK 3
정답과 해설

주 도입

본격적인 학습에 앞서, 재미있는 만화를 살펴보며 이번 주에 학습할 내용을 확인해 봅니다.

1일

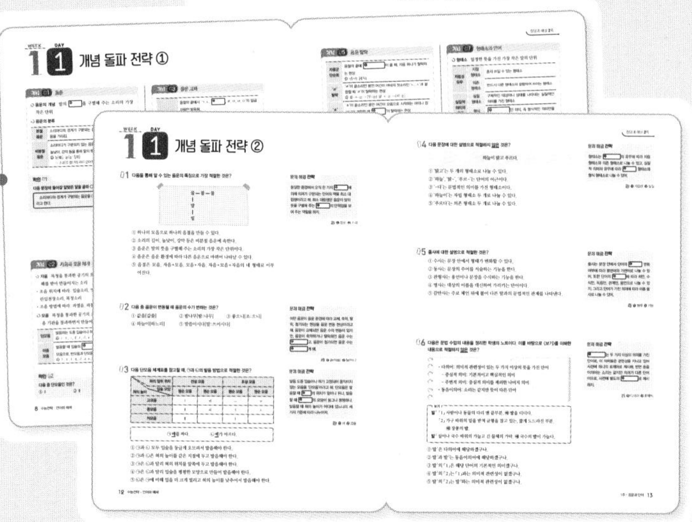

개념 돌파 전략

수능을 대비하기 위해 꼭 알아야 할 핵심 개념을 익힌 뒤, 간단한 문제를 풀며 개념을 잘 이해했는지 확인해 봅니다.

2일, 3일

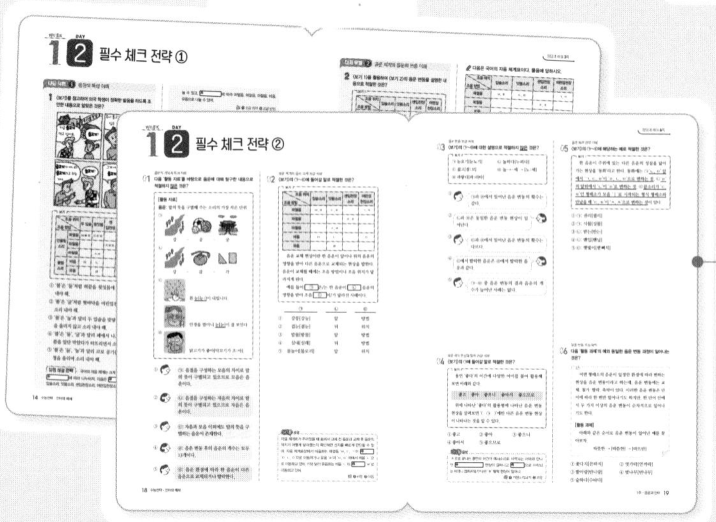

필수 체크 전략

기출문제에서 선별한 대표 유형 문제를 풀며 유형 해결 전략을 알아보고, 이를 적용하여 대표 유형을 변형한 문제를 해결해 봅니다. 그리고 대표 유형으로 구성한 새로운 문제를 풀어 보며 앞에서 배운 내용을 적용해 봅니다.

본책에서 다룬 대표 유형과 그 해결 전략을 집중적으로 연습할 수 있도록 권두 부록을 구성했습니다.
부록을 뜯으면 미니북으로 활용할 수 있습니다.

주 마무리 코너

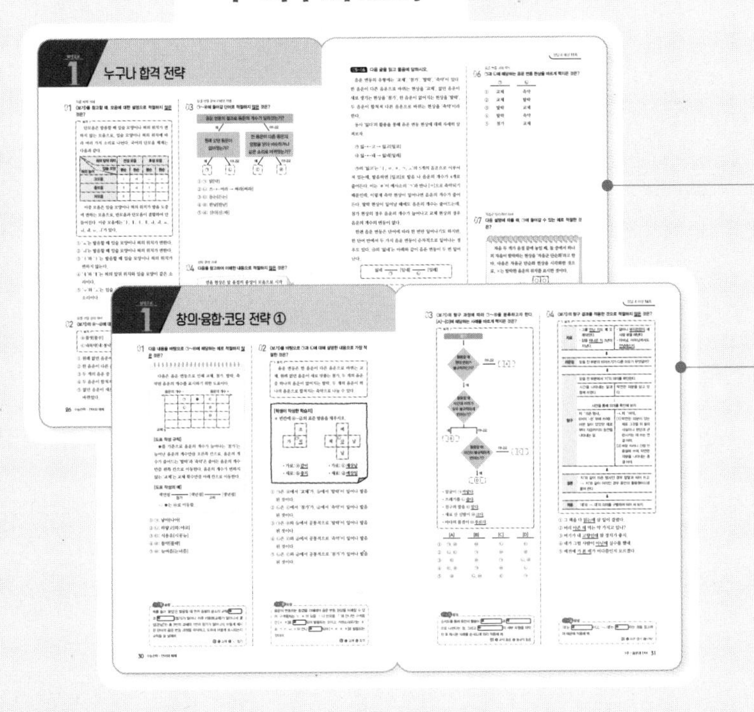

누구나 합격 전략
수능 유형에 맞춘 기초 연습 문제를 풀며 학습에 대한 자신감을 높일 수 있습니다.

창의·융합·코딩 전략
수능에서 요구하는 융복합적 사고력과 문제 해결력을 기를 수 있습니다.

권 마무리 코너

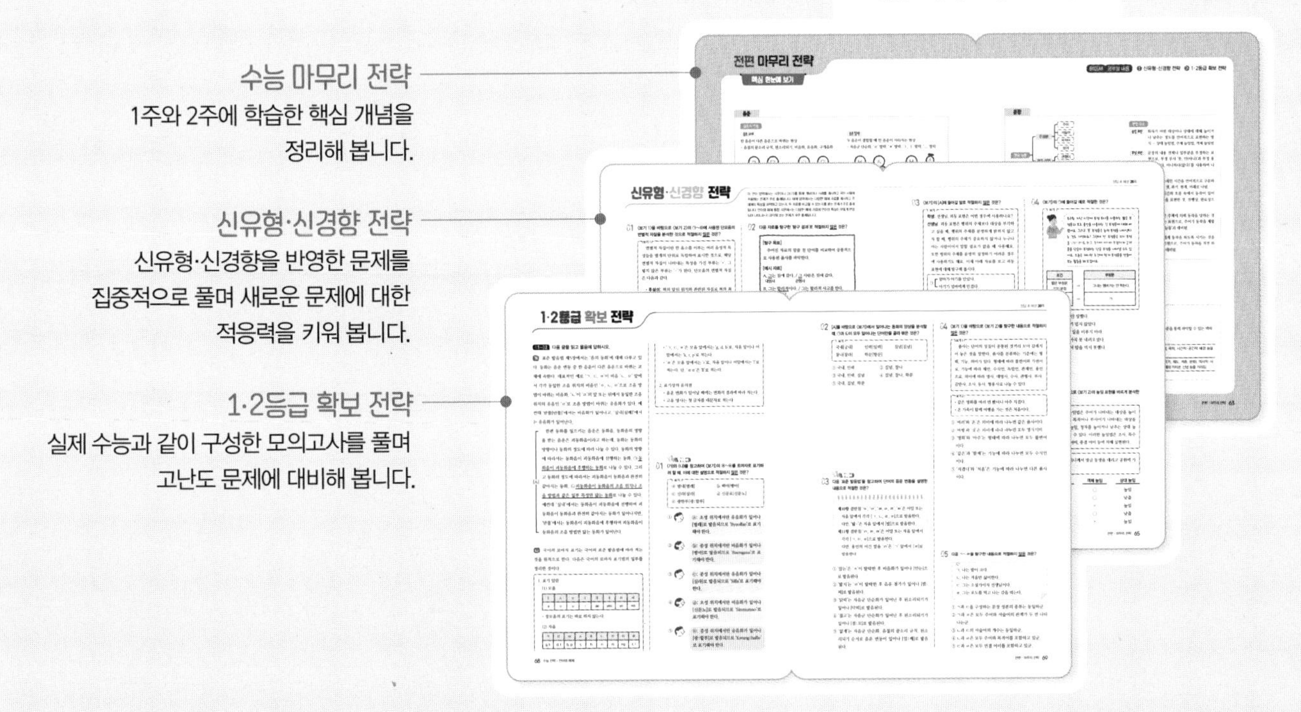

수능 마무리 전략
1주와 2주에 학습한 핵심 개념을 정리해 봅니다.

신유형·신경향 전략
신유형·신경향을 반영한 문제를 집중적으로 풀며 새로운 문제에 대한 적응력을 키워 봅니다.

1·2등급 확보 전략
실제 수능과 같이 구성한 모의고사를 풀며 고난도 문제에 대비해 봅니다.

이 책의 차례

BOOK 1

WEEK 1

WEEK 2

BOOK 2

WEEK 1

국어사

WEEK 2

매체

WEEK

1 음운과 단어

자음이나 모음이 하나만 바뀌어도 단어의 뜻이 달라지는 것을 알 수 있지? 이렇게 말의 뜻을 구별해 주는 소리의 가장 작은 단위를 음운이라고 해.

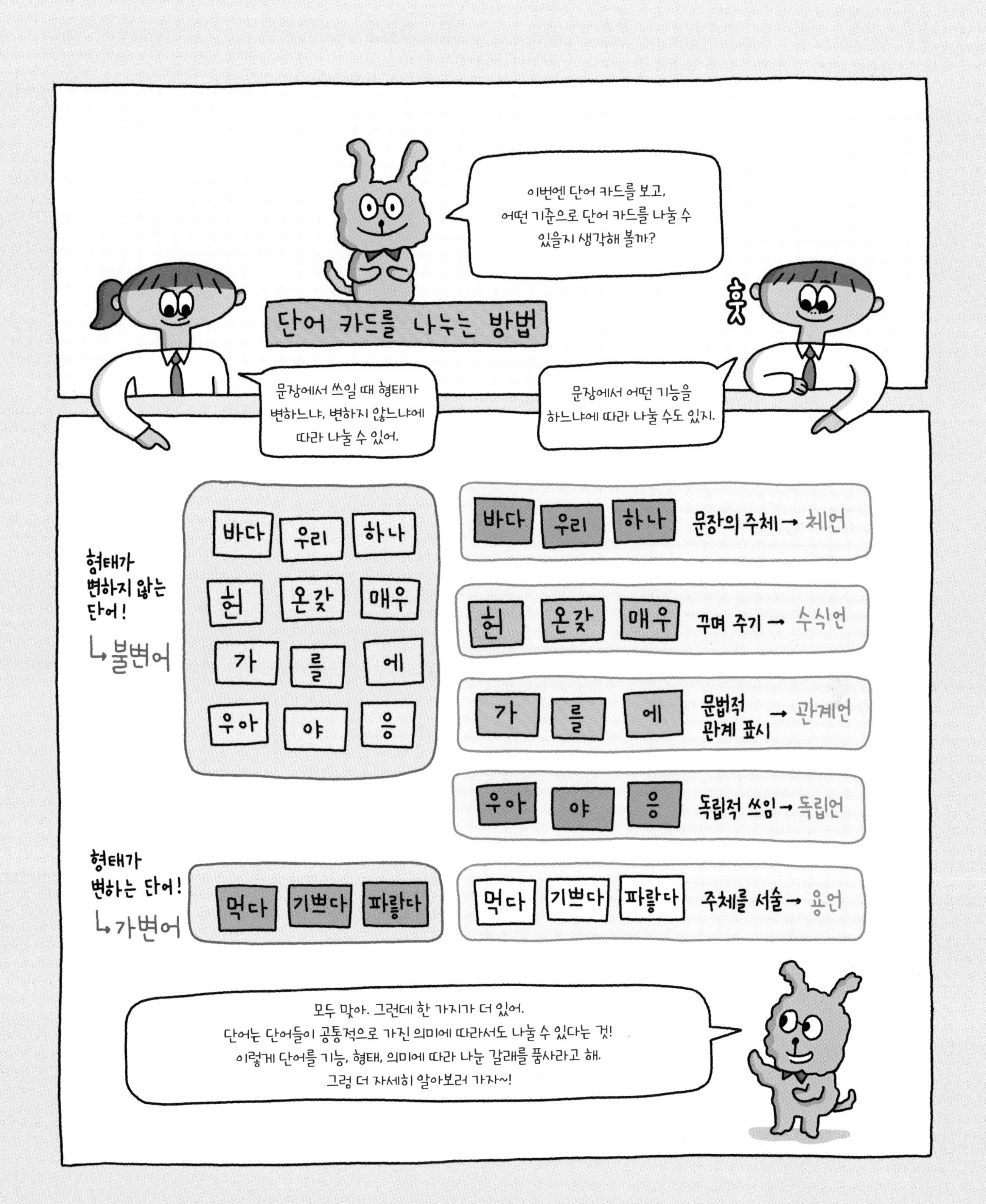
이번엔 단어 카드를 보고, 어떤 기준으로 단어 카드를 나눌 수 있을지 생각해 볼까?
단어 카드를 나누는 방법
문장에서 쓰일 때 형태가 변하느냐, 변하지 않느냐에 따라 나눌 수 있어.
문장에서 어떤 기능을 하느냐에 따라 나눌 수도 있지.
형태가 변하지 않는 단어!
불변어
바다 우리 하나
헌 온갖 매우
가 를 에
우아 야 응
바다 우리 하나 문장의 주체 → 체언
헌 온갖 매우 꾸며 주기 → 수식언
가 를 에 문법적 관계 표시 → 관계언
우아 야 응 독립적 쓰임 → 독립언
형태가 변하는 단어!
가변어
먹다 기쁘다 파랗다
먹다 기쁘다 파랗다 주체를 서술 → 용언
모두 맞아. 그런데 한 가지가 더 있어.
단어는 단어들이 공통적으로 가진 의미에 따라서도 나눌 수 있다는 것!
이렇게 단어를 기능, 형태, 의미에 따라 나눈 갈래를 품사라고 해.
그럼 더 자세히 알아보러 가자~!

WEEK 1 DAY 1

개념 돌파 전략 ①

개념 01 음운

음운의 개념 말의 ❶ [ ]을 구별해 주는 소리의 가장 작은 단위

음운의 분류

분절 음운	소리마디의 경계가 구분되는 음운으로 자음과 모음, 반모음을 가리킴.
비분절 음운	소리마디가 구분되지 않는 음운으로, 소리의 ❷ [ ], 높낮이, 강약 등을 통해 말의 뜻을 구별함. 예 눈[眼]-눈[눈ː][雪] → 소리의 길이에 따라 단어의 뜻이 달라짐.

답 ❶ 뜻 ❷ 길이

확인 01

다음 문장에 들어갈 알맞은 말을 골라 ○표를 하시오.

> 소리마디의 경계가 구분되는 음운을 (분절 음운 / 비분절 음운)이라고 한다.

개념 02 자음과 모음 체계

자음 목청을 통과한 공기의 흐름이 ❶ [ ]의 방해를 받아 만들어지는 소리

- 조음 위치에 따라: 입술소리, 잇몸소리, 센입천장소리, 여린입천장소리, 목청소리
- 조음 방법에 따라: 파열음, 파찰음, 마찰음, 비음, 유음

모음 목청을 통과한 공기의 흐름이 아무런 방해 없이 발음 기관을 통과하면서 만들어지는 소리

단모음	발음하는 도중 입술이나 혀가 고정되어 움직이지 않는 모음 예 ㅏ, ㅐ, ㅓ, ㅔ, ㅗ, ㅚ, ㅜ, ㅟ, ㅡ, ㅣ
이중 모음	발음할 때 입술의 ❷ [ ]이나 혀의 위치가 달라지는 모음으로, 반모음과 단모음이 결합하여 이루어짐. 예 ㅑ, ㅒ, ㅕ, ㅖ, ㅘ, ㅙ, ㅛ, ㅝ, ㅞ, ㅠ, ㅢ

답 ❶ 발음 기관 ❷ 모양

확인 02

다음 중 단모음인 것은?

① ㅑ ② ㅐ ③ ㅒ

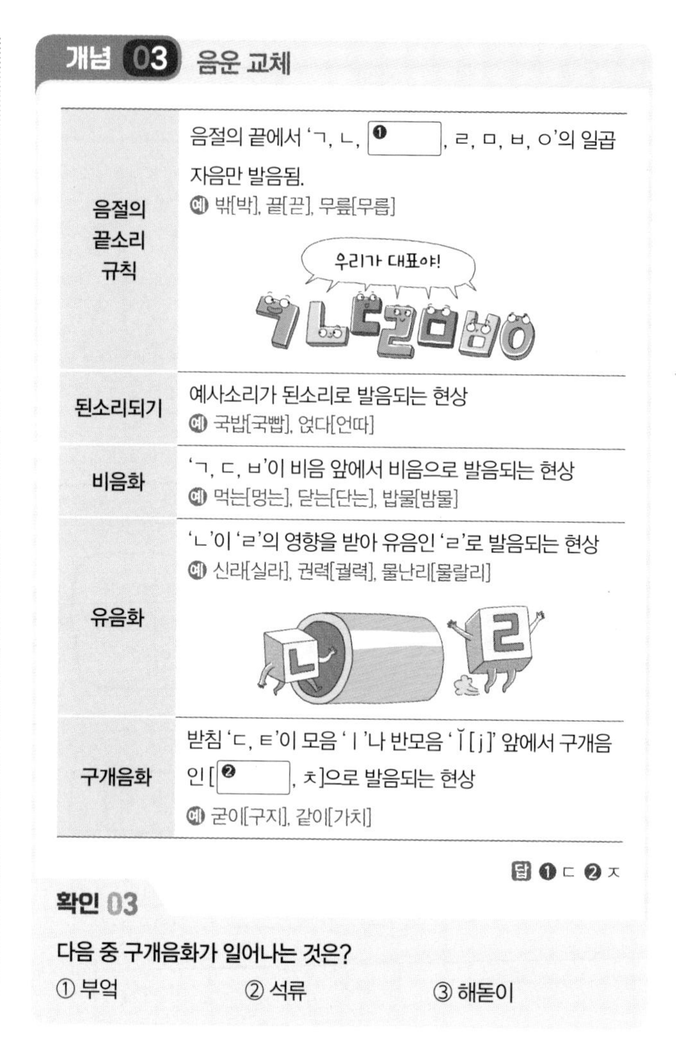

개념 03 음운 교체

음절의 끝소리 규칙	음절의 끝에서 'ㄱ, ㄴ, ❶ [ ], ㄹ, ㅁ, ㅂ, ㅇ'의 일곱 자음만 발음됨. 예 밖[박], 끝[끋], 무릎[무릅] 
된소리되기	예사소리가 된소리로 발음되는 현상 예 국밥[국빱], 엾다[언따]
비음화	'ㄱ, ㄷ, ㅂ'이 비음 앞에서 비음으로 발음되는 현상 예 먹는[멍는], 닫는[단는], 밥물[밤물]
유음화	'ㄴ'이 'ㄹ'의 영향을 받아 유음인 'ㄹ'로 발음되는 현상 예 신라[실라], 권력[궐력], 물난리[물랄리] 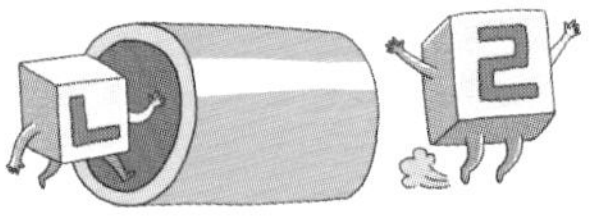
구개음화	받침 'ㄷ, ㅌ'이 모음 'ㅣ'나 반모음 'ǐ[j]' 앞에서 구개음인 [❷ [ ], ㅊ]으로 발음되는 현상 예 굳이[구지], 같이[가치]

답 ❶ ㄷ ❷ ㅈ

확인 03

다음 중 구개음화가 일어나는 것은?

① 부엌 ② 석류 ③ 해돋이

개념 04 음운 첨가

'ㄴ' 첨가	자음으로 끝나는 말 뒤에 'ㅣ', 또는 반모음 'ǐ'로 시작하는 말이 결합할 때 '❶ [ ]'이 첨가되는 현상 예 솜+이불 → 솜이불[솜ː니불] 한-+여름 → 한여름[한녀름]
반모음 첨가	모음으로 끝나는 용언 어간 뒤에 '-아/어'로 시작하는 어미가 결합할 때 ❷ [ ] 'ǐ'가 첨가되는 현상 예 피-+-어 → [피어/피여] 되-+-어 → [되어/되여]

답 ❶ ㄴ ❷ 반모음

확인 04

다음 빈칸에 들어갈 알맞은 말을 쓰시오.

> '색연필'은 [□□□]로 발음한다.

개념 05 음운 탈락

자음군 단순화	음절의 끝에 ❶ [　　] 이 올 때, 자음 하나가 탈락하는 현상 예 넋[넉], 닭[닥]
'ㄹ' 탈락	'ㄹ'이 끝소리인 용언 어간이 어미의 첫소리인 'ㄴ, ㅅ'과 결합할 때 'ㄹ'이 탈락하는 현상 예 울-+-는 → [우:는], 살-+-는 → [사:는]
'ㅎ' 탈락	'ㅎ'이 끝소리인 용언 어간이 모음으로 시작하는 어미나 접미사와 결합할 때 '❷ [　　]'이 탈락하는 현상 예 낳은[나은], 않은[아는]
'ㅏ, ㅓ' 탈락	모음 'ㅏ, ㅓ'로 끝나는 용언 어간이 'ㅏ, ㅓ'로 시작하는 어미와 결합할 때 'ㅏ, ㅓ'가 탈락하는 현상 예 가-+-아서 → [가서], 서-+-어도 → [서도]
'ㅡ' 탈락	모음 'ㅡ'로 끝나는 용언 어간이 모음 'ㅏ, ㅓ'로 시작하는 어미와 결합할 때 'ㅡ'가 탈락하는 현상 예 크-+-어서 → [커서], 담그-+-아서 → [담가서]

답 ❶ 겹받침 ❷ ㅎ

확인 05

다음 단어에 나타난 음운 탈락 현상의 종류를 각각 쓰시오.

(1) 넓다[널따]　　(2) 좋아[조:아]

개념 06 음운 축약

거센소리되기 예사소리 'ㄱ, ㄷ, ㅂ, ㅈ'이 '❶ [　　]'과 만나 각각 [ㅋ, ㅌ, ❷ [　　], ㅊ]와 같은 거센소리로 발음되는 현상

예 놓고[노코], 낳다[나:타], 업히다[어피다], 앉히다[안치다]

답 ❶ ㅎ ❷ ㅍ

확인 06

'맏형[마텽]'에 나타난 음운 변동 현상은?

① 교체　② 첨가　③ 탈락　④ 축약

개념 07 형태소와 단어

형태소 일정한 뜻을 가진 가장 작은 말의 단위

자립성 유무	자립 형태소	혼자 쓰일 수 있는 형태소
	의존 형태소	반드시 다른 형태소와 결합하여 쓰이는 형태소
실질적 의미의 유무	실질 형태소	구체적인 대상이나 상태를 나타내는 실질적인 의미를 가진 형태소
	형식 형태소	❶ [　　] 인 의미, 즉 형식적인 의미만을 가진 형태소

단어 자립하여 쓸 수 있는 말 중 가장 작은 단위

- ❷ [　　] 는 자립하여 쓸 수 없으나 예외적으로 단어의 자격을 부여함.

답 ❶ 문법적 ❷ 조사

확인 07

다음 문장에서 자립 형태소를 모두 찾아 쓰시오.

나는 친구와 책을 읽는다.

개념 08 단어의 형성

단일어 하나의 ❶ [　　] 으로 이루어진 단어

예 나무, 하늘, 바다

복합어

합성어	통사적 합성어	국어의 일반적인 통사적 구성 방식을 따른 합성어 예 첫사랑, 넘어가다
	비통사적 합성어	국어의 일반적인 통사적 구성 방식과 다른 방식으로 형성된 합성어 예 덮밥, 날뛰다
파생어	접두 파생어	어근의 앞에 ❷ [　　] 가 붙어 만들어진 파생어 예 풋사랑, 군침
	접미 파생어	어근의 뒤에 접미사가 붙어 만들어진 파생어 예 놀이, 어른스럽다

답 ❶ 어근 ❷ 접두사

확인 08

다음 중 통사적 합성어가 아닌 것은?

① 논밭　② 돌아가다　③ 굶주리다

개념 09 품사의 분류

체언	명사	사람이나 사물의 ❶ ____ 을 나타내는 단어 예 나무, 주시경
	대명사	대상의 이름을 대신하여 가리키는 단어 예 나, 너, 이것, 그것
	수사	사물의 수량이나 순서를 가리키는 단어 예 하나, 첫째
용언	동사	사람이나 사물의 동작이나 작용을 나타내는 단어 예 가다, 읽다
	형용사	사람이나 사물의 ❷ ____ 이나 상태를 나타내는 단어 예 높다, 크다
수식언	관형사	체언 앞에서 체언을 꾸며 주는 역할을 하는 단어 예 옛, 모든
	부사	용언이나 문장을 꾸며 주는 역할을 하는 단어 예 매우, 과연
관계언	조사	주로 체언 뒤에 붙어서 다양한 문법적 관계를 나타내거나 특별한 의미를 더해 주는 단어 예 가, 는
독립언	감탄사	부름, 응답, 놀람, 느낌 등을 나타내며, 문장 내 다른 성분들에 얽매이지 않고 독립성을 지니는 단어 예 아, 네

답 ❶ 이름 ❷ 성질

확인 09

다음 중 관형사가 아닌 것은?

① 모든 ② 모두 ③ 여러

개념 10 용언의 활용

규칙 활용 용언이 활용할 때 어간과 어미의 형태가 ❶ ____ 으로 나타남.

예 뽑-+-아 → 뽑아
쓰-+-어 → 써('ㅡ' 탈락은 규칙 활용으로 봄.)

불규칙 활용 용언이 활용할 때 어간이나 어미의 기본 ❷ ____ 가 불규칙적으로 나타남.

예 돕-+-아 → 도와, 이르-+-어 → 이르러

답 ❶ 규칙적 ❷ 형태

확인 10

다음 단어의 활용 형태를 쓰시오.

먹-+-어 → ________

개념 11 다의어와 동음이의어

다의어 하나의 단어가 ❶ ____ 이상의 의미를 가진 단어로, 단어의 의미가 서로 관련이 있음.

- 중심적 의미: 가장 기본적이고 핵심적인 의미
- 주변적 의미: 중심적 의미가 확장된 의미

다리
- 다리에 쥐가 나다. 사람이나 동물의 몸통 아래 붙어 있는 신체의 부분. → 중심적 의미
- 의자 다리가 부러졌다. 물체의 아래쪽에 붙어서 그 물체를 받치거나 직접 땅에 닿지 아니하게 하거나 높이 있도록 버티어 놓은 부분. → 주변적 의미

동음이의어 소리는 같지만 ❷ ____ 가 다른 단어로, 단어의 의미가 서로 관련이 없음.

- 발[1] — 축구공을 발로 차다. 사람이나 동물의 다리 맨 끝부분.
- 발[2] — 국수의 발이 가늘다. 실이나 국수 따위의 가늘고 긴 물체의 가락.

답 ❶ 둘 ❷ 의미

확인 11

다음 밑줄 친 단어의 의미 관계를 쓰시오.

- 목적지에 이르다.
- 아이들에게 주의하라고 이르다.

개념 12 유의 관계

의미 비슷한 의미를 가진 둘 이상의 단어가 맺는 의미 관계 예 이 – 치아, 얼굴 – 안면

특징

- 유의 관계에 있는 단어는 그 의미가 완전히 ❶ ____ 한 것은 아니므로 문맥상 교체할 수 없는 경우도 있음.
- 유의 관계에 있는 단어의 ❷ ____ 를 확인하면 두 단어의 의미 차이를 발견할 수 있음.

답 ❶ 동일 ❷ 반의어

확인 12

다음 문장에서 문맥상 알맞은 단어를 고르시오.

한 시간 (안 / 속)에 문제를 다 풀어야 한다.

개념 13 반의 관계

의미 둘 이상의 단어가 서로 짝을 이루어 ❶ [ ] 하는 의미 관계

예 남성 ↔ 여성, 앉다 ↔ 서다

특징

- 반의 관계에 있는 두 단어는 ❷ [ ] 의 의미 요소만 다르고 나머지 의미 요소들은 모두 공통됨.
- 문맥에 따라 한 단어가 여러 개의 단어들과 반의 관계를 형성할 수 있음.

예 벗다 ↔ 입다, 쓰다, 신다

답 ❶ 대립 ❷ 하나

확인 13

다음 중 반의 관계를 이루는 것은?

① 앞 - 뒤 ② 밥 - 진지 ③ 빼다 - 뽑다

개념 14 상하 관계

의미 한 단어가 의미상 다른 단어를 ❶ [ ] 하거나 다른 단어에 포함되는 의미 관계

예 생물⊃동물⊃척추동물⊃포유류

상의어	한 단어가 의미상 다른 단어를 포함하는 단어. 상의어일수록 의미가 일반적, 포괄적임.
하의어	한 단어가 의미상 다른 단어에 포함되는 단어. 하의어일수록 의미가 ❷ [ ], 한정적임.

특징 상의어와 하의어의 관계가 상대적이기 때문에 한 단어의 상의어가 다른 단어의 하의어일 수도 있음.

예

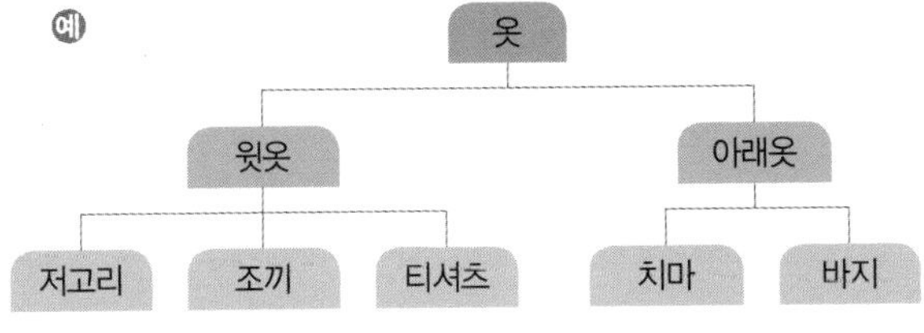

답 ❶ 포함 ❷ 구체적

확인 14

다음 단어들 중 나머지 단어들을 모두 포함하는 상의어를 찾아 ○표를 하시오.

감	과일	사과	포도	바나나

개념 15 단어의 올바른 표기

한글 맞춤법

- 기본 원칙

> **제1항** 한글 맞춤법은 표준어를 소리대로 적되, ❶ [ ] 에 맞도록 함을 원칙으로 한다.

표준어 규정

- 제1부 표준어 사정 원칙

> **제1항** 표준어는 교양 있는 사람들이 두루 쓰는 현대 서울말로 정함을 원칙으로 한다.

- 제2부 표준 발음법

> **제1항** 표준 발음법은 표준어의 실제 발음을 따르되, 국어의 전통성과 합리성을 고려하여 정함을 원칙으로 한다.

외래어 표기법

- 기본 원칙

> - **제1항** 외래어는 국어의 현용 24 자모만으로 적는다.
> - **제2항** 외래어의 1 음운은 원칙적으로 1 기호로 적는다.
> - **제3항** 받침에는 'ㄱ, ㄴ, ㄹ, ㅁ, ㅂ, ㅅ, ㅇ'만을 쓴다.
> - **제4항** 파열음 표기에는 된소리를 쓰지 않는 것을 원칙으로 한다.
> - **제5항** 이미 굳어진 외래어는 관용을 존중하되, 그 범위와 용례는 따로 정한다.

국어의 로마자 표기법

- 기본 원칙

> - **제1항** 국어의 로마자 표기는 국어의 ❷ [ ] 에 따라 적는 것을 원칙으로 한다.
> - **제2항** 로마자 이외의 부호는 되도록 사용하지 않는다.

답 ❶ 어법 ❷ 표준 발음법

확인 15

다음 단어의 외래어 표기가 올바른 것을 고르시오.

(1) Paris (빠리 / 파리)

(2) chocolate (초콜릳 / 초콜릿)

WEEK 1 DAY 1

개념 돌파 전략 ②

01 다음을 통해 알 수 있는 음운의 특징으로 가장 적절한 것은?

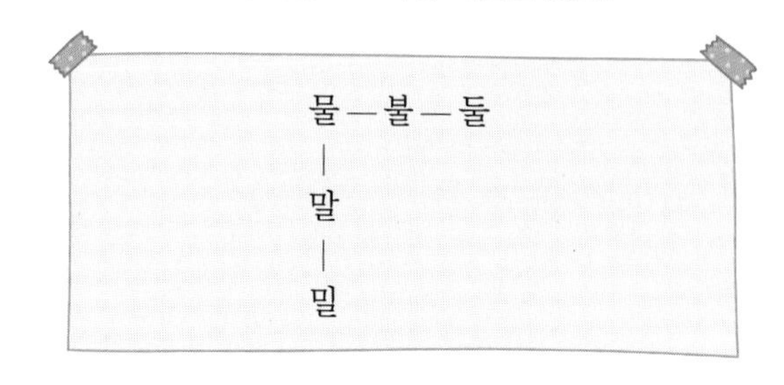

① 하나의 모음으로 하나의 음절을 만들 수 있다.
② 소리의 길이, 높낮이, 강약 등은 비분절 음운에 속한다.
③ 음운은 말의 뜻을 구별해 주는 소리의 가장 작은 단위이다.
④ 음운은 음운 환경에 따라 다른 음운으로 바뀌어 나타날 수 있다.
⑤ 음절은 모음, 자음+모음, 모음+자음, 자음+모음+자음의 네 형태로 이루어진다.

문제 해결 전략

동일한 환경에서 오직 한 가지 ❶ ___ 에 의해 의미가 구분되는 단어의 짝을 최소 대립쌍이라고 해. 최소 대립쌍은 음운이 말의 뜻을 구별해 주는 ❷ ___ 의 단위임을 보여 주는 역할을 하지.

답 ❶ 음운 ❷ 소리

02 다음 중 음운이 변동될 때 음운의 수가 변하는 것은?

① 값을[갑쓸] ② 밤나무[밤:나무] ③ 좋으니[조:으니]
④ 하늘이[하느리] ⑤ 말씀이시다[말:쓰미시다]

문제 해결 전략

어떤 음운이 음운 환경에 따라 교체, 축약, 탈락, 첨가되는 현상을 음운 변동 현상이라고 해. 음운이 교체되면 음운 수의 변동이 없지만, 음운이 축약하거나 탈락하면 음운 수는 ❶ ___ 고, 음운이 첨가되면 음운 수는 ❷ ___ 게 돼.

답 ❶ 줄(어들) ❷ 늘(어나)

03 다음 단모음 체계표를 참고할 때, ㉠과 ㉡의 발음 방법으로 적절한 것은?

혀의 앞뒤 위치 / 입술 모양 / 혀의 높이	전설 모음		후설 모음	
	평순 모음	원순 모음	평순 모음	원순 모음
고모음	ㅣ	ㅟ	ㅡ	ㅜ
중모음	ㅔ	ㅚ	ㅓ	ㅗ
저모음	ㅐ		ㅏ	

㉠ 베를 짜다. ㉡ 배가 아프다.

① ㉠과 ㉡ 모두 입술을 둥글게 오므려서 발음해야 한다.
② ㉠과 ㉡은 혀의 높이를 같은 지점에 두고 발음해야 한다.
③ ㉠은 ㉡과 달리 혀의 위치를 앞쪽에 두고 발음해야 한다.
④ ㉠은 ㉡과 달리 입술을 평평한 모양으로 만들어 발음해야 한다.
⑤ ㉡은 ㉠에 비해 입을 더 크게 벌리고 혀의 높이를 낮추어서 발음해야 한다.

문제 해결 전략

발음 도중 입술이나 혀가 고정되어 움직이지 않는 모음을 '단모음'이라고 해. 단모음은 발음할 때 ❶ ___ 의 위치가 앞이냐 뒤냐, 발음할 때 ❷ ___ 의 모양이 둥그냐 평평하냐, 발음할 때 혀의 높이가 어디에 있느냐의 세 가지 기준에 따라 나누어져.

답 ❶ 혀 ❷ 입술

04 다음 문장에 대한 설명으로 적절하지 않은 것은?

하늘이 맑고 푸르다.

① '맑고'는 두 개의 형태소로 나눌 수 있다.
② '하늘', '맑-', '푸르-'는 단어의 어근이다.
③ '-다'는 문법적인 의미를 가진 형태소이다.
④ '하늘이'는 자립 형태소 두 개로 나눌 수 있다.
⑤ '푸르다'는 의존 형태소 두 개로 나눌 수 있다.

문제 해결 전략

형태소는 ❶ ______의 유무에 따라 자립 형태소와 의존 형태소로 나눌 수 있고, 실질적 의미의 유무에 따라 ❷ ______ 형태소와 형식 형태소로 나눌 수 있어.

답 ❶ 자립성 ❷ 실질

05 품사에 대한 설명으로 적절한 것은?

① 수사는 문장 안에서 형태가 변화할 수 있다.
② 동사는 문장의 주어를 서술하는 기능을 한다.
③ 관형사는 용언이나 문장을 수식하는 기능을 한다.
④ 명사는 대상의 이름을 대신하여 가리키는 단어이다.
⑤ 감탄사는 주로 체언 뒤에 붙어 다른 말과의 문법적인 관계를 나타낸다.

문제 해결 전략

품사는 문장 안에서 단어의 ❶ ______ 변화 여부에 따라 불변어와 가변어로 나눌 수 있어. 또한 단어의 ❷ ______에 따라 체언, 수식언, 독립언, 관계언, 용언으로 나눌 수 있지. 그리고 단어가 가진 의미에 따라 아홉 품사로 나눌 수 있어.

답 ❶ 형태 ❷ 기능

06 다음은 문법 수업의 내용을 정리한 학생의 노트이다. 이를 바탕으로 〈보기〉를 이해한 내용으로 적절하지 않은 것은?

- 다의어: 의미적 관련성이 있는 두 가지 이상의 뜻을 가진 단어
  - 중심적 의미: 기본적이고 핵심적인 의미
  - 주변적 의미: 중심적 의미를 제외한 나머지 의미
- 동음이의어: 소리는 같지만 뜻이 다른 단어

보기

발¹ 「1」 사람이나 동물의 다리 맨 끝부분. 예 발을 디디다.
「2」 가구 따위의 밑을 받쳐 균형을 잡고 있는, 짧게 도드라진 부분.
예 장롱의 발.
발² 실이나 국수 따위의 가늘고 긴 물체의 가락. 예 국수의 발이 가늘다.

① 발¹은 다의어에 해당하겠구나.
② 발¹과 발²는 동음이의어에 해당하겠구나.
③ 발¹의 「1」은 해당 단어의 기본적인 의미겠구나.
④ 발¹의 「2」는 「1」과는 의미적 관련성이 없겠구나.
⑤ 발¹의 「2」는 발²와는 의미적 관련성이 없겠구나.

문제 해결 전략

❶ ______는 두 가지 이상의 의미를 가진 단어로, 이 의미들은 관련성을 지니고 있어 사전에 하나의 표제어로 제시해. 반면 동음이의어는 소리는 같지만 의미가 다른 단어이므로, 사전에 별도의 ❷ ______로 제시하지.

답 ❶ 다의어 ❷ 표제어

WEEK 1 DAY 2

필수 체크 전략 ①

대표 유형 1 음운의 특성 이해

1 〈보기〉를 참고하여 외국 학생이 정확한 발음을 하도록 조언한 내용으로 알맞은 것은?

보기

조음 방법 \ 조음 위치		두 입술	윗잇몸	센 입천장	여린 입천장	목청
안울림 소리	파열음	ㅂㅃㅍ	ㄷㄸㅌ		ㄱㄲㅋ	
	파찰음			ㅈㅉㅊ		
	마찰음		ㅅㅆ			ㅎ
울림 소리	비음	ㅁ	ㄴ		ㅇ	
	유음		ㄹ			

① '불'은 '둘'처럼 혀끝을 윗잇몸에 닿게 해서 소리 내야 해.
② '불'은 '굴'처럼 혓바닥을 여린입천장에 밀착시켜 소리 내야 해.
③ '불'은 '눌'과 달리 두 입술을 맞닿게 하면서 목청을 울리지 않고 소리 내야 해.
④ '불'은 '둘', '굴'과 달리 폐에서 나오는 공기의 흐름을 일단 막았다가 터뜨리면서 소리 내야 해.
⑤ '불'은 '둘', '눌'과 달리 코로 공기를 내보내며 목청을 울리며 소리 내야 해.

유형 해결 전략 국어의 자음 체계는 크게 ❶ ______와 ❷ ______에 따라 나누어져. 자음은 ❶ ______에 따라 입술소리, 잇몸소리, 센입천장소리, 여린입천장소리, 목청소리로 나눌 수 있고, ❷ ______에 따라 파열음, 파찰음, 마찰음, 비음, 유음으로 나눌 수 있어.

답 ❶ 조음 위치 ❷ 조음 방법

1-1 다음 표를 참고할 때, 〈보기〉의 설명에 알맞은 단어 카드는?

혀의 높이 \ 입술 모양 \ 혀의 앞뒤 위치	전설 모음		후설 모음	
	평순 모음	원순 모음	평순 모음	원순 모음
고모음	ㅣ	ㅟ	ㅡ	ㅜ
중모음	ㅔ	ㅚ	ㅓ	ㅗ
저모음	ㅐ		ㅏ	

보기

다음 설명에 알맞은 단어 카드를 골라 주세요.

이것은 두 음절로 된 단어입니다. 1음절의 모음은 입을 많이 벌려 혀의 높이를 가장 낮추고 입술의 모양을 평평하게 해서 발음합니다. 2음절의 모음은 혀의 위치를 앞쪽에 두고 입술의 모양을 둥글게 오므려 발음합니다.

도움말 단모음은 혀의 위치에 따라 전설 모음과 ❶ ______으로, 혀의 높이에 따라 고모음, 중모음, 저모음으로, 입술의 모양에 따라 ❷ ______과 원순 모음으로 나누어져.

답 ❶ 후설 모음 ❷ 평순 모음

대표 유형 2 음운 체계와 음운의 변동 이해

2 〈보기 1〉을 활용하여 〈보기 2〉의 음운 변동을 설명한 내용으로 적절한 것은?

보기 1

조음 위치 / 조음 방법	입술소리	잇몸소리	센입천장소리	여린입천장소리
파열음	ㅂ, ㅍ	ㄷ, ㅌ		ㄱ, ㅋ
파찰음			ㅈ, ㅊ	
비음	ㅁ	ㄴ		ㅇ
유음		ㄹ		

보기 2

㉠ 국민 → [궁민]
㉡ 물난리 → [물랄리]
㉢ 굳이 → [구지]

① ㉠은 첫음절 끝의 파열음이 뒤의 자음과 결합하여 유음으로 바뀌었다.
② ㉡은 유음이 앞뒤 비음의 영향을 받아 비음으로 바뀌었다.
③ ㉢은 여린입천장소리가 뒤의 자음을 닮아 센입천장소리로 바뀌었다.
④ ㉠과 ㉡에서 변동된 음운은 조음 방법이 변하였다.
⑤ ㉡과 ㉢에서 변동된 음운은 조음 위치가 변하였다.

유형 해결 전략 ㉠~㉢에서 어떤 음운이 변동되었는지 살펴보고 자음 체계표를 통해 변동된 음운의 ❶ [   ]나 조음 방법이 어떻게 달라졌는지 확인해야 해. 그리고 비음화, 유음화는 비음이 아닌 음운이 비음으로, 유음이 아닌 음운이 ❷ [   ]으로 바뀌는 현상이야. 따라서 용어 자체에 조음 방법의 변화로 인한 음운 변동임이 드러나 있어.

답 ❶ 조음 위치 ❷ 유음

다음은 국어의 자음 체계표이다. 물음에 답하시오.

조음 위치 / 조음 방법	입술소리	잇몸소리	센입천장소리	여린입천장소리
파열음	ㅂ, ㅍ	ㄷ, ㅌ		ㄱ, ㅋ
파찰음			ㅈ, ㅊ	
비음	ㅁ	ㄴ		ㅇ
유음		ㄹ		

2-1 위 자음 체계표를 참고할 때, 〈보기〉의 ㉠~㉣에서 일어난 음운 동화에 대한 설명으로 적절한 것은?

보기

㉠ 별님[별:림] ㉡ 해돋이[해도지]
㉢ 닫는[단는] ㉣ 칼날[칼랄]

① ㉠과 ㉡은 조음 위치만 바뀌었다.
② ㉡과 ㉢은 조음 위치만 바뀌었다.
③ ㉢과 ㉣은 조음 방법만 바뀌었다.
④ ㉠과 ㉣은 조음 위치와 조음 방법이 모두 바뀌었다.
⑤ ㉢과 ㉣은 조음 위치와 조음 방법이 모두 바뀌었다.

2-2 위 자음 체계표를 참고할 때, 〈보기〉에 대한 설명으로 적절한 것은?

보기

설날[설:랄] 공론[공논] 난로[날:로]

① '설날'은 한 음운이 앞 음운의 영향을 받아 유음으로 바뀌어 조음 방법이 바뀐 사례이다.
② '설날'은 한 음운이 뒤 음운의 영향을 받아 비음으로 바뀌어 조음 위치가 바뀐 사례이다.
③ '공론'은 한 음운이 앞 음운의 영향을 받아 비음으로 바뀌어 조음 위치가 바뀐 사례이다.
④ '공론'은 한 음운이 뒤 음운의 영향을 받아 비음으로 바뀌어 조음 방법이 바뀐 사례이다.
⑤ '난로'는 한 음운이 뒤 음운의 영향을 받아 유음으로 바뀌어 조음 위치가 바뀐 사례이다.

도움말

비음화는 일반적으로 ❶ [   ] 'ㅂ, ㄷ, ㄱ'이 같은 조음 위치의 비음인 'ㅁ, ㄴ, ㅇ'으로 바뀌는 현상이야. 유음 'ㄹ'이 'ㅁ, ㅇ' 뒤에서 비음 'ㄴ'으로 바뀌기도 해. 이와 달리 유음화는 비음 'ㄴ'이 같은 조음 위치의 '❷ [   ]'로 바뀌는 현상이지.

답 ❶ 파열음 ❷ ㄹ

대표 유형 3 음운의 변동 이해

3 〈보기〉의 '활동 1'과 '활동 2'를 연결하여 '활동 자료'의 단어를 탐구한 내용으로 적절한 것은?

보기

[활동 자료]

국민[궁민] 글눈[글룬] 명랑[명낭]
신랑[실랑] 잡념[잠념]

[활동 1] 음운 변동이 있는 음운은 '1', 없는 음운은 '0'으로 표시하면 '국물[궁물]'은 '001000'으로 표시할 수 있습니다. '활동 자료'의 단어는 어떻게 표시될까요?

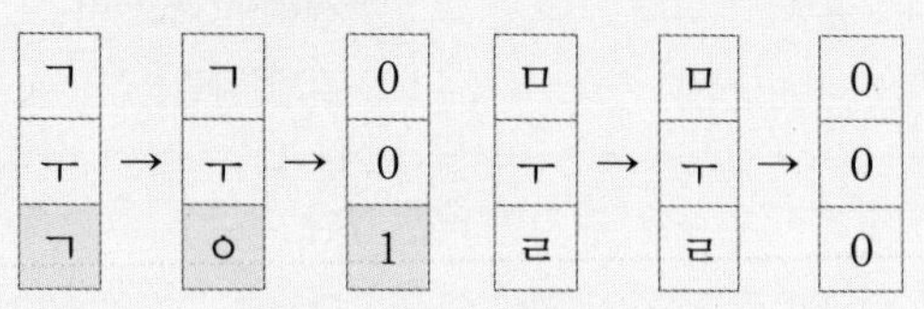

[활동 2] '활동 자료'의 단어를 발음할 때 순행 동화가 일어나는지 역행 동화가 일어나는지 알아봅시다.

• **순행 동화**: 뒤의 음운이 앞의 음운의 영향을 받아 그와 비슷하거나 같게 소리 나는 현상
• **역행 동화**: 앞의 음운이 뒤의 음운의 영향을 받아 그와 비슷하거나 같게 소리 나는 현상

① '국민'은 '001000'으로 표시할 수 있으므로 순행 동화이다.
② '글눈'은 '000100'으로 표시할 수 있으므로 역행 동화이다.
③ '명랑'은 '001000'으로 표시할 수 있으므로 순행 동화이다.
④ '신랑'은 '000100'으로 표시할 수 있으므로 역행 동화이다.
⑤ '잡념'은 '001000'으로 표시할 수 있으므로 역행 동화이다.

유형 해결 전략 '활동 자료'의 단어들은 발음할 때 비음화와 유음화가 일어나니까 '활동 2'를 해결하기 위해서는 비음 또는 유음과 변동된 음운의 순서를 살펴보면 돼. 예를 들어 '국물[궁물]'에서 비음 'ㅁ'은 2음절 초성에 위치해 있는데 1음절 ❶ ______에 위치한 'ㄱ'이 ❷ ______인 'ㅇ'으로 바뀌었어. 즉 뒤의 음운이 앞의 음운을 변화시켰으니까 역행 동화인 거지.

답 ❶ 종성 ❷ 비음

3-1 선생님의 설명을 바탕으로 '활동 자료'의 단어를 탐구한 내용으로 적절하지 않은 것은?

다음 활동 자료는 ㉠음절의 끝소리가 'ㄱ, ㄴ, ㄷ, ㄹ, ㅁ, ㅂ, ㅇ' 이외의 자음일 때, ㉡앞 음절의 끝소리와 뒤 음절의 첫소리가 만날 때, ㉢앞 음절의 끝소리가 뒤 음절의 가운뎃소리와 만날 때 음운의 교체가 나타나는 단어들입니다. 이 단어들 중에는 ⓐ음운의 변동이 한 번만 나타나는 경우도 있고 ⓑ음운의 변동이 두 번 이상 나타나는 경우도 있습니다.

[활동 자료]

부엌[부억] 앞집[압찝] 입술[입쑬]
달나라[달라라] 물받이[물바지]

① '부엌[부억]'은 ㉠이면서 ⓐ에 해당한다.
② '앞집[압찝]'은 ㉠, ㉡이면서 ⓑ에 해당한다.
③ '입술[입쑬]'은 ㉡이면서 ⓐ에 해당한다.
④ '달나라[달라라]'는 ㉠, ㉡이면서 ⓑ에 해당한다.
⑤ '물받이[물바지]'는 ㉢이면서 ⓐ에 해당한다.

3-2 다음 설명을 참고하여 이해한 내용으로 적절하지 않은 것은?

된소리되기

[정의] 예사소리가 된소리로 바뀌어 소리 나는 현상

[유형]

㉠ 받침 'ㄱ, ㄷ, ㅂ' 뒤에 연결되는 'ㄱ, ㄷ, ㅂ, ㅅ, ㅈ'을 된소리로 발음하는 유형
예 집밥[집빱], 국가[국까]

㉡ 어간 받침 'ㄴ(ㄵ), ㅁ(ㄻ)' 뒤에 결합되는 어미의 첫소리 'ㄱ, ㄷ, ㅅ, ㅈ'을 된소리로 발음하는 유형
예 안고[안ː꼬], 넘지[넘ː찌]

㉢ 관형사형 어미 '-(으)ㄹ' 뒤에 연결되는 'ㄱ, ㄷ, ㅂ, ㅅ, ㅈ'을 된소리로 발음하는 유형
예 갈 데[갈떼], 만날 사람[만날싸람]

① 된소리되기는 음운 교체 현상 중 하나로군.
② 된소리되기가 일어날 때 음운의 수는 변화가 없겠군.
③ '목덜미'가 [목떨미]로 발음되는 것은 ㉠의 예로 볼 수 있군.
④ '뻗다'가 [뻗따]로 발음되는 것은 ㉡의 예로 볼 수 있군.
⑤ '할 것을'이 [할꺼슬]로 발음되는 것은 ㉢의 예로 볼 수 있군.

대표 유형 4 음운 변동의 이해와 적용

4 〈보기〉는 음운 변동에 대한 선생님의 설명이다. 질문에 대한 답으로 적절한 것은?

보기

음운 변동은 결과에 따라 한 음운이 다른 음운으로 바뀌는 교체, 두 개의 음운이 하나의 음운으로 합쳐지는 축약, 두 개의 음운 중 하나의 음운이 없어지는 탈락, 원래 없던 음운이 새로 덧붙는 첨가가 있습니다.

• 다음 '잡일'과 동일한 음운 변동 과정이 일어나는 단어는 무엇일까요?

잡일 →(첨가) [잡닐] →(교체) [잠닐]

① 법학[버팍]　② 담요[담:뇨]
③ 국론[궁논]　④ 색연필[생년필]
⑤ 한여름[한녀름]

유형 해결 전략 음운 변동 현상은 음운 변동 현상의 환경이 갖추어져야만 일어나. 음운 변동 현상이 ❶ 번 이상 일어나는 경우에는 어떤 음운 변동이 먼저 일어나서 음운 ❷ 이 바뀌고, 바뀐 음운 환경 때문에 다음 음운 변동이 일어나는 거지.

답 ❶ 두(2) ❷ 환경

4-1 〈보기〉의 ㉠~㉣에서 설명한 음운 변동이 일어난 예로 적절한 것은?

보기

㉠ 원래 있던 음운이 없어진다.
㉡ 원래 없던 음운이 새로 생긴다.
㉢ 한 음운이 다른 음운으로 바뀐다.
㉣ 두 음운이 합쳐져 하나의 음운으로 바뀐다.

① ㉠: 놓아[노아], 일시[일씨]
② ㉡: 관리[괄리], 콩엿[콩녇]
③ ㉣: 앉히다[안치다], 끓이다[끄리다]
④ ㉠+㉢: 읊조리다[읍쪼리다], 꿋꿋하다[꾿꾸타다]
⑤ ㉡+㉢: 구급약[구:금냑], 밤윷[밤:뉻]

대표 유형 5 음운 변동의 이해와 적용

5 〈보기〉의 ㉠에 해당하는 예로 적절한 것은?

보기

음운 변동은 어떤 음운이 놓이는 환경에 따라 다른 음운으로 바뀌는 현상을 말한다. 음운 변동은 그 결과에 따라 한 음운이 다른 음운으로 바뀌는 교체, 원래 있던 음운이 없어지는 탈락, 없던 음운이 추가되는 첨가, ㉠두 개의 음운이 합쳐져서 하나로 되는 축약의 4가지 유형으로 분류된다.

① 먹히다　② 밭머리　③ 솜이불
④ 좋으면　⑤ 한여름

유형 해결 전략 음운 변동 현상의 유형을 파악할 때는 음운의 개수를 파악하는 것이 중요해. 음운의 개수가 늘어났다면 음운 첨가, 음운의 개수가 줄어들었다면 ❶ 또는 ❷ 이라고 볼 수 있어.

답 ❶ 음운 축약(탈락) ❷ 음운 탈락(축약)

5-1 다음 ㉠과 ㉡에 해당하는 예를 바르게 짝지은 것은?

음운 변동은 한 음운이 다른 음운으로 바뀌는 교체, 두 개의 음운이 하나의 음운으로 합쳐지는 ㉠축약, 원래 있던 음운이 없어지는 ㉡탈락, 원래 없던 음운이 새로 덧붙는 첨가로 나눌 수 있다.

	㉠	㉡
①	만형[마텅]	좋은[조:은]
②	무릎[무릅]	외곬[외골]
③	약학[야칵]	논리[놀리]
④	눈약[눈냑]	같이[가치]
⑤	맨입[맨닙]	많이[마:니]

도움말 음운 ❶ 현상과 음운 탈락 현상의 공통점은 음운의 ❷ 가 줄어든다는 거야. 합쳐지는 음운이 무엇인지, 사라지는 음운이 무엇인지 잘 살펴봐야 해.

답 ❶ 축약 ❷ 개수

WEEK 1 DAY 2

필수 체크 전략 ②

음운의 개념과 특성 이해

01 다음 '활동 자료'를 바탕으로 음운에 대해 탐구한 내용으로 적절하지 않은 것은?

[활동 자료]

음운: 말의 뜻을 구별해 주는 소리의 가장 작은 단위

㉠

강 - 공 - 궁

㉡

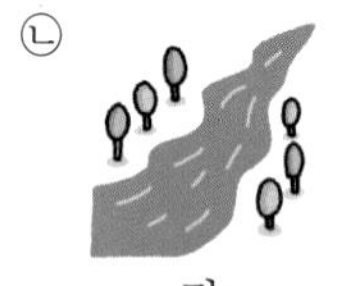  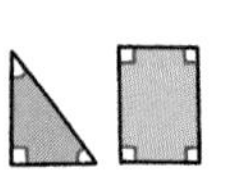

강 - 감 - 각

㉢

흰 눈[눈:]이 내립니다.

안경을 썼더니 눈[눈]이 잘 보인다.

㉣

닭고기가 좋아[닥꼬기가 조:아].

①  ㉠: 음절을 구성하는 모음의 차이로 말의 뜻이 구별되고 있으므로 모음은 음운이다.

② 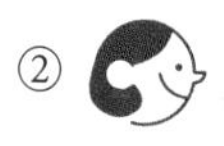 ㉡: 음절을 구성하는 자음의 차이로 말의 뜻이 구별되고 있으므로 자음은 음운이다.

③  ㉢: 자음과 모음 이외에도 말의 뜻을 구별하는 음운이 존재한다.

④  ㉣: 음운 변동 후의 음운의 개수는 모두 13개이다.

⑤  ㉣: 음운 환경에 따라 한 음운이 다른 음운으로 교체되거나 탈락한다.

음운 체계와 음운 교체 현상 이해

02 〈보기〉의 ㉠~㉢에 들어갈 말로 적절한 것은?

보기

조음 방법 \ 조음 위치	입술소리	잇몸소리	센입천장 소리	여린입 천장소리
파열음	ㅂ, ㅍ	ㄷ, ㅌ		ㄱ, ㅋ
파찰음			ㅈ, ㅊ	
마찰음		ㅅ, ㅆ		
비음	ㅁ	ㄴ		ㅇ
유음		ㄹ		

음운 교체 현상이란 한 음운이 앞이나 뒤의 음운의 영향을 받아 다른 음운으로 교체되는 현상을 말한다. 음운이 교체될 때에는 조음 방법이나 조음 위치가 달라지게 된다.

예를 들어 [㉠]은/는 한 음운이 [㉡] 음운의 영향을 받아 조음 [㉢]이/가 달라진 사례이다.

	㉠	㉡	㉢
①	강릉[강능]	앞	방법
②	겹눈[겸눈]	뒤	위치
③	밥물[밤물]	앞	방법
④	실내[실래]	뒤	방법
⑤	물놀이[물로리]	앞	위치

도움말

자음 체계표가 주어졌을 때 표에서 교체 전 음운과 교체 후 음운의 위치가 어떻게 달라졌는지 확인하면 선지를 빠르게 판단할 수 있어. 자음 체계표상에서 비음화는 파열음 'ㅂ, ㄷ, ㄱ'이 [❶] 'ㅁ, ㄴ, ㅇ'으로 이동하거나 유음 'ㄹ'이 'ㅁ, ㅇ' 뒤에서 비음 'ㄴ'으로 이동하고 있어. 이와 달리 유음화는 비음 'ㄴ'이 [❷] 'ㄹ'로 이동하고 있어.

답 ❶ 비음 ❷ 유음

음운 변동 현상 파악

03 〈보기〉의 ㉠~㉤에 대한 설명으로 적절하지 않은 것은?

보기

㉠ 눈요기[눈뇨기]　　㉡ 눕히다[누피다]
㉢ 젊고[점:꼬]　　㉣ 놀-+-세 → [노:세]
㉤ 파랗다[파:라타]

①  ㉠과 ㉣에서 일어난 음운 변동의 횟수는 같다.

② ㉡과 ㉤은 동일한 음운 변동 현상이 일어난다. 

③ ㉢과 ㉣에서 일어난 음운 변동의 횟수는 다르다.

④ ㉢에서 탈락한 음운은 ㉣에서 탈락한 음운과 같다. 

⑤ ㉠~㉤ 중 음운 변동의 결과 음운의 개수가 늘어난 사례는 없다.

음운 축약 현상과 탈락 현상 이해

04 〈보기〉의 ㉠에 들어갈 말로 적절한 것은?

보기

용언 '좋다'의 어간에 다양한 어미를 붙여 활용해 보면 아래와 같다.

좋고　좋아　좋으니　좋아서　좋으므로

위에 나타난 '좋다'의 활용형에 나타난 음운 변동 현상을 살펴보면 '(　㉠　)'에만 다른 음운 변동 현상이 나타나는 것을 알 수 있다.

① 좋고　② 좋아　③ 좋으니
④ 좋아서　⑤ 좋으므로

도움말

'ㅎ'으로 끝나는 용언의 어간이 예사소리로 시작되는 어미와 만나면 ❶ ______ 현상이 일어나고 ❷ ______ 으로 시작되는 어미나 접미사와 만나면 'ㅎ' 탈락 현상이 일어나.

답 ❶ 거센소리되기 ❷ 모음

음운 동화 현상 이해

05 〈보기〉의 ㉠~㉢에 해당하는 예로 적절한 것은?

보기

한 음운이 주위에 있는 다른 음운의 성질을 닮아 가는 현상을 '동화'라고 한다. 동화에는 ㉠'ㄴ, ㅁ' 앞에서 'ㄱ, ㄷ, ㅂ'이 'ㅇ, ㄴ, ㅁ'으로 변하는 것, ㉡'ㄹ'의 앞뒤에서 'ㄴ'이 'ㄹ'로 변하는 것, ㉢끝소리가 'ㄷ, ㅌ'인 형태소가 모음 'ㅣ'로 시작되는 형식 형태소와 만났을 때 'ㄷ, ㅌ'이 'ㅈ, ㅊ'으로 변하는 것이 있다.

① ㉠: 권리[궐리]
② ㉠: 식물[싱물]
③ ㉡: 받는[반는]
④ ㉡: 맨입[맨닙]
⑤ ㉢: 햇빛이[핻삐치]

음운 변동 과정 파악

06 다음 '활동 과제'의 예와 동일한 음운 변동 과정이 일어나는 것은?

어떤 형태소의 음운이 일정한 환경에 따라 변하는 현상을 음운 변동이라고 하는데, 음운 변동에는 교체, 첨가, 탈락, 축약이 있다. 이러한 음운 변동은 단어에 따라 한 번만 일어나기도 하지만, 한 단어 안에서 두 가지 이상의 음운 변동이 순차적으로 일어나기도 한다.

[활동 과제]

아래와 같은 순서로 음운 변동이 일어난 예를 찾아보자.

따뜻한 → [따뜯한] → [따뜨탄]

① 꽂다지[꼳따지]　② 엿가락[엳까락]
③ 밭이랑[반니랑]　④ 벚나무[번나무]
⑤ 숱하다[수타다]

WEEK 1 DAY 3

필수 체크 전략 ①

대표 유형 6 형태소의 이해

1 〈보기〉의 설명을 참고할 때, ㉠을 분석한 내용으로 적절하지 않은 것은?

> 보기
>
> '형태소'는 뜻을 가진 말의 가장 작은 단위이다. 형태소는 의미의 유무에 따라 구체적인 대상이나 동작, 상태를 표시하는 실질적인 의미를 지닌 실질 형태소와 문법적인 기능을 수행하는 형식 형태소로 나눌 수 있다. 그리고 자립성의 유무에 따라 다른 말에 기대어 쓰이지 않고 홀로 사용될 수 있는 자립 형태소와 다른 말에 기대어 사용되는 의존 형태소로 나눌 수 있다.
>
> ㉠ 하늘이 매우 높고 푸르다.

① 자립 형태소는 모두 4개이다.
② 형식 형태소는 모두 3개이다.
③ 의존 형태소는 모두 5개이다.
④ 실질 형태소이면서 의존 형태소는 모두 2개이다.
⑤ 실질 형태소이면서 자립 형태소는 모두 2개이다.

유형 해결 전략 ❶ [ ]를 실질적 ❷ [ ]의 유무와 자립성의 유무에 따라 나눌 수 있다는 점을 파악하고, 제시된 예문에 이러한 기준을 적용해 봐.

답 ❶ 형태소 ❷ 의미

1-1 〈보기〉에서 선생님의 설명을 바탕으로 ㉠을 탐구한 내용 중 적절하지 않은 것은?

> 보기
>
> 
>
> 형태소는 일정한 뜻을 가진 가장 작은 말의 단위를 의미합니다. 그리고 단어는 일반적으로 자립하여 쓸 수 있는 말 중 가장 작은 단위를 가리킵니다. 다만, 조사는 자립할 수 없는 형태소이지만 예외적으로 단어의 자격을 부여하지요. 그러면 다음 문장을 형태소와 단어로 분석해 볼까요?
>
> ㉠ 나는 꽃집에 갔다.

①

5개의 단어로 이루어진 문장이군.

②

'-다'는 형태소이지만 단어가 아니군.

③

'나'는 하나의 형태소이면서 단어이기도 하군.

④

'는', '에'는 자립할 수 없지만 단어로 인정하는군.

⑤ '꽃집'은 일정한 뜻을 가진 가장 작은 말의 단위이겠군.

도움말
형태소와 단어의 ❶ [ ]을 정확히 이해하는 것이 중요해. 그 후에 주어진 문장을 형태소와 단어로 ❷ [ ]해 보면 답을 찾을 수 있어.

답 ❶ 개념 ❷ 분석

1-2 〈보기〉를 참고하여 ㉠~㉤에 대해 탐구한 내용으로 적절한 것은?

> 보기
>
> 형태소 중 혼자 쓰일 수 있는 것을 자립 형태소라 하고 그렇지 못한 것을 의존 형태소라 한다. 또 구체적인 대상이나 상태를 나타내는 실질적 의미를 가진 형태소를 실질 형태소라 하고, 문법적인 의미만을 가진 형태소를 형식 형태소라 한다.

방학이 ㉠ 되면 시골 할머니 댁에 가곤 했다. 계곡물에 발을 담그거나, 매미를 ㉡ 잡겠다고 ㉢ 숲속을 헤매기도 했다. 마루 끝에 누워 ㉣ 밤하늘의 별을 바라보고 있자면, ㉤ 한여름의 더위는 잊히기도 했다.

① ㉠은 실질 형태소와 실질 형태소로 이루어져 있다.
② ㉡은 자립 형태소와 의존 형태소로 이루어져 있다.
③ ㉢은 의존 형태소와 의존 형태소로 이루어져 있다.
④ ㉣은 실질 형태소와 형식 형태소로 이루어져 있다.
⑤ ㉤은 의존 형태소와 자립 형태소로 이루어져 있다.

대표 유형 7 단어의 형성 방식 파악

다음 글을 읽고 물음에 답하시오.

'높다'의 '높-'은 어간이기도 하고 어근이기도 하다. 그렇다면 어간일 때와 어근일 때 어떤 차이가 있을까? 이를 이해하기 위해서는 어간과 어근의 개념에 대해 살펴볼 필요가 있다.

어간은 용언 등이 활용될 때 사용하는 개념이다. 용언은 문장에서 다양한 형태로 바뀌면서 활용되는데, 형태가 변하지 않는 부분을 어간이라 하고 형태가 변하는 부분을 어미라고 한다. 예를 들어 '높다'가 '높고', '높지'와 같이 활용될 때, '높-'은 어간이고, '-고'나 '-지'는 어미이다.

이와 달리 어근은 단어를 구성할 때, 실질적 의미를 나타내는 부분을 가리키는 개념이다. 그리고 어근의 앞이나 뒤에 결합하여 특정한 의미나 기능을 더해 주는 부분을 접사라고 한다. 용언을 어근과 접사로 분석할 때 형태가 변하지 않는 어간만을 대상으로 한다. 가령, '드높다'의 경우 어간인 '드높-'에서 실질적 의미를 나타내는 '높-'은 어근이고, 그 앞에 붙어 '심하게'라는 의미를 덧붙여 주는 '드-'는 접사이다. 접사는 어근 뒤에 결합하기도 하는데, 어근 '높-'에 접사 '-이-'가 결합한 '높이다'가 이에 해당한다. 이를 정리하면 아래와 같다.

	어간			어미
	접사	어근	접사	
높다	·	높-	·	-다
드높다	드-	높-	·	-다
높이다	·	높-	-이-	-다

한편 단어는 '높다'와 같이 하나의 어근으로 구성된 경우나 '드높다'나 '높이다'와 같이 어근에 접사가 결합한 경우 이외에 두 개 이상의 어근이 결합하여 만들어지기도 한다. 예컨대 '높푸르다'의 경우 어근 '높-'과 어근 '푸르-'가 결합하여 만들어진 단어이다.

2 〈보기〉의 '자료'에서 '활동'의 a~c에 들어갈 단어로 적절하지 않은 것은?

보기

[자료]

용언: 검붉다, 먹히다, 자라다, 치솟다, 휘감다

[활동]

• 어간과 어근이 일치하는 단어를 모아 봅시다.
 - __a__

• 어간과 어근이 일치하지 않는 단어를 모아 봅시다.
 - 어근의 앞이나 뒤에 접사가 결합한 단어: __b__
 - 둘 이상의 어근이 결합한 단어: __c__

① a: 휘감다 ② a: 자라다 ③ b: 먹히다
④ b: 치솟다 ⑤ c: 검붉다

유형 해결 전략 어간은 용언이 ❶[ ]될 때 사용하는 개념이고, 어근은 ❷[ ]를 구성할 때 사용하는 개념이라는 점을 지문을 통해 파악하면 주어진 단어를 잘 분석할 수 있을 거야.

답 ❶ 활용 ❷ 단어

2-1 〈보기〉의 ㉠~㉢에 들어갈 말로 적절한 것은?

보기

어간은 용언이 활용될 때 변하지 않는 부분을 가리키는 개념이다. 반면 어근은 단어를 구성할 때 실질적 의미를 나타내는 부분을 가리키는 개념이다. 단일어의 경우에는 어간과 어근이 일치하지만, 파생어나 합성어의 경우에는 그렇지 않다. 아래의 사례를 통해 어간과 어근의 개념을 파악해 보자.

	어간	어근
먹다	먹-	먹-
먹이다	먹이-	㉠
먹고살다	㉡	㉢

	㉠	㉡	㉢
①	먹-	먹-, 살-	먹-, 살-
②	먹-	먹-, 살-	먹고살-
③	먹-	먹고살-	먹-, 살-
④	먹이-	먹고살-	먹고살-
⑤	먹이-	먹-, 살-	먹-, 살-

도움말

어간과 어근의 ❶[ ]을 잘 구분하는 것이 첫 번째 해야 할 일이야. 그리고 주어진 단어가 ❷[ ]인지, 복합어인지를 분석하면 어간과 어근이 일치하는지 그렇지 않은지 파악할 수 있겠지.

답 ❶ 개념 ❷ 단일어

대표 유형 8 단어의 의미와 특성 파악

3 다음은 '사전 활용하기' 학습 활동을 위한 자료이다. 이에 대한 이해로 적절하지 않은 것은?

> 그치다「동사」
> 「1」【(…을)】 계속되던 일이나 움직임이 멈추거나 끝나다. 또는 그렇게 하다.
> ¶ 비가 그치다. / 울음을 그치다.
> 「2」【…에】【…으로】 더 이상의 진전이 없이 어떤 상태에 머무르다.
> ¶ 출석률이 절반 정도에 그쳤다. / 예감이 예감으로 그치지 않고 현실이 되는 경우가 있다.
>
> 멈추다「동사」
> [1]「1」 사물의 움직임이나 동작이 그치다.
> ¶ 시계가 멈추다. / 울음소리가 멈추다.
> 「2」 비나 눈 따위가 그치다.
> ¶ 멈추었던 비가 다시 내리기 시작했다.
> [2]【…을】 사물의 움직임이나 동작을 그치게 하다.
> ¶ 기계를 멈추다. / 발걸음을 멈추다.

① '그치다「1」'의 문형 정보와 용례를 보니, '그치다「1」'은 자동사로도 쓰일 수 있고 타동사로도 쓰일 수 있군.
② '그치다「2」'의 문형 정보와 용례를 보니, '그치다「2」'는 부사어를 반드시 필요로 하는군.
③ '멈추다 [2]'의 용례로 '차가 경적을 울리며 멈추다.'를 추가할 수 있겠군.
④ '그치다'와 '멈추다'는 두 가지 이상의 의미를 지니고 있는 다의어이군.
⑤ '그치다「1」'과 '멈추다'의 뜻풀이와 용례를 보니, 두 단어는 유의 관계에 있군.

유형 해결 전략 ❶ [ ]에 제시된 단어의 뜻풀이는 다양한 정보를 담고 있어. 단어의 의미에 관한 정보 외에도 단어가 어떤 ❷ [ ]에 속하는지 어떤 형태로 문장 안에서 쓰이는지 등의 정보를 파악할 수 있지.

답 ❶ 사전 ❷ 품사

3-1 〈보기〉는 '사전 활용하기' 학습 활동을 위한 자료이다. 이에 대해 탐구한 내용으로 적절하지 않은 것은?

> 보기
>
> 크다
> [Ⅰ]「형용사」
> 「1」 사람이나 사물의 외형적 길이, 넓이, 높이, 부피 따위가 보통 정도를 넘다.
> ¶ 키가 크다.
> 「2」 신, 옷 따위가 맞아야 할 치수 이상으로 되어 있다.
> ¶ 신발이 크지 질질 끌고 다닌다.
> 「3」 소리가 귀에 거슬릴 정도로 강하다.
> ¶ 크게 떠들다.
>
> [Ⅱ]「동사」
> 「1」 동식물이 몸의 길이가 자라다.
> ¶ 키가 몰라보게 컸구나.
> 「2」 사람이 자라서 어른이 되다.
> ¶ 너 커서 무엇이 되고 싶니?
> 「3」 수준이나 능력 따위가 높은 상태가 되다.
> ¶ 한창 크는 분야라서 지원자가 많다.

①  '크다 [Ⅰ]「1」'의 용례로 '큰 자동차를 보았다.'를 추가할 수 있겠군.

②  '크다 [Ⅰ]「2」'의 반의어로는 '작다'가 가능하겠군.

③  '크다'가 [Ⅰ]「3」의 의미로 쓰일 때에는 명령문의 서술어로 쓰일 수 없겠군.

④  '크다'가 [Ⅱ]「1」의 의미로 쓰일 때에는 현재 시제 선어말 어미 '-ㄴ-'이 결합할 수 있겠군.

⑤  '크다'가 [Ⅱ]「3」의 의미로 쓰일 때에는 부사어를 반드시 필요로 하겠군.

도움말 '크다'라는 하나의 단어가 ❶ [ ]로도 쓰이고 ❷ [ ]로도 쓰인다는 사실을 사전을 통해 파악할 수 있어. 구체적인 의미 정보와 예문을 꼼꼼하게 읽어 보면 쉽게 답을 찾을 수 있어.

답 ❶ 형용사 ❷ 동사

대표 유형 9 국어 규범의 이해

4 〈보기 1〉을 바탕으로 〈보기 2〉의 ㉠~㉤에 대해 탐구한 내용으로 적절한 것은?

보기 1

[한글 맞춤법]

제41항 조사는 그 앞말에 붙여 쓴다.

제42항 의존 명사는 띄어 쓴다.

제43항 단위를 나타내는 명사는 띄어 쓴다. 다만, 순서를 나타내는 경우나 숫자와 어울리어 쓰이는 경우에는 붙여 쓸 수 있다.

제46항 단음절로 된 단어가 연이어 나타날 적에는 붙여 쓸 수 있다.

보기 2

- 꽃집에 꽃이 ㉠ 안개꽃 밖에 남아 있지 않았다.
- 나도 ㉡ 너만큼 달리기를 잘했으면 좋겠다.
- 남은 ㉢ 천 원짜리로 마땅히 살 것이 없었다.
- 나는 그 사람이 그리워 ㉣ 어찌할 줄 몰랐다.
- 기다리던 백신이 ㉤ 7 연구실에서 개발되었다.

① ㉠은 제41항을 적용해 '안개꽃밖에'로 정정해야겠군.

② ㉡은 제42항을 적용해 '너 만큼'으로 정정해야겠군.

③ ㉢은 제43항을 적용해 '천 원 짜리'로 정정해야겠군.

④ ㉣은 제43항을 적용해 '어찌할줄'로 정정해야겠군.

⑤ ㉤은 제46항을 적용해 '7연구실'로 정정해야겠군.

유형 해결 전략 띄어쓰기에서 문장의 각 ❶ [ ]는 띄어 쓰는 것이 원칙이지만, ❷ [ ]는 그 앞말에 붙여 쓰도록 하고 있어. 제시된 표현에서 띄어쓰기 여부를 결정할 때 그 단어의 품사를 먼저 확인해 보고, 제시된 한글 맞춤법의 어느 항목에 해당하는 것인지 파악해 보자.

답 ❶ 단어 ❷ 조사

4-1 〈보기〉를 바탕으로 학생이 '학습 활동'을 해결한 내용으로 적절한 것은?

보기

[한글 맞춤법]

제47항 보조 용언은 띄어 씀을 원칙으로 하되, 경우에 따라 붙여 씀도 허용한다.(ㄱ을 원칙으로 하고, ㄴ을 허용함.)

ㄱ	ㄴ
불이 꺼져 **간다.**	불이 꺼져**간다.**
내 힘으로 막아 **낸다.**	내 힘으로 막아**낸다.**
그릇을 깨뜨려 **버렸다.**	그릇을 깨뜨려**버렸다.**

다만, 앞말에 조사가 붙거나 앞말이 합성 용언인 경우, 그리고 중간에 조사가 들어갈 적에는 그 뒤에 오는 보조 용언은 띄어 쓴다.

[학습 활동] 보조 용언 띄어 쓰기

밑줄 친 부분의 띄어쓰기가 한글 맞춤법에 맞는지 판단해 보고, 틀린 경우 바르게 고쳐 쓰시오.

① 물건을 집어넣어둔다. (○)
② 저녁에는 비가 올 듯하다. (×) → 올듯하다
③ 네가 한번 덤벼들어 보아라. (○)
④ 요즘 하는 일은 할만하니? (×) → 할 만하니
⑤ 그 일에 대해 아는 척을 한다. (×) → 아는척을한다

도움말

한글 맞춤법에 제시된 내용을 바탕으로 보조 용언은 띄어 쓰는 것이 ❶ [ ]이나 붙여 쓰는 것도 ❷ [ ]한다는 점을 파악한다. 또 단서 조항을 통해 보조 용언을 반드시 띄어 써야 하는 경우를 파악하고 제시된 표현에 적용해 보자.

답 ❶ 원칙 ❷ 허용

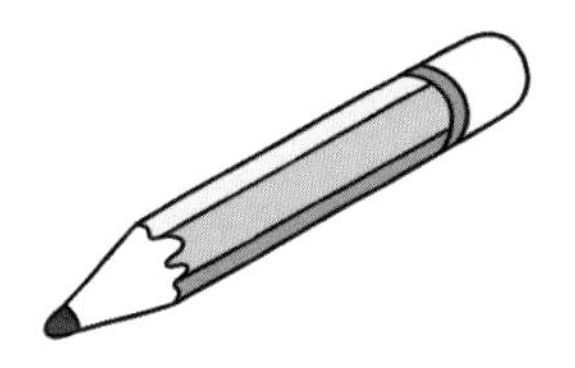

WEEK 1 DAY 3

필수 체크 전략 ②

01 형태소와 단어의 이해

〈보기〉는 문법 수업 장면의 일부이다. 이에 대한 학생의 반응으로 적절하지 않은 것은?

보기

단어는 자립할 수 있는 말이나 자립할 수 있는 형태소에 붙으면서 쉽게 분리할 수 있는 말이고, 형태소는 일정한 의미를 지닌 가장 작은 말의 단위입니다. 다음 문장을 단어와 형태소로 분석하면 아래와 같습니다.

문장: 뜰에 배꽃이 벌써 피었다.

↓

단어: 뜰 에 배꽃 이 벌써 피었다

↓

형태소: 뜰 에 배 꽃 이 벌써 피 었 다

①  '뜰', '벌써'를 보니 자립할 수 있는 형태소는 홀로 한 단어가 되기도 하는군.

②  '에', '이'를 보니 문법적인 의미를 지닌 형태소도 단어로 인정하는 경우가 있군.

③  '배', '꽃'을 보니 실질적인 의미를 지닌 형태소가 결합하여 새로운 단어를 이루기도 하는군.

④  '피-'를 보니 실질적인 의미를 지닌 형태소 중 홀로 쓰일 수 없는 것도 있군.

⑤  '-었-', '-다'를 보니 자립할 수 없는 형태소 중 실질적인 의미를 지닌 것도 있군.

02 통사적 합성어와 비통사적 합성어의 이해와 적용

〈보기〉에서 제시한 활동에 대한 답으로 적절한 것은?

보기

합성어는 둘 이상의 어근으로 이루어진 단어인데, 어근이 배열되는 방식에 따라 통사적 합성어와 비통사적 합성어로 나눌 수 있다. 통사적 합성어는 국어의 일반적인 통사적 구성 방법을 따르는 합성어이고, 비통사적 합성어는 국어의 일반적인 통사적 구성 방법과 다른 방식으로 형성된 합성어이다.

용언이 합성어인 경우를 살펴보자. 용언의 어간에 연결 어미가 결합하면서 다른 용언의 어간과 연결되는 경우나, 부사에 용언의 어간이 결합하는 경우 등은 통사적 합성어의 유형이라 할 수 있다. 반면 연결 어미의 개입 없이 용언의 어간에 바로 다른 용언의 어간이 결합하는 경우는 비통사적 합성어의 유형이라 할 수 있다.

그렇다면 다음 ㉠~㉣을 통사적 합성어와 비통사적 합성어로 나누어 보자.

- 농사가 ㉠잘되면 좋겠다.
- 손을 ㉡굳세게 마주 잡다.
- 낡은 규율에 ㉢얽매어 있다.
- 뼛속을 ㉣파고드는 추위이다.

	통사적 합성어	비통사적 합성어
①	㉠, ㉡	㉢, ㉣
②	㉠, ㉢	㉡, ㉣
③	㉠, ㉣	㉡, ㉢
④	㉡, ㉢	㉠, ㉣
⑤	㉢, ㉣	㉠, ㉡

도움말

제시된 내용을 통해 통사적 합성어와 비통사적 합성어의 개념을 확인해 봐. 특히 연결 어미의 개입 없이 용언의 ❶ [ ] 에 바로 다른 용언이 결합하는 경우 ❷ [ ] 합성어에 해당한다는 사실을 파악한 후, 주어진 사례에 이를 적용해 보도록 하자.

답 ❶ 어간 ❷ 비통사적

용언의 활용 이해

03 **다음 밑줄 친 부분이 〈보기〉의 ㉠~㉢에 해당하는 사례로 적절하지 <u>않은</u> 것은?**

> 보기
>
> 용언이 활용할 때 어간과 어미의 형태가 규칙적으로 나타나는 것을 ㉠<u>규칙 활용</u>이라 한다. 반면 용언이 활용할 때 어간이나 어미의 기본 형태가 유지되지 않고 이를 일정한 규칙으로 설명할 수 없는 경우 불규칙 활용이라 한다. 용언의 불규칙 활용은 ㉡<u>어간이 변하는 경우</u>, ㉢<u>어미가 변하는 경우</u>, 어간과 어미가 모두 변하는 경우로 나눌 수 있다.

① ㉠: 너를 다시 만나게 되어 정말 <u>기뻐</u>.
② ㉠: 목표를 위해서는 인내심을 <u>길러야</u> 한다.
③ ㉡: 나는 중요한 단어에 밑줄을 <u>그어</u> 놓았다.
④ ㉡: 얼른 나뭇가지를 <u>주워다가</u> 모닥불을 피웠다.
⑤ ㉢: 오늘 새벽에 <u>이르러서야</u> 집에 도착할 수 있었다.

국어의 로마자 표기법 이해

04 **〈보기〉는 국어의 로마자 표기법에 따라 표기한 사례들이다. 이에 대해 탐구한 내용으로 적절하지 <u>않은</u> 것은?**

> 보기
>
> ㄱ. 설악[서락]: Seorak　　ㄴ. 울산[울싼]: Ulsan
> ㄷ. 월곶[월곧]: Wolgot　　ㄹ. 알약[알략]: allyak

① 
ㄱ에서 '설악[서락]'의 'ㄹ'은 'r'로, ㄴ에서 '울산[울싼]'의 'ㄹ'은 'l'로 표기한 것을 보니, 같은 자음이더라도 다른 로마자로 표기하기도 하는군.

② 
ㄴ에서 '울산'은 [울싼]으로 발음되는데 'Ulsan'으로 표기한 것을 보니, 소리 나는 것 그대로를 표기하지 않기도 하는군.

③ 
ㄷ에서 '곶'은 [곧]으로 발음되는데 'got'으로 표기한 것을 보니, 표기보다는 발음을 따라 표기하기도 하는군.

④ 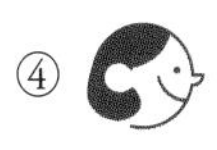
ㄹ에서 '알약'은 [알략]으로 발음되는데 'allyak'으로 표기한 것을 보니 음운 변화를 반영하지 않고 표기하기도 하는군.

⑤ 
ㄷ에서 '곶'의 'ㄱ'은 'g'로, ㄹ에서 '약'의 'ㄱ'은 'k'로 표기한 것을 보니, 자음이 놓인 위치에 따라 다른 로마자로 표기하기도 하는군.

사전 활용하기

05 **다음은 '사전 활용하기' 학습 활동을 위한 자료이다. 이에 대한 이해로 적절하지 <u>않은</u> 것은?**

> **달다**「형용사」
> 「1」 꿀이나 설탕의 맛과 같다.
> 　¶ 초콜릿이 달다.
> 「2」 입맛이 당기도록 맛이 있다.
> 　¶ 밥이 달다.
> 「3」 흡족하여 기분이 좋다.
> 　¶ 낮잠을 달게 자다.
> 「4」 (('달게' 꼴로 쓰여)) 마땅하여 기껍다.
> 　¶ 벌을 달게 받다.
>
> **쓰다**「형용사」
> [1]「1」 혀로 느끼는 맛이 한약이나 소태, 씀바귀의 맛과 같다.
> 　¶ 쓴 약.
> 「2」 달갑지 않고 싫거나 괴롭다.
> 　¶ 여러 번 실패를 경험했지만 언제나 그 맛은 썼다.
> [2]【…이】 몸이 좋지 않아서 입맛이 없다.
> 　¶ 며칠을 앓았더니 입맛이 써서 맛있는 게 없다.

① 
'달다 「1」'과 '쓰다 [1]「1」'은 의미상 반의 관계로 볼 수 있겠군.

② 
'달다 「4」'에는 '충고를 달게 받아들이다.'를 용례로 추가할 수 있겠군.

③ '쓰다 [1]「2」'는 의미상 '쓰다 [1]「1」'에서 파생된 것으로 볼 수 있겠군.

④ 
'쓰다 [2]'의 용례에서 '쓰다'를 '달다'로 바꾸면 '달다 「3」'의 용례에 해당하겠군.

⑤ '달다 「2」'와 '쓰다 [2]'는 서술어가 필요로 하는 문장 성분의 개수가 같겠군.

도움말

❶ ______ 를 이루는 단어들의 모든 ❷ ______ 가 반의적인 것은 아닐 수도 있어. 사전의 뜻풀이와 용례를 통해 단어의 정확하고 다양한 의미를 파악하고, 서술어의 자릿수 등의 문법적 정보를 확인하도록 하자.

답 ❶ 반의 관계 ❷ 의미

누구나 합격 전략

모음 체계 이해

01 **〈보기〉를 참고할 때, 모음에 대한 설명으로 적절하지 않은 것은?**

보기

단모음은 발음할 때 입술 모양이나 혀의 위치가 변하지 않는 모음으로, 입술 모양이나 혀의 위치에 따라 여러 가지 소리로 나뉜다. 국어의 단모음 체계는 다음과 같다.

혀의 앞뒤 위치 / 입술 모양 / 혀의 높이	전설 모음		후설 모음	
	평순	원순	평순	원순
고모음	ㅣ	ㅟ	ㅡ	ㅜ
중모음	ㅔ	ㅚ	ㅓ	ㅗ
저모음	ㅐ		ㅏ	

이중 모음은 입술 모양이나 혀의 위치가 발음 도중에 변하는 모음으로, 반모음과 단모음이 결합하여 만들어진다. 이중 모음에는 'ㅑ, ㅒ, ㅕ, ㅖ, ㅘ, ㅙ, ㅛ, ㅝ, ㅞ, ㅠ, ㅢ'가 있다.

① 'ㅛ'는 발음할 때 입술 모양이나 혀의 위치가 변한다.
② 'ㅟ'는 발음할 때 입술 모양이나 혀의 위치가 변한다.
③ 'ㅓ'와 'ㅏ'는 발음할 때 입술 모양이나 혀의 위치가 변하지 않는다.
④ 'ㅔ'와 'ㅐ'는 혀의 앞뒤 위치와 입술 모양이 같은 소리이다.
⑤ 'ㅜ'와 'ㅗ'는 입술 모양은 같지만 혀의 높이는 다른 소리이다.

음운 변동 현상 파악

02 **〈보기〉의 ⓐ~ⓓ에 대한 공통된 설명으로 가장 적절한 것은?**

보기

ⓐ 물엿[물렫]　　ⓑ 신여성[신녀성]
ⓒ 내복약[내:봉냑]　　ⓓ 옛이야기[옌:니야기]

① 원래 없던 음운이 새로 생겼다.
② 한 음운이 다른 음운으로 바뀌었다.
③ 두 개의 음운 중 한 음운이 없어졌다.
④ 두 음운이 합쳐져 하나의 음운으로 바뀌었다.
⑤ 없던 음운이 새로 생긴 후 한 음운이 다른 음운으로 바뀌었다.

음운 변동 현상 이해와 적용

03 **㉠~㉣에 들어갈 단어로 적절하지 않은 것은?**

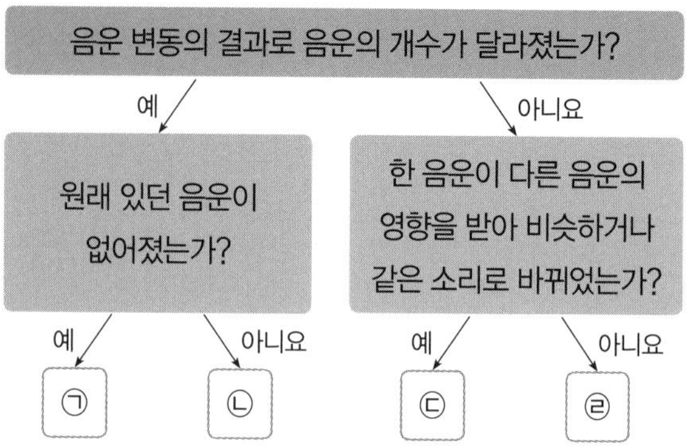

음운 변동의 결과로 음운의 개수가 달라졌는가?
- 예 → 원래 있던 음운이 없어졌는가?
  - 예 → ㉠
  - 아니요 → ㉡
- 아니요 → 한 음운이 다른 음운의 영향을 받아 비슷하거나 같은 소리로 바뀌었는가?
  - 예 → ㉢
  - 아니요 → ㉣

① ㉠: 닭[닥]
② ㉡: 쓰-+-어라 → 써라[써라]
③ ㉢: 듣는[든는]
④ ㉣: 한낮[한낟]
⑤ ㉣: 신다[신:따]

연음 현상 이해

04 **다음을 참고하여 이해한 내용으로 적절하지 않은 것은?**

연음 현상은 앞 음절의 종성이 모음으로 시작하는 뒤 음절의 초성으로 이어져 발음되는 현상이다. 뒤에 모음으로 시작하는 형식 형태소가 오면 곧바로 연음이 일어나지만, 뒤에 모음으로 시작하는 실질 형태소가 올 때에는 음절의 끝소리 규칙이 먼저 적용된 후 연음 현상이 일어난다.

① '낮이'가 [나지]로 발음되는 현상이 연음 현상이로군.
② '빛을'은 [비츨]로 발음되는 걸 보니 '을'은 형식 형태소로군.
③ '옷 안[오단]'은 음운 변동이 일어나지 않고 곧바로 연음이 일어난 예로군.
④ '꽃 아래'가 [꼬차래]로 발음되지 않는 것은 '아래'가 실질 형태소이기 때문이군.
⑤ '무릎 위'가 [무르뷔]로 발음되는 것은 음절의 끝소리 규칙이 적용된 후 연음 현상이 일어나기 때문이군.

05~06 다음 글을 읽고 물음에 답하시오.

음운 변동의 유형에는 '교체', '첨가', '탈락', '축약'이 있다. 한 음운이 다른 음운으로 바뀌는 현상을 '교체', 없던 음운이 새로 생기는 현상을 '첨가', 한 음운이 없어지는 현상을 '탈락', 두 음운이 합쳐져 다른 음운으로 바뀌는 현상을 '축약'이라 한다.

동사 '잃다'의 활용을 통해 음운 변동 현상에 대해 자세히 살펴보자.

㉮ 잃-+-고 → 잃고[일코]
㉯ 잃-+-네 → 잃네[일레]

㉮의 '잃고'는 'ㅣ, ㄹ, ㅎ, ㄱ, ㅗ'의 5개의 음운으로 이루어져 있는데, 발음하면 [일코]로 발음 나 음운의 개수가 4개로 줄어든다. 이는 'ㅎ'이 예사소리 'ㄱ'과 만나 [ㅋ]으로 축약되기 때문인데, 이렇게 축약 현상이 일어나면 음운의 개수가 줄어든다. 탈락 현상이 일어날 때에도 음운의 개수는 줄어드는데, 첨가 현상의 경우 음운의 개수가 늘어나고 교체 현상의 경우 음운의 개수의 변동이 없다.

한편 음운 변동은 단어에 따라 한 번만 일어나기도 하지만, 한 단어 안에서 두 가지 음운 변동이 순차적으로 일어나는 경우도 있다. ㉯의 '잃네'는 아래와 같이 음운 변동이 두 번 일어난다.

잃네 —㉠→ [일네] —㉡→ [일레]

음운 변동 현상 이해

05 윗글을 바탕으로 음운 변동 현상을 탐구한 내용으로 적절한 것은?

① '좋아요[조:아요]'는 ㉮와 동일한 음운 변동 현상이 나타난다.
② '묻히고[무치고]'는 ㉮와 동일한 음운 변동 현상이 나타나지만 줄어든 음운의 개수는 다르다.
③ '막일[망닐]'은 ㉯와 동일한 음운 변동 과정이 나타난다.
④ '논일[논닐]'은 ㉯처럼 두 가지 음운 변동 현상이 나타난다.
⑤ '가랑잎[가랑닙]'에는 ㉮, ㉯에 나타나지 않은 음운 변동 현상이 나타난다.

음운 변동 과정 파악

06 ㉠과 ㉡에 해당하는 음운 변동 현상을 바르게 짝지은 것은?

	㉠	㉡
①	교체	축약
②	교체	탈락
③	탈락	교체
④	탈락	축약
⑤	첨가	교체

자음군 단순화의 이해

07 다음 설명에 따를 때, ㉠에 들어갈 수 있는 예로 적절한 것은?

자음 두 개가 음절 끝에 놓일 때, 둘 중에서 하나의 자음이 탈락하는 현상을 '자음군 단순화'라고 한다. 다음은 자음군 단순화 현상을 시각화한 것으로, ×는 탈락한 음운의 위치를 표시한 것이다.

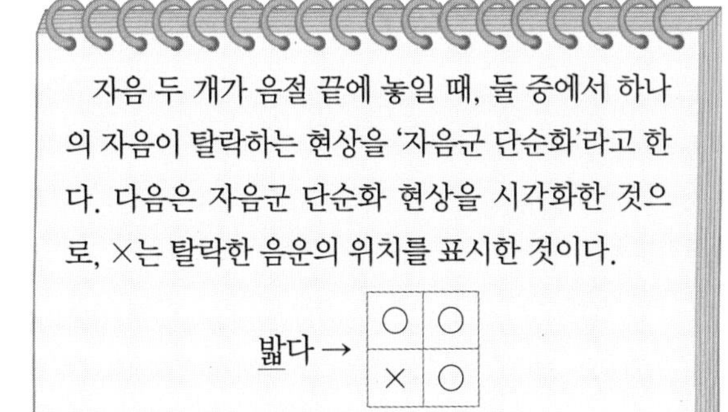

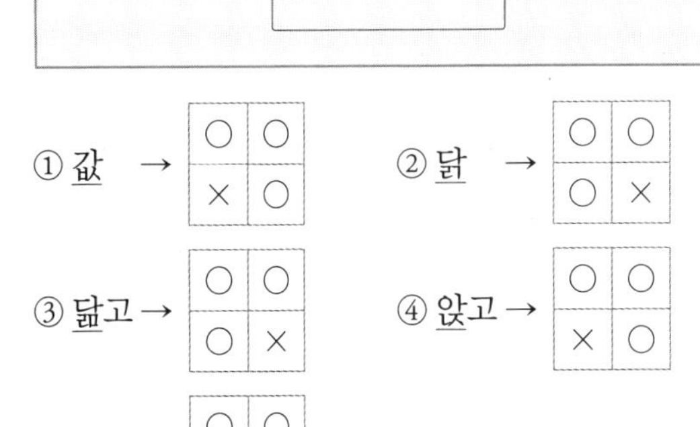

형태소의 이해와 적용

08 〈보기〉를 바탕으로 형태소에 대해 탐구한 내용으로 적절한 것은?

보기

형태소는 일정한 뜻을 가진 가장 작은 말의 단위이다. 자립성의 여부에 따라 자립 형태소와 의존 형태소로 나눌 수 있고, 의미의 성격에 따라 구체적인 대상이나 상태를 나타내는 실질 형태소와 문법적인 의미만을 가진 형식 형태소로 나눌 수 있다. 이러한 내용을 아래와 같이 정리할 수 있다.

		자립성 여부에 따라	
		자립 형태소	의존 형태소
의미의 성격에 따라	실질 형태소	㉮	㉯
	형식 형태소	㉰	㉱

예를 들어 '나무가 푸르다.'에서 '나무'는 자립 형태소이자 실질 형태소이므로 ㉮에 해당하며, '-다'는 의존 형태소이자 형식 형태소이므로 ㉱에 해당한다.

① '돌보다'의 '돌-'은 ㉮에 해당하겠군.

② '꽃잎'의 '잎'은 ㉯에 해당하겠군.

③ '웃음'의 '-음'은 ㉰에 해당하겠군.

④ '사실이 아니다.'의 '이'는 ㉰에 해당하겠군.

⑤ '먹었다'의 '-었-'은 ㉱에 해당하겠군.

동사와 형용사의 특성 파악

09 다음 자료를 통해 동사와 형용사를 탐구한 내용으로 적절하지 않은 것은?

ㄱ. 그 소식을 들으니 참 [기쁘다 / 기쁜다*].
ㄴ. 이튿날이 밝았다. / 햇살이 밝다.
ㄷ. 우리 모두 항상 [노력하자 / 건강하자*].
ㄹ. 가장 빠른 사람. / 가장 잘 찾는 사람.
ㅁ. 좀 더 [가려고 / 예쁘려고*] 애썼다.
* 표시는 비문법적인 표현을 나타냄.

① ㄱ을 통해 형용사의 어간에는 현재 시제를 나타내는 선어말 어미가 결합할 수 없음을 알 수 있다.
② ㄴ을 통해 한 단어가 동사와 형용사로 모두 쓰이는 경우도 있음을 알 수 있다.
③ ㄷ을 통해 동사의 어간에는 청유형 어미가 결합할 수 있지만 형용사는 그렇지 않음을 알 수 있다.
④ ㄹ을 통해 동사와 형용사에 동일한 형태의 관형사형 어미가 결합할 수 있음을 알 수 있다.
⑤ ㅁ을 통해 동사의 어간에는 형용사와 달리 목적, 의도를 나타내는 어미가 결합할 수 있음을 알 수 있다.

파생어의 특성 파악

10 〈보기〉에서 선생님이 제시한 활동에 대한 학생의 반응으로 적절하지 않은 것은?

보기

파생어는 어근에 접사가 결합하여 형성된 단어입니다. 그런데 파생어는 접사에 의해 본래 단어의 품사가 변화될 수도 있고, 변화되지 않을 수도 있습니다. 제시된 단어들에 접사가 결합된 파생어를 찾아보고 분석해 봅시다.

잠 명 눈이 감긴 채 의식 활동이 쉬는 상태.
사랑 명 어떤 사람이나 존재를 몹시 아끼고 귀중히 여기는 마음. 또는 그런 일.
감다 동 어떤 물체를 다른 물체에 말거나 빙 두르다.

① '잠보'는 '잠'에 접사 '-보'가 결합된 파생어로 '잠'과 품사가 같겠군.
② '풋사랑'은 '사랑'에 접사 '풋-'이 결합된 파생어로 '사랑'과 품사가 같겠군.
③ '사랑스럽다'는 '사랑'에 접사 '-스럽다'가 결합된 파생어로 '사랑'과 품사가 다르겠군.
④ '휘감다'는 '감다'에 접사 '휘-'가 결합된 파생어로 '감다'와 품사가 같겠군.
⑤ '감기다'는 '감다'에 접사 '-기-'가 결합된 파생어로 '감다'와 품사가 다르겠군.

보조사의 특성 파악

11 〈보기〉의 밑줄 친 부분에 해당하는 예로 적절하지 않은 것은?

> 보기
>
> 조사는 체언이 문장 속에서 다른 말과 맺는 관계를 표현하는 격 조사, 둘 이상의 체언을 같은 자격으로 이어서 하나의 명사구를 형성하는 접속 조사, 앞말에 특별한 뜻을 더해 주는 보조사로 구분된다.

① 이 책은 내 동생이 빌려 왔다.
② 한순간도 마음을 놓지 못한다.
③ 그는 누구보다 빨리 달릴 수 있다.
④ 밤도 늦었고 비까지 내리는 날이었다.
⑤ 그는 편지는커녕 제 이름조차 못 쓴다.

사전 활용하기

12 다음 국어사전 정보를 완성한다고 할 때, ㉠~㉤에 대한 설명으로 적절하지 않은 것은?

쓰다 [품사] ㉠
[1] 【…에 …을】
「1」 모자 따위를 머리에 얹어 덮다.
¶ 머리에 모자를 쓰다. [반의어] ㉡
「2」 얼굴에 어떤 물건을 걸거나 덮어쓰다.
¶ 얼굴에 마스크를 쓰다. [유의어] ㉢
「3」 먼지나 가루 따위를 몸이나 물체 따위에 덮은 상태가 되다.
[2] 【…을】
「1」 우산이나 양산 따위를 머리 위에 펴 들다.
¶ 밖에 비가 오니 우산을 쓰고 가거라.
「2」 사람이 죄나 누명 따위를 가지거나 입게 되다.
¶ ㉣
[활용 정보] 모음으로 시작하는 어미와 결합하면 ㉤ '써[써]'로 적음.

① ㉠에 들어갈 말은 '동사'이다.
② ㉡에 들어갈 말은 '벗다'이다.
③ ㉢에는 '착용하다'가 들어갈 수 있다.
④ ㉣에는 '그는 억울하게 누명을 썼다.'를 넣을 수 있다.
⑤ ㉤에는 '불규칙 활용하여'를 넣을 수 있다.

다의어의 의미 파악

13 〈보기〉의 ㉠과 ㉡에 해당하는 예로 적절하지 않은 것은?

> 보기
>
> 다의어는 단어가 원래 뜻하는 ㉠중심적 의미와 중심적 의미에서 파생된 ㉡주변적 의미를 갖는다.
>
> '손으로 잡다.'에서 '손'은 '사람의 팔목 끝에 달린 부분.'이라는 중심적 의미로 사용되었다. 그러나 '그 일은 손이 많이 간다.'에서 '손'은 '어떤 일을 하는 데 드는 사람의 힘이나 노력, 기술.'이라는 주변적 의미로 사용되었다.

	㉠	㉡
①	팽이가 잘도 돈다.	해외 공장이 무리 없이 잘 돌고 있다.
②	그는 백 살까지 살았다.	세게 부딪혔는데도 시계가 살아 있다.
③	태풍이 쓸고 간 자리는 처참했다.	낙엽이 많이 쌓여 마당을 쓸었다.
④	신호등을 잘 보고 건너야 한다.	손해를 보면서 물건을 팔 사람은 없다.
⑤	신발 끈을 풀고 다시 묶어라.	어려운 말은 알기 쉽게 풀어서 이야기하자.

품사의 통용과 띄어쓰기 이해

14 다음 선생님의 설명을 참고할 때, 밑줄 친 부분의 띄어쓰기가 바르게 된 것은?

'나에게는 너뿐이야.'에서 '너'라는 체언 뒤에 붙어서 한정의 뜻을 나타낼 때의 '뿐'은 조사이기 때문에 앞말에 붙여 씁니다. 그런데 '그녀는 조용히 웃을 뿐이었다.'에서의 '뿐'은 체언을 수식하는 관형어 '웃을' 뒤에 붙어서 '따름'이라는 뜻을 나타내는 의존 명사이기 때문에 앞말과 띄어 써야 해요. 이처럼 형태가 같더라도 단어의 품사에 따라 띄어쓰기가 달라질 수 있으므로 유의해야 합니다.

① 세월이 물과 같이 흐른다.
② 그녀는 매일 같이 지각했다.
③ 그는 새벽 같이 길을 나섰다.
④ 큰 것은 큰 것 대로 따로 모아라.
⑤ 틈나는대로 약속한 것을 찾아보았다.

창의·융합·코딩 전략 ①

01 다음 내용을 바탕으로 ㉠~㉤에 해당하는 예로 적절하지 않은 것은?

다음은 음운 변동으로 인해 교체, 첨가, 탈락, 축약된 음운의 개수를 표시하기 위한 도표이다.

음운의 개수 − ← → 음운의 개수 +

	㉠	●	㉢	
	㉡		㉣	
			㉤	

교체 ↓

[도표 작성 규칙]

●를 기준으로 음운의 개수가 늘어나는 '첨가'는 늘어난 음운의 개수만큼 오른쪽 칸으로, 음운의 개수가 줄어드는 '탈락'과 '축약'은 줄어든 음운의 개수만큼 왼쪽 칸으로 이동한다. 음운의 개수가 변하지 않는 '교체'는 교체 횟수만큼 아래 칸으로 이동한다.

[도표 작성의 예]

색연필 —(첨가)→ [색년필] —(교체)→ [생년필]

⇨ ●는 ㉣로 이동함.

① ㉠: 낳아[나아]
② ㉡: 하얗고[하:야코]
③ ㉢: 식용유[시공뉴]
④ ㉣: 물약[물략]
⑤ ㉤: 늦여름[는녀름]

02 〈보기〉를 바탕으로 ㉠과 ㉡에 대해 설명한 내용으로 가장 적절한 것은?

보기

음운 변동은 한 음운이 다른 음운으로 바뀌는 교체, 원래 없던 음운이 새로 덧붙는 첨가, 두 개의 음운 중 하나의 음운이 없어지는 탈락, 두 개의 음운이 하나의 음운으로 합쳐지는 축약으로 나눌 수 있다.

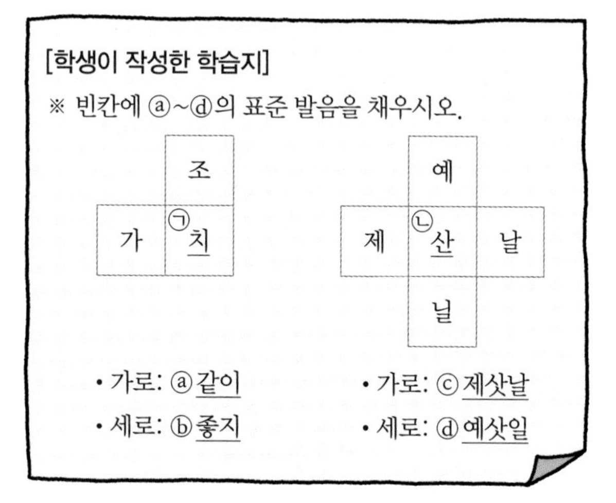

① ㉠은 ⓐ에서 '교체'가, ⓑ에서 '탈락'이 일어나 발음된 것이다.
② ㉡은 ⓒ에서 '첨가'가, ⓓ에서 '축약'이 일어나 발음된 것이다.
③ ㉠은 ⓐ와 ⓑ에서 공통적으로 '탈락'이 일어나 발음된 것이다.
④ ㉡은 ⓒ와 ⓓ에서 공통적으로 '축약'이 일어나 발음된 것이다.
⑤ ㉡은 ⓒ와 ⓓ에서 공통적으로 '첨가'가 일어나 발음된 것이다.

도움말

예를 들어 '꽃잎'은 발음할 때 먼저 음절의 끝소리 규칙(❶ ______)과 ❷ ______(첨가)가 일어나. 이후 비음화(교체)가 일어나서 '꽃잎[꼰닙]'은 총 3번의 교체와 1번의 첨가가 일어나지. 이렇게 제시된 단어의 음운 변동 과정을 파악하고, 도표에 어떻게 표시되는지 규칙을 잘 살펴봐.

답 ❶ 교체 ❷ 'ㄴ' 첨가

도움말

음운이 변동되는 환경을 이해해야 음운 변동 현상을 이해할 수 있어. 구개음화는 'ㄷ, ㅌ'이 모음 'ㅣ'나 반모음 'ǐ'와 만나면 구개음인 [ㅈ, ㅊ]로 ❶ ______되어 발음되는 것이고, 거센소리되기는 'ㅎ'과 'ㄱ, ㄷ, ㅂ, ㅈ'이 만나 ❷ ______되어 [ㅋ, ㅌ, ㅍ, ㅊ]로 발음되는 것이야.

답 ❶ 교체 ❷ 축약

03 〈보기〉의 탐구 과정에 따라 ㉠~㉤을 분류하고자 한다. [A]~[D]에 해당하는 사례를 바르게 짝지은 것은?

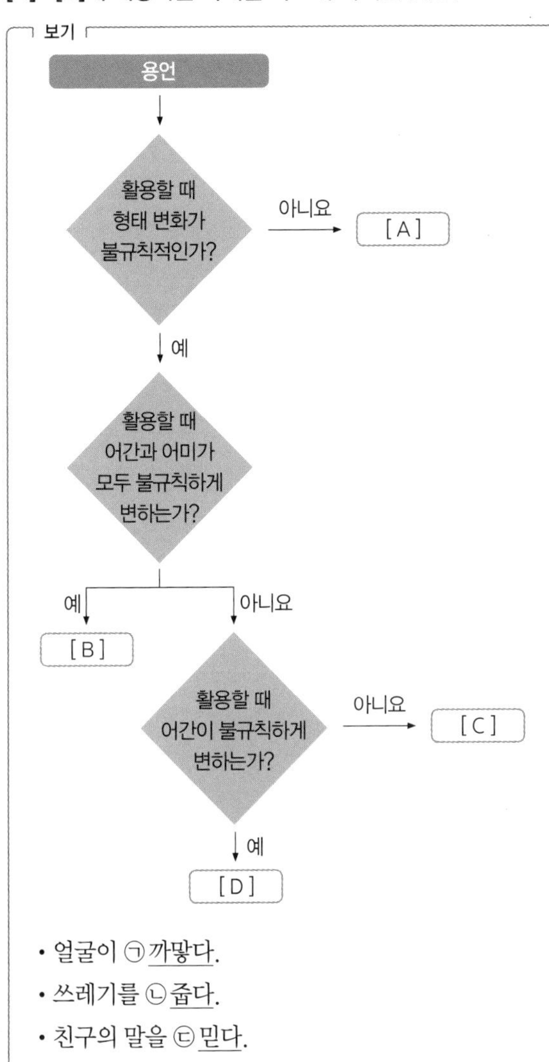

- 얼굴이 ㉠ 까맣다.
- 쓰레기를 ㉡ 줍다.
- 친구의 말을 ㉢ 믿다.
- 새로 산 신발이 ㉣ 크다.
- 바다의 물결이 ㉤ 푸르다.

	[A]	[B]	[C]	[D]
①	㉠, ㉣	㉤	㉡	㉢
②	㉡, ㉢	㉠	㉤	㉣
③	㉢	㉤	㉠	㉡, ㉣
④	㉢, ㉣	㉠	㉤	㉡
⑤	㉣	㉡, ㉤	㉢	㉠

도움말
순서도를 통해 용언의 활용이 ❶ [ ] 과 ❷ [ ] 으로 나뉜다는 점, 그리고 ❷ [ ] 의 세부 유형을 파악한 후 제시된 사례를 순서도에 따라 적용해 봐.

답 ❶ 규칙 활용 ❷ 불규칙 활용

04 〈보기〉의 탐구 결과를 적용한 것으로 적절하지 않은 것은?

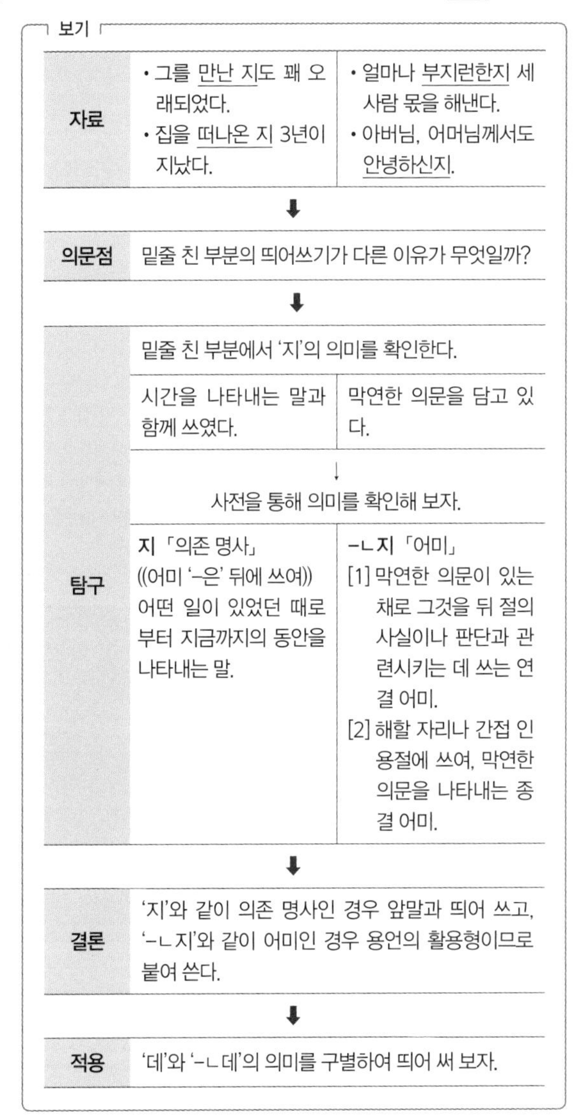

보기

자료	• 그를 만난 지도 꽤 오래되었다. • 집을 떠나온 지 3년이 지났다.	• 얼마나 부지런한지 세 사람 몫을 해낸다. • 아버님, 어머님께서도 안녕하신지.
의문점	밑줄 친 부분의 띄어쓰기가 다른 이유가 무엇일까?	
탐구	밑줄 친 부분에서 '지'의 의미를 확인한다.	
	시간을 나타내는 말과 함께 쓰였다.	막연한 의문을 담고 있다.
	사전을 통해 의미를 확인해 보자.	
	지 「의존 명사」 ((어미 '-은' 뒤에 쓰여)) 어떤 일이 있었던 때로부터 지금까지의 동안을 나타내는 말.	**-ㄴ지** 「어미」 [1] 막연한 의문이 있는 채로 그것을 뒤 절의 사실이나 판단과 관련시키는 데 쓰는 연결 어미. [2] 해할 자리나 간접 인용절에 쓰여, 막연한 의문을 나타내는 종결 어미.
결론	'지'와 같이 의존 명사인 경우 앞말과 띄어 쓰고, '-ㄴ지'와 같이 어미인 경우 용언의 활용형이므로 붙여 쓴다.	
적용	'데'와 '-ㄴ데'의 의미를 구별하여 띄어 써 보자.	

① 그 책을 다 읽는데 삼 일이 걸렸다.
② 머리 아픈 데 먹는 약 가지고 있니?
③ 여기가 내 고향인데 참 경치가 좋지.
④ 네가 그럴 사람이 아닌데 실수를 했네.
⑤ 예전에 가 본 데가 어디쯤인지 모르겠다.

도움말
'데'는 ❶ [ ] 이고, '-ㄴ데'는 ❷ [ ] 라는 점을 참고하여 예문에 적용해 봐.

답 ❶ 의존 명사 ❷ 어미

창의·융합·코딩 전략 ②

05 〈보기〉는 음운 변동에 대한 수업의 한 장면이다. 학생들의 활동 결과로 적절한 것은?

보기

	ⓐ	ⓑ	ⓒ	ⓓ
①	급행열차	깨끗하다	맛없다	영업용
②	맛없다	급행열차	영업용	깨끗하다
③	맛없다	깨끗하다	영업용	급행열차
④	깨끗하다	영업용	맛없다	급행열차
⑤	깨끗하다	맛없다	급행열차	영업용

도움말

교체에는 음절의 끝소리 규칙, ❶ [　　　], 비음화, 유음화, 구개음화가 있고 탈락에는 자음군 단순화, 'ㄹ' 탈락, 'ㅎ' 탈락, 'ㅏ, ㅓ' 탈락, 'ㅡ' 탈락이 있어. 첨가에는 'ㄴ' 첨가, 반모음 첨가가 있고 축약에는 ❷ [　　　]가 있어.

답 ❶ 된소리되기 ❷ 거센소리되기

06 〈보기〉에서 선생님의 질문에 대한 학생의 대답으로 가장 적절한 것은?

보기

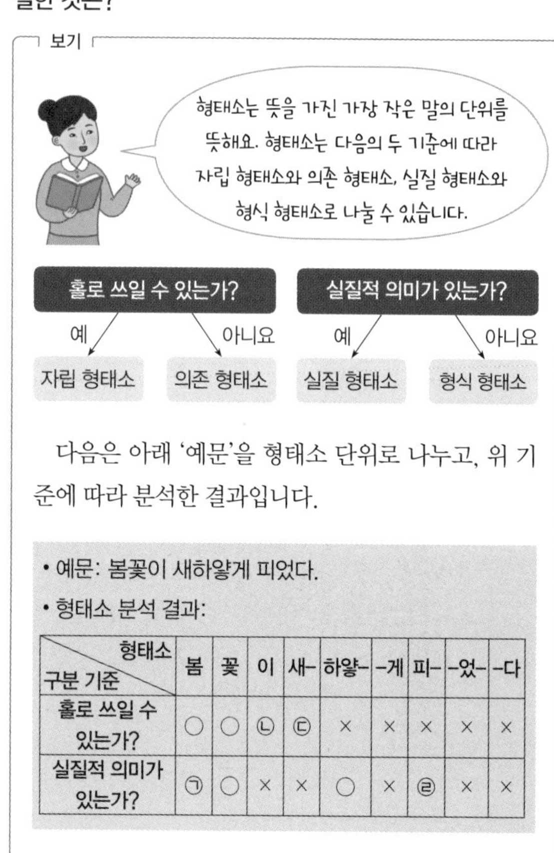

다음은 아래 '예문'을 형태소 단위로 나누고, 위 기준에 따라 분석한 결과입니다.

- 예문: 봄꽃이 새하얗게 피었다.
- 형태소 분석 결과:

구분 기준 \ 형태소	봄	꽃	이	새-	하얗-	-게	피-	-었-	-다
홀로 쓰일 수 있는가?	○	○	㉡	㉢	×	×	×	×	×
실질적 의미가 있는가?	㉠	○	×	×	○	×	㉣	×	×

㉠~㉣에 들어갈 대답을 모두 바르게 짝지어 봅시다.

	㉠	㉡	㉢	㉣
①	○	×	×	×
②	○	○	○	×
③	○	×	×	○
④	×	×	×	○
⑤	×	○	○	○

도움말

형태소는 뜻을 가진 가장 작은 말의 단위이므로 합성어나 파생어의 경우 형태소를 분리할 수 있어. 어근과 ❶ [　　　]이 결합한 합성어와, 어근과 접사가 결합한 ❷ [　　　]의 형태소의 종류가 다를 수 있으므로, 형태소 단위로 나눈 후에 위 기준에 따라 잘 분석해 봐.

답 ❶ 어근 ❷ 파생어

공부할 내용 1. 문장과 문장 성분 2. 문장의 구조 3. 문장 표현과 담화

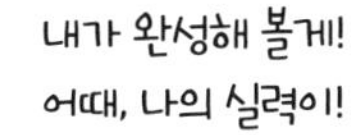

이렇게 문장의 골격을 이루는 필수적인 성분을 주성분이라고 해. 문장을 이루는 성분에는 주성분 외에도 부속 성분과 독립 성분이 있어.

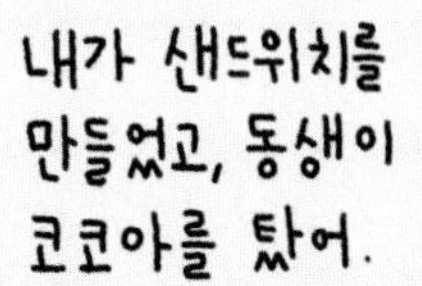

홑문장

내가 샌드위치를 만들었어.

겹문장

내가 샌드위치를 만들었고, 동생이 코코아를 탔어.

WEEK 2 DAY 1

개념 돌파 전략 ①

개념 01 문장 성분 – 주성분

문장 생각이나 감정을 완결된 내용으로 표현하는 최소의 언어 형식

문장 성분 문장 안에서 일정한 문법적 기능을 하는 부분

- **주성분** 문장의 골격을 이루는 부분으로, 반드시 필요한 문장 성분

① 주어: 동작이나 상태, 성질의 [❶] 가 되는 문장 성분

체언+주격 조사(이/가, 께서, 에서)	민희가 학교에 간다.
체언+보조사(은, 는, 도, 만 등)	민희도 학교에 간다.
체언(주격 조사 생략)	너 밥 좀 먹어라.

② 서술어: 주어의 동작이나 상태, 성질 등을 풀이하는 기능을 하는 문장 성분

동사 또는 형용사	지나가 책을 읽는다. 하늘이 파랗다.
체언+서술격 조사 '이다'	동생은 초등학생이다.

③ 목적어: 서술어의 동작 [❷] 이 되는 문장 성분

체언+목적격 조사(을/를)	지나가 책을 읽는다.
체언+보조사(은, 는, 도, 만 등)	나는 빵만 먹었다.
체언(목적격 조사 생략)	너 밥 먹을래?

④ 보어: 서술어 '되다, 아니다'가 필수적으로 요구하는 성분 중 주어를 제외한 문장 성분으로, 체언에 '이/가'가 붙은 형태로 나타남.

체언+보격 조사(이/가)	얼음이 물이 되었다.
체언+보조사	그는 인간도 아니다.
체언(보격 조사 생략)	이 문제 정답은 2번 아니야.

답 ❶ 주체 ❷ 대상

확인 01

다음 문장에서 밑줄 친 부분의 문장 성분을 쓰시오.

(1) 바다가 넓다.
(2) 형은 선생님이 되었다.
(3) 할머니께 선물을 드렸다.

개념 02 문장 성분 – 부속 성분

부속 성분 주로 주성분의 내용을 수식하는 문장 성분으로 대체로 생략이 가능함.

① 관형어: 뒤에 오는 [❶] 을 수식하는 문장 성분

관형사	상미는 새 옷을 샀다.
체언+관형격 조사 '의'	가을은 독서의 계절이다.
체언(관형격 조사 생략)	성아는 친구 옷을 빌렸다.
용언 어간+관형사형 전성 어미	예쁜 꽃이 피었다.

② 부사어: [❷] 을 비롯하여 관형어나 다른 부사어 등을 수식하는 문장 성분

부사	떡볶이가 너무 맵다.
체언+부사격 조사(에서, 으로 등)	내일 도서관에서 만나자.
부사+보조사	비가 많이는 오지 않았다.
용언 어간+부사형 전성 어미	꽃이 예쁘게 피었다.

답 ❶ 체언 ❷ 용언

확인 02

다음 문장 성분에 해당하는 예시를 바르게 찾아 연결하시오.

(1) 관형어 · · ㉠ 헌, 새
(2) 부사어 · · ㉡ 너무, 많이

개념 03 문장 성분 – 독립 성분

독립 성분 다른 문장 성분과 직접적인 관련을 맺지 않고 [❶] 으로 쓰이는 문장 성분

- 독립어: 문장의 어느 성분과도 직접적인 [❷] 이 없는 문장 성분

감탄사	앗! 깜짝이야.
체언+호격 조사(아/야)	현호야, 축구하러 갈래?
제시어	청춘, 이 말은 듣기만 해도 가슴이 설렌다.
대답하는 말	응, 그래.

답 ❶ 독립적 ❷ 관련

확인 03

다음 문장에서 독립 성분을 찾아 ○표 하시오.

아, 문이 안에서 잠겨 버렸어.

개념 04 홑문장과 겹문장

홑문장 주어와 서술어의 관계가 ❶ ___ 만 나타나는 문장 ⓔ 바람이 분다. / 마당에 꽃이 피었다.

겹문장 주어와 서술어의 관계가 ❷ ___ 이상 나타나는 문장 ⓔ 누나는 고등학생이고, 나는 초등학생이다.

답 ❶ 한 번 ❷ 두 번

확인 04

다음 문장의 종류를 골라 ○표 하시오.

어느새 가을이 성큼 다가왔다.
(홑문장 / 겹문장)

개념 05 겹문장 – 이어진문장

이어진문장 둘 이상의 문장이 대등하거나 종속적으로 이어진 문장

- **대등하게 연결된 이어진문장** 이어지는 문장들의 의미 관계가 ❶ ___ 한 문장으로, 앞뒤 절을 바꾸어도 의미상 차이가 거의 없음.

의미 관계	연결 어미	예문
나열	-고, -(으)며	낮말은 새가 듣고, 밤말은 쥐가 듣는다.
대조	-지만, -(으)나	바람이 불지만, 날씨가 춥지는 않다.
선택	-든(지), -거나	밥을 먹든지 빵을 먹든지 하고 싶은 대로 해.

- **종속적으로 연결된 이어진문장** 앞 절과 뒤 절의 의미가 독립적이지 못하고 종속적인 관계에 있는 문장으로, 앞뒤 절을 바꾸면 ❷ ___ 가 바뀌거나 비문이 됨.

의미 관계	연결 어미	예문
원인, 이유	-아서/어서, -(으)니	비가 와서 길이 미끄럽다.
조건	-(으)면, -거든	백성이 없으면 나라도 없다.
의도	-(으)려고, -도록	여행을 가려고 일찍 일어났다.

답 ❶ 대등 ❷ 의미

확인 05

다음 문장의 앞 절과 뒤 절의 의미 관계를 쓰시오.

나는 책을 사려고 서점에 갔다.

개념 06 겹문장 – 안은문장

안은문장과 안긴문장

안긴문장

향기가 좋은 꽃이 피었다.

안은문장

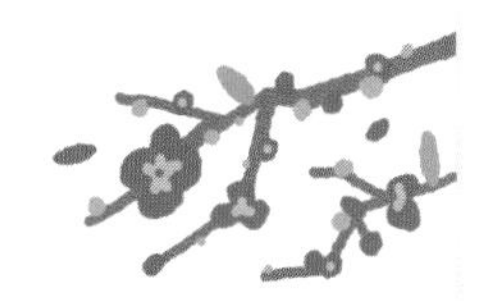

안은문장	안긴문장을 포함한 문장
안긴문장	다른 문장에 들어가 하나의 성분처럼 쓰이는 문장으로, 절이라고 하며 명사절, 관형절, 부사절, 서술절, 인용절로 구분함.

안은문장의 종류

- **명사절을 안은문장** 명사절은 문장에서 주어, 목적어, 보어, 부사어 등 다양한 기능을 하며, 명사형 어미 '-(으)ㅁ', '-기'로 실현함.
  ⓔ 나는 드라마가 시작하기를 기다렸다. (목적어 기능을 함.)
- **관형절을 안은문장** 관형절은 문장에서 ❶ ___ 의 기능을 하며, 관형사형 어미 '-(으)ㄴ', '-는', '-던', '-(으)ㄹ'로 실현함.
  ⓔ 이 영화는 내가 봤던 영화이다.
- **부사절을 안은문장** 부사절은 문장에서 부사어의 기능을 하며, 부사형 어미 '-게', '-도록', '-아/어', '-아서/어서', 부사 파생 접미사 '-이'로 실현함.
  ⓔ 지아가 땀이 나게 뛰었다.
- **서술절을 안은문장** 서술절은 문장에서 ❷ ___ 의 기능을 하며, 특별한 표지가 없는 것이 특징임.
  ⓔ 코끼리는 코가 길다.
- **인용절을 안은문장** 인용절은 다른 사람의 말이나 글에서 인용한 내용이 절의 형식으로 안기며, 인용격 조사 '라고', '고'로 실현함.
  ⓔ

민서가 "집에 같이 가자."라고 말했다. (직접 인용)
민서가 집에 같이 가자고 말했다. (간접 인용)

답 ❶ 관형어 ❷ 서술어

확인 06

다음 문장에 사용된 안긴문장의 종류를 쓰시오.

(1) 기린은 목이 길다.
(2) 소희가 떡볶이를 먹자고 말했다.
(3) 지금은 학교에 가기에 이른 시간이다.

개념 07 높임 표현

화자가 어떤 대상이나 상대에 대해 높이거나 낮추는 정도를 언어적으로 표현하는 방식

상대 높임법	• 대화의 상대인 청자를 높이거나 낮추어 말하는 방법 • ❶ [ ]의 변화를 통해 실현되는데, 격식체(하십시오체, 하오체, 하게체, 해라체)와 비격식체(해요체, 해체)로 나뉨.
주체 높임법	• 서술의 주체를 높여 표현하는 방법 • 서술어의 어간에 선어말 어미 '-(으)시-', 주격 조사 '께서', 접사 '-님', 특수 어휘 '계시다', '잡수시다', '주무시다' 등을 통해 실현됨. • 주어를 직접적으로 높이는지 간접적으로 높이는지에 따라 '직접 높임'과 '간접 높임'으로 나뉨.
객체 높임법	• 서술의 대상이 되는 ❷ [ ](목적어나 부사어가 지시하는 대상)를 높여 표현하는 방법 • '모시다', '드리다', '여쭈다' 등과 같은 특수 어휘와 부사격 조사 '께'를 통해 실현됨.

답 ❶ 종결 어미 ❷ 객체

확인 07

다음 문장에 쓰인 높임법의 종류를 쓰시오.

할아버지께서 식사를 하신다.

개념 08 부정 표현

문장 내용 전체나 일부분을 부정하는 표현으로, 부정 부사 '못, 안(아니)'과 부정 용언 '못하다, 아니하다(않다)'를 사용하여 나타냄.

능력 부정 ('못' 부정문)	특정 행위를 할 능력이 없음을 나타내는 부정문 • 짧은 부정문: 부정 부사 '못' 사용 • 긴 부정문: 부정 용언 '❶ [ ]' 사용
의지 부정 ('안' 부정문)	단순한 부정을 나타내거나 어떠한 행위를 하지 않겠다는 의지를 나타내는 부정문 • 짧은 부정문: 부정 부사 '❷ [ ]' 사용 • 긴 부정문: 부정 용언 '아니하다' 사용

답 ❶ 못하다 ❷ 안

확인 08

다음 짧은 부정문을 긴 부정문으로 바꾸어 쓰시오.

나는 밥을 못 먹었다.

개념 09 시간 표현

시제 연속적인 시간을 언어적으로 구분하여 표현한 것으로, ❶ [   ]와 사건시의 관계에 따라 과거, 현재, 미래로 나뉨.

시제	내용		
과거 시제	• 사건시가 발화시보다 앞선 시제 • 시제 표현 방법		
		선어말 어미	'-았/었-', '-았었/었었-', '-더-'
		관형사형 어미	• 동사: '-(으)ㄴ', '-던' • 형용사, 서술격 조사: '-던'
		시간 부사	'어제', '아까' 등
	예 어제 학교 앞에서 친구를 만났다. / 먹던 빵을 남겼다.		
현재 시제	• 발화시와 사건시가 일치하는 시제 • 시제 표현 방법		
		선어말 어미	'-는/ㄴ-' (동사에만 적용됨.)
		관형사형 어미	• 동사: '-는' • 형용사: '-(으)ㄴ' • 서술격 조사: '-ㄴ'
		시간 부사	'오늘', '지금' 등
	예 지금 나는 숙제를 한다. / 동생이 학교에 간다.		
미래 시제	• 발화시가 사건시보다 앞선 시제 • 시제 표현 방법		
		선어말 어미	'-겠-'
		관형사형 어미	'-(으)ㄹ'
		시간 부사	'내일', '장차' 등
	예 내일 비가 오겠습니다.		

동작상 시간의 흐름 속에서 ❷ [   ]이 일어나는 모습을 표현한 것으로, 진행상과 완료상으로 나뉨.

진행상	'-고 있다', '-아/어 가다' 등을 통해 동작이 진행되고 있음을 나타냄.
완료상	'-아/어 있다', '-아/어 버리다' 등을 통해 동작이 이미 완료되었음을 나타냄.

예

버스가 출발하고 있다.
진행상

버스가 출발해 버렸다.
완료상

답 ❶ 발화시 ❷ 동작

확인 09

다음 문장의 시제를 쓰시오.

(1) 아까 소나기가 내렸어.
(2) 지금 놀이공원에 간다.

개념 10 피동 표현

주어가 다른 주체에 의해 동작을 당하는 것을 나타내는 표현으로, 주어가 동작을 제힘으로 하는 '능동'과 대비됨.

피동문의 구성 방식	• 능동문의 주어 → 피동문의 부사어 • 능동문의 목적어 → 피동문의 ❶ [ ] • 능동사 → 피동사
예문	능동: 경찰이 도둑을 잡았다. 피동: 도둑이 경찰에게 잡혔다.

피동 표현의 실현 방법

파생적 피동 (단형 피동)	• 능동사 어간+피동 접미사 '-이-, -히-, -리-, -기-' 예 눈이 쌓이다. • 체언+피동 접미사 '-❷ [ ]' 예 공감대가 형성되다.
통사적 피동 (장형 피동)	용언 어간+'-게 되다', '-아/어지다' 예 새로운 사실이 드러나게 되다. 새로운 사실이 밝혀졌다.

답 ❶ 주어 ❷ 되다

확인 10

다음 중 피동문인 것은?

① 보름달이 보인다. ② 미나가 쓰레기통을 비운다.

개념 11 사동 표현

주어가 남에게 동작을 하도록 시키는 것을 나타내는 표현으로, 주어가 동작을 직접 하는 '주동'과 대비됨.

사동문의 구성 방식	• 새로운 주어가 생김. • 주동문의 주어 → 사동문의 목적어나 부사어 • 주동사 → ❶ [ ]
예문	주동: 동생이 옷을 입는다. 사동: 형이 동생에게 옷을 입힌다.

사동 표현의 실현 방법

파생적 사동 (단형 사동)	• 주동사 어간+사동 접미사 '-이-, -히-, -리-, -기-, -우-, -구-, -추-' 예 엄마가 아이에게 밥을 먹이다. • 체언+사동 접미사 '-❷ [ ]' 예 바다를 오염시키다.
통사적 사동 (장형 사동)	용언 어간+'-게 하다' 예 지나가는 차를 멈추게 하다.

답 ❶ 사동사 ❷ 시키다

확인 11

다음 중 사동문인 것은?

① 옷이 못에 걸리다. ② 아이들에게 책을 읽히다.

개념 12 담화

담화의 의미 구체적인 맥락에서 실현된 최소의 언어 행위를 발화라 하며, 담화란 하나 이상의 ❶ [ ]나 문장이 연속되어 이루어지는 말의 단위를 가리킴.

담화의 구성 요소 화자(필자), 청자(독자), 언어, 맥락

담화의 맥락

• **언어적 맥락(문맥)** 앞이나 뒤에 놓인 발화의 한 부분을 통해 파악할 수 있는 맥락

• **비언어적 맥락**

상황 맥락	• 담화의 수용이나 생산 활동에 직접적으로 개입하는 맥락 • 화자, 청자, 주제, 목적, 시간적 배경, ❷ [ ] 배경 등을 가리키며 동일한 담화 내용이 다르게 표현되거나 이해될 수 있음.
사회·문화적 맥락	• 담화의 수용이나 생산 활동에 간접적으로 작용하는 맥락 • 물리적인 배경(국가, 제도, 계층, 문화), 역사적·사회적 상황, 공동체의 가치관, 신념 등을 가리킴.

담화의 구성 요건

통일성	담화의 내용적 구성 요건으로, 담화를 구성하는 발화가 하나의 주제를 중심으로 일관성을 가져야 한다는 것
응집성	담화의 형식적 구성 요건으로, 담화를 구성하는 발화가 지시, 대용, 접속 표현 등을 통해 자연스럽게 연결되어야 한다는 것

담화의 표현

지시 표현	사물이나 사람, 사건을 가리키는 표현으로 '이, 그, 저', '여기, 거기, 저기' 등으로 대신하여 표현함. 예 이 의자 좀 저기로 치워 주겠니?
대용 표현	담화상의 앞선 발화에서 언급한 내용을 자세히 밝히지 않고, 지시어나 간단한 단어, 구절 등으로 대체하여 표현함. 예 그 말은 약속을 지키겠다는 뜻이지?
접속 표현	단어와 단어, 문장과 문장을 이어 주는 표현으로 '그리고, 그래서, 또는' 등의 접속 부사나 '먼저, 첫째, 둘째' 등의 어휘를 사용하여 표현함. 예   그녀는 자리에서 일어났다. 그리고 창문을 닫았다.

답 ❶ 발화 ❷ 공간적

확인 12

다음 문장에 들어갈 알맞은 말을 골라 ○표 하시오.

> 담화를 구성하는 발화가 하나의 주제를 중심으로 일관성을 가져야 한다는 것을 담화의 (통일성 / 응집성)이라고 한다.

WEEK 2 DAY 1

개념 돌파 전략 ②

01 문장에 대한 설명으로 적절하지 않은 것은?

① 일정한 문법적 기능을 하는 문장 성분이 모여 이루어진다.
② 문장의 골격을 이루는 주성분은 반드시 필요한 문장 성분이다.
③ 생각이나 감정을 완결된 내용으로 표현하는 최소의 언어 형식이다.
④ 문장을 만드는 데 필요한 문장 성분의 수와 종류는 주어에 의해 결정된다.
⑤ 문장의 구성 요소는 기능에 따라 주성분, 부속 성분, 독립 성분으로 나눌 수 있다.

문제 해결 전략

❶ [ ]은 문장 안에서 일정한 문법적 기능을 하는 부분이야. 이 중 ❷ [ ]는 문장을 만드는 데 필요한 문장 성분의 수와 종류를 결정해.

답 ❶ 문장 성분 ❷ 서술어

02 〈보기 1〉의 ㉠~㉢에 해당하는 예를 〈보기 2〉에서 찾아 바르게 연결한 것은?

보기 1

[문장의 종류]
• ㉠ 홑문장: 주어와 서술어의 관계가 한 번만 나타나는 문장
• 겹문장: 주어와 서술어의 관계가 두 번 이상 나타나는 문장
 – ㉡ 이어진문장: 둘 이상의 문장이 대등하거나 종속적으로 이어진 문장
 – ㉢ 안은문장: 안긴문장(다른 문장에 들어가 하나의 성분처럼 쓰이는 문장)을 포함한 문장

보기 2

a. 토끼는 귀가 꽤 길다.
b. 철수가 교실에서 숙제를 했다.
c. 바람이 세차게 불고, 비가 억세게 내린다.

	㉠	㉡	㉢
①	a	b	c
②	a	c	b
③	b	a	c
④	b	c	a
⑤	c	a	b

문제 해결 전략

문장의 종류는 주어와 ❶ [ ]가 몇 번 나타나는지에 따라 홑문장과 겹문장으로 나눌 수 있어. 그리고 겹문장은 다시 이어진문장과 ❷ [ ]으로 나눌 수 있어.

답 ❶ 서술어 ❷ 안은문장

03 다음 문장에 대한 설명으로 가장 적절한 것은?

어머니께서는 할머니께 편지를 드리기 위해 안방에 들어가셨어.

① 대화의 상대와 문장의 주체가 일치하고 있다.
② 문장의 주체는 높이고 있지만 객체는 높이고 있지 않다.
③ 특수 어휘를 사용하여 문장의 주체를 높여서 표현하고 있다.
④ 대화의 상대인 청자를 높이기 위해 상대 높임법을 사용하고 있다.
⑤ 부사격 조사와 특수 어휘를 사용하여 문장의 객체를 높여서 표현하고 있다.

문제 해결 전략

객체 높임법은 목적어나 부사어가 지시하는 대상인 객체를 높여 표현하는 방법이야. '모시다', '드리다' 등과 같은 ❶ [ ]와 부사격 조사 '❷ [ ]'를 통해 객체 높임법이 실현돼.

답 ❶ 특수 어휘 ❷ 께

04 다음 ㉠~㉤의 부정 표현에 대한 설명으로 적절하지 않은 것은?

㉠ 교실이 밝지 않다.
㉡ 아직 꽃이 안 피었다.
㉢ 그는 숙제를 하지 못했다.
㉣ 오늘은 운동을 하지 말자.
㉤ 나는 오늘 학교에 못 갔다.

① ㉠: 부정 용언 '않다'를 사용하여 단순한 부정을 나타내고 있다.
② ㉡: 부정 부사 '안'을 사용하여 짧은 부정문으로 나타내고 있다.
③ ㉢: 부정 용언 '못했다'를 사용하여 긴 부정문으로 나타내고 있다.
④ ㉣: 용언의 어간에 '-지 말자'를 사용하여 청유형의 부정문을 나타내고 있다.
⑤ ㉤: 부정 부사 '못'을 사용하여 의지 부정의 의미를 나타내고 있다.

문제 해결 전략

부정문은 의미에 따라 '안' 부정문과 '못' 부정문으로 나누기도 해. '안' 부정문은 단순한 부정을 나타내거나 어떠한 행위를 하지 않겠다는 ❶ [ ]를 나타내는 부정문이고, '못' 부정문은 특정 행위를 할 ❷ [ ]이 없음을 나타내는 부정문이야.

답 ❶ 의지 ❷ 능력

05 다음 ⓐ~ⓒ를 ㉠~㉢과 연결한 것으로 적절한 것은?

[사건시와 발화시의 관계]
• ㉠: 사건시 < 발화시
• ㉡: 사건시 = 발화시
• ㉢: 사건시 > 발화시
(※ 발화시가 사건시보다 앞서는 경우: 사건시 < 발화시)

[시간 표현의 예]
• 우리는 이미 그 영화를 ⓐ보았다.
• 영희가 지금 책을 열심히 ⓑ읽는다.
• 하늘을 보니 조만간 비가 ⓒ오겠다.

	ⓐ	ⓑ	ⓒ
①	㉠	㉡	㉢
②	㉠	㉢	㉡
③	㉡	㉠	㉡
④	㉡	㉢	㉠
⑤	㉢	㉡	㉠

문제 해결 전략

시제는 연속적인 시간을 언어적으로 구분하여 표현한 거야. 사건시가 발화시보다 앞서는 ❶ [ ], 발화시와 사건시가 일치하는 현재 시제, 발화시가 사건시보다 앞서는 ❷ [ ]로 나눌 수 있어.

답 ❶ 과거 시제 ❷ 미래 시제

06 담화에 대한 설명으로 적절하지 않은 것은?

① 구체적인 맥락에서 실현된 최소의 언어 행위를 발화라고 한다.
② 담화는 화자(필자), 청자(독자), 언어, 맥락의 네 요소로 이루어진다.
③ 담화의 맥락은 크게 언어적 맥락과 비언어적 맥락으로 나눌 수 있다.
④ 담화는 하나 이상의 발화나 문장이 연속되어 이루어지는 말의 단위이다.
⑤ 담화의 응집성은 발화가 하나의 주제를 중심으로 일관성을 가져야 한다는 것이다.

문제 해결 전략

담화의 구성 요건 중 ❶ [ ]은 발화가 하나의 주제를 중심으로 일관성을 가져야 한다는 것이고, ❷ [ ]은 발화가 지시 표현, 접속 표현 등을 통해 자연스럽게 연결되어야 한다는 것이야.

답 ❶ 통일성 ❷ 응집성

WEEK 2 DAY 2

필수 체크 전략 ①

대표 유형 1 문장 성분(주성분)의 이해

1 〈보기〉의 내용을 근거로 하여 잘못된 문장을 수정한 예로 적절하지 않은 것은?

> 보기
>
> 서술어의 자릿수는 문법적으로 정확하지 못한 문장을 수정하는 데 고려해야 할 중요한 기준이다. 서술어의 자릿수란 서술어가 반드시 갖추어야 하는 문장 성분의 수를 의미하는데, 다음과 같은 예를 들 수 있다.
>
> • 한 자리 서술어: 꽃이 피었다.
> • 두 자리 서술어: 고양이가 쥐를 잡았다.
> • 세 자리 서술어: 동생은 나에게 책을 주었다.
>
> 서술어가 요구하는 문장 성분이 빠져 있으면 문법적으로 정확하지 못한 문장이 되므로 그 성분을 보충하여야 한다.

① 그들은 양식이 다 떨어지자 식량 공급을 요청했다. → 그들은 양식이 다 떨어지자 정부에 식량 공급을 요청했다.

② 문제는 우리가 예의를 지키지 못하는 경우가 많다. → 문제는 우리가 예의를 지키지 못하는 경우가 많다는 사실이다.

③ 나는 오늘 점심을 먹으면서 내 친구를 소개하였다. → 나는 오늘 점심을 먹으면서 내 친구를 누나에게 소개하였다.

④ 우리는 전화위복의 계기로 삼아 지금보다 강해질 것이다. → 우리는 그 일을 전화위복의 계기로 삼아 지금보다 강해질 것이다.

⑤ 형은 이곳에 온 지 얼마 되지 않아 어두울 수밖에 없다. → 형은 이곳에 온 지 얼마 되지 않아 동네 지리에 어두울 수밖에 없다.

유형 해결 전략 〈보기〉에 제시된 서술어의 ❶ [ ]를 이해하여 선지에 제시된 문장의 서술어가 요구하는 ❷ [ ]을 보충해야 해.

답 ❶ 자릿수 ❷ 문장 성분

1-1 〈보기〉의 설명을 참고할 때, ㄱ~ㅁ에 대한 설명으로 적절하지 않은 것은?

> 보기
>
> • **서술어의 자릿수**: 문법적으로 문장이 성립하기 위해서 서술어가 요구하는 최소한의 문장 성분의 수
>
> 예를 들어, '노래하다'는 '누가'와 같은 성분 하나만 있으면 문장이 성립하므로 한 자리 서술어이고, '굴리다'는 '누가', '무엇을'과 같은 성분을 필요로 하므로 두 자리 서술어이다. '주다'는 '누가', '누구에게', '무엇을'과 같은 성분을 필요로 하므로 세 자리 서술어이다.
>
> ㄱ. 열매가 주렁주렁 열렸다.
> ㄴ. 영희가 집에서 밥을 먹는다.
> ㄷ. 어머니가 영희에게 책을 읽혔다.
> ㄹ. 그는 책가방을 교실에 두었다.
> ㅁ. 철수는 친한 친구와 싸웠다.

① ㄱ의 '열렸다'는 한 자리 서술어이다.

② ㄴ의 '먹는다'는 '영희가'와 '밥을'을 필수적으로 요구하므로 두 자리 서술어이다.

③ ㄷ의 '읽혔다'는 '영희가 책을 읽었다.'의 '읽었다'와 서술어의 자릿수가 다르다.

④ ㄹ의 '두었다'는 '한나는 그녀를 친구로 여겼다.'의 '여겼다'와 서술어의 자릿수가 같다.

⑤  ㅁ의 '싸웠다'는 '친구와'를 필수적으로 요구하지 않으므로 한 자리 서술어이다.

도움말

'싸우다'는 행위의 ❶ [ ]이 반드시 요구되는 서술어라고 할 수 있어. 따라서 주어뿐만 아니라 부사격 조사 '와/과'와 붙는 ❷ [ ]를 필수적으로 요구한다고 볼 수 있지.

답 ❶ 대상 ❷ 부사어

대표 유형 2 문장 성분(부속 성분)의 이해

2 **다음은 문법 수업의 내용을 정리한 학생의 노트이다. 이를 바탕으로 〈보기〉를 탐구한 내용으로 적절하지 않은 것은?**

- **관형사**: 체언 앞에 놓여서 체언을 꾸며 주는 단어
  예 새 책에 이름을 적어 두었다.
- **관형어**: 체언 앞에서 체언을 꾸며 주는 문장 성분
  ① 관형사
  ② 체언+관형격 조사
  ③ 용언의 어간+관형사형 어미
- **안긴문장(절)**: 다른 문장 속에서 하나의 성분처럼 쓰이는 홑문장
  → 주어와 서술어를 갖추어야 함.
  ① **관형절**: 다른 문장 속에 들어가 관형어의 역할을 하는 안긴문장(절), 이때 관형절은 '-(으)ㄴ', '-는', '-던' 등의 관형사형 어미를 포함함.
  예 '무소유'는 내가 읽었던 책이다.

보기
ㄱ. 어느 지역이든 유명한 관광지는 있기 마련이다.
ㄴ. 내가 산 꽃을 그녀의 화단에 옮겨 심었다.
ㄷ. 나는 동전 다섯 개를 잃어버렸지만 그 사실을 알지 못했다.

① ㄱ의 '유명한'은 명사 '관광지'를 꾸며 주고 있으므로 관형어라고 할 수 있군.
② ㄴ의 '그녀의'는 체언에 관형격 조사 '의'가 결합하여 명사 '화단'을 꾸며 주고 있으므로 관형어라고 할 수 있군.
③ ㄴ의 '산'은 '사다'의 어간 '사-'에 관형사형 어미 '-(으)ㄴ'이 결합한 것이므로 '내가 산'은 관형절이라고 할 수 있군.
④ ㄷ의 '다섯'은 '개'를 꾸며 주는 관형사이므로, '동전 다섯'은 관형절이라고 할 수 있군.
⑤ ㄱ의 '어느'와 ㄷ의 '그'는 모두, 뒤에 나오는 체언을 수식하는 관형사이자 관형어라고 할 수 있군.

유형 해결 전략 ㄷ의 '다섯'은 수 관형사가 ❶ ______가 된 것이라는 점과, 관형절은 주어와 ❷ ______를 갖추어야 한다는 점을 파악하여 선지의 내용이 적절한지 확인해 보자.

답 ❶ 관형어 ❷ 서술어

2-1 〈보기〉의 예로 적절하지 않은 것은?

보기
관형어는 체언을 수식하는 문장 성분이다. 관형어가 체언을 수식하는 방법은 여러 가지이다. 가장 기본적인 것은 관형사가 그대로 관형어가 되는 경우이고, 두 번째는 체언에 관형격 조사 '의'가 결합되어 실현되는 경우이고, 세 번째는 용언 어간에 관형사형 어미가 결합되어 실현되는 것이다. 네 번째는 관형격 조사 '의'가 생략되어 '체언+체언'의 구성으로 된 경우이다.

① 이 산은 나무가 많다.
② 이것은 아빠의 볼펜이다.
③ 그곳은 내가 다니던 학교이다.
④ 집에서 나왔지만 막상 갈 곳이 없었다.
⑤ 시골 인심이 좋다더니 무슨 말인지 알겠군.

2-2 다음을 참고할 때, ㉠, ㉡에 해당하는 예끼리 묶인 것으로 적절한 것은?

관형어는 체언을 수식하는 문장 성분으로 관형사나 체언이 그대로 관형어가 되기도 하며, 체언에 관형격 조사 '의'가 결합된 형태나 용언의 관형사형으로도 나타난다. 한편 관형격 조사 '의'는 앞과 뒤의 체언을 의미상으로 어떤 관계에 놓이도록 연결하는 역할을 한다. 예를 들어 '장관의 칭호'는 앞 체언과 뒤 체언이 '의미상 동격'의 관계, '그의 가방'은 ㉠'소유주-대상'의 관계, '국민의 단결'은 ㉡'주체-행동'의 관계, '그녀의 아들'은 '사회적·친족적' 관계로 연결된 것이다.

	㉠	㉡
①	경찰의 의심	나의 물건
②	통일의 위업	너의 부탁
③	친구의 지갑	그녀의 소개
④	어머니의 친구	그들의 각오
⑤	선생님의 조카	사랑의 감정

대표 유형 3 문장 성분(부속 성분)의 이해

3 〈보기〉를 통해 '부사어'에 대해 탐구한 것으로 적절하지 않은 것은?

보기
- 그는 소리 없이 떠났다.
- 그는 무척 열심히 일한다.
- 확실히 엄마의 약손은 효과가 있었다.

① 부사어는 체언을 수식할 수 있다.
② 부사절이 수식언의 기능을 할 수 있다.
③ 부사어는 문장 내에서 생략할 수 있다.
④ 부사어는 다른 부사어를 수식할 수 있다.
⑤ 부사어는 문장 내에서 위치 이동을 할 수 있다.

유형 해결 전략 선지의 내용이 모두 틀린 건 아니야. 따라서 ❶ [　　] 에 대한 탐구가 적절한지는 〈보기〉의 ❷ [　　] 에 하나씩 적용하여 판단해야 해.

답 ❶ 부사어 ❷ 예문

대표 유형 4 홑문장과 겹문장의 이해

4 〈보기〉의 밑줄 친 ㉠의 예로 적절하지 않은 것은?

보기
문장에는 주어와 서술어가 한 번만 나타나는 '홑문장'과 두 번 이상 나타나는 ㉠'겹문장'이 있다. 겹문장에는 '안은문장'과 '이어진문장'이 있다. 전자는 홑문장이 다른 문장 속에 하나의 문장 성분이 되는 것이고, 후자는 홑문장과 홑문장이 대등하거나 종속적으로 이어지는 것이다.

① 가을이 오면 곡식이 익는다.
② 함박눈이 소리도 없이 내린다.
③ 우리는 어제 학교로 돌아왔다.
④ 그는 우리가 돌아온 사실을 모른다.
⑤ 사람은 책을 만들고 책은 사람을 만든다.

유형 해결 전략 홑문장은 주어와 서술어가 한 번만 나타나고, ❶ [　　] 은 주어와 서술어가 두 번 이상 나타나. 따라서 주어와 ❷ [　　] 의 개수를 파악하면 홑문장과 겹문장을 쉽게 구별할 수 있어.

답 ❶ 겹문장 ❷ 서술어

3-1 다음은 부사어에 대해 탐구한 것이다. 탐구 내용으로 적절하지 않은 것은?

①	• 영이는 엄마와 매우 닮았다. → '엄마와'와 '매우'는 둘 다 부사어인데, '엄마와'는 '매우'와 달리 필수 성분이군.
②	• 그녀는 깨끗하게 청소했다. → 용언의 어간에 부사형 어미가 결합한 '깨끗하게'가 부사어로 쓰였군.
③	• 함박눈이 하늘에서 내리고 있다. → 부사격 조사가 결합한 '하늘에서'가 부사어로 쓰였군.
④	• 풀잎 위의 이슬이 반짝반짝 빛난다. → 부사 '반짝반짝'이 부사어로 쓰였군.
⑤	• 아주 오랜 옛날부터 그곳은 숲이 울창했다. → 부사어 '아주'가 서술어 '울창했다'를 수식하는군.

4-1 다음은 '문장의 종류'에 대한 학습 자료이다. ㉠~㉢에 해당하는 예문으로 적절하지 않은 것은?

- ㉠**홑문장**: 주어와 서술어가 한 번만 나타나는 문장
- **겹문장**: 주어와 서술어가 두 번 이상 나타나는 문장
  - ㉡**안은문장**: 다른 문장 속에 들어가 하나의 성분처럼 쓰이는 홑문장을 포함하고 있는 문장
  - ㉢**이어진문장**: 둘 이상의 홑문장이 대등하거나 종속적으로 이어진 문장

① ㉠: 우리 집 정원에 장미꽃이 피었다.
② ㉠: 다희가 교실에서 소설책을 읽었다.
③ ㉡: 민지는 성격이 매우 좋은 학생이다.
④ ㉡: 그는 갔으나 그의 예술은 살아 있다.
⑤ ㉢: 바람이 세게 불고 비가 억수같이 내린다.

대표 유형 5 이어진문장의 이해

5 <보기>의 ㉠에 해당하는 문장으로 적절한 것은?

보기

'종속적으로 연결된 이어진문장'은 두 개 이상의 문장이 연결 어미로 이어져 있다. 이때 앞의 절과 뒤의 절은 인과, ㉠조건, 의도, 양보, 배경 등의 의미 관계를 나타낸다.

① 책을 많이 읽으면 생각이 깊어진다.
② 책을 읽으려고 학교 도서관으로 갔다.
③ 책을 아무리 읽어도 이해가 되지 않는다.
④ 책을 읽고 있는데 친구가 나를 자꾸 불렀다.
⑤ 책을 다양하게 읽어서 그는 지식이 풍부하다.

유형 해결 전략 종속적으로 연결된 이어진문장은 앞 절과 뒤 절의 의미 관계가 ❶ [ ]인 관계에 있는 문장이야. 종속적으로 연결된 이어진 문장은 ❷ [ ]에 따라 앞의 절과 뒤의 절이 다양한 의미 관계를 맺고 있으니 두 절의 관계를 잘 파악해야 해.

답 ❶ 종속적 ❷ 연결 어미

5-1 밑줄 친 부분이 ㉠에 해당하는 것은?

동사의 어간에 연결 어미 '-(으)며'가 결합할 때, ㉠앞 문장과 뒤 문장의 주어가 서로 같고, '-(으)며'를 연결 어미 '-(으)면서'로 바꾸어 쓸 수 있는 경우에 '-(으)며'는 앞뒤 문장의 동작이 동시에 일어남을 나타낸다.

예 철수가 음악을 듣는다. + 철수가 커피를 마신다.
→ 철수가 음악을 들으며(들으면서) 커피를 마신다.

① 이것은 감이며 저것은 사과이다.
② 남편은 친절하며 부인은 인정이 많다.
③ 여름에는 비가 내리며 겨울에는 눈이 내린다.
④ 모두들 음정에 주의하며 노래를 제대로 부르자.
⑤ 출근할 때, 일부는 버스를 이용하며 일부는 지하철을 이용한다.

대표 유형 6 안은문장의 이해

6 <학습 활동>을 수행한 결과로 적절하지 않은 것은?

학습 활동

겹문장은 다른 문장 속에 들어가 안긴문장으로 쓰일 수 있다. 또한 겹문장은 안은문장에서 다양한 문장 성분으로도 쓰인다. 다음 밑줄 친 겹문장 ⓐ~ⓔ의 쓰임을 설명해 보자.

- 기상청은 ⓐ내일은 따뜻하지만 비가 온다는 예보를 했다. / • 시민들은 ⓑ공원이 많고 거리가 깨끗한 도시를 만들었다.
- ⓒ바람이 거세지고 어둠이 내리기 전에 산에서 내려갔다. / • 나는 나중에야 ⓓ그녀는 왔으나 그가 안 왔음을 깨달았다.
- 삼촌은 주말에 ⓔ꽃이 피고 새가 지저귀는 들판을 거닐었다.

① ⓐ는 인용절로 쓰이고 있다.
② ⓑ는 관형절로 쓰이고 있다.
③ ⓒ는 명사절로 쓰이고 있다.
④ ⓓ는 조사와 결합하여 주성분으로 쓰이고 있다.
⑤ ⓔ는 조사와 결합 없이 부속 성분으로 쓰이고 있다.

유형 해결 전략 ❶ [ ]을 제외한 나머지 안긴문장은 절 표지를 가지고 있어. 그중 ❷ [ ]은 인용격 조사 '라고', '고'를 절 표지로 가지고 있지.

답 ❶ 서술절 ❷ 인용절

6-1 <보기>의 ㉠~㉢에서 안긴문장의 종류와 기능을 파악한 것으로 가장 적절한 것은?

보기

㉠ 드디어 그가 범인임이 세상에 드러났다.
㉡ 그녀는 농담을 던짐으로써 분위기를 풀었다.
㉢ 동생은 형이 음식을 다 먹기만 기다리고 있었다.

① ㉠~㉢에서 안긴문장의 종류가 모두 동일하고 ㉠에서 안긴문장은 안은문장 안에서 목적어의 기능을 하는군.
② ㉠~㉢에서 안긴문장의 종류가 모두 동일하고 ㉡에서 안긴문장은 안은문장 안에서 부사어의 기능을 하는군.
③ ㉠~㉢에서 안긴문장의 종류가 모두 동일하고 ㉢에서 안긴문장은 안은문장 안에서 주어의 기능을 하는군.
④ ㉠~㉢에서 안긴문장의 종류가 모두 다르고 ㉠에서 안긴문장은 안은문장 안에서 주어의 기능을 하는군.
⑤ ㉠~㉢에서 안긴문장의 종류가 모두 다르고 ㉡에서 안긴문장은 안은문장 안에서 부사어의 기능을 하는군.

WEEK 2 DAY 2

필수 체크 전략 ②

문장 성분의 이해

01 **〈보기〉의 ㉠~㉣에 대한 설명으로 적절하지 않은 것은?**

보기

㉠ 저 토끼는 귀가 정말 길구나.

㉡ 그녀는 드디어 대학생이 되었다.

㉢ 아, 너무 피곤해서 일을 못하겠다.

㉣ 그 사람은 사실을 전혀 알지 못했다.

①  ㉠과 ㉡은 각각 주어가 두 개 있다.

② ㉢과 ㉣은 둘 다 목적어가 있다. 

③ ㉠은 보어가 없고, ㉡은 보어가 있다.

④ ㉡은 독립어가 없고, ㉢은 독립어가 있다. 

⑤ ㉢은 부사어가 있고, ㉣은 관형어가 있다.

목적어의 형태 이해

02 **다음 '자료'의 ㉠에 ㄱ~ㄹ에 해당하는 예를 찾아 넣으려고 할 때, 적절하지 않은 것은?**

목적어는 문장에서 주로 서술어가 나타내는 동작의 대상이 되는 문장 성분이다. 문장에서 목적어는 다음과 같은 형태로 나타난다.

ㄱ. 체언 단독

ㄴ. 체언+목적격 조사

ㄷ. 체언+보조사

ㄹ. 체언+보조사+목적격 조사

[자료]

그녀는 (　　㉠　　) 갔어.

① ㄱ의 예로 '산책'을 넣을 수 있다.

② ㄴ의 예로 '이사를'을 넣을 수 있다.

③ ㄷ의 예로 '꽃구경만'을 넣을 수 있다.

④ ㄷ의 예로 '해외여행도'를 넣을 수 있다.

⑤ ㄹ의 예로 '한길만은'을 넣을 수 있다.

품사와 문장 성분의 이해

03 **〈보기〉의 활동을 수행한 결과로 가장 적절한 것은?**

보기

품사는 다양한 방식을 통해 문장 성분으로 실현된다. 품사가 어떻게 문장 성분으로 실현되는지 다음 밑줄 친 부분을 중심으로 알아보자.

ⓐ 그는 일하는 솜씨가 제법이다.

ⓑ 형은 노래를 아주 잘 불렀었다.

ⓒ 나중에 성인 돼서 다시 찾아오렴.

ⓓ 비둘기 다섯 마리가 도로를 횡단했다.

ⓔ 그는 운동은 잘하지만 노래는 잘 못한다.

① ⓐ: 명사가 어미와 결합해 서술어로 쓰였다.

② ⓑ: 부사가 부사를 수식하는 부사어로 쓰였다.

③ ⓒ: 명사가 조사와 결합 없이 주어로 쓰였다.

④ ⓓ: 수사가 명사를 수식하는 관형어로 쓰였다.

⑤ ⓔ: 명사가 격 조사와 결합해 목적어로 쓰였다.

문장의 짜임 이해

04 **〈보기〉의 ㉠~㉤에 들어갈 예로 적절하지 않은 것은?**

보기

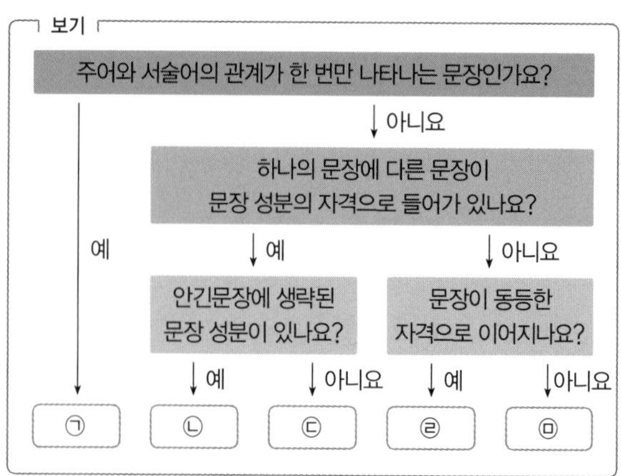

① ㉠: 아버지께서는 할머니를 병원으로 모셨다.

② ㉡: 수미는 시험이 끝나기를 기다렸다.

③ ㉢: 그가 돌아왔다는 소문이 퍼졌다.

④ ㉣: 나는 사과를 싫어하지만 그는 사과를 좋아한다.

⑤ ㉤: 기차가 오면 우리도 빨리 가자.

문장 성분과 안은문장의 이해

05 **〈보기〉의 ⓐ~ⓒ를 이해한 내용으로 적절하지 않은 것은?**

> 보기
> ⓐ 하늘이 눈이 부시게 파랗다.
> ⓑ 그는 친구에게 좋은 선물을 받았다.
> ⓒ 그녀는 아름다운 무지개를 바라보았다.

①  ⓐ의 '하늘이'와 '눈이'는 각각 다른 서술어의 주어이군.

②  ⓑ의 '받았다'는 주어 이외에도 두 개의 문장 성분을 필수적으로 요구하는군.

③  ⓒ의 '무지개를'은 안긴문장의 목적어이면서 안은문장의 목적어이군.

④ 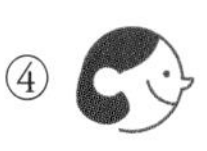 ⓐ의 '눈이 부시게'와 ⓒ의 '아름다운'은 수식의 기능을 하는군.

⑤  ⓑ의 '좋은'과 ⓒ의 '아름다운'은 안긴문장의 서술어이군.

명사절의 이해

06 **〈보기〉의 ㉠~㉤에 대한 설명으로 적절하지 않은 것은?**

> 보기
> 명사절은 명사와 마찬가지로 문장에서 다양한 문장 성분으로 쓰인다. 다음의 밑줄 친 명사절이 어떤 문장 성분으로 쓰이는지 알아보자.
>
> ㉠ 빛깔이 푸르기가 바다와 같다.
> ㉡ 그녀는 그가 돌아오기를 간절히 기다렸다.
> ㉢ 지금은 우리가 기차역에 가기 너무 늦었다.
> ㉣ 선생님께서는 항상 우리가 행복하기 바라셨다.
> ㉤ 그는 내가 오기 전에 이미 고향으로 돌아갔다.

① ㉠: 명사절이 조사와 결합하여 주어로 쓰였다.
② ㉡: 명사절이 조사와 결합하여 목적어로 쓰였다.
③ ㉢: 명사절이 조사와 결합하지 않고 부사어로 쓰였다.
④ ㉣: 명사절이 조사와 결합하지 않고 목적어로 쓰였다.
⑤ ㉤: 명사절이 조사와 결합하지 않고 부사어로 쓰였다.

명사절과 관형절의 이해

07 **〈보기〉는 문법 수업의 일부이다. 선생님의 설명을 바탕으로 ㉠~㉤을 이해한 내용으로 적절하지 않은 것은?**

> 보기
>
> 
>
> 하나의 문장이 관형절로 안길 때 안은문장과 겹치는 주어, 목적어, 부사어 등의 문장 성분이 생략되는 경우가 있어요. 그리고 명사절은 안은문장에서 조사와 결합하여 주어, 목적어, 부사어 등으로 쓰일 수 있어요. 그럼 다음 문장을 분석해 볼까요?
>
> ㉠ 매듭을 풀기가 생각보다 쉬웠다.
> ㉡ 약속 시간보다 빨리 온 사람들은 없었다.
> ㉢ 그녀는 숙박하는 호텔에 계속 있기를 원했다.
> ㉣ 그는 내가 빵을 다 먹었음을 이미 알고 있었다.
> ㉤ 나는 선생님께서 쓰신 편지를 어머니께 갖다드렸다.

① ㉠에는 관형절이 없고, 주어로 쓰인 명사절이 있습니다.
② ㉡에는 명사절이 없고, 주어가 생략된 관형절이 있습니다.
③ ㉢에는 부사어가 생략된 관형절이 있고, 목적어로 쓰인 명사절이 있습니다.
④ ㉣에는 관형절이 없고, 목적어로 쓰인 명사절이 있습니다.
⑤ ㉤에는 명사절이 없고, 부사어가 생략된 관형절이 있습니다.

이어진문장의 이해

08 **〈보기〉를 참고할 때, 이어진문장의 종류가 나머지와 다른 하나는?**

> 보기
> 이어진문장은 둘 이상의 문장이 대등하거나 종속적으로 이어진 문장을 말한다. 대등하게 연결된 이어진문장은 앞뒤 절이 나열, 대조 등의 의미 관계를 가지며, '-고', '-지만' 등의 연결 어미에 의해 이어진다. 종속적으로 연결된 이어진문장은 앞뒤 절이 원인, 조건, 의도 등의 의미 관계를 가지며, '-아서/어서', '-(으)면', '-(으)려고' 등의 연결 어미에 의해 이어진다.

① 비가 와서 일정이 취소되었다.
② 그가 오면 그녀는 출발할 것이다.
③ 눈이 오더라도 우리는 멈출 수 없다.
④ 도서관에 가려고 영희는 가방을 챙겼다.
⑤ 동생은 빵은 좋아하나 야채는 싫어한다.

WEEK 2 DAY 3

필수 체크 전략 ①

대표 유형 7 높임 표현의 이해

1 다음은 높임 표현에 대한 탐구 학습지이다. ㉮에 들어갈 내용으로 적절하지 않은 것은?

▶ 높임 표현의 종류와 실현 방식에 대해 이해하고 〈보기〉의 문장에 나타난 높임 표현을 설명해 보자.

종류	실현 방식
상대 높임	• 대화의 상대, 즉 듣는 이를 높이거나 낮춤. • 종결 어미 '-습니다', '-다', '-(으)십시오', '-(아/어)라' 등 사용
주체 높임	• 서술의 주체, 즉 문장의 주어를 높임. • 선어말 어미 '-(으)시-' 결합 • 주격 조사 '께서' 사용 • 특수 어휘 '계시다', '주무시다' 등 사용
객체 높임	• 서술의 객체, 즉 문장의 목적어나 부사어를 높임. • 부사격 조사 '께' 사용 • 특수 어휘 '드리다', '뵙다' 등 사용

보기
㉠ 채윤아, 할아버지께 물 좀 갖다드려라.
㉡ 선생님, 어제 부모님께서 할머니를 모시고 여행을 가자고 말씀을 하셨습니다.

㉮ ______________________

① ㉠은 종결 어미 '-어라'를 사용하여 대화 상대인 '채윤'을 낮추고 있다.
② ㉠은 부사격 조사 '께'를 사용하여 서술의 객체인 '할아버지'를 높이고 있다.
③ ㉡은 특수 어휘 '말씀'을 사용하여 서술의 객체인 '할머니'를 높이고 있다.
④ ㉡은 종결 어미 '-습니다'를 사용하여 대화 상대인 '선생님'을 높이고 있다.
⑤ ㉡은 주격 조사 '께서'와 선어말 어미 '-시-'를 사용하여 서술의 주체인 '부모님'을 높이고 있다.

유형 해결 전략 문장에서 높임의 ❶ ______이 둘 이상인 경우가 있어. 이때 높임의 종류에 따라 대상에 어떤 높임 표현이 ❷ ______되었는지 구분할 수 있어야 해.

답 ❶ 대상 ❷ 실현

1-1 〈보기〉의 '학습 활동'을 수행한 결과로 적절한 것은?

보기
[학습 활동]
다음 담화 상황에 등장하는 ㉠, ㉡이 달라질 때, 언어 예절에 적합한 높임 표현을 사용해 보자.

[담화 상황]
(내가 경하에게)

어제 ㉠철수가 ㉡영희를 서점에 데리고 가는 것을 보았어.

※ 말하는 사람인 '나'와 경하, 철수, 영희는 서로 대등한 관계임.

① ㉠이 높임의 대상인 '어머니'로 바뀌면 조사 '가'를 '께서'로 고쳐 말해야 한다.
② ㉠이 높임의 대상인 '어머니'로 바뀌면 동사 '데리고'를 '모시고'로 고쳐 말해야 한다.
③ ㉡이 높임의 대상인 '어머니'로 바뀌면 '가는'을 '가시는'으로 고쳐 말해야 한다.
④ ㉡이 높임의 대상인 '어머니'로 바뀌면 '보았어'를 '보셨어'로 고쳐 말해야 한다.
⑤ ㉡이 높임의 대상인 '어머니'로 바뀌면 '보았어'를 '보았습니다'로 고쳐 말해야 한다.

도움말
제시된 담화 상황에서 ❶ ______, 객체, 상대 중 누구를 높이는 것인지를 먼저 파악해야 해. 그리고 높이는 대상이 달라지면 격 조사나 선어말 어미, 종결 어미, ❷ ______ 등을 알맞게 수정하면 돼.

답 ❶ 주체 ❷ 특수 어휘

대표 유형 8 부정 표현의 이해

2 〈보기〉의 ㉠과 ㉡이 모두 적용된 예로 적절한 것은?

> 보기
> 부정 표현이란 부정의 뜻을 나타내는 표현을 말한다. 부정 표현은 부사인 '안'과 '못'을 사용해서 짧게 표현할 수도 있고, ㉠'-지 아니하다'와 '-지 못하다' 등을 사용해서 길게 표현할 수도 있다. 부정 표현은 능력을 부정하거나 의지를 부정하는 것 이외에 ㉡단순히 사실이나 상태를 부정하는 의미로도 해석된다.

① 우리가 묵은 방은 두 평이 채 못 된다.
② 나는 저녁을 먹으려고 간식을 안 먹었다.
③ 그는 용기가 없어서 발표를 잘하지 못했다.
④ 다행히 소풍을 가는 날 비가 내리지 않았다.
⑤ 동생은 숙제를 한다며 놀이터에 나가지 않았다.

유형 해결 전략 부정문은 길이에 따라 짧은 부정문과 ❶ ____ 으로 나뉘지. 그리고 '안' 부정문은 상황에 따라 ❷ ____ 과 의지 부정의 의미로 해석돼. 따라서 각 선지에서 상황과 의미를 잘 살펴보고 ㉠과 ㉡이 모두 적용된 예를 골라야 해.

답 ❶ 긴 부정문 ❷ 단순 부정

2-1 〈보기〉의 ㉠~㉢을 통해 부정 표현에 대해 탐구한 내용으로 적절하지 않은 것은?

> 보기
> ㉠ 오늘은 날씨가 안 덥다.
> ㉡ 그녀는 이제 학생이 아니다.
> ㉢ 그는 부상을 당해 운동을 못 한다.

①

㉠에서 '안'을 '못'으로 바꾸면 어색한 문장이 된다.

②

㉠에서 '안'은 '덥다'라는 상태를 부정하기 위해 사용되었다.

③

㉡에서 '아니다'는 '그녀'가 '학생'이라는 것을 부정하기 위해 사용되었다.

④

㉢에서 '못'은 운동을 하고자 하는 '그'의 의지를 부정하고 있다.

⑤

㉢에서 '못 한다'는 '하지 못한다'로 바꾸어도 어법상 문제가 없다.

대표 유형 9 시간 표현의 이해

3 〈보기〉는 과거 시제를 표현하는 방법에 대해 조사한 것이다. ㄱ~ㅁ에 해당하는 예로 적절하지 않은 것은?

> 보기
> ㄱ. 과거 시제란 사건시가 발화시보다 앞서 있는 시제로, 주로 과거 시제 선어말 어미 '-았/었-'을 통해 실현된다.
> ㄴ. '-았었/었었-'은 발화시보다 전에 발생하여 현재와는 단절된 사건을 표현하는 데 쓰일 수 있다.
> ㄷ. '-더-'는 과거 어느 때의 일이나 경험을 회상할 때에 사용하기도 한다.
> ㄹ. 동사 어간에 붙는 관형사형 어미 '-(으)ㄴ'은 과거 시제를 표현하는 데 사용하기도 한다.
> ㅁ. 관형사형 어미 '-던'은 과거 시제를 표현하는 데 사용하기도 한다.

① ㄱ: 너는 이제 집에 돌아오면 혼났다.
② ㄴ: 나는 예전에 그 집에 살았었다.
③ ㄷ: 지난여름에는 정말 덥더라.
④ ㄹ: 방학 동안 읽은 책이 제법 여러 권이다.
⑤ ㅁ: 여름에 푸르던 산이 붉게 물들었다.

유형 해결 전략 '-았/었-'은 일반적으로 ❶ ____ 의 일을 표현하는 데 쓰이지만, 상황에 따라서 ❷ ____ 의 일을 표현하는 데 쓰이기도 해. 따라서 '-았/었-'이 쓰인 상황을 잘 살펴봐야 해.

답 ❶ 과거 ❷ 미래

3-1 〈보기〉의 ⓐ~ⓒ를 탐구한 내용으로 적절하지 않은 것은?

> 보기
> ⓐ 아기가 새근새근 잘 잔다.
> ⓑ 민아는 어제 영화를 한 편 봤다.
> ⓒ 전국적으로 눈이 내리겠습니다.

① ⓐ: 발화시와 사건시가 일치하는 시간 표현이 사용되었다.
② ⓐ: 관형사형 어미와 선어말 어미를 활용한 시간 표현이 나타난다.
③ ⓑ: 사건시보다 발화시가 나중인 시간 표현이 사용되었다.
④ ⓑ: 시간 부사와 선어말 어미를 활용한 시간 표현이 나타난다.
⑤ ⓒ: 사건시보다 발화시가 앞선 시간 표현이 사용되었다.

대표 유형 10 피동 표현의 이해

4 다음 학습 과제를 수행한 결과로 적절하지 않은 것은?

[학습 내용] 주어가 자기 힘으로 동작하는 것을 능동이라고 하고, 주어가 다른 주체에 의해 동작을 당하는 것을 피동이라고 한다. 피동 표현은 주로 어근에 접사 '-이-', '-히-', '-리-', '-기-', '-되다' 등이 결합하여 실현된다.

[학습 과제] 다음의 어근 목록을 활용하여 피동문을 만드시오.

풀-	읽-	안-	깎-	이용

① 이번 시험 문제는 지난번보다 잘 풀렸다.
② 그의 글은 오직 나에게만 아름답게 읽혔다.
③ 친구는 버스에서 자기 짐까지 나에게 안겼다.
④ 날카로운 칼날에 무성하던 잔디가 모두 깎였다.
⑤ 우리 학교 운동장은 가끔 주차장으로도 이용되었다.

유형 해결 전략 '안다'의 ❶ ＿＿ 와 사동사는 '안기다'로 형태가 동일해. 따라서 문장의 의미를 파악하여 '안기다'가 피동사인지 ❷ ＿＿ 인지를 구분할 필요가 있어.

답 ❶ 피동사 ❷ 사동사

대표 유형 11 사동 표현의 이해

5 〈보기〉를 바탕으로 '사동(使動)'에 대해 학습하였다. ㉠~㉤에 해당하는 예로 적절하지 않은 것은?

보기
사동문은 용언에 사동 접미사 '-이-', '-히-', '-리-', '-기-', '-우-', '-구-', '-추-' 등을 붙인 사동사를 사용하여 만들 수 있는데, ㉠'남으로 하여금 어떤 동작을 하도록 한다'의 의미를 지닌다. 이때 ㉡용언에 사동 접미사가 두 개 붙는 경우도 있다. 또한 ㉢용언에 '-게 하다'를 붙여 사동문을 만들 수도 있다. 사동문은 ㉣의미가 중의적으로 나타나기도 한다. 한편, ㉤사동사의 형태를 띠지만 사동의 의미에서 다소 멀어진 경우도 있다.

① ㉠: 선생님께서 윤호에게 책을 읽히셨다.
② ㉡: 어머니께서 아기를 재우고 계신다.
③ ㉢: 영희가 태호에게 사과를 깎게 했다.
④ ㉣: 할머니께서 손자에게 색동옷을 스스로 입게 하셨다.
⑤ ㉤: 삼촌께서 올해는 농장에서 돼지를 먹인다고 하셨다.

유형 해결 전략 보통 사동사가 사용된 사동문은 ❶ ＿＿ 사동과 간접 사동의 두 가지 의미로 해석될 수 있어 중의성을 가지기도 해. 하지만 '-게 하다'가 사용된 사동문은 ❷ ＿＿ 의 의미로만 해석하는 것이 일반적이야.

답 ❶ 직접 ❷ 간접 사동

4-1 〈보기〉의 ㉠과 ㉡에 해당하는 예로 적절한 것은?

보기
동사의 성격에 따라서 ㉠피동사로 파생되지 않는 동사가 있다. 또 ㉡능동문의 서술어로 쓰인 동사의 피동사가 존재함에도 불구하고 파생적 피동문으로 바꿀 수 없는 문장도 있다.

	㉠	㉡
①	날다	경찰이 드디어 도둑을 잡았다.
②	풀다	사람들이 열심히 풀을 뽑았다.
③	주다	동생은 선생님께 꾸중을 들었다.
④	기울다	벌레가 광선이의 다리를 쏘았다.
⑤	가누다	민솔이가 그림을 멋지게 그렸다.

5-1 ㄱ~ㄹ에서 적절한 것만을 있는 대로 고른 것은?

ㄱ. '(배를) 주리다'와 달리 '(종을) 울리다'는 사동 접사가 붙어 만들어진 동사이다.
ㄴ. '(선물을) 받다', '(종이비행기가) 날다'는 모두 파생적 사동이 불가능한 동사이다.
ㄷ. '(공을) 던지다'와 '(추위를) 견디다'는 어간이 'ㅣ'로 끝나기 때문에 사동 접사의 결합에 제약이 있다.
ㄹ. '(버스에) 타다', '(동생과) 닮다'는 모두 특정한 상대 등을 필수적으로 요구하는 동사이기 때문에 사동 접사가 결합되지 못한다.

① ㄱ, ㄴ ② ㄱ, ㄷ ③ ㄴ, ㄹ
④ ㄱ, ㄷ, ㄹ ⑤ ㄴ, ㄷ, ㄹ

대표 유형 12 담화의 이해

6 〈보기 1〉을 바탕으로 〈보기 2〉의 ㉠~㉤을 이해한 것으로 적절하지 않은 것은?

보기 1

담화에서 화자가 자신의 의도를 직접 드러내고자 하는 상황이라면 종결 표현과 화자의 의도를 일치시켜 명시적으로 표현합니다. 반면 명령이나 요청 등과 같이 청자에게 부담을 주거나 예의에 어긋날 수 있는 상황이라면 화자의 의도와는 다른 종결 표현을 사용하거나, '저기', '만', '좀'과 같은 언어 표현을 사용하여 완곡하게 표현합니다.

보기 2

어머니: (지연을 토닥이며) ㉠ 저기, 지연아 이제 좀 일어나라.
지연: (힘없이 일어나며) ㉡ 엄마, 선생님께 학교에 조금 늦을 거 같다고 전화해 주시겠어요?
어머니: (걱정스러운 표정으로) 어디 아프니?
지연: 네, 그런 것 같아요. 열도 좀 나고요.
어머니: ㉢ 그럼 선생님께 전화 드리고 엄마랑 병원에 가자. / **지연**: 네, 그렇게 해야 할 것 같아요.
소연: (거실에서 큰 소리로) 지연아, 학교 늦겠다. ㉣ 빨리 가라.
어머니: 소연아! ㉤ 동생이 아프다니까 조금만 작은 소리로 말해 주면 참 좋겠다.

① ㉠: 명령의 의도를 '저기', '좀' 등의 언어 표현을 사용하여 표현함으로써 청자에게 부담을 주려 하지 않고 있군.
② ㉡: 요청의 의도를 의문형 종결 표현을 사용하여 완곡하게 표현하고 있군.
③ ㉢: 화자의 의도와 종결 표현을 일치시켜 청유의 의도를 직접 드러내고 있군.
④ ㉣: 화자의 명령에 대한 청자의 부담을 덜어 주기 위해 화자의 의도와 종결 표현을 일치시키지 않고 있군.
⑤ ㉤: 명령의 의도를 평서형 종결 표현과 '만'과 같은 언어 표현을 사용하여 부드럽게 표현하고 있군.

유형 해결 전략 담화 ❶ [   ]을 고려하여 ㉠~㉤이 화자의 의도를 직접적으로 드러내는 표현인지, 간접적으로 드러내는 표현인지 확인해야 해. 의도를 ❷ [   ]으로 드러내는 발화는 종결 표현과 화자의 의도가 일치하는 것을 알 수 있지.

답 ❶ 상황 ❷ 직접적

6-1 〈보기〉의 담화 상황에서 ⓐ~ⓔ가 가리키는 대상이 같은 것끼리 바르게 짝지은 것은?

보기

영희: 수진아, 가방 새로 샀어?
수진: 응. 어제 ⓐ 우리 언니랑 같이 역 앞에 새로 생긴 쇼핑몰에 갔었어.
미영: 그래? 나도 어제 거기 갔었는데! 유명한 빵집이 생겼다고 해서 ⓑ 우리 엄마랑 같이 다녀왔어.
영희: 와, 빵 맛있었겠다. 오늘 끝나고 ⓒ 우리 셋이 같이 쇼핑몰에 가 보는 건 어때?
수진: 미안해, 난 오늘 안 될 것 같아.
미영: 그럼 ⓓ 우리 둘이라도 갈까?
영희: 다음에 ⓔ 우리 시간이 다 될 때 같이 가자.

① ⓐ - ⓑ ② ⓐ - ⓓ ③ ⓑ - ⓔ
④ ⓒ - ⓓ ⑤ ⓒ - ⓔ

6-2 〈보기〉의 ㉠~㉧에 대한 설명으로 가장 적절한 것은?

보기

학생: 안녕하세요? 인터뷰 때문에 원장님을 ㉠ 뵈러 왔습니다.
직원: 지금 ㉡ 계시긴 한데 혹시 미리 약속은 하셨나요?
학생: ㉢ 이틀 전에 제가 원장님과 통화를 했는데, 오늘 오라고 ㉣ 말씀하셨어요.
직원: 아, 그러세요? ㉤ 저쪽으로 들어가시면 됩니다.
학생: (노크 후 방 안으로 들어서며) 원장님, 안녕하세요? 오늘 뵙기로 한 김○○입니다.
원장: 아, ㉥ 김 선생님 따님이군요. ㉦ 지난번에 전화로 약속을 잡았었죠? 이쪽에 앉으세요.
학생: 고맙습니다. 그럼 그때 ㉧ 말씀을 드렸던 주제로 인터뷰를 시작하겠습니다.

① ㉠과 ㉡은 서로 다른 인물을 높이기 위해 사용한 표현이다.
② ㉢과 ㉦은 서로 다른 날을 지칭하는 표현이다.
③ ㉣과 ㉧은 화자가 자신의 행위를 낮추기 위해 사용한 표현이다.
④ ㉤은 화자와 청자로부터 멀리 떨어진 곳을 지시하는 표현이다.
⑤ ㉥은 현재의 담화 상황에 참여하는 인물을 지칭하는 표현이다.

WEEK 2 DAY 3

필수 체크 전략 ②

높임 표현의 이해

01 〈학습 활동〉의 ㉠에 들어갈 예로 적절한 것은?

학습 활동

높임 표현은 홑문장에서 실현될 수도 있지만, 겹문장의 안긴문장 속에서도 실현될 수 있다. 다음 조건에 해당하는 예문을 만들어 보자.

조건	예문
안긴문장에서의 주체 높임의 대상이 안은문장에서 주어로 실현된 겹문장	화장실에서 청소를 하시던 아버지께서 갑자기 웃으셨다.
안긴문장에서의 객체 높임의 대상이 안은문장에서 목적어로 실현된 겹문장	㉠
⋮	⋮

① 고향에 계신 아버지께서는 건강하신가요?
② 형은 낮잠을 주무시는 할아버지를 깨웠다.
③ 언니는 집에 계신 부모님을 병원으로 모시고 갔다.
④ 누나는 동생이 찾아뵈려던 어르신을 길에서 만났습니다.
⑤ 저는 어제 인사를 드린 할머니께 안부 연락을 또 드렸어요.

시간 표현의 이해

02 〈보기〉의 ㄱ~ㅁ을 탐구한 내용으로 적절하지 않은 것은?

보기

ㄱ. 동생이 빵을 먹고 있다.
ㄴ. 그녀는 이상한 모자를 쓰고 있다.
ㄷ. 나는 음악을 흥얼거리면서 걸었다.
ㄹ. 나무에 사과가 탐스럽게 열려 있다.
ㅁ. 선생님께서는 인쇄를 하고서 교무실을 나오셨다.

①  ㄱ은 '-고 있다'를 통해 동작이 진행되고 있음을 나타내고 있군.

② ㄴ은 진행상으로 해석할 수도 있지만, 완료상으로도 해석할 수 있군. 

③ ㄷ은 연결 어미를 통해 두 가지 움직임이 동시에 일어나고 있음을 표현하고 있군.

④ ㄹ은 '-어 있다'를 통해 동작이 이미 완료되었음을 나타내고 있군. 

⑤ ㅁ은 사건시가 발화시보다 앞서는 시제가 나타나며, '-고서'를 통해 진행상을 나타내고 있군.

부정 표현의 이해

03 〈보기〉를 통해 부정 표현의 특성에 대해 탐구한 내용으로 적절하지 않은 것은?

보기

ㄱ. 지혜는 영어 공부를 안 했다.
지혜는 영어 문제가 어려워서 못 풀었다.
ㄴ. 이곳에는 이제 물이 흐르지 [않는다 / 못한다].
ㄷ. 희수를 만나지 [않아라* / 못해라* / 마라].
ㄹ. 그녀는 결코 그 일을 [했다* / 안 했다].
그녀는 분명히 그 일을 [했다 / 안 했다].
ㅁ. 방이 [안 / 못*] 깨끗하다.
* 표시는 비문법적 표현을 나타냄.

① 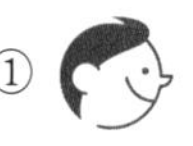 ㄱ을 보니, '안' 부정문은 '의지 부정'을 나타내고, '못' 부정문은 '능력 부정'을 나타내는군.

②  ㄴ을 보니, 행동 주체의 의지를 부정할 때는 '긴 부정문'만 쓸 수 있군.

③  ㄷ을 보니, 명령문의 부정 표현은 보조 용언 '말다'를 활용하여 사용하는군.

④  ㄹ을 보니, 어떤 부사는 반드시 부정 표현과 함께 쓰여야 하는군.

⑤  ㅁ을 보니, 형용사를 부정할 때에는 부사 '못'을 사용하여 부정 표현을 나타낼 수 없군.

피동 표현의 이해

04 〈보기〉를 참고할 때, ⓐ의 예로 가장 적절한 것은?

보기

선생님, '잡혀진 범인'과 '잡힌 범인'의 차이점이 뭔가요?

'잡혀진'은 피동 표현을 두 번 겹쳐 쓴 ⓐ이중 피동 표현이야. '잡혀진'의 경우 기본형 '잡다'의 어근 '잡-'에 피동 접미사 '-히-'만 붙어도 피동의 의미를 드러낼 수 있는데, '-어지다'까지 불필요하게 붙여 쓰고 있는 거지.

① 눈앞에 펼쳐진 풍경을 보자 긴장이 풀렸다.
② 그 길은 소나무 숲에 가려진 채 보이지 않았다.
③ 칠판에 그려진 그림이 아름답게 움직이는 것 같았다.
④ 그는 바닥에 버려진 쓰레기를 하나씩 줍기 시작했다.
⑤ 냄비에 담겨진 음식을 보니 식욕을 참을 수가 없었다.

사동 표현의 이해

05 〈보기〉의 ㉠~㉤에 대한 이해로 적절하지 않은 것은?

보기

㉠ 담장이 높다. → 사람들이 담장을 높이다.
㉡ 아이들이 집으로 숨었다.
→ 그녀는 아이들을 집으로 숨겼다.
㉢ 그들은 냉장고를 창고로 옮겼다.
㉣ 선생님께서 철수에게 책을 [읽히셨다 / 읽게 하셨다].
㉤ 연탄불이 피다. → 아빠가 연탄불을 피우다.
형이 밥을 먹는다. → 그가 형에게 밥을 먹인다.

① ㉠: 형용사에 사동 접미사가 결합하여 사동사가 되었군.
② ㉡: 주동문이 사동문으로 바뀌어도 서술어가 필요로 하는 문장 성분의 개수는 달라지지 않는군.
③ ㉢: 사동문 중에는 대응하는 주동문을 만들 수 없는 경우가 있군.
④ ㉣: 접사에 의한 사동 표현과 '-게 하다'에 의한 사동 표현 모두 간접 사동의 의미로 해석되는 경우가 있군.
⑤ ㉤: 주동문의 서술어가 자동사인지 타동사인지에 따라 주동문의 주어는 사동문에서 문장 성분이 달라지는군.

담화의 개념과 맥락의 이해

06 〈보기〉의 ⓐ~ⓕ에 대해 설명한 내용으로 적절하지 않은 것은?

보기

주희: 우리, 이번 주말에 발표 준비를 어디에서 할까?

아영: (딴생각을 하다가) ⓐ배고픈데 밥 먹으러 갈래?

주희: 갑자기 무슨 소리야? 주말에 발표 준비 어디에서 할 거냐고.

아영: (머쓱해하며) 아, 미안해. 순간 딴생각을 했어. 학교에서 하면 되지 않을까?

주희: 주말에는 닫아서 학생들이 들어갈 수 없을 거야. ⓑ거기 말고, (사진을 보여 주며) ⓒ여기는 어때?

아영: ⓓ거기? 새로 생긴 도서관이구나. ⓔ근데 너무 멀지 않아? (주희를 바라보며) 그냥 우리 집이 주말에 비니 우리 집에서 하는 건 어때?

주희: 괜찮겠어? 그럼 나는 좋지.

아영: 좋아. 그럼 ⓕ지난번 약속했던 시간에 우리 집에서 보자. 늦지 말고 와.

① ⓐ는 대화의 내용에 부합하지 않아 담화의 통일성을 떨어뜨리고 있다.
② ⓑ는 '아영'이 발화한 '학교'를 대신하는 대용 표현이다.
③ ⓒ와 ⓓ는 발화 간의 관련성을 높이는 형식적 장치로, 형태는 다른 표현이지만 동일한 장소를 나타내고 있다.
④ ⓔ는 "새로 생긴 도서관이구나."와 "너무 멀지 않아?"를 대등하게 이어 주는 접속 표현이다.
⑤ ⓕ는 '아영'과 '주희'가 서로 알고 있는 시간을 가리키는 표현이다.

도움말

❶ [   ]은 단어와 단어, 문장과 문장을 이어 주는 표현이야. 특히 ❷ [   ]는 앞 문장의 뜻을 뒤 문장에 이어 주면서 문장 간의 관계를 표현하기 때문에 문맥 파악을 하는 데 유용해.

답 ❶ 접속 표현 ❷ 접속 부사

누구나 합격 전략

문장 성분의 이해

01 다음은 문장 성분을 이해하기 위한 학습 활동의 일부이다. [A]에 들어갈 내용으로 적절하지 않은 것은?

[탐구 방법]

1. 특정 문장 성분을 생략할 경우 문장이 성립하는가를 확인하고 그 성분이 문장 구성에 필수적인지를 판단한다.
2. 특정 문장 성분이 어떤 기능을 하는가를 문장 내 다른 성분과의 관계를 고려해서 판단한다.

[탐구 대상]

ㄱ. 그녀는 드디어 선생님이 되었다.
ㄴ. 그는 정직을 평생의 신조로 삼았다.
ㄷ. 영희는 어제 민규에게 책을 돌려주었다.
ㄹ. 꼼꼼한 철수가 가위로 색종이를 잘랐다.
ㅁ. 어머니께서는 제 손을 살며시 잡으셨습니다.

[탐구 결과]

[A]

① ㄱ의 '선생님이'는 필수적인 성분으로, '되었다'의 뜻을 보충하여 준다.
② ㄴ의 '삼았다'는 필수적인 성분으로, 문장 안에서 주체의 행위를 표현하는 기능을 한다.
③ ㄷ의 '어제'와 '민규에게'는 필수적이지 않은 성분으로, 문장 내에서 동일한 기능을 한다.
④ ㄹ의 '꼼꼼한'과 '가위로'는 필수적이지 않은 성분으로, 문장 내의 특정 단어를 수식하는 기능을 한다.
⑤ ㅁ의 '어머니께서는'은 필수적인 성분으로, 문장 안에서 행위의 주체로 기능을 한다.

주어의 이해

02 <보기>를 바탕으로 '주어'에 대해 탐구한 내용으로 적절하지 않은 것은?

보기

ㄱ. 너 그걸 벌써 다 했어?
ㄴ. 날이 흐려서 비가 올 것 같다.
ㄷ. 그 빵은 이미 다 먹었다, 영수가.
ㄹ. 그녀가 범인임이 사실 분명했다.
ㅁ. 다 했으면 나한테 시험지를 주고 가.

① ㄱ을 통해 주격 조사는 생략될 수도 있음을 알 수 있다.
② ㄴ을 통해 주격 조사는 앞말의 형태와 관계가 없음을 알 수 있다.
③ ㄷ을 통해 주어의 위치는 상황에 따라 이동할 수도 있음을 알 수 있다.
④ ㄹ을 통해 절에 주격 조사가 결합하여 주어의 역할을 할 수도 있음을 알 수 있다.
⑤ ㅁ을 통해 주어는 대화 상황에 따라 생략될 수도 있음을 알 수 있다.

부사어의 이해

03 <보기>에서 설명하는 부사어의 종류와 예가 적절하게 짝지어지지 않은 것은?

보기

부사어에는 성분 부사어와 문장 부사어가 있다. 성분 부사어는 용언, 체언, 관형어, 부사어를 수식하고 문장 부사어는 문장 전체를 수식하거나 문장이나 단어를 이어 준다.

① [용언을 수식하는 부사어] – 시간이 늦었으니 어서 떠나자.
② [관형어를 수식하는 부사어] – 나무가 엄청 높이 자랐다.
③ [부사어를 수식하는 부사어] – 비행기가 매우 빨리 날아갔다.
④ [문장 전체를 수식하는 부사어] – 과연 그의 예언대로 되었구나.
⑤ [단어를 이어 주는 부사어] – 책자를 가정 및 학교에 보냈으면 좋겠다.

홑문장과 겹문장의 이해

04 다음 ㄱ~ㅁ에 대해 탐구한 내용으로 적절하지 않은 것은?

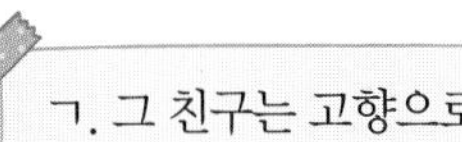

ㄱ. 그 친구는 고향으로 돌아갔다.
ㄴ. 그녀는 심성이 그 누구보다 곱다.
ㄷ. 하늘이 맑지만 바람은 조금 세다.
ㄹ. 어제 나는 동생이 준 빵을 먹었었다.
ㅁ. 우리도 이제는 그의 말이 사실임을 깨달았다.

① ㄱ은 주어와 서술어의 관계가 한 번 나타나는 홑문장이다.
② ㄴ에서 안은문장의 주어와 안긴문장의 주어는 다르다.
③ ㄷ은 앞 절과 뒤 절이 '인과'의 의미 관계를 가지는 종속적으로 연결된 이어진문장이다.
④ ㄹ에서 안긴문장의 목적어는 안은문장의 목적어와 중복되므로 생략되었다.
⑤ ㅁ에는 목적어의 기능을 하는 안긴문장이 있다.

이어진문장의 이해

05 〈보기〉를 바탕으로 이어진문장을 구분한 내용으로 적절하지 않은 것은?

보기

이어진문장은 둘 이상의 절이 연결 어미에 의해 결합된 문장을 말한다. 절이 이어지는 방법에 따라 대등하게 연결된 이어진문장과 종속적으로 연결된 이어진문장으로 나뉜다. 대등하게 연결된 이어진문장은 앞 절과 뒤 절이 '-고', '-지만' 등의 연결 어미에 의해 이어지며, 각각 '나열', '대조' 등의 대등한 의미 관계로 해석된다. 종속적으로 연결된 이어진문장은 앞 절과 뒤 절이 '-아서/어서', '-(으)면', '-(으)러' 등의 연결 어미에 의해 이어지며, 앞 절이 뒤 절에 대해 각각 '원인', '조건', '목적' 등의 종속적인 의미 관계로 해석된다.

	예문	종류	의미 관계
①	비가 오고 바람이 불었다.	대등	나열
②	눈이 왔지만 날씨가 따뜻하다.	대등	대조
③	아기가 울어서 그녀가 놀랐다.	종속	원인
④	비가 내려서 소풍을 연기했다.	종속	조건
⑤	나는 밥을 먹으러 식당에 갔다.	종속	목적

안은문장과 안긴문장의 이해

06 〈보기〉는 '학습 활동'에 대해 짝토론을 한 것이다. ㉠~㉢에 알맞은 말을 골라 바르게 연결한 것은?

[학습 활동] 다음 문장의 짜임에 대해 알아보자.

형이 열심히 공부하는 동생에게 친구가 만든 사탕을 주었어.

보기

미영: 어제 국어 수업 시간에서 문장 속에 들어가 있는 절을 '안긴문장'이라고 하고, 절을 포함하고 있는 문장을 '안은문장'이라고 했지?

은호: 그래. 그리고 어떤 문장의 짜임을 이해하려면 그 문장의 주어와 서술어를 파악하는 것이 중요하다고 했어. 그럼, 먼저 주어를 서술하는 기능을 가진 단어부터 찾아보자. 음……. '만든'과 '주었어' 이렇게 두 개인가?

미영: 아니야. '공부하는'도 서술 기능이 있잖아.

은호: 그렇구나. 그러면 그중에서 문장 전체의 서술어는 '주었어'이고, 그것의 주어는 '(㉠)'이겠다.

미영: 맞아. 그럼 '만든'의 주어는 '(㉡)'이겠지?

은호: 응. 관형절이 문장 전체의 목적어 역할을 하며 안겨 있는 거지.

미영: 이 문장은 관형절이 하나 더 있잖아. 또 다른 관형절은 (㉢)가 생략되어 있어.

은호: 그래. 국어의 안은문장은 이렇게 여러 개의 안긴문장으로 이루어질 수도 있는 거구나.

	㉠	㉡	㉢
①	형이	동생에게	목적어
②	형이	친구가	주어
③	동생에게	형이	주어
④	친구가	형이	목적어
⑤	친구가	동생에게	주어

주체 높임과 객체 높임의 이해

07 〈보기〉의 ㉠~㉤에 쓰인 높임법을 바르게 분류한 것은?

보기

어머니: 지은아, 방에서 뭐하고 있니?

지은: 할머니께 ㉠드릴 편지를 쓰고 있어요. 내일은 시간 내서 할머니를 뵙고 오려고요. 어머니께서도 같이 ㉡가실 거죠?

어머니: 내일이 할머니 생신인 것을 알고 있었구나. 기특하다. 근데 내일은 일이 있어서 주말에 ㉢뵙고 와야 할 것 같구나. 지은이가 아버지 ㉣모시고 가서 안부 좀 전해 드리렴.

지은: 네, 알겠어요. 작년에 ㉤할머니께서 편찮으신 다음부터 걱정이 많이 돼요. 오래오래 건강하셨으면 좋겠어요.

	주체 높임	객체 높임
①	㉠, ㉡	㉢, ㉣, ㉤
②	㉠, ㉣, ㉤	㉡, ㉢
③	㉡, ㉤	㉠, ㉢, ㉣
④	㉡, ㉢	㉠, ㉣, ㉤
⑤	㉢, ㉣, ㉤	㉠, ㉡

부정 표현의 이해

08 〈보기〉의 ⓐ~ⓔ에 대한 설명으로 적절하지 않은 것은?

보기

'예쁘다, 어둡다, 먹다, 가다, 던지다'를 사용하여 다양한 형태의 부정문을 만들어 보세요.

ⓐ 꽃이 안 예쁘다.
ⓑ 하늘이 어둡지 않다.
ⓒ 나는 밥을 못 먹었다.
ⓓ 위험한 곳에는 가지 마라.
ⓔ 영수는 공을 던지지 못했다.

①  ⓐ는 '예쁘다'를 사용하여 단순 부정의 의미를 나타내는 부정문을 만들었군.

②  ⓑ는 '어둡다'를 사용하여 긴 부정문을 만들었군.

③  ⓒ는 '먹다'를 사용하여 짧은 부정문을 만들었군.

④  ⓓ는 '가다'를 사용하여 청유형의 부정문을 만들었군.

⑤  ⓔ는 '던지다'를 사용하여 능력 부정의 의미를 나타내는 부정문을 만들었군.

시간 표현과 어미의 관계 이해

09 〈보기〉의 ㉠~㉤에 쓰인 ⓐ, ⓑ에 대한 설명으로 적절하지 않은 것은?

보기

용언은 어간에 어미가 붙어 다양한 의미를 나타내며 활용된다. 어미는 ⓐ선어말 어미와 ⓑ어말 어미로 나뉜다. 어말 어미는 다시 종결 어미, 연결 어미, 전성 어미로 나뉜다. 용언의 활용형에서 선어말 어미는 없는 경우가 있어도 어말 어미는 반드시 있어야 한다.

㉠ 그녀는 드라마를 다 보았다.
㉡ 설마 그녀가 책을 다 읽겠니?
㉢ 저기 책을 읽는 사람이 보이니?
㉣ 그가 추천한 영화는 이미 본 영화이다.
㉤ 주말에 바람은 불겠지만 비는 오지 않을 것이다.

① ㉠에는 과거 시제를 나타내는 '-았-'이 ⓐ로 쓰였고, 평서형 종결 어미 '-다'가 ⓑ로 쓰였다.
② ㉡에는 주체의 의지를 나타내는 '-겠-'이 ⓐ로 쓰였고, 의문형 종결 어미 '-니'가 ⓑ로 쓰였다.
③ ㉢에는 ⓐ는 없고 동사의 현재 시제를 나타내는 관형사형 전성 어미 '-는'이 ⓑ로 쓰였다.
④ ㉣에는 ⓐ는 없고 동사의 과거 시제를 나타내는 관형사형 전성 어미 '-ㄴ'이 ⓑ로 쓰였다.
⑤ ㉤에는 추측의 의미를 나타내는 '-겠-'이 ⓐ로 쓰였고, 대등적 연결 어미 '-지만'이 ⓑ로 쓰였다.

피동 표현의 이해

10 다음 ⓐ~ⓔ에 대한 설명으로 적절하지 않은 것은?

- ⓐ 버려지는 강아지들이 늘어나고 있다.
- 그들의 마음이 ⓑ 담긴 성금이 도착했다.
- 여기서 같은 행사가 다시 ⓒ 열린다고 한다.
- 이 제품들은 모두 좋은 곳에 ⓓ 쓰일 것이다.
- 사람들이 ⓔ 구조되는 데 오랜 시간이 걸렸다.

① ⓐ는 피동 접미사 '-리-'와 '-어지다'가 중복해서 결합한 이중 피동 표현이다.
② ⓑ는 능동사에 피동 접미사 '-기-'가 결합하여 실현된 피동 표현이다.
③ ⓒ는 행사를 여는 주체보다 행사 자체가 강조되는 효과가 드러나는 피동 표현이다.
④ ⓓ는 '쓸'과 같이 능동 표현으로 바뀔 경우 ⓓ의 주어가 목적어로 바뀐다.
⑤ ⓔ는 체언 뒤에 '-되다'가 결합하여 주어가 행위를 당하는 것을 표현하고 있다.

사동 표현의 이해

11 〈보기 1〉의 ㉠에 해당하는 문장을 〈보기 2〉에서 모두 고른 것은?

보기 1

사동사가 만드는 사동문은 크게 세 가지 유형으로 나눌 수 있다. 첫째는 서술어가 형용사인 주동문을 사동문으로 만드는 것, 둘째는 ㉠ 서술어가 자동사인 주동문을 사동문으로 만드는 것, 셋째는 서술어가 타동사인 주동문을 사동문으로 만드는 것이다.

보기 2

ㄱ. 그녀가 아기를 웃겼다.
ㄴ. 오빠가 발걸음을 늦췄다.
ㄷ. 나는 동생에게 옷을 입혔다.
ㄹ. 그는 나에게 사진을 보였다.
ㅁ. 모든 사람들이 사무실을 비웠다.

① ㄱ, ㄷ ② ㄱ, ㅁ ③ ㄴ, ㄷ
④ ㄴ, ㄹ ⑤ ㄷ, ㅁ

간접 발화의 이해

12 〈보기〉의 ㉠~㉤ 중 ⓐ에 해당하는 예를 고른다고 할 때, 가장 적절한 것은?

보기

발화(發話)는 발화자의 어떤 의도를 담고 있다. 따라서 발화자가 상대방(청자)에게 무엇인가를 요구할 때, 일반적으로 명령문을 사용하여 발화자의 의도를 직접 드러낸다. 하지만 담화 상황에 따라 ⓐ 발화자가 요구하는 바를 평서문이나 의문문을 통해 상대방에게 간접적으로 표현할 수도 있다.

- 교실에서 친구와 이야기를 하는 상황

학생 A: ㉠ 어제 수학 숙제가 있었어?
학생 B: 수학책 17쪽을 풀어 오라고 하셨어.

- 집에서 어머니와 아들이 이야기를 하는 상황

어머니: 배고프지 않니?
아들: 네. ㉡ 맛있는 김치찌개 해 주세요.

- 동생이 형의 옷을 허락 없이 입고 있는 상황

형: ㉢ 그거 어디서 많이 본 옷 같은데?
동생: 미안해. 다음부터는 허락받고 입을게.

- 교실에서 선생님이 수업을 하고 있는 상황

선생님: ㉣ 철수야, 창문 좀 열어라.
철수: 네, 알겠습니다.

- 모임에서 만나 대화를 하는 상황

남자 A: ㉤ 다니고 있는 회사가 집에서 가까워요?
남자 B: 네. 집에서 10분 정도의 거리예요.

① ㉠ ② ㉡ ③ ㉢
④ ㉣ ⑤ ㉤

창의·융합·코딩 전략 ①

01 〈학습 활동〉을 수행한 결과로 적절한 것은?

학습 활동

※ 아래 그림에 따라 [자료]의 ㉮~㉱를 분류해 보자.

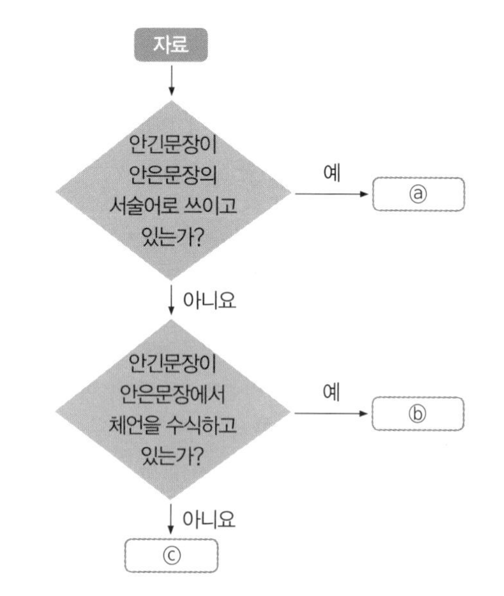

[자료]

㉮ 마음을 먹기가 쉽지가 않다.
㉯ 그는 그 누구보다 달리기가 빠르다.
㉰ 그녀는 사람들이 모르게 그곳에서 나왔다.
㉱ 나는 선생님께서 부르시기 전에 집으로 갔다.

	ⓐ	ⓑ	ⓒ
①	㉮	㉱	㉯, ㉰
②	㉯	㉮, ㉰	㉱
③	㉯	㉱	㉮, ㉰
④	㉰	㉮, ㉯	㉱
⑤	㉰	㉱	㉮, ㉯

도움말

안긴문장이 안은문장의 서술어로 쓰이고 있다는 것은 안긴 문장이 ❶ [ ] 이라는 의미야. 그리고 관형절뿐만 아니라 ❷ [ ] 도 체언을 수식하는 경우가 있다는 것을 유의해야 해.

답 ❶ 서술절 ❷ 명사절

02 〈보기〉의 '선생님'의 질문에 대한 답으로 적절한 것은?

보기

서술어의 자릿수란 서술어가 필요로 하는 성분의 개수를 의미합니다. 그런데 다의어의 경우 의미에 따라 서술어의 자릿수가 달라질 수 있습니다. 가령 '밝다'의 경우, '달이 밝다.'에서는 한 자리 서술어, '그는 지리에 밝다.'에서는 두 자리 서술어입니다. 그럼, 학습지에 제시된 다의어 '만들다'의 의미와 예문을 보고, ㉠~㉤ 중에서 세 자리 서술어로 쓰인 경우를 모두 골라 볼까요?

만들다
1. 노력이나 기술 따위를 들여 목적하는 사물을 이루다.
   예 그는 오랜 공사를 벌인 끝에 마침내 터널을 만들었다. ……㉠
2. 규칙이나 법, 제도 따위를 정하다.
   예 협회에서 경기 규칙을 새로이 만들었다. …㉡
3. 기관이나 단체 따위를 결성하다.
   예 우리는 드디어 협동조합을 만들었다. ……㉢
4. 무엇이 되게 하다.
   예 그들은 이웃 나라를 속국으로 만들었다. …㉣
5. 그렇게 되게 하다.
   예 그는 아버지의 혈압을 올라가게 만들었다. ……㉤

① ㉠, ㉡　② ㉠, ㉢　③ ㉡, ㉤
④ ㉢, ㉣　⑤ ㉣, ㉤

도움말

세 자리 서술어는 ❶ [ ] 를 제외하고 목적어와 부사어를 필요로 하는 서술어야. 따라서 목적어나 ❷ [ ] 를 빼도 문장이 제대로 성립하는지 확인해 보면 쉽게 판단할 수 있어.

답 ❶ 주어 ❷ 부사어

03 다음은 현대 국어의 시제에 대한 탐구 활동지의 일부이다. ㉮에 들어갈 내용으로 적절한 것은?

① ⓐ에서 발화시보다 사건시가 선행할 때, 선어말 어미 '-는-'을 사용하여 '나는 묘목을 심는다.'와 같이 표현할 수 있다.

② ⓐ에서 사건시가 발화시 이후인 ⓑ를 나타내고자 한다면, 선어말 어미 '-었-'을 사용하여 '묘목이 자라서 나무 아래에서 잘 수 있었다.'와 같이 표현할 수 있다.

③ ⓐ를 시간적으로 거리가 먼 ⓒ에서 발화한다면, 선어말 어미 '-었었-'을 사용하여 '나는 어렸을 때 묘목을 심었었지.'와 같이 표현할 수 있다.

④ ⓒ에서 ⓑ를 회상하여 발화할 때, '나는 나무 아래에서 잘 것이다.'와 같이 표현할 수 있다.

⑤ ⓒ에서 발화시보다 사건시가 선행할 때, 선어말 어미 '-았-'을 사용하여 '이제 나무 아래에서 낮잠은 다 잤다.'와 같이 표현할 수 있다.

도움말

사건시와 발화시가 일치한다는 것은 현재 시제를 의미해. 그리고 사건시가 발화시보다 선행한다는 것은 이미 일어난 일이므로 ❶ [   ] 시제를 의미하지. 반대로 발화시가 사건시보다 선행한다는 것은 아직 일어나지 않은 일이므로 ❷ [   ] 시제를 의미해. 이것만 파악하면 문제를 어렵지 않게 해결할 수 있어.

답 ❶ 과거 ❷ 미래

04 〈보기〉의 주동문 ㉠~㉢을 탐구 과정에 따라 분류하고자 한다. A~C에 해당하는 사례를 바르게 짝지은 것은?

보기

사동문은 주어가 다른 대상을 동작하게 하거나 특정한 상태에 이르도록 하는 문장을 가리킨다. 파생적 사동문은 주동문의 서술어로 쓰인 용언의 어간을 어근으로 삼아 사동 접미사가 붙어 이루어진 문장이며, 통사적 사동문은 주동문의 서술어로 쓰인 용언의 어간에 '-게 하다'가 붙어서 이루어진 문장이다.

[주동문]

㉠ 그녀는 더위를 먹었다.
㉡ 동생이 우유를 마신다.
㉢ 아기가 침대 위에서 잔다.

[탐구 과정]

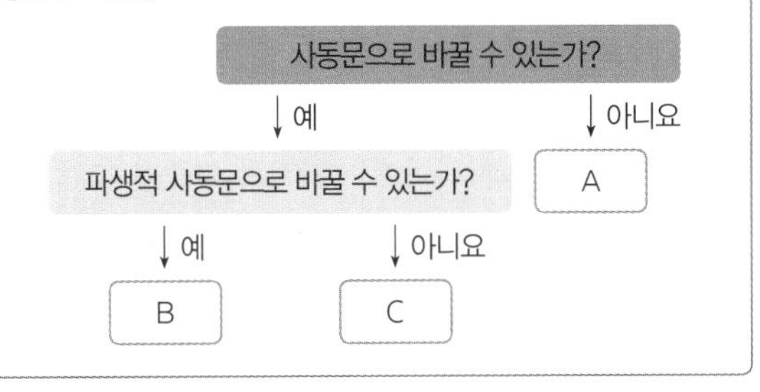

	A	B	C
①	㉠	㉡	㉢
②	㉠	㉢	㉡
③	㉡	㉢	㉠
④	㉢	㉠	㉡
⑤	㉢	㉡	㉠

도움말

❶ [   ]은 존재하지만 그에 대응하는 사동문이 없는 경우도 있어. 비유적 어휘나 관용구를 포함한 문장은 사동문으로 바꿀 수 없는 경우가 많으며 인위적으로 만들 수 없는 상태를 나타낼 때에도 ❷ [   ]을 쓸 수 없어.

답 ❶ 주동문 ❷ 사동문

창의·융합·코딩 전략 ②

05 〈보기〉의 '자료'를 근거로 할 때, '활동'에 대한 답으로 적절한 것은?

보기

[자료]

'구문 도해'는 문장의 짜임을 그림으로 풀이한 것이다. 국어학자 최현배는 아래 그림과 같이 문장의 구문 도해를 나타내었다.

이 구문 도해는 '그가 새 옷을 드디어 입었다.'라는 문장을 나타낸 것이다. 중간에 내리그은 세로줄 왼편에는 주성분인 주어(그가), 목적어(옷을), 서술어(입었다)를, 오른편에는 부속 성분인 관형어(새), 부사어(드디어)를 배치하였다. 그리고 서로 다른 두 성분 사이에는 가로로 외줄을 그었는데, 특히 주어 부분과 그 외의 부분을 구분할 때에는 가로로 쌍줄을 그었다. 또한 조사는 앞말과의 사이에 짧은 세로줄을 그어 표시하였다.

[활동]

다음 문장의 구문 도해를 나타내시오.

나는 그 책도 샀다.

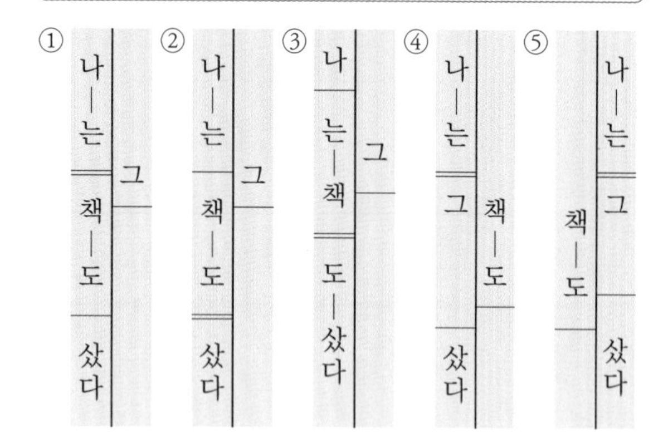

도움말

'구문 도해'라는 낯선 개념이 등장하기는 하지만 문장 성분만 제대로 이해한다면 쉽게 해결할 수 있어. 제시된 예문에서 주성분인 주어, ❶ [ ], 서술어와 부속 성분인 ❷ [ ]를 먼저 파악해 보자.

답 ❶ 목적어 ❷ 관형어

06 〈자료〉는 문장 성분의 특징을 파악하기 위한 탐구 활동의 일부이다. ㉠~㉤ 중 [A]에 해당하는 것은?

자료

- 거리에 ㉠예쁜 꽃이 피었다.
- 오늘은 날씨가 ㉡매우 춥다.
- ㉢서쪽 하늘에 노을이 아름다워.
- 그녀는 ㉣도시 야경을 좋아한다.
- 그 밥은 쉬어서 ㉤먹을 수가 없어.

체언을 수식하는가?
예 → 관형격 조사와 결합할 수 있는가? / 아니요 → [ ]
관형격 조사와 결합할 수 있는가? 예 → [ ] / 아니요 → 문장에서 생략 가능한가?
문장에서 생략 가능한가? 예 → [A] / 아니요 → [ ]

① ㉠ ② ㉡ ③ ㉢
④ ㉣ ⑤ ㉤

도움말

탐구 활동의 세 가지 조건을 확인해 보자. 체언을 수식하는 것은 대체로 ❶ [ ]야. 그리고 관형격 조사 '의'와 결합할 수 있는 품사는 '체언'에 해당하지. 또한 관형어는 필수 성분이 아니어서 문장에서 ❷ [ ]이 가능하지만 관형어를 생략하면 어색한 문장이 되는 경우도 있어.

답 ❶ 관형어 ❷ 생략

07 〈보기〉의 ㉠~㉢에 들어갈 문장으로 적절한 것은?

보기

부정문에는 주체의 의지에 의한 행동의 부정을 나타내는 '안' 부정문과 주체의 의지가 아닌, 그의 능력이나 외부의 원인으로 그 행위가 일어나지 못함을 나타내는 '못' 부정문이 있다.

'동생이 잔다.'라는 긍정문을 아래의 과정을 통해 부정문으로 바꾸어 보자.

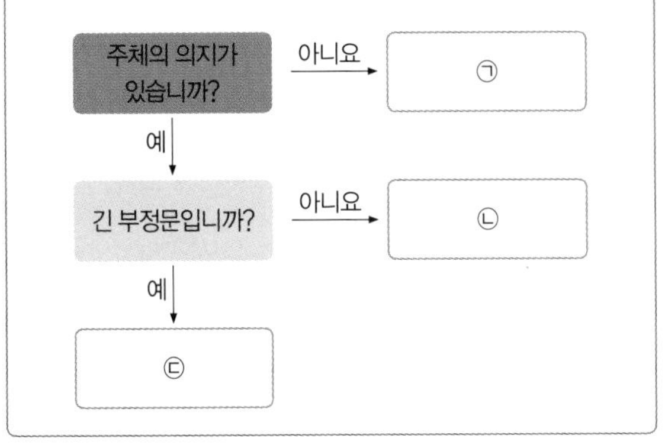

	㉠	㉡	㉢
①	동생이 자지 못한다.	동생이 못 잔다.	동생이 안 잔다.
②	동생이 못 잔다.	동생이 안 잔다.	동생이 자지 않는다.
③	동생이 안 잔다.	동생이 자지 않는다.	동생이 못 잔다.
④	동생이 자지 못한다.	동생이 못 잔다.	동생이 자지 않는다.
⑤	동생이 못 잔다.	동생이 안 잔다.	동생이 자지 못한다.

도움말

부정문 중에서 주체의 ❶ ______가 있으면 '안' 부정문, 없으면 '못' 부정문에 해당해. '안' 부정문과 '못' 부정문은 각각 짧은 부정문과 긴 부정문으로 나눌 수 있는데, 긴 부정문은 각각 부정 용언인 '아니하다', '❷ ______'를 사용해.

답 ❶ 의지 ❷ 못하다

08 〈보기〉를 참고할 때, ㉠~㉤에 들어갈 문장으로 적절하지 않은 것은?

보기

언어 표현은 문장을 단위로 하여 이루어진다. 그러므로 문장에는 말하고자 하는 내용이 완전하게 담겨 있어야 한다. 그뿐만 아니라 각각의 요소들이 문법적으로 정확하게 연결되어 있어야 한다. 그러므로 정확한 표현을 위해서는 ⓐ필수적인 문장 성분을 생략하였거나, ⓑ호응 관계가 잘못되었거나, 또는 ⓒ문장 안에서 의미상 중복된 표현이 있는지 살펴보아야 한다.

수정 전 문장		수정 이유		수정 후 문장
우물 속에 빠진 여우가 골똘히 궁리하고 있었습니다.	⇨	ⓐ	⇨	㉠
어머니는 종종 동그랗고 하얀 내 얼굴이 닮았다고 하셨다.	⇨	ⓐ	⇨	㉡
왜냐하면 우리는 아직 그 사실을 알지 못했다.	⇨	ⓑ	⇨	㉢
비록 네가 나의 입장이라면, 그런 상황에서 어떻게 했을지 궁금하다.	⇨	ⓑ	⇨	㉣
우리가 정신적 도약을 이루기 위해서는 이미 가지고 있던 기존의 사고방식을 바꾸어야 한다.	⇨	ⓒ	⇨	㉤

① ㉠: 우물 속에 빠진 여우가 빠져나갈 방법을 골똘히 궁리하고 있었습니다.
② ㉡: 어머니는 종종 동그랗고 하얀 내 얼굴이 이모와 닮았다고 하셨다.
③ ㉢: 왜냐하면 우리는 아직 그 사실을 알지 못했다는 것이다.
④ ㉣: 만약 네가 나의 입장이라면, 그런 상황에서 어떻게 했을지 궁금하다.
⑤ ㉤: 우리가 정신적 도약을 이루기 위해서는 이미 가지고 있던 사고방식을 바꾸어야 한다.

도움말

정확한 표현을 위해서는 서술어가 필수적으로 요구하는 문장 성분이 빠졌는지, 문장 성분 간의 ❶ ______이 자연스러운지, 한 문장 안에서 의미가 ❷ ______된 표현이 없는지 살펴볼 필요가 있어.

답 ❶ 호응 ❷ 중복

전편 마무리 전략

핵심 한눈에 보기

음운

음운의 변동

음운 교체

한 음운이 다른 음운으로 바뀌는 현상
- 음절의 끝소리 규칙, 된소리되기, 비음화, 유음화, 구개음화

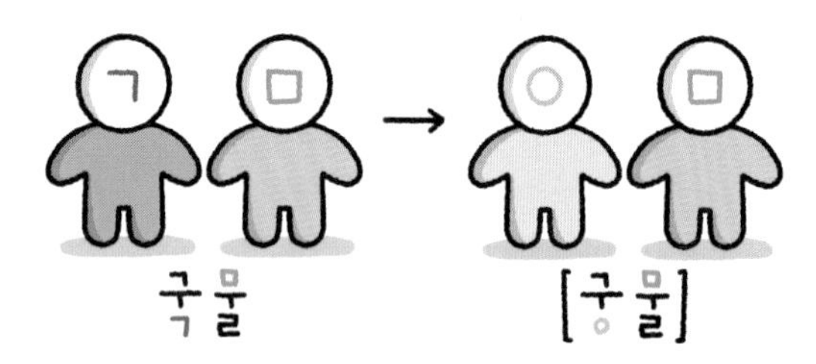

음운 탈락

두 음운이 결합할 때 한 음운이 사라지는 현상
- 자음군 단순화, 'ㄹ' 탈락, 'ㅎ' 탈락, 'ㅏ, ㅓ' 탈락, 'ㅡ' 탈락

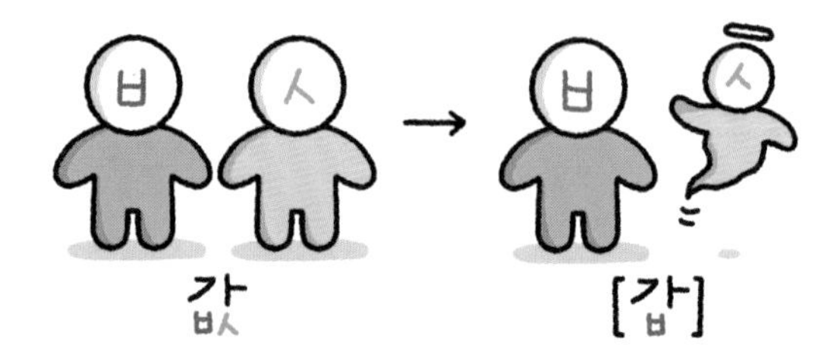

음운 첨가

두 음운이 만날 때 그 사이에 새로운 음운이 덧붙는 현상
- 'ㄴ' 첨가, 반모음 첨가

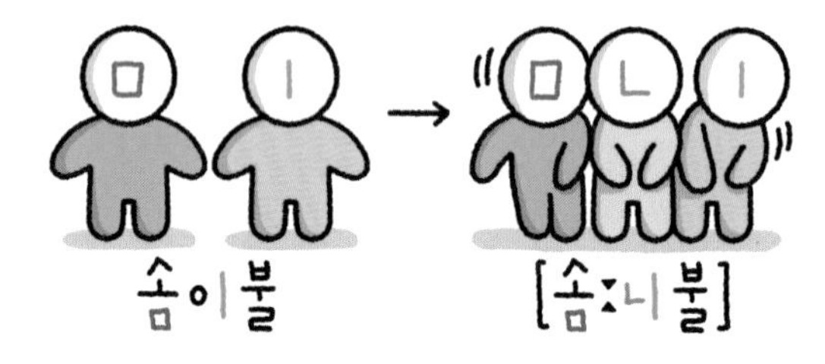

음운 축약

두 음운이 만날 때 하나의 음운으로 합쳐지는 현상
- 거센소리되기

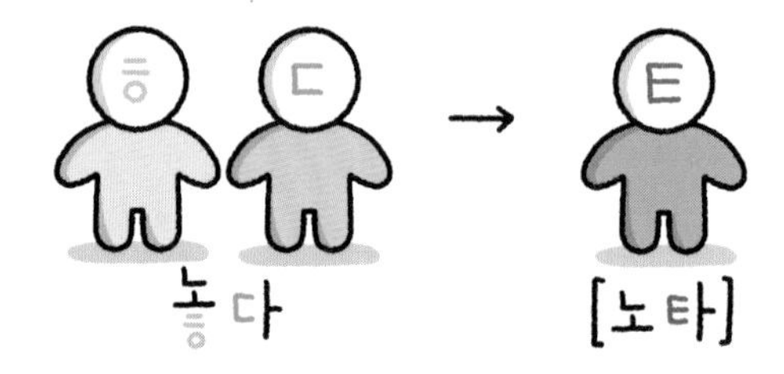

단어

단어의 형성

단일어

하나의 어근으로 이루어진 단어

예 사과

합성어

둘 이상의 어근으로 이루어진 단어

예 사과나무(사과+나무)

파생어

어근과 접사로 이루어진 단어

예 풋사과(풋-+사과)

품사 단어의 성질이 공통된 것끼리 모아 갈래지어 놓은 것

품사의 분류 기준

- **형태** 단어가 문장에서 쓰일 때 형태가 변하느냐, 변하지 않느냐에 따라 – 가변어와 불변어
- **기능** 단어가 문장에서 어떤 기능을 하느냐에 따라 – 체언, 용언, 수식언, 관계언, 독립언
- **의미** 단어가 어떤 의미적 특성이 있느냐에 따라 – 명사, 대명사, 수사, 동사, 형용사, 관형사, 부사, 조사, 감탄사

문장

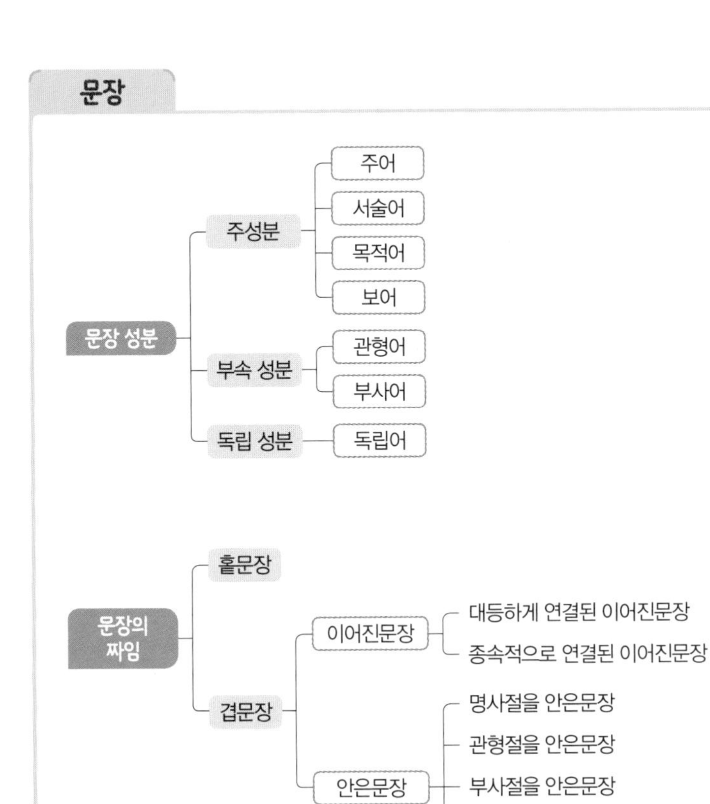

문법 요소

높임 표현 화자가 어떤 대상이나 상대에 대해 높이거나 낮추는 정도를 언어적으로 표현하는 방식 – 상대 높임법, 주체 높임법, 객체 높임법

부정 표현 문장의 내용 전체나 일부분을 부정하는 표현으로, 부정 부사 '못, 안(아니)'과 부정 용언 '못하다, 아니하다(않다)'를 사용하여 나타냄.

시간 표현
- **시제:** 연속적인 시간을 언어적으로 구분하여 표현한 것. 과거, 현재, 미래로 나뉨.
- **동작상:** 시간의 흐름 속에서 동작이 일어나는 모습을 표현한 것. 진행상, 완료상으로 나뉨.

피동 표현 주어가 다른 주체에 의해 동작을 당하는 것을 나타내는 표현으로, 주어가 동작을 제힘으로 하는 '능동'과 대비됨.

사동 표현 주어가 남에게 동작을 하도록 시키는 것을 나타내는 표현으로, 주어가 동작을 직접 하는 '주동'과 대비됨.

담화

담화

구체적인 맥락에서 실현된 최소의 언어 행위를 발화라 하며, 담화란 하나 이상의 발화나 문장이 연속되어 이루어지는 말의 단위를 가리킴.

담화의 구성 요소

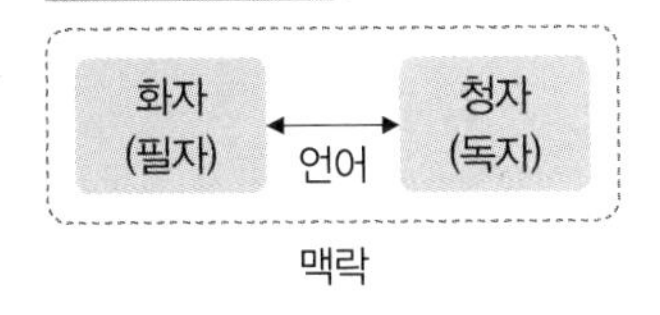

담화의 맥락

언어적 맥락(문맥)

앞이나 뒤에 놓인 발화의 한 부분을 통해 파악할 수 있는 맥락

비언어적 맥락

상황 맥락	화자, 청자, 주제, 목적, 시간적·공간적 배경 등을 가리킴.
사회·문화적 맥락	물리적인 배경(국가, 제도, 계층, 문화), 역사적·사회적 상황, 공동체의 가치관, 신념 등을 가리킴.

신유형·신경향 전략

언어 영역에서는 지문이나 〈보기〉를 통해 개념이나 사례를 제시하고 국어 사용에 적용하는 문제가 주로 출제됩니다. 매체 영역에서는 다양한 매체 자료를 제시하고 각 매체의 특성을 파악하고 있는지, 두 자료를 비교할 수 있는지를 묻는 문제가 주로 출제됩니다. 언어와 매체 통합 지문에서는 다양한 매체 자료에 언어의 특성이 어떻게 반영되어 나타나는지 파악해 보는 문제가 자주 출제됩니다.

01 〈보기 1〉을 바탕으로 〈보기 2〉의 ㉠~㉤에 사용된 단모음의 변별적 자질을 분석한 것으로 적절하지 않은 것은?

보기 1

변별적 자질이란 한 음소를 이루는 여러 음성적 특성들을 별개의 단위로 독립하여 표시한 것으로, 해당 변별적 자질이 나타내는 특성을 가진 부류는 '+', 그렇지 않은 부류는 '-'가 된다. 단모음의 변별적 자질은 다음과 같다.

- **후설성**: 혀의 앞뒤 위치와 관련된 자질로 혀의 최고점이 중립적 위치보다 뒤에 놓이는 성질. 후설 모음은 [+후설성], 전설 모음은 [-후설성]이다.
- **고설성**: 혀의 높낮이와 관련된 자질로 혀가 중립적 위치보다 높아지는 성질. 고모음은 [+고설성], 중모음과 저모음은 [-고설성]이다.
- **저설성**: 혀의 높낮이와 관련된 자질로 혀가 중립적 위치보다 낮아지는 성질. 저모음은 [+저설성], 중모음과 고모음은 [-저설성]이다.
- **원순성**: 입술을 동그랗게 오므리는 성질. 원순 모음은 [+원순성], 평순 모음은 [-원순성]이다.

〈단모음 체계표〉

혀의 앞뒤 위치 / 입술 모양 / 혀의 높이	전설 모음		후설 모음	
	평순 모음	원순 모음	평순 모음	원순 모음
고모음	ㅣ	ㅟ	ㅡ	ㅜ
중모음	ㅔ	ㅚ	ㅓ	ㅗ
저모음	ㅐ		ㅏ	

보기 2

새야 새야 파랑새야 녹두밭에 앉지 마라.
(새 ㉠, 파랑 ㉡, 녹두 ㉢, 밭에 ㉣, 앉지 ㉤)

		[후설성]	[고설성]	[저설성]	[원순성]
①	㉠	−	−	+	−
②	㉡	+	−	+	−
③	㉢	+	−	−	+
④	㉣	−	−	+	−
⑤	㉤	−	+	−	−

02 다음 자료를 탐구한 '탐구 결과'로 적절하지 않은 것은?

[탐구 목표]

주어진 자료의 밑줄 친 단어를 비교하여 공통적으로 사용된 품사를 파악한다.

[예시 자료]

A. 그는 집에 갔다. / 그 사람은 집에 갔다.
(그: 대명사 / 그: 관형사)

B. 그는 합리적이다. / 그는 합리적 사고를 한다.
(합리적: 명사 / 합리적: 관형사)

⇒ A와 B에 공통적으로 사용된 품사는 관형사이다.

[탐구 자료]

ㄱ. 오늘은 화요일이다. / 비가 오늘 왔다.
ㄴ. 아차, 우산을 놓고 왔다! / 아차 잘못하면 큰일이 난다.
ㄷ. 지금까지 한 말은 정말이다. / 너를 정말 사랑해. / 큰일 났네, 정말!
ㄹ. 비교적인 관점에서 생각해 보자. / 오늘의 주제는 동서양 신화의 비교적 고찰입니다. / 우리 동네는 교통이 비교적 편리하다.

[탐구 결과]

____

① ㄱ과 ㄴ에 공통적으로 사용된 품사는 부사이다.
② ㄱ과 ㄷ에 공통적으로 사용된 품사는 명사와 부사이다.
③ ㄴ과 ㄷ에 공통적으로 사용된 품사는 부사와 감탄사이다.
④ ㄴ과 ㄹ에 공통적으로 사용된 품사는 감탄사이다.
⑤ ㄷ과 ㄹ에 공통적으로 사용된 품사는 명사와 부사이다.

03 〈보기〉의 [A]에 들어갈 말로 적절하지 않은 것은?

보기

학생: 선생님, 피동 표현은 어떤 경우에 사용하나요?

선생님: 피동 표현은 행위의 주체보다 대상을 부각하고 싶을 때, 행위의 주체를 분명하게 밝히지 않고자 할 때, 행위의 주체가 중요하지 않거나 누구나 아는 사람이어서 말할 필요가 없을 때 사용해요. 또한 행위의 주체를 분명히 설정하기 어려운 경우에 사용하기도 해요. 이제 아래 자료를 보고 피동 표현에 대해 탐구해 봅시다.

㉠ [엄마가 아기를 안았다. / 아기가 엄마에게 안겼다.]
㉡ [내가 물병을 엎었다. / 물병이 엎어졌다.]
㉢ [그녀는 아름다운 소리를 들었다. / 아름다운 소리가 들렸다.]
㉣ [사람들이 시장을 뽑았다. / 시장이 뽑혔다.]
㉤ [*A가 추웠던 날씨를 풀었다. / 추웠던 날씨가 풀렸다.]

* 표시는 비문법적인 표현을 나타냄.

학생: (　　　　　　[A]　　　　　　)

선생님: 네, 맞아요.

①  ㉠을 보니, 피동 표현을 통해 행위의 대상인 '아기'를 부각할 수 있겠군요.

② 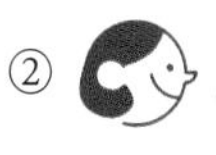 ㉡을 보니, 피동 표현을 통해 '물병'을 엎은 주체를 분명하게 밝히지 않을 수 있겠군요.

③  ㉢을 보니, 행위의 대상인 '소리'가 중요하지 않을 때 피동 표현을 사용할 수 있겠군요.

④  ㉣을 보니, 행위의 주체인 '사람들'이 누구나 아는 사람일 때 피동 표현을 사용할 수 있겠군요.

⑤  ㉤을 보니, 행위의 주체를 분명히 설정하기 어려워 피동 표현을 사용했겠군요.

04 〈보기〉의 ㉠에 들어갈 예로 적절한 것은?

보기

우리는 지난 시간에 부정 부사를 사용하는 짧은 부정문과 보조 용언을 사용하는 긴 부정문에 대해 배웠어요. 그리고 '못' 부정문은 능력 부정을 나타낸다는 것도 기억하죠? 그런데 '안' 부정문은 의지 부정을 나타내기도 하고, 주체의 의지와 무관하게 긍정문을 단순히 부정하는 단순 부정을 나타낼 수도 있어요. 오늘은 제시된 조건에 맞게 부정문을 만들어 보는 활동을 해 보겠어요.

조건		부정문
짧은 부정문, 의지 부정	⇒	그녀는 햄버거는 안 먹는다.
긴 부정문, 능력 부정	⇒	㉠

① 음식이 아직 안 상했다.
② 어제는 날씨가 덥지 않았다.
③ 더 이상은 이 일을 미루지 마라.
④ 선생님께서 아직 못 내려오셨다.
⑤ 아이가 아파서 밥을 먹지 못했다.

05 〈보기 1〉을 바탕으로 〈보기 2〉의 높임 표현을 바르게 분석한 것은?

보기 1

우리말의 높임법은 주어가 나타내는 대상을 높이는 주체 높임, 목적어나 부사어가 나타내는 대상을 높이는 객체 높임, 청자를 높이거나 낮추는 상대 높임으로 구분할 수 있다. 이러한 높임법은 조사, 특수 어휘, 선어말 어미, 종결 어미 등에 의해 실현된다.

보기 2

어머니, 할머니께서 방금 동생을 데리고 공원에 가셨어요.

	주체 높임	객체 높임	상대 높임
①	○	○	높임
②	○	○	낮춤
③	○	×	높임
④	×	○	낮춤
⑤	×	×	높임

06~09 (가)는 인쇄 매체의 기사이고, (나)는 (가)를 바탕으로 학생이 만든 카드 뉴스이다. 물음에 답하시오.

가

㉠ 청소년의 사회 참여, 현주소는 어디인가?

청소년의 사회 참여는 청소년이 사회 문제나 정치 문제에 관심을 갖고 의사 결정 과정에 참여해 영향력을 행사하는 것을 말한다. 지난해 발표된 ○○ 기관 보고서에 따르면, ㉡'청소년도 사회 참여가 필요하다.'라고 응답한 청소년은 무려 88.3%에 달한다.

그렇다면 실제로 얼마나 많은 청소년이 사회 참여 활동 경험이 있을까? ○○ 기관 통계 자료에 따르면, 사회 참여 활동 경험이 있다고 응답한 청소년은 21%에 그쳤다.

이에 대해 전문가들은 ㉢청소년이 주도하는 사회 참여 활동 기회가 부족하여 참여가 확산되지 못하고 있다고 지적한다. 현재의 청소년 사회 참여 활동이 기관을 중심으로 운영되기 때문에 활동을 확산해 나가는 데에 한계가 있다는 것이다. 따라서 청소년이 자신이 속한 공동체의 문제 해결을 위한 의사 결정 과정에 능동적으로 참여할 수 있는 ㉣사회적 분위기가 만들어져야 한다고 주장한다. □□고 3학년 김 모 학생은 ㉤사회 참여 활동을 경험하면서 배운 것이 많지만 지속적으로 참여할 수 없어서 아쉬웠다고 하였다. 이에 덧붙여 앞으로는 스스로 문제를 찾아 해결하는 활동을 해 보고 싶다고 말했다.

△△대 사회학과 김◇◇ 교수는 "청소년의 사회 참여 활동은 사회성을 향상하여 민주 시민으로서의 자질을 갖추는 데 도움이 될 수 있습니다."라고 강조하며, "청소년의 사회 참여 활성화를 위해 기관 중심의 청소년 참여와 청소년이 주도가 된 사회 참여가 함께 이루어지는 방향으로 나아가야 합니다."라고 하였다.

– 박▽▽ 기자

나

카드 1

청소년의 약 88%는
청소년도 사회 참여가 필요하다고
생각합니다.

카드 2

참여 경험 있다
21%
참여 경험 없다

그러나 실제로 사회 참여 활동을
경험한 청소년은 21%에 그쳤습니다.
왜일까요?

카드 3

기관
청소년

청소년의 사회 참여가 확산되기 어려운
이유는 현재의 청소년 사회 참여가
기관을 중심으로 이루어지기 때문입니다.

카드 4

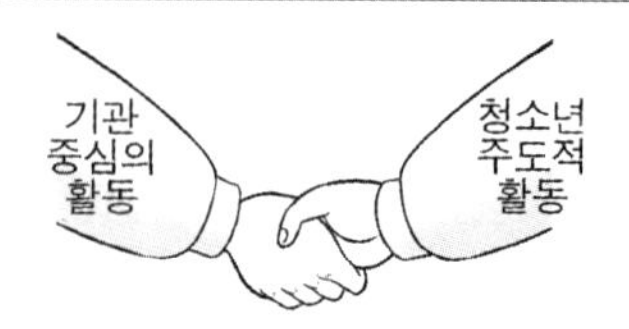

이에 △△대 사회학과 김◇◇ 교수는
"청소년의 사회 참여 활성화를 위해
기관 중심의 청소년 참여와
청소년이 주도가 된 사회 참여가
함께 이루어지는 방향으로
나아가야 합니다."라고 했습니다.

06 (가), (나)를 수용할 때 유의할 점으로 가장 적절한 것은?

① (가)는 여러 이론을 종합하여 해결 방안을 마련하고 있으므로 이론에 대한 왜곡이 없는지 확인해야 한다.
② (나)는 제시된 정보 중 출처를 밝히지 않은 것이 있으므로 신뢰할 수 있는 정보인지 확인해야 한다.
③ (나)는 의견이 대립하고 있는 상황을 다루고 있으므로 편파적인 내용이 아닌지 확인해야 한다.
④ (가)와 (나)는 예상되는 반론에 반박하고 있으므로 논리적 타당성을 갖추었는지 확인해야 한다.
⑤ (가)와 (나)는 작성자의 주장을 나열하고 있으므로 납득할 만한 근거를 갖추고 있는지 확인해야 한다.

07 (가)를 바탕으로 (나)를 제작하는 과정에서 반영된 학생의 계획으로 적절하지 않은 것은?

① '카드 1'에는 (가)에서 언급한 보고서에 담긴 사회 참여 필요성에 대한 청소년의 인식을 보여 주기 위해 청소년이 말하는 이미지로 제시해야겠군.
② '카드 2'에는 (가)의 사회 참여 활동을 경험해 본 청소년의 비율을 그래프로 시각화하여 문제 상황을 드러내야겠군.
③ '카드 3'에는 (가)의 기관 중심의 사회 참여를 선호하는 청소년의 경향을 드러내기 위해 기관의 이미지를 더 크게 그려야겠군.
④ '카드 4'에는 (가)의 청소년 사회 참여 활동의 두 가지 유형이 서로 조화를 이루는 이미지를 제시해야겠군.
⑤ '카드 4'에는 (가)의 청소년 사회 참여에 관한 교수 인터뷰 내용 중 사회 참여 활성화의 방향에 해당하는 내용을 문구로 제시해야겠군.

08 ㉠~㉤에 대한 설명으로 적절하지 않은 것은?

① ㉠: 의문형 종결 어미를 활용하여 글의 화제를 드러내는 제목을 질문의 형식으로 제시하고 있다.
② ㉡: 부사 '무려'를 사용하여 청소년도 사회 참여가 필요하다고 응답한 청소년의 비율이 높음을 강조하고 있다.
③ ㉢: 연결 어미 '-여'를 사용하여 사회 참여 활동 기회에 대한 앞 절의 내용이 뒤 절 내용의 목적에 해당함을 나타내고 있다.
④ ㉣: 피동 표현을 활용하여 행위의 대상인 '사회적 분위기'에 초점을 두어 서술하고 있다.
⑤ ㉤: 인용 표현을 활용하여 사회 참여 활동을 경험한 학생의 소감을 전달하고 있다.

09 다음은 (나)에 대한 '카드 뉴스 보완 방향'이다. 이를 고려할 때, '카드 A', '카드 B'의 활용 방안으로 가장 적절한 것은?

보기

• **카드 뉴스 보완 방향:** 우리 학교 학생을 대상으로 하는 캠페인에 활용하기 위해 (나)에 카드 A, B를 추가

카드 A

왜 사회 참여 활동을 하지 않나요?

응답 내용	비율
사회 참여가 어렵게 느껴져서	63%
⋮	⋮

우리 학교 학생 중 사회 참여 경험이 없는 학생들에게 그 이유를 물었더니 위와 같은 결과가 나왔습니다.

카드 B

청소년 사회 참여 어렵지 않습니다.
주변의 문제부터 하나씩! 차근차근!

우리 학교 쓰레기 분리배출 캠페인

우리 학교 앞 신호등 설치 건의

① (나)에서 청소년의 사회 참여가 필요한 이유는 언급하지 않았으므로 '카드 A'를 활용하여 그 이유를 보여 준다.
② (나)에서 청소년 주도의 사회 참여 기회가 부족함을 지적하였으므로 '카드 A'를 활용하여 우리 학교 학생들의 사회 참여 이유를 제시한다.
③ (나)에서 청소년의 사회 참여 확산이 어려운 이유를 언급하지 않았으므로 '카드 A'를 활용하여 그에 대한 우리 학교 학생들의 생각을 보여 준다.
④ (나)에서 사회 참여가 청소년에게 미치는 영향을 강조하였으므로 '카드 B'를 활용하여 우리 학교 주변의 문제를 알려 준다.
⑤ (나)에서 청소년이 주도적으로 사회 참여를 할 수 있는 구체적 방법을 제시하지 않았으므로 '카드 B'를 활용하여 우리 학교 학생들이 실천할 수 있는 방법을 제안한다.

01~02 다음 글을 읽고 물음에 답하시오.

가 표준 발음법 제5장에서는 '음의 동화'에 대해 다루고 있다. 동화는 음운 변동 중 한 음운이 다른 음운으로 바뀌는 교체에 속한다. 대표적인 예로 'ㄱ, ㄷ, ㅂ'이 비음 'ㄴ, ㅁ' 앞에서 각각 동일한 조음 위치의 비음인 'ㅇ, ㄴ, ㅁ'으로 조음 방법이 바뀌는 비음화, 'ㄴ'이 'ㄹ'의 앞 또는 뒤에서 동일한 조음 위치의 유음인 'ㄹ'로 조음 방법이 바뀌는 유음화가 있다. 예컨대 '맏물[만물]'에서는 비음화가 일어나고, '실내[실래]'에서는 유음화가 일어난다.

[A] 한편 동화를 일으키는 음운은 동화음, 동화음의 영향을 받는 음운은 피동화음이라고 하는데, 동화는 동화의 방향이나 동화의 정도에 따라 나눌 수 있다. 동화의 방향에 따라서는 동화음이 피동화음에 선행하는 동화, ㉠ <u>동화음이 피동화음에 후행하는 동화</u>로 나눌 수 있다. 그리고 동화의 정도에 따라서는 피동화음이 동화음과 완전히 같아지는 동화, ㉡ <u>피동화음이 동화음의 조음 위치나 조음 방법과 같은 일부 특성만 닮는 동화</u>로 나눌 수 있다. 예컨대 '실내'에서는 동화음이 피동화음에 선행하며 피동화음이 동화음과 완전히 같아지는 동화가 일어나지만, '맏물'에서는 동화음이 피동화음에 후행하며 피동화음이 동화음의 조음 방법만 닮는 동화가 일어난다.

나 국어의 로마자 표기는 국어의 표준 발음법에 따라 적는 것을 원칙으로 한다. 다음은 국어의 로마자 표기법의 일부를 정리한 것이다.

1. 표기 일람

(1) 모음

ㅏ	ㅗ	ㅜ	ㅣ	ㅐ	ㅕ	ㅛ	ㅘ
a	o	u	i	ae	yeo	yo	wa

• 장모음의 표기는 따로 하지 않는다.

(2) 자음

ㄱ	ㄷ	ㅂ	ㅅ	ㅎ	ㄴ	ㅁ	ㅇ	ㄹ
g, k	d, t	b, p	s	h	n	m	ng	r, l

• 'ㄱ, ㄷ, ㅂ'은 모음 앞에서는 'g, d, b'로, 자음 앞이나 어말에서는 'k, t, p'로 적는다.
• 'ㄹ'은 모음 앞에서는 'r'로, 자음 앞이나 어말에서는 'l'로 적는다. 단, 'ㄹㄹ'은 'll'로 적는다.

2. 표기상의 유의점
• 음운 변화가 일어날 때에는 변화의 결과에 따라 적는다.
• 고유 명사는 첫 글자를 대문자로 적는다.

함정문제

01 **(가)와 (나)를 참고하여 〈보기〉의 ⓐ~ⓔ를 로마자로 표기하려 할 때, 이에 대한 설명으로 적절하지 <u>않은</u> 것은?**

보기
ⓐ 별내[별래]　ⓑ 백마[뱅마]
ⓒ 신라[실라]　ⓓ 신문로[신문노]
ⓔ 광한루[광ː할루]

①  ⓐ: 초성 위치에서만 유음화가 일어나 [별래]로 발음되므로 'Byeollae'로 표기해야 한다.

② ⓑ: 종성 위치에서만 비음화가 일어나 [뱅마]로 발음되므로 'Baengma'로 표기해야 한다.

③  ⓒ: 종성 위치에서만 유음화가 일어나 [실라]로 발음되므로 'Silla'로 표기해야 한다.

④  ⓓ: 초성 위치에서만 비음화가 일어나 [신문노]로 발음되므로 'Sinmunno'로 표기해야 한다.

⑤  ⓔ: 종성 위치에서만 유음화가 일어나 [광ː할루]로 발음되므로 'Kwangːhallu'로 표기해야 한다.

02 [A]를 바탕으로 〈보기〉에서 일어나는 동화의 양상을 분석할 때, ㉠과 ㉡이 모두 일어나는 단어만을 골라 묶은 것은?

보기

국내[궁내] 인력[일력] 집념[짐념]
찰나[찰라] 학문[항문]

① 국내, 인력
② 집념, 찰나
③ 국내, 인력, 집념
④ 집념, 찰나, 학문
⑤ 국내, 집념, 학문

함정문제

03 다음 '표준 발음법'을 참고하여 단어의 음운 변동을 설명한 내용으로 적절한 것은?

제10항 겹받침 'ㄳ', 'ㄵ', 'ㄼ, ㄽ, ㄾ', 'ㅄ'은 어말 또는 자음 앞에서 각각 [ㄱ, ㄴ, ㄹ, ㅂ]으로 발음한다.
다만, '밟-'은 자음 앞에서 [밥]으로 발음한다.
제11항 겹받침 'ㄺ, ㄻ, ㄿ'은 어말 또는 자음 앞에서 각각 [ㄱ, ㅁ, ㅂ]으로 발음한다.
다만, 용언의 어간 말음 'ㄺ'은 'ㄱ' 앞에서 [ㄹ]로 발음한다.

① '앉는'은 'ㅈ'이 탈락한 후 비음화가 일어나 [안는]으로 발음된다.
② '밟지'는 'ㄹ'이 탈락한 후 음운 첨가가 일어나 [밥:찌]로 발음된다.
③ '닭띠'는 자음군 단순화가 일어난 후 된소리되기가 일어나 [닥띠]로 발음된다.
④ '젊고'는 자음군 단순화가 일어난 후 된소리되기가 일어나 [점:꼬]로 발음된다.
⑤ '없게'는 자음군 단순화, 음절의 끝소리 규칙, 된소리되기 순서로 음운 변동이 일어나 [업:께]로 발음된다.

04 〈보기 1〉을 바탕으로 〈보기 2〉를 탐구한 내용으로 적절하지 않은 것은?

보기 1

품사는 단어의 성질이 공통된 것끼리 모아 갈래지어 놓은 것을 말한다. 품사를 분류하는 기준에는 형태, 기능, 의미가 있다. 형태에 따라 불변어와 가변어로, 기능에 따라 체언, 수식언, 독립언, 관계언, 용언으로, 의미에 따라 명사, 대명사, 수사, 관형사, 부사, 감탄사, 조사, 동사, 형용사로 나눌 수 있다.

보기 2

• 같은 영화를 여러 번 봤더니 아주 지겹다.
• 온 가족이 함께 여행을 가는 것은 처음이다.

① '여러'와 '온'은 의미에 따라 나누면 같은 품사이다.
② '여행'과 '것'은 의미에 따라 나누면 모두 명사이다.
③ '영화'와 '아주'는 형태에 따라 나누면 모두 불변어이다.
④ '같은'과 '함께'는 기능에 따라 나누면 모두 수식언이다.
⑤ '지겹다'와 '처음'은 기능에 따라 나누면 다른 품사이다.

05 다음 ㄱ~ㄹ을 탐구한 내용으로 적절하지 않은 것은?

ㄱ. 나는 발이 크다.
ㄴ. 나는 겨울만 싫어한다.
ㄷ. 그는 소설가이자 선생님이다.
ㄹ. 그는 포도를 먹고 나는 감을 먹는다.

① ㄱ과 ㄷ을 구성하는 문장 성분의 종류는 동일하군.
② ㄱ과 ㄹ은 모두 주어와 서술어의 관계가 두 번 나타나는군.
③ ㄴ과 ㄷ의 서술어의 개수는 동일하군.
④ ㄴ과 ㄹ은 모두 주어와 목적어를 포함하고 있군.
⑤ ㄷ과 ㄹ은 모두 연결 어미를 포함하고 있군.

06~08 (가)는 학생들이 문학 기행 홍보물 제작 준비를 위해 휴대 전화 메신저로 나눈 대화이고, (나)는 (가)를 바탕으로 '현아'가 작성한 문학 기행 홍보물 초안이다. 물음에 답하시오.

가

← 문학 기행 준비 위원방(4명)

현아: 얘들아, 다음 달에 있을 문학 기행 계획을 좀 변경해야 할 것 같아. 원래는 오전에 학교에서 윤동주 시도 읽고 관련 영상도 보고 이야기 나눈 후에, 오후에 교외로 나가서 윤동주기념관이랑 윤동주문학관 가기로 했잖아. 근데 학교 사정상 그날 학교 개방이 어렵대.

우성: 나도 얘기 들었어. 오전에 다 같이 모일 장소가 없다는 거지? 그럼 온라인으로 오전 활동을 진행하면 어떨까?

도규: 좋은 생각 같은데? 시 읽고 영상 보고 함께 이야기 나누는 게 주된 활동이니까 온라인으로 충분히 가능할 거 같아.

아윤: 나도 찬성이야. 오전 활동만 온라인 활동으로 변경하고, 오후 활동은 변경 없이 그대로 진행하면 되겠다.

현아: 그럼 원래 계획에서 오전 활동만 온라인 활동으로 변경할게. 수정한 문학 기행 계획안이야.

문서 파일 전송: 윤동주 문학 기행 계획안.hwp

문학 기행 계획안은 일단 완료! 이제 교내에 붙일 문학 기행 홍보 포스터를 만들어야 해. 어떻게 구성하면 좋을지 각자 의견 줄래?

아윤: 이번 문학 기행의 주제가 윤동주 시인의 발자취를 찾아가는 거니까 문학 기행 주제를 드러낼 수 있는 제목을 붙이면 좋겠어.
그리고 윤동주 시인에 대한 문학 기행인 걸 금방 알 수 있는 이미지를 함께 넣으면 어때? 지나가던 학생들도 한눈에 문학 기행의 주제를 알 수 있게. 관련 사진 보내 볼게~

사진 파일 전송: 윤동주 시인 관련 사진.jpg

우성: 문학 기행의 일시와 일정도 넣어야지. 그래야 신청할 친구들이 일정을 생각할 수 있으니까.

도규: 문학 기행 관련 유의 사항도 넣자. 오전 활동이 온라인으로 이루어질 예정이니까 신청 학생들이 사전에 인터넷 기기나 인터넷 연결 등을 준비해야 해.

아윤: 아, 그리고 저번에 선생님께서 우리 문학 기행 관련 내용을 학교 누리집에도 올려 주신다고 했거든? 문학 기행 홍보 내용을 학교 누리집에도 올리면 어떨까?

우성: 좋아, 그럼 올릴 때 배경 음악도 함께 넣자. 이거 어때? 난 이 음악 들었을 때 윤동주의 〈서시〉가 생각 나더라고.

음악 파일 전송: 피아노 연주.mp3

현아: 잘 어울릴 거 같은데? 그럼 지금까지 나온 의견들 한번 정리해 볼게. 더 필요한 내용 있으면 얘기해 줘.

나

〈8월 문학 기행〉 홍보물 초안

㉠	제목	시인 윤동주를 찾아서
㉡	관련 사진	❶ ❷ ❸ ❹ - ❶: 연세대학교 박물관 제공 - ❷, ❸, ❹: 연세대학교 윤동주기념관 제공
㉢	일정	20○○년 8월 2일 오전 10시 [온라인]: • 윤동주 시 함께 읽기 • 윤동주 관련 영화, 영상 보기 • 윤동주와 윤동주 시에 대한 생각 나누기 오후 1시 [오프라인]: 학교 운동장 집결 ↓ 윤동주기념관 방문 ↓ 윤동주문학관 방문
㉣	유의 사항	• 오전 활동은 온라인으로 진행됩니다. - 인터넷 기기 사전 준비 - 접속 주소 안내: 학교 누리집 게시
㉤	배경 음악	피아노 연주

06 (가)에 대한 설명으로 적절하지 않은 것은?

① 누구나 공유된 자료를 이용할 수 있으므로 정보의 개방성이 매우 높다.
② 대화 참여자들끼리 자료를 쉽게 공유할 수 있으므로 정보의 전달 속도가 빠르다.
③ 대화 참여자들의 소통이 실시간으로 이루어질 수 있고 쌍방향 소통이 가능하다.
④ 멀리 떨어져 있는 대화 참여자들도 대화에 참여할 수 있으므로 공간적 제약이 적다.
⑤ 시각 요소, 청각 요소 등을 활용하여 여러 사람에게 다양한 정보를 전달할 수 있다.

답 ❶ 휴대 전화 ❷ 공유

07 (가), (나)를 바탕으로 홍보 포스터와 누리집용 자료를 제작하려고 한다. ㉠~㉤에 대한 내용으로 적절하지 않은 것은?

①  ㉠: 포스터와 누리집용 자료 모두 동일한 문구를 사용해도 되겠어.

② ㉡: 포스터에는 사진 한 장만 대표적으로 제시하고, 누리집용 자료에는 네 장의 사진을 모두 활용해서 동영상처럼 편집해야겠어. 

③  ㉢: 포스터와 누리집용 자료 모두 하이퍼링크를 사용하여 문학 기행 장소에 대한 상세 정보를 제공해야겠어.

④ ㉣: 포스터와 누리집용 자료 모두 글자의 굵기나 색깔 등을 달리하여 주목도를 높여야겠어. 

⑤ ㉤: 포스터에는 사용할 수 없지만, 누리집용 자료에는 사용하면 좋겠어.

08 다음은 (나)에 대한 검토 의견 중 일부이다. 이를 반영한 홍보 문구로 가장 적절한 것은?

> 이윤: 제목과 함께 문학 기행 주제를 구체적으로 알려 주는 홍보 문구를 추가하면 어떨까?
>
> 우성: 문학 기행의 핵심은 어디를 가느냐이기도 하니까 탐방 장소에 대한 정보도 홍보 문구에 들어가야 한다고 생각해.
>
> 도규: 오전에는 온라인 활동을, 오후에는 탐방 장소로 가 오프라인 활동을 한다는 것이 이번 문학 기행의 특징이라고 할 수 있잖아. 이런 면도 부각하면 좋을 것 같아.
>
> 현아: 좋아. 그럼 지금 나온 의견들을 반영해서 홍보 문구를 만들어 보자.

① 온라인 공간에서 윤동주기념관과
윤동주문학관을 방문해 보는 뜻깊은 경험,
친구들과 함께 떠나요.

② 함께 윤동주를 알아 가는 시간,
사람들은 모르는 시인 윤동주와
그의 시에 얽힌 이야기를 만나다.

③ 온라인으로 함께하는 문학 기행,
함께 읽고 함께 이야기 나누며 생각을 키워요.

④ 윤동주기념관과 윤동주문학관으로
윤동주를 찾아가다.
윤동주의 시를 통해
그 시대 사람들의 생활과 사상을 엿보다.

⑤ 온라인으로 함께 만나는 윤동주의 시와 삶,
윤동주기념관과 윤동주문학관에서
오프라인으로 만나는 윤동주의 이야기.

답 ❶ 주제 ❷ 탐방 장소

09~11 (가)는 교내 신문이고, (나)는 카드 뉴스이다. 물음에 답하시오.

가

○○고등학교 20○○년 9월 ○○일

아침엔 맨날 지각, 밤이면 초롱초롱, 나도 혹시 수면 위상 지연 증후군?

방학 때 뒤죽박죽된 수면 시간
수면 위상 지연 증후군 불러와
수면 위상 지연 증후군 해결 방법과 예방법

신나는 여름 방학이 끝나고 새 학기가 시작되었다. 느긋한 마음으로 밤늦게까지 텔레비전을 시청하거나 스마트폰을 보다가 잠들고 아침에 해가 중천에 오를 때까지 실컷 잠을 자는 것은 피곤하고 지친 고등학생이 꿈꾸는 생활이다. 그런데 방학 동안 겨우 한두 주 이런 생활을 즐겼을 뿐인데, 한 학기 내내 일어나는 것이 너무 힘들고 눈이 떠지지 않는다. 반면에 밤에는 자려고 누워도 새벽 2, 3시까지 정신이 말똥말똥하고 도무지 잠이 오지 않는다. 이런 경험, 누구나 한 번씩은 해 보았을 것이다. 불면증인가 싶지만 수면 위상 지연 증후군일 수 있다.

'수면 위상 지연 증후군'이란 일상생활 패턴상의 수면·각성 시간대보다 취침 시간과 기상 시간이 3~6시간 지연되는 것으로 보통 새벽 2~6시 이전에 잠들기 어렵고 오전 10시 이전에 일어나기 어려워하는 경우이다. 수면 자체가 어렵고 자주 깨는 불면증과는 달리 수면 위상 지연 증후군은 수면 시간이 지연될 뿐 수면을 이루지 못하는 것은 아니며 잠든 이후의 상태도 비교적 안정적이다.

우리 몸은 하루를 주기로 하는 일주기 리듬을 가지고 있어 몸 안의 생체 리듬에 맞춰 아침에 일어나고 밤이 되면 졸리는 등 호르몬이 분비되고 체온, 수면 시간과 각성 시간 등이 조절된다. 그런데 불규칙한 생활 습관으로 인해 다른 사람보다 늦게 잠들고 늦게 일어나도록 습관이 되면 생체 리듬이 깨어져 수면 위상 지연 증후군이 나타날 수 있다. 이로 인해 만성 피로, 두통, 신경 과민, 식욕 부진, 집중력 저하, 우울감과 무기력감 등의 문제가 생길 수 있으며 일상생활이나 학업에 큰 지장을 주게 된다.

수면 위상 지연 증후군을 이겨 내려면 잘못 맞춰진 일주기 리듬을 다시 정상으로 돌려야 한다. 피곤하더라도 일정한 시간에 잠들고 깨는 연습을 꾸준히 해야 한다. 중도에 포기하면 다시 이전 생활 리듬으로 돌아가 버리기 때문에 꾸준한 생활 습관 교정이 필요하다. 일주기 리듬에 큰 영향을 미치는 것은 빛이다. 아침에 빛을 충분히 쬐고 자기 전 2시간 전에는 텔레비전, 스마트폰 등을 꺼 두어 빛에 노출되지 않도록 해야 한다.

– 2학년 △△△ 기자

나

㉠ 입력 20○○.10.26. 20:03 | 수정 20○○.10.26. 23:31

새벽 2시 이후까지 잠들지 못해요.

출근 시간 때문에 겨우 일어나요.

학교에서 자꾸 꾸벅꾸벅 졸아요.

저녁부터 새벽까지 완전 말똥말똥해요.

전염병의 유행으로 재택근무, 온라인 수업이 늘어난 요즘 이런 증상을 호소하는 사람이 많아졌어요.

수면 위상 지연 증후군
(delayed sleep phase syndrome, DSPS)

생체 리듬이 깨어져 늦게 자고 늦게 일어나며 취침 시간과 기상 시간이 지연되는 것

이런 문제가 생겨요

만성 피로
두통
신경 과민
식욕 부진
집중력 저하
우울감
무기력감

어떻게 극복할 수 있을까요?

같은 시간대에 잠들고 일어나도록 노력하기

아침 햇빛 쬐기

㉡ 이 기사는 언론사에서 생활 분야로 분류했습니다.

㉢

좋아요 11

훈훈해요 0

슬퍼요 4

화나요 0

후속 기사 원해요 5

[생활 뉴스] ㉣

- ▶ 오늘 내가 먹은 스테이크가 온난화의 주범?
- ▶ 여름철 면역력 강화에 좋은 음식
- ▶ 살 빠지는 좋은 습관 8가지

㉤ ㅁㅁ신문 누리집 바로 가기

09 (가)와 (나)에 대한 이해로 가장 적절한 것은?

① (가)와 (나)는 모두 글자 크기의 차이를 통해 제목과 세부 정보를 구분하여 내용을 전달한다.
② (가)와 (나)는 모두 생산자의 의도를 효과적으로 전달하기 위해 문자 언어와 그림 등을 함께 사용한다.
③ (가)는 (나)와 달리 정보를 상세하게 설명하기보다는 핵심 내용을 이미지화하여 전달한다.
④ (가)는 (나)와 달리 실시간으로 의견을 남길 수 있는 기능이 있으므로 수용자의 참여가 용이하다.
⑤ (가)는 (나)와 달리 다른 정보에 접근할 수 있는 기능이 있으므로 수용자의 정보 선택권이 상대적으로 높은 편이다.

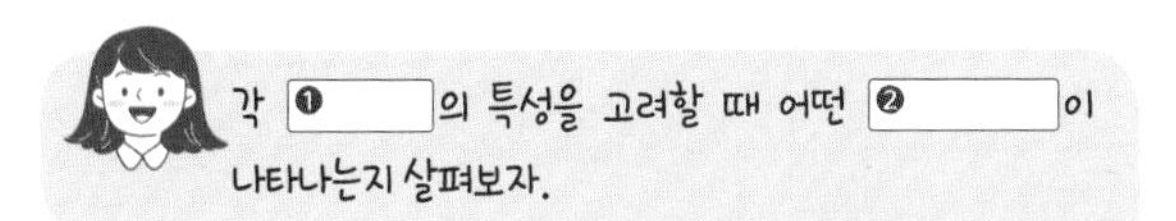

답 ❶ 매체 ❷ 차이점

10 ㉠~㉤ 중 〈보기〉에서 설명한 뉴 미디어의 특성이 가장 잘 드러나는 것은?

보기
뉴 미디어는 정보 통신 기술이 발달하면서 새롭게 등장한 전자책, 인터넷 신문, 누리 소통망, 스마트폰, 태블릿 등의 미디어를 가리키는 말이다. 인터넷을 이용해 생산자와 수용자의 쌍방향 소통이 가능한 뉴 미디어에서, 수용자가 생산자의 매체 자료 생산이나 다른 수용자의 매체 자료 수용에 미치는 영향은 점점 커지고 있다.

① ㉠ ② ㉡ ③ ㉢
④ ㉣ ⑤ ㉤

11 다음을 바탕으로 (나)를 이해할 때, ⓐ~ⓒ에 해당하는 수용자의 반응으로 가장 적절한 것은?

매일 수많은 정보들이 새롭게 생산되는 현대 사회에서 수용자는 그 수많은 정보 중 자신에게 필요한 정보를 찾아내 이해하고 판단하여 비판적으로 수용해야 한다. 이 과정에서 미디어 이용자에게 필요한 능력이 '미디어 리터러시'이다. '미디어 리터러시'란 다양한 형태의 메시지에 접근해서 분석 평가하며, 다양한 형태의 메시지를 만들어 낼 수 있는 능력이다. 미디어 리터러시의 구성 요소는 다음과 같다.

- **접근 능력**: 미디어 콘텐츠 및 서비스 품질과 관련된 지속적인 접근 조건
- ⓐ**분석 능력**: 상징적 텍스트의 의미를 해석할 수 있는 능력
- ⓑ**평가 능력**: 미디어 콘텐츠가 생산되는 맥락에 대한 지식 체계 및 지식의 객관성과 품질에 대한 비판적인 평가 능력
- ⓒ**창조 능력**: 참여, 사회 자본, 시민 문화와 관련된 콘텐츠 생산

-《뉴 미디어 채택 이론》(박종구, 커뮤니케이션북스, 2013) 참고하여 재구성함.

① ⓐ: (나)에서 제시한 극복 방법 외에 더 있을까? '수면 위상 지연 증후군 극복 방법'으로 검색해서 더 알아봐야겠어.
② ⓑ: 수면 위상 지연 증후군의 구체적 양상에 대한 정보가 제시되지 않아서 설명이 잘 이해되지 않아.
③ ⓑ: 전염병이 유행하는 상황이 수면 위상 지연 증후군이 늘어나는 것과 정말 연관성이 있는지 객관적 수치가 제공되면 더 신뢰성 있는 정보가 되겠어.
④ ⓒ: 카드 뉴스로 정보가 제공되니까 핵심 내용만 빠르게 볼 수 있네. 일반적인 기사문을 읽는 것보다 내용이 더 빨리 이해되는 것 같아.
⑤ ⓒ: 요즘 수면 부족으로 피곤하고 자주 졸았는데 나도 수면 위상 지연 증후군이었나 봐. 밤에 휴대 전화 보는 게 영향이 있을 줄이야. 앞으로 주의해야겠어.

memo
시
험
대
박

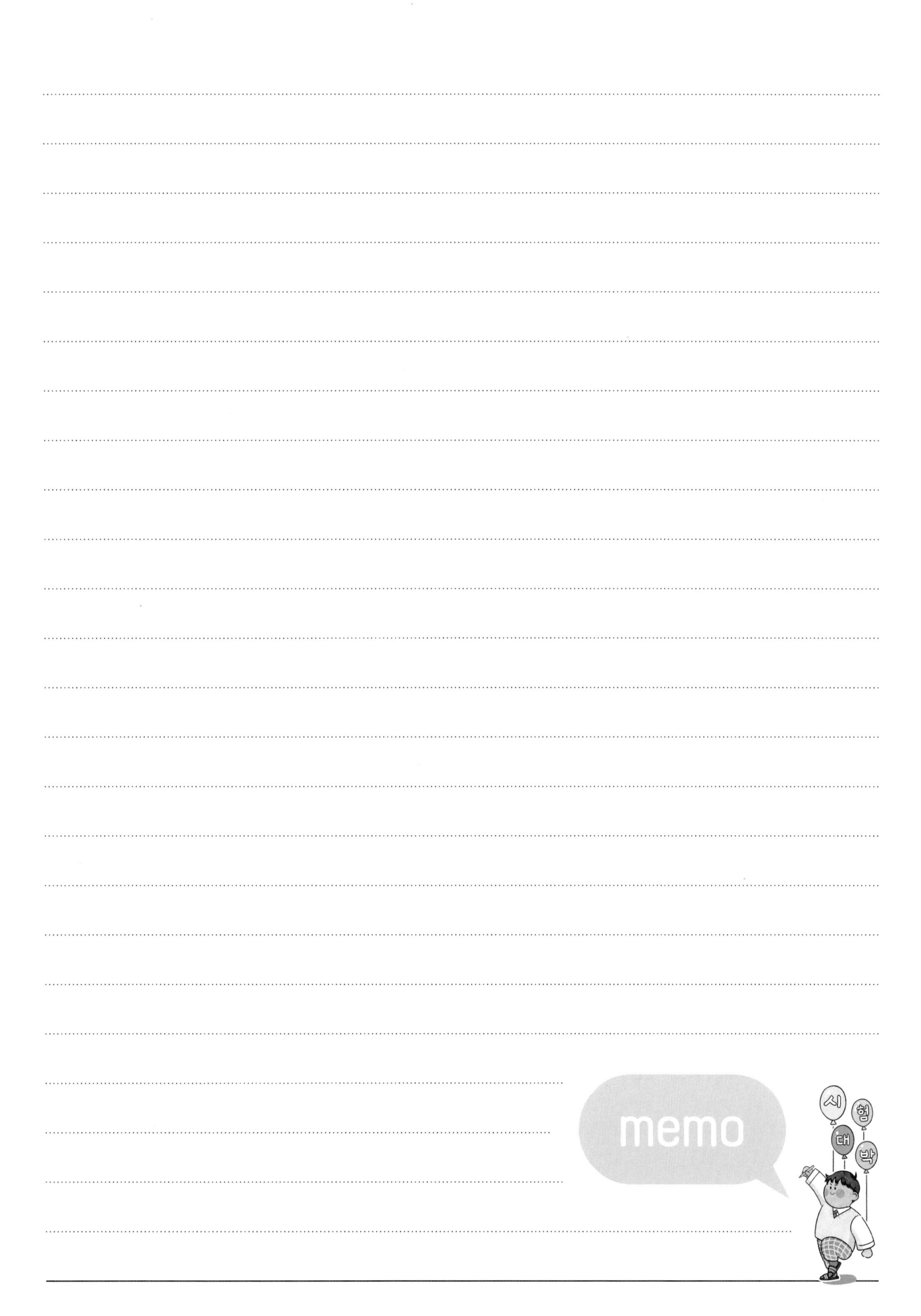
memo
시
험
대
박

memo
시
험
대
박

book.chunjae.co.kr

교재 내용 문의 ·························· 교재 홈페이지 ▸ 고등 ▸ 교재상담
교재 내용 외 문의 ····················· 교재 홈페이지 ▸ 고객센터 ▸ 1:1문의
발간 후 발견되는 오류 ·················· 교재 홈페이지 ▸ 고등 ▸ 학습지원 ▸ 학습자료실

수능공략 필승학습!
단기간에 끝장내자!

실전에강한
수능전략

BOOK 2

천재교육

실 전 에 강 한

수능전략

수능전략

국·어·영·역

언어와 매체

BOOK 2

이 책의 **차례**

BOOK 2

WEEK 1

국어사

WEEK 2

매체

BOOK 1

WEEK 1

음운과 단어

WEEK 2

문장과 담화

WEEK

1 국어사

世宗御製訓民正音
이거 읽을 수 있는 사람?
이 자료는 《훈민정음언해본》에 실린 세종 대왕의 서문이야. 《훈민정음언해본》은 한문으로 쓰인 《훈민정음해례본》의 '예의' 부분만을 한글로 풀이한 거야.

어떻게 읽는 거지? 지금은 사용하지 않는 글자들이 보이는데?
글자 왼쪽에 찍힌 점들은 뭘까?
적는 방법도 좀 다른 것 같아.
궁금

공부할 내용 1. 고대 국어의 특징 2. 중세 국어의 특징 3. 근대 국어의 특징

개념 돌파 전략 ①

개념 01 고대 국어의 특징

- **음운상의 특징** 된소리는 발달하지 않고 예사소리와 거센소리만 존재한 것으로 추정됨.
- **표기상의 특징** 우리말을 표기할 고유 문자가 없었기 때문에 한자의 음과 뜻을 빌려 ❶ [　　　　] 를 함.

• 차자 표기의 종류

<table>
<tr><td>고유 명사의 표기</td><td>한자의 음과 뜻을 빌려 사람의 이름이나 지명 등의 고유 명사를 표기함.
예
<table>
<tr><th>사람 이름</th><th>한자의 음을 빌려 표기</th><th>한자의 뜻을 빌려 표기</th></tr>
<tr><td>소나</td><td>'素那'
(素 흴 소, 那 어찌 나)</td><td>'金川'
(金 쇠 금, 川 내 천)</td></tr>
</table></td></tr>
<tr><td>서기체 표기</td><td>한문을 우리말 어순에 맞게 변형하여 쓰는 표기 방식으로, 조사나 어미는 표기하지 못함. 신라의 '❷ [　　　　]' 에 쓰인 글이 대표적임.
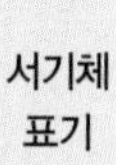
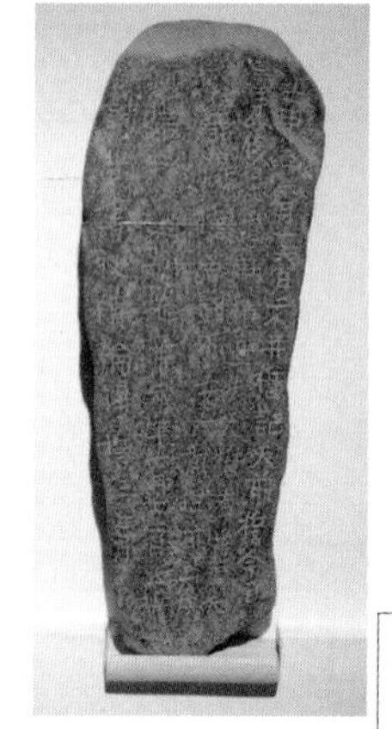
〈임신서기석〉 ─ 신라 시대 국가에 충성할 것을 맹세하는 내용을 새긴 비석</td></tr>
<tr><td>이두</td><td>서기체 표기에 조사나 어미와 같은 문법 형태소 표기를 첨가한 방식으로 삼국 시대부터 사용됨. 신라 시대에는 다양한 계층에서 폭넓게 사용되었으나, 고려 중기 이후에는 주로 하급 관리들의 공문서 작성 등 특수한 영역에 국한되어 사용됨.</td></tr>
<tr><td>구결</td><td>한문을 읽을 때 구절 사이사이에 조사나 어미를 덧붙여 표기한 것</td></tr>
<tr><td>향찰</td><td>신라의 향가를 표기하는 데 사용된 차자 표기법으로, 어휘적인 의미를 지닌 부분은 한자의 뜻을 빌리고, 문법적인 요소는 한자의 소리를 빌려 표기함.</td></tr>
</table>

답 ❶ 차자 표기 ❷ 임신서기석

확인 01

다음 설명에 해당하는 차자 표기 방식을 골라 ○표 하시오.

서기체 표기에 조사나 어미와 같은 문법 형태소 표기를 첨가한 방식 (이두 / 구결 / 향찰)

개념 02 중세 국어의 음운상 특징

자음	• 현대 국어에서 쓰이지 않는 자음 'ㅸ, ㅿ, ㆆ, ㆁ'이 있었음. 예 고ᄫᆞ(고와), ᄆᆞᅀᆞᆷ(마음), 바ᅌᅩᆯ(방울) • 단어의 첫머리에 둘 이상의 자음이 오는 ❶ [　　　　] 이 있었음. 예 ᄠᅳᆮ(뜻), ᄡᅳ다(쓰다), ᄡᆞᆯ(쌀), ᄢᅮᆯ(꿀)
모음	• 현대 국어에서 쓰이지 않는 모음 'ㆍ'가 있었음. 예 ᄉᆡᆷ(샘), 말ᄊᆞᆷ(말씀) • 양성 모음(ㆍ, ㅗ, ㅏ)은 양성 모음끼리, 음성 모음(ㅡ, ㅜ, ㅓ)은 음성 모음끼리 결합하는 ❷ [　　　　] 가 비교적 잘 지켜지는 편이었음. 예 소ᄂᆞᆫ(손+ᄋᆞᆫ), 자ᄇᆞ니(잡+ᄋᆞ니) • 다양한 이중 모음(ㅢ, ㅐ, ㅚ, ㅔ, ㅟ 등)이 존재했음.
성조	• 글자의 왼쪽에 방점을 찍어 소리의 높낮이를 나타냄. • 평성은 낮은 소리로 방점이 없고, 거성은 높은 소리로 방점이 한 개이며, 상성은 처음은 낮고 나중은 높은 소리로 방점이 두 개임. 예 활[弓], ·입[口], :돌[石] • 16세기 후반부터 성조가 사라지면서 방점 표시도 사라짐.

답 ❶ 어두 자음군 ❷ 모음 조화

확인 02

(1) 다음 중 현대 국어에서 쓰이지 않는 자음을 찾아 ○표 하시오.

ㄱ ㄴ ㄷ ㄹ ㅁ ㅂ ㅸ ㅿ ㅅ
ㅇ ㆁ ㅈ ㅊ ㅋ ㅌ ㅍ ㆆ ㅎ

(2) 다음 문장에 들어갈 알맞은 말을 골라 ○표 하시오.

중세 국어에서는 글자의 왼쪽에 방점을 찍어 소리의 (길이 / 높낮이)를 나타내는 성조를 표시하였다.

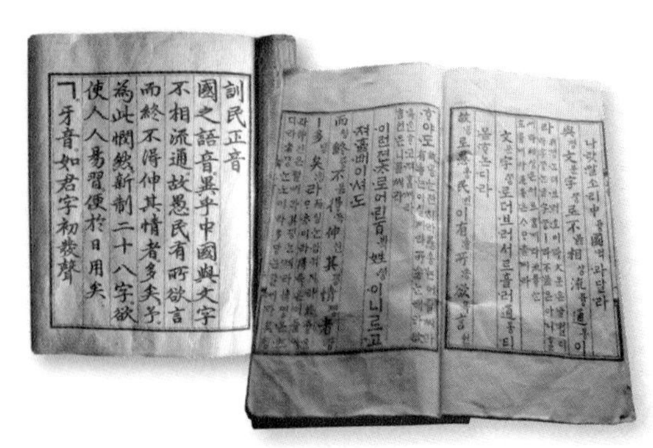

〈훈민정음〉

개념 03 중세 국어의 표기상 특징

- **8종성법** 어말에 적을 수 있는 ❶[   ]을 'ㄱ, ㄴ, ㄷ, ㄹ, ㅁ, ㅂ, ㅅ, ㆁ'으로 제한함.

ㄱㄴㄷㄹㅁㅂㅅㆁ

- **이어 적기(연철)** 앞말의 받침을 뒤의 조사나 어미의 ❷[   ]에 이어 적음.
  - 예 말쌈+이 → 말ᄊᆞ미, 닉+이+어 → 니겨
- 환경에 따라 실제 소리를 반영하여 소리 나는 대로 표기함.
  - 예 곶[花] → 고지, 고졸, 곳도

답 ❶ 받침 ❷ 초성

확인 03

다음 문장에 들어갈 알맞은 말을 골라 ○표 하시오.

(1) (7종성법 / 8종성법)은 어말에 적을 수 있는 받침을 'ㄱ, ㄴ, ㄷ, ㄹ, ㅁ, ㅂ, ㅅ, ㆁ'으로만 적도록 한 것이다.

(2) 앞말의 받침을 뒤의 조사나 어미의 초성에 이어 적는 방식을 (거듭 적기 / 이어 적기)라고 한다.

개념 04 중세 국어의 문법상 특징

- 주격 조사로 '이'만 쓰였으며, 환경에 따라 다른 형태로 실현되었음.

주격 조사의 형태	환경	예
이	체언의 끝소리가 ❶[ ]일 경우	말ᄊᆞ미 (말씀+이)
ㅣ	체언의 끝소리가 'ㅣ', 반모음 'ㅣ̆' 이외의 모음으로 끝날 때	부톄 (부텨+ㅣ)
실현되지 않음.	체언의 끝소리가 'ㅣ', 반모음 'ㅣ̆'로 끝날 때	ᄃᆞ리 (ᄃᆞ리+Ø)

- 관형격 조사 'ᄋᆡ/의'와 'ㅅ'이 사용됨.

관형격 조사의 형태	환경	예
ᄋᆡ, 의	앞말이 유정 명사이면서 높임의 대상이 아닌 경우	사ᄉᆞᄆᆡ (사ᄉᆞᆷ+ᄋᆡ)
ㅅ	앞말이 무정 명사이거나 높임의 대상인 경우	나랏 (나라+ㅅ)

- 주체 높임법, 객체 높임법, 상대 높임법이 있었음.

주체 높임법	자음으로 시작하는 어미 앞에서는 선어말 어미 '-시-'가 사용되고, 모음으로 시작하는 어미 앞에서는 선어말 어미 '-샤-'가 사용됨. 예 닐러 ᄀᆞᆯᄋᆞ샤ᄃᆡ(일러 말씀하시기를)
객체 높임법	❷[ ] '-ᅀᆞᆸ/ᄌᆞᆸ/ᄉᆞᆸ-'이 사용됨. 예 은덕 몯 갑ᄉᆞᆸ고(은덕을 못 갚고)
상대 높임법	'ᄒᆞ라체, ᄒᆞ야쎠체, ᄒᆞ쇼셔체'가 사용됨. 예 님금하 아ᄅᆞ쇼셔(임금이시여, 아십시오)

- 의문사의 유무에 따라 의문문이 구분되어 쓰였음.

판정 의문문	의문사가 없음. '-아' 계통의 어미, 보조사 '가'가 쓰임. 예 공덕(功德)이 하녀 져그녀(공덕이 많느냐 적으냐) / 이 ᄯᆞ리 너희 죵가(이 딸이 너희 종이냐)
설명 의문문	의문사가 있음. '-오' 계통의 어미, 보조사 '고'가 쓰임. 예 이제 어듸 잇ᄂᆞ뇨(이제 어디에 있느냐) / 이 엇던 광명(光明)고(이 어떤 광명이냐)

답 ❶ 자음 ❷ 선어말 어미

확인 04

다음 문장에 들어갈 알맞은 말을 골라 ○표 하시오.

중세 국어에서는 주격 조사로 (가 / 이)만 쓰였다.

개념 05 중세 국어의 어휘상 특징

- 지금은 사라진 ❶ [ ] 가 많이 쓰임.

예

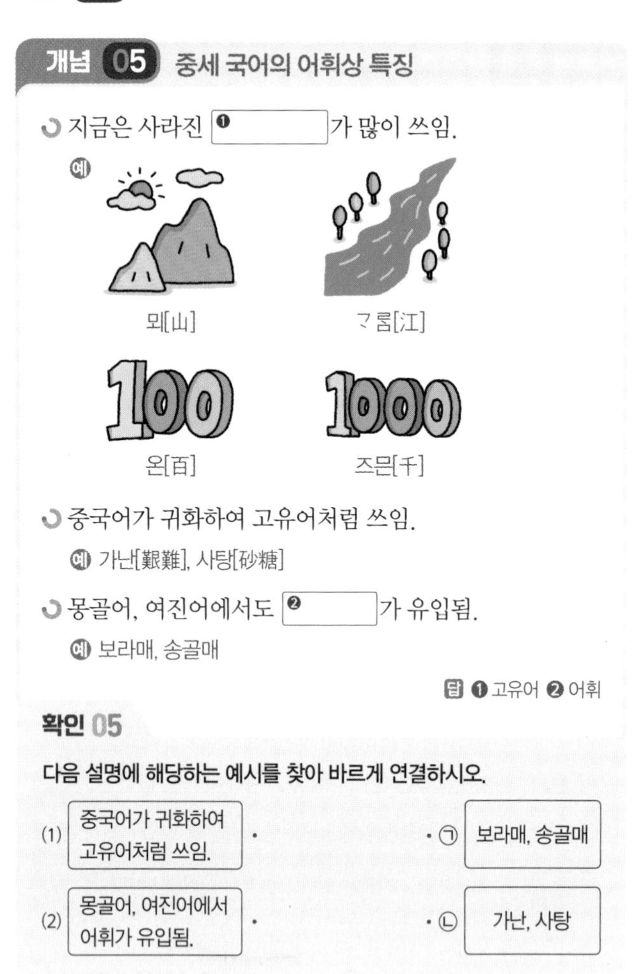

- 중국어가 귀화하여 고유어처럼 쓰임.
  - 예 가난[艱難], 사탕[砂糖]
- 몽골어, 여진어에서도 ❷ [ ] 가 유입됨.
  - 예 보라매, 송골매

답 ❶ 고유어 ❷ 어휘

확인 05

다음 설명에 해당하는 예시를 찾아 바르게 연결하시오.

(1) 중국어가 귀화하여 고유어처럼 쓰임. • • ㉠ 보라매, 송골매

(2) 몽골어, 여진어에서 어휘가 유입됨. • • ㉡ 가난, 사탕

개념 06 근대 국어의 음운상 특징

- 'ㅿ'이 소실되었으며, 'ㆁ'은 종성에서만 실현되고 글꼴이 '❶ [ ]'으로 변함.
  - 예 처엄 → 처음 / 놀애 → 노래
- 어두 자음군이 소멸되고 'ㅺ, ㅼ, ㅽ, ㅾ'처럼 된시옷 표기로 정착됨.
- 'ㆍ'는 16세기부터 둘째 음절 이하에서 주로 'ㅡ'로 변하였고, 18세기부터 첫째 음절에서 'ㅏ'로 변함.
  - 예 모ᄅᆞ- → 모르-(16세기) / ᄇᆡ → 배(18세기)
- 성조가 사라지면서 방점 표기도 사라짐.
- 'ㅣ'나 반모음 'ǐ' 앞의 'ㄷ, ㅌ'이 'ㅈ, ㅊ'으로 바뀌는 ❷ [ ] 현상이 나타남.
  - 예 디다 > 지다[落], 티다 > 치다[打]

답 ❶ ㅇ ❷ 구개음화

확인 06

다음 문장에 들어갈 알맞은 말을 골라 ○표 하시오.

근대 국어에서 (ㅿ / ㅅ)은 소실되었다.

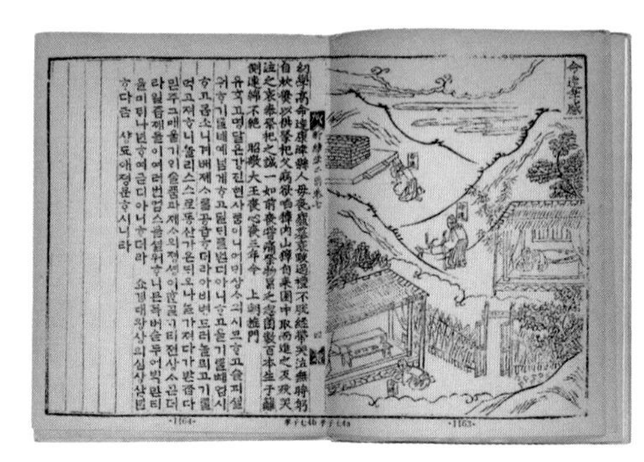

《동국신속삼강행실도》

개념 07 근대 국어의 표기상 특징

- **7종성법** 8종성법에서 'ㄷ'이 빠지고 'ㆁ'이 'ㅇ'으로 바뀜.
  - 예 징반 → 쟁반
- 종성의 'ㄷ'과 'ㅅ'은 발음상의 구별이 어려워지면서 'ㄷ'을 '❶ ______ '으로 적는 경향이 나타남.
  - 예 듯보다(듣-+보다)
- **거듭 적기(중철)** 앞 음절의 받침을 ❷ ______ 하여 뒷말의 초성으로 적음.
  - 예 님금미(님금+이), 먹글(먹-+-을)

답 ❶ ㅅ ❷ 거듭

확인 07

다음 문장에 들어갈 알맞은 말을 각각 골라 ○표 하시오.

근대 국어에는 중세의 (거듭 적기 / 이어 적기) 방식이 현대의 끊어 적기 방식으로 가는 과도기적 현상으로 (거듭 적기 / 이어 적기) 방식이 나타났다.

개념 08 근대 국어의 문법상 특징

- 주격 조사 '❶ ______ '가 사용되기 시작하여 '이'와 함께 쓰임.

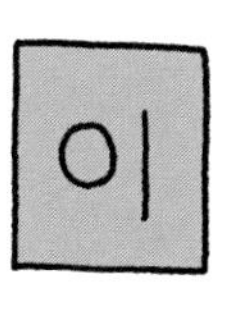

- 'ㅅ'은 더 이상 관형격 조사로 쓰이지 않고 '의'만 관형격 조사로 쓰임.
- ❷ ______ 선어말 어미 '-ᄉᆞᆸ/ᄌᆞᆸ/ᅀᆞᆸ-'이 점차 쓰이지 않게 됨.
- 명사형 어미 '-옴/움'이 '-음'으로 변하고 '-기'가 활발하게 쓰임.

답 ❶ 가 ❷ 객체 높임

확인 08

다음 중 근대 국어의 특징으로 적절하지 않은 것은?

① 주격 조사 '가'가 쓰이기 시작하였다.
② 명사형 어미 '-기'가 쓰이지 않게 되었다.
③ 'ㅅ'이 관형격 조사로 쓰이지 않게 되었다.

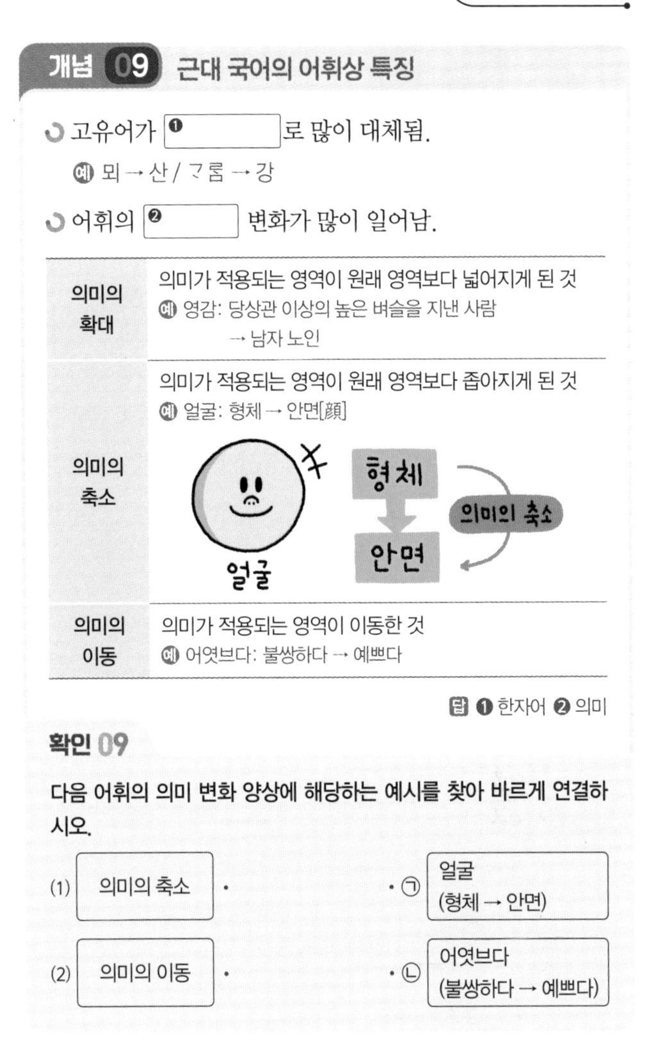

개념 09 근대 국어의 어휘상 특징

- 고유어가 ❶ ______ 로 많이 대체됨.
  - 예 뫼 → 산 / ᄀᆞᄅᆞᆷ → 강
- 어휘의 ❷ ______ 변화가 많이 일어남.

의미의 확대	의미가 적용되는 영역이 원래 영역보다 넓어지게 된 것 예 영감: 당상관 이상의 높은 벼슬을 지낸 사람 → 남자 노인
의미의 축소	의미가 적용되는 영역이 원래 영역보다 좁아지게 된 것 예 얼굴: 형체 → 안면[顔]
의미의 이동	의미가 적용되는 영역이 이동한 것 예 어엿브다: 불쌍하다 → 예쁘다

답 ❶ 한자어 ❷ 의미

확인 09

다음 어휘의 의미 변화 양상에 해당하는 예시를 찾아 바르게 연결하시오.

(1) 의미의 축소 • • ㉠ 얼굴 (형체 → 안면)

(2) 의미의 이동 • • ㉡ 어엿브다 (불쌍하다 → 예쁘다)

WEEK 2 DAY 1

개념 돌파 전략 ②

01 고대 국어에 대한 설명으로 적절하지 않은 것은?

① 우리말을 표기할 고유 문자가 존재하지 않았다.
② 자음의 된소리는 아직 발달하지 않은 상태로 추정된다.
③ 우리말의 문장을 표기할 수 있는 방법은 존재하지 않았다.
④ 한자의 음과 뜻을 빌려 사람의 이름이나 지명을 표기하였다.
⑤ 한문을 읽을 때 구절 사이사이에 덧붙이는 구결이 존재하였다.

문제 해결 전략

고대 국어에서는 단어와 문장을 표기하기 위해 ❶ [ ]의 음과 뜻을 빌려 표기하는 ❷ [ ] 표기가 발달하였어.

답 ❶ 한자 ❷ 차자

02 중세 국어의 음운상 특징으로 적절하지 않은 것은?

① 소리의 높낮이를 나타내는 성조가 존재하였다.
② 현대 국어에는 쓰이지 않는 모음 'ㆍ'가 존재하였다.
③ 현대 국어에서와 음가가 같은 모음 'ㅐ, ㅔ'가 존재하였다.
④ 'ㅸ, ㅿ' 등 현대 국어에서 쓰이지 않는 자음이 존재하였다.
⑤ 단어의 첫머리에 둘 이상의 자음이 오는 어두 자음군이 존재하였다.

문제 해결 전략

'ㅐ, ㅔ'는 현대 국어에서 ❶ [ ]으로 발음되지만, 중세 국어에서는 ❷ [ ]으로 발음되었어.

답 ❶ 단모음 ❷ 이중 모음

03 15세기 국어의 표기상 특징으로 적절한 것은?

① 성조를 표시하는 방점은 더 이상 표기되지 않았다.
② 종성에서 'ㄷ'과 'ㅅ'의 음가를 구별하여 표기하지 않았다.
③ 어말에 적을 수 있는 자음은 'ㄱ, ㄴ, ㄹ, ㅁ, ㅂ, ㅅ, ㅇ'이었다.
④ 앞말의 받침을 뒤의 조사나 어미의 초성에 이어 적는 표기를 하였다.
⑤ 앞 음절의 받침을 거듭하여 뒷말의 초성에 적는 방식이 일반적이었다.

문제 해결 전략

중세 국어에서는 앞말의 받침을 뒤의 조사나 어미의 ❶ [ ]에 이어 적는 ❷ [ ] 방식이 일반적으로 사용되었어.

답 ❶ 초성 ❷ 이어 적기

04 중세 국어의 조사에 대한 설명으로 적절하지 않은 것은?

① 체언의 끝소리가 자음일 경우에는 주격 조사 '이'가 결합하였다.
② 앞말이 높임의 대상인 경우에는 관형격 조사 'ㅅ'이 결합하였다.
③ 앞말이 무정 명사일 경우에는 관형격 조사 'ᄋᆡ/의'가 결합하였다.
④ 체언의 끝소리가 'ㅗ'로 끝나는 경우에는 주격 조사 'ㅣ'가 결합하였다.
⑤ 체언의 끝소리가 'ㅣ'로 끝나는 경우에는 주격 조사가 실현되지 않았다.

문제 해결 전략

중세 국어에서 앞말이 유정 명사이면서 높임의 대상이 아닌 경우에는 관형격 조사 '❶ '이(가) 실현되었고, 앞말이 무정 명사이거나 높임의 대상인 경우에는 관형격 조사 '❷ '이(가) 실현되었어.

답 ❶ ᄋᆡ/의 ❷ ㅅ

05 근대 국어의 특징으로 적절하지 않은 것은?

① 'ㅿ'이 소실되었다.
② 어두 자음군이 사라졌다.
③ 주격 조사 '가'가 사용되기 시작하였다.
④ 종성에서는 'ㅅ'을 'ㄷ'으로 적는 경향이 나타났다.
⑤ 'ㆍ'는 16세기부터 둘째 음절 이하에서 주로 'ㅡ'로 변하였다.

문제 해결 전략

근대 국어 ❶ 의 'ㄷ'과 'ㅅ'은 발음상의 구별이 어려워지면서 'ㄷ'을 '❷ '으로 적는 경향이 나타나.

답 ❶ 종성 ❷ ㅅ

06 ㉠의 사례로 적절하지 않은 것은?

> 근대 국어에서는 앞 음절의 받침을 거듭하여 뒷말의 초성에도 적는 ㉠ 거듭 적기 방식이 나타났다.

① 옷+이 → 옷시
② 값+이 → 갑시
③ 먹-+-을 → 먹글
④ 님금+이 → 님금미
⑤ 도적+을 → 도적글

문제 해결 전략

근대 국어 시기의 ❶ 방식은 이어 적기 방식에서 ❷ 방식으로 가는 과도기적 현상으로 나타난 거야.

답 ❶ 거듭 적기 ❷ 끊어 적기

WEEK 1 DAY 2 필수 체크 전략 ①

대표 유형 1 중세 국어의 음운과 표기 이해

다음 글을 읽고 물음에 답하시오.

현대 국어의 표기는 '표준어를 소리대로 적되, 어법에 맞도록 함을 원칙으로 한다.'라는 한글 맞춤법 규정을 따른다. 표준어를 소리대로 적는다는 것은 표준어를 발음 나는 대로 적는 표음주의를, 어법에 맞도록 한다는 것은 각 형태소의 본모양을 밝혀 적는 표의주의를 채택한 것이다. 그런데 일반적인 활용 규칙에서 어긋나는 경우, 합성어나 파생어를 구성함에 있어서 구성 요소가 본뜻에서 멀어진 경우 등에는 표음주의가 채택된다.

이러한 표기 원칙이 제정되기 전 국어의 표기 방식은 이어 적기, 끊어 적기, 거듭 적기 등의 다양한 방식으로 나타났다. 자음으로 끝나는 체언이 모음으로 시작되는 조사를 만나거나 자음으로 끝나는 용언의 어간이나 어근이 모음으로 시작되는 어미나 접사를 만날 때, 이어 적기는 앞 형태소의 끝소리를 뒤 형태소의 첫소리로 옮겨 적는 방식이고, 끊어 적기는 실제 발음과는 달리 형태소의 본모양을 밝혀서 끊어 적는 방식이다. 그리고 거듭 적기는 앞 형태소의 끝소리를 뒤 형태소의 첫소리에도 다시 적는 표기 방식으로, '말씀+이'를 '말씀미'와 같은 방식으로 적는 것이다. 한편 'ㅋ, ㅌ, ㅍ'을 'ㄱ, ㄷ, ㅂ'과 'ㅎ'으로 나누어 표기하는 방식인 재음소화 표기가 나타나기도 했는데, '깊이'를 '깁히'와 같이 적는 경우를 예로 들 수 있다.

1 윗글을 바탕으로 〈보기〉의 ⓐ~ⓖ를 탐구한 내용으로 적절하지 <u>않은</u> 것은?

보기

- 머리셔 ᄇᆞ라매 ⓐ<u>노피</u> 하ᄂᆞᆯ해 다핫고 갓가이셔 보니 아ᅀᆞ라히 하ᄂᆞᆯ햇 ⓑ<u>므레</u> ᄌᆞᆷ겻ᄂᆞ니
  [멀리서 바람에 높이 하늘에 닿았고 가까이서 보니 아스라이 하늘의 물에 잠겼나니]
  –《번역박통사》
- 고경명은 광쥐 ⓒ<u>사ᄅᆞᆷ이니</u> 임진왜난의 의병을 슈챵ᄒᆞ야 금산 ⓓ<u>도적글</u> 티다가 패ᄒᆞ여
  [고경명은 광주 사람이니 임진왜란에 의병을 이끌어 금산 도적을 치다가 패하여]
  –《동국신속삼강행실도》
- ⓔ<u>븕은</u> 긔운이 하ᄂᆞᆯ을 ᄯᅱ노더니 이랑이 소ᄅᆡ를 ⓕ<u>놉히</u> ᄒᆞ야 나를 불러 져긔 믈 밋ᄎᆞᆯ 보라 웨거ᄂᆞᆯ 급히 눈을 ⓖ<u>드러</u> 보니
  [붉은 기운이 하늘을 뛰놀더니 이랑이 소리를 높이 하여 나를 불러 저기 물 밑을 보라 외치거늘 급히 눈을 들어 보니]
  –《의유당관북유람일기》

① ⓐ는 이어 적기를 하고 있는 반면 ⓕ는 거듭 적기를 하고 있군.
② ⓑ는 앞 형태소의 끝소리를 뒤 형태소의 첫소리로 옮겨 적고 있군.
③ ⓒ는 체언과 조사가 결합할 때 형태소의 본모양을 밝혀서 끊어 적고 있군.
④ ⓓ는 앞 형태소의 끝소리를 뒤 형태소의 첫소리에도 다시 적고 있군.
⑤ ⓔ와 ⓖ는 용언의 어간이 모음으로 시작하는 어미를 만날 때 표기하는 방식이 서로 다르군.

유형 해결 전략 지문에 제시된 ❶ ______ 방식의 특징을 이해하여 〈보기〉의 사례에 ❷ ______해 봐야 해.

답 ❶ 표기 ❷ 적용

1-1 〈보기〉의 ㉠~㉤에 나타난 중세 국어의 특징을 현대 국어와 비교하여 이해한 내용으로 적절하지 <u>않은</u> 것은?

> 보기
>
> ㉠<u>나·랏 :말ᄊᆞ·미</u> 中듕國·귁·에 달·아 文문字·ᄍᆞᆼ·와·로 서르 ㉡<u>ᄉᆞᄆᆞᆺ·디</u> 아·니ᄒᆞᆯ·ᄊᆡ ·이런 젼·ᄎᆞ·로 어·린 百·ᄇᆡᆨ姓·셩·이 니르·고·져 ·ᄒᆞᇙ ·배 이·셔·도 ᄆᆞ·ᄎᆞᆷ:내 제 ㉢<u>·ᄠᅳ·들</u> 시·러 펴·디 :몯ᄒᆞᇙ ·노·미 하·니·라 ·내 ·이·ᄅᆞᆯ 爲·윙·ᄒᆞ·야 :어엿·비 너·겨 ·새·로 ·스·믈여·듧 字·ᄍᆞᆼ·ᄅᆞᆯ ᄆᆡᇰ·ᄀᆞ노·니 :사ᄅᆞᆷ:마·다 :ᄒᆡ·ᅇᅧ :수·ᄫᅵ 니·겨 ·날·로 ·ᄡᅮ·메 ㉣<u>便뼌安한·킈</u> ᄒᆞ·고·져 ᄒᆞᇙ ㉤<u>ᄯᆞᄅᆞ·미니·라</u>
>
> -《세종어제훈민정음》
>
> **[현대어 풀이]**
>
> 우리나라의 말이 중국과 달라 한자와는 서로 통하지 아니하여서 이런 까닭으로 어리석은 백성이 말하고자 하는 바가 있어도 마침내 제 뜻을 능히 펴지 못하는 사람이 많다. 내가 이를 위하여 가엾게 여겨 새로 스물여덟 자를 만드니, 사람마다 하여금 쉽게 익혀 날마다 쓰는 데 편하게 하고자 할 따름이다.

① ㉠: 글자 왼쪽에 성조를 나타내는 방점을 찍었다.
② ㉡: 'ㄷ'으로 발음되는 받침은 'ㅅ'으로 표기하였다.
③ ㉢: 단어의 초성에 서로 다른 두 자음자를 나란히 적었다.
④ ㉣: 현대 국어에서 사용되지 않는 자음자가 있었다.
⑤ ㉤: 한 음절의 종성을 다음 자의 초성에 옮겨 표기하였다.

1-2 〈보기〉를 참고할 때, 밑줄 친 부분에 대한 설명으로 적절하지 <u>않은</u> 것은?

> 보기
>
> 중세 국어에서 'ᄋᆡ/의'는 관형격 조사와 부사격 조사로 모두 사용되는 양상을 보인다. 대체로 높임을 나타내지 않는 유정 명사 뒤에서는 관형격 조사로 쓰이고, 시간이나 장소 등을 나타내는 일부 체언 뒤에서는 부사격 조사로 사용되었다. 한편 'ᄋᆡ/의'는 모음 조화의 양상에 따라 'ᄋᆡ' 또는 '의'로 실현되었다.

①	겨<u>틔</u> 서서 [곁에 서서]	부사격 조사 '의'가 음성 모음 'ㅕ' 뒤에 결합하였다.
②	거부<u>븨</u> 터리 ᄀᆞᆮ고 [거북의 털과 같고]	관형격 조사 '의'가 음성 모음 'ㅜ' 뒤에 결합하였다.
③	효도<u>ᄋᆡ</u> ᄆᆞᄎᆞᆷ [효도의 끝]	관형격 조사 'ᄋᆡ'가 양성 모음 'ㅗ' 뒤에 결합하였다.
④	바<u>ᄆᆡ</u> 비취니 [밤에 비치니]	부사격 조사 '의'가 음성 모음 'ㅏ' 뒤에 결합하였다.
⑤	사ᄅᆞ<u>ᄆᆡ</u> ᄠᅳ들 [사람의 뜻을]	관형격 조사 'ᄋᆡ'가 양성 모음 'ㆍ' 뒤에 결합하였다.

> **도움말**
>
> 'ㆍ'에서 파생되어 나온 소리는 ❶ [　　　] 에 해당하고, 'ㅡ'에서 파생되어 나온 소리는 ❷ [　　　] 에 해당해. 그리고 'ㅣ'는 중성 모음에 해당해.
>
> 답 ❶ 양성 모음 ❷ 음성 모음

대표 유형 2 중세 국어의 이형태 이해

다음 글을 읽고 물음에 답하시오.

하나의 형태소가 환경에 따라 다르게 나타나기도 하는데, 그 모습들을 이형태라고 한다. 이형태가 성립하기 위해서는 하나의 형태소가 다른 모습으로 나타나더라도 그 의미가 서로 동일해야 한다. (중략) 이형태는 음운 환경에 따라 다른 모습으로 나타나는 경우가 많은데 이를 음운론적 이형태라고 한다. '막았다'의 '-았-'과 '먹었다'의 '-었-'은 앞말 모음의 성질이 양성인지 음성인지에 따라 형태가 결정되므로 음운론적 이형태이다. 이와 달리 음운론적으로 설명할 수 없는 예외적인 환경에서 나타나는 이형태를 형태론적 이형태라고 한다. '하였다'의 '-였-'은 '하-'라는 특정 형태소와 어울려서 음운론적으로 설명할 수 없는 경우이므로, '-였-'은 '-았/었-'과 형태론적 이형태의 관계에 있다.

이형태는 중세 국어에서도 나타났는데 현대 국어와 차이점을 보이기도 했다. 현대 국어에서 부사격 조사 '에'는 이형태가 존재하지 않는다. 하지만 중세 국어에서는 앞말 모음의 성질에 따라 이형태가 존재했다. 앞말의 모음이 양성 모음일 때는 '애'가, 음성 모음일 때는 '에'가, 단모음 '이' 또는 반모음 'ㅣ̆'일 때는 '예'가 사용되었다.

2 윗글을 참고할 때, 〈보기〉의 ⓐ~ⓓ에 들어갈 말로 적절한 것은?

보기

• 탐구 자료

[중세 국어] 狄人(적인)ㅅ 서리(ⓐ) 가샤
[현대 국어] 오랑캐들의 사이에 가시어

[중세 국어] 世尊(세존)이 象頭山(상두산)(ⓑ) 가샤
[현대 국어] 세존께서 상두산에 가시어

[중세 국어] 九泉(구천)(ⓒ) 가려 하시니
[현대 국어] 저승에 가려 하시니

• 탐구 내용

ⓐ~ⓒ는 부사격 조사로, 앞말 모음의 성질에 따라 상보적 분포를 보인다. 따라서 ⓐ~ⓒ는 (ⓓ) 이형태의 관계라고 할 수 있다.

	ⓐ	ⓑ	ⓒ	ⓓ
①	예	애	에	음운론적
②	예	에	애	형태론적
③	애	에	예	음운론적
④	애	예	에	형태론적
⑤	에	애	예	음운론적

유형 해결 전략 현대 국어와 중세 국어의 특징을 함께 설명하는 글에서 현대 국어에 대한 이해를 바탕으로 ❶ [ ]의 특징을 파악한 후 문제에 주어진 자료에 ❷ [ ]할 수 있어야 해.

답 ❶ 중세 국어 ❷ 적용

2-1 다음 ㉠과 ㉡에 들어갈 말이 바르게 짝지어진 것은?

중세 국어에서는 객체를 높이기 위해 선어말 어미를 사용했는데, 이 선어말 어미는 음운 조건에 따라 다음과 같이 다양한 형태로 실현되었다.

어간 말음 조건	형태	용례
'ㄱ, ㅂ, ㅅ, ㅎ'일 때	-ᄉᆞᆸ-	돕ᄉᆞᆸ고
'ㄷ, ㅈ, ㅊ'일 때	-ᄌᆞᆸ-	묻ᄌᆞᆸ고
모음이나 'ㄴ, ㅁ, ㄹ'일 때	-ᅀᆞᆸ-	보ᅀᆞᆸ고

객체 높임 선어말 어미 뒤에 모음으로 시작하는 어미가 오면, 객체 높임 선어말 어미는 '-ᄉᆞᄫ-, -ᄌᆞᄫ-, -ᅀᆞᄫ-'으로 실현되었다.

• 王(왕)이 부텻긔 더옥 敬信(경신)ᄒᆞᆫ ᄆᆞᅀᆞᄆᆞᆯ 내-+(㉠)+-아
[왕이 부처께 더욱 공경하고 믿는 마음을 내어]
• 내 아래브터 부텻긔 이런 마ᄅᆞᆯ 몯 듣-+(㉡)+-ᄋᆞ며
[내가 예전부터 부처께 이런 말을 못 들으며]

	㉠	㉡
①	-ᄉᆞᆸ-	-ᄉᆞᆸ-
②	-ᄉᆞᆸ-	-ᄌᆞᆸ-
③	-ᄉᆞᄫ-	-ᄉᆞᄫ-
④	-ᅀᆞᄫ-	-ᅀᆞᄫ-
⑤	-ᅀᆞᄫ-	-ᄌᆞᄫ-

도움말
'-아'와 '-ᄋᆞ며'에서 'ㅇ'은 ❶ [ ]가 없으므로 ❷ [ ]으로 시작하는 어미에 해당해.

답 ❶ 음가(소릿값) ❷ 모음

대표 유형 3 중세 국어의 음운 변동 현상 이해

다음 글을 읽고 물음에 답하시오.

연음과 음운 변동에 대한 지식을 활용하여 중세 국어 자료를 검토해 보면 현대 국어에서 찾아보기 어려운 형태의 단어를 발견할 수 있다. 예를 들어, 현대 국어에서는 'ㅎ'을 말음으로 가진 체언을 찾아보기 어렵다. 그러나 중세 국어 자료를 살펴보면 '돓(돌)', '나랗(나라)'와 같이 'ㅎ'을 말음으로 가진 체언을 확인할 수 있다.

중세 국어 시기에는 체언 말음 'ㅎ'이 모음으로 시작하는 조사와 결합하면 '나라히'와 같이 연음되어 나타나는 것을 확인할 수 있다. 또한 'ㅎ'을 말음으로 가진 체언이 '과', '도'와 같은 조사와 결합하면 'ㅎ'이 뒤에 오는 'ㄱ, ㄷ'과 축약되어 'ㅋ, ㅌ'으로 나타났는데, 이를 통해서 'ㅎ'의 존재를 간접적으로 확인할 수 있다. 하지만 어떤 체언이 'ㅎ'을 말음으로 가지고 있다고 하더라도, 그 체언이 단독으로 쓰이거나 관형격 조사 'ㅅ'과 결합하여 쓰였을 때는 'ㅎ'이 실현되지 않아서 'ㅎ'을 말음으로 가지지 않은 체언과 구별되지 않았다. 해당 체언이 연음이나 축약이 일어나는 자리에 쓰인 사례를 검토해야 체언 말음 'ㅎ'의 존재 여부를 알 수 있다.

3 윗글을 참조하여 〈보기〉의 ⓐ~ⓔ를 분석한 것으로 적절한 것은?

보기

[학습 목표]

중세 국어 자료를 통해 체언 '하ᄂᆞᇙ'에 대해 탐구한다.

[중세 국어 자료]

- ⓐ하ᄂᆞᆯ히 ᄆᆞᅀᆞᄆᆞᆯ 뮈우시니
  [하늘이 마음을 움직이게 하시니]
- ⓑ하ᄂᆞᆳ 光明中에 드러
  [하늘의 광명 가운네에 들어]
- ⓒ하ᄂᆞᆯ 셤기ᅀᆞᆸ듯 ᄒᆞ야
  [하늘 섬기듯 하여]
- ⓓ하ᄂᆞᆯ토 뮈며
  [하늘도 움직이며]
- ⓔ하ᄂᆞᆯ콰 ᄯᅡ콰ᄅᆞᆯ 니르니라
  [하늘과 땅을 이르니라]

① ⓐ에서는 연음되어 음운의 개수에 변동이 없지만, ⓓ에서는 음운 변동이 일어나 음운의 개수가 줄어들었음을 알 수 있다.

② ⓑ에서는 'ㅎ'이 다른 음운으로 교체되었음을 알 수 있고, ⓒ에서는 'ㅎ'이 실현되지 않았다.

③ ⓑ에서는 체언 말음 'ㅎ'의 존재를 알 수 있지만, ⓓ에서는 체언 말음 'ㅎ'의 존재를 알 수 없다.

④ ⓑ와 ⓒ에서 동일한 체언이 단독으로 쓰일 때, 서로 다른 형태로도 실현되었음을 알 수 있다.

⑤ ⓓ와 ⓔ에서 체언에 현대 국어에 존재하지 않는 조사 '토', '콰'가 결합했음을 알 수 있다.

유형 해결 전략 현대 국어에는 없는 ❶ [ ]의 특징을 지문에서 확인하여 이해한 후 문제의 자료에 그 내용을 ❷ [ ] 할 수 있어야 해.

답 ❶ 중세 국어 ❷ 적용

3-1 다음 중세 국어 자료에 나타난 특징을 탐구한 내용으로 적절하지 않은 것은?

- 불·휘 기·픈 남·ᄀᆞᆫ ᄇᆞᄅᆞ·매 아·니 :뮐·ᄊᆡ
  [뿌리가 깊은 나무는 바람에 아니 움직이므로]
  –《용비어천가》
- ·첫소·리·ᄅᆞᆯ 어·울·워 ᄡᅳᇙ·디·면 ᄀᆞᆯ·ᄫᅡ ·쓰·라
  [첫소리를 합하여 쓸 것이면 나란히 쓰라.]
  –《훈민정음언해》
- ·몸·이며 얼굴·이며 머·리털·이·며 ·ᄉᆞᆯ·ᄒᆞᆫ
  [몸과 형체와 머리털과 살은]
  –《소학언해》

① '기·픈'은 '깊은'과 견주어 보니, 소리 나는 대로 적었음을 알 수 있군.

② 'ᄇᆞᄅᆞ·매'를 보니 모음 조화가 이루어졌음을 알 수 있군.

③ ':뮐·ᄊᆡ'를 보니 성조에 따라 글자 옆에 붙이는 점의 개수가 달랐음을 알 수 있군.

④ 'ᄡᅳᇙ·디·면'은 '쓸 것이면'에 대응하는 것을 보니, 초성에 서로 다른 두 개의 자음이 함께 사용되었음을 알 수 있군.

⑤ '·ᄉᆞᆯ·ᄒᆞᆫ'을 보니 보조사 '은'에 대응하는 'ᄒᆞᆫ'이 있었음을 알 수 있군.

필수 체크 전략 ②

중세 국어의 음운상 특징 이해

01 다음을 바탕으로 중세 국어의 음운상 특징을 이해한 내용으로 적절하지 않은 것은?

> 나·랏 :말ᄊᆞ·미 中듕國·귁·에 달·아 文문字·ᄍᆞᆼ·와·로 서르 ᄉᆞᄆᆺ·디 아·니ᄒᆞᆯ·ᄊᆡ ·이런 젼·ᄎᆞ·로 어·린 百·ᄇᆡᆨ姓·셩·이 니르·고·져 ·ᄒᆞᇙ ·배 이·셔·도 ᄆᆞ·ᄎᆞᆷ:내 제 ·ᄠᅳ·들 시·러 펴·디 :몯ᄒᆞᇙ ·노·미 하·니·라 ·내 ·이·ᄅᆞᆯ 爲·윙·ᄒᆞ·야 :어엿·비 너·겨 ·새·로 ·스·믈여·듧 字·ᄍᆞᆼ·ᄅᆞᆯ ᄆᆡᇰ·ᄀᆞ노·니 :사ᄅᆞᆷ:마·다 :ᄒᆡ·ᅇᅧ :수·ᄫᅵ 니·겨 ·날·로 ·ᄡᅮ·메 便뼌安한·킈 ᄒᆞ·고·져 ᄒᆞᇙ ᄯᆞᄅᆞ·미니·라
>
> –《세종어제훈민정음》

① 현대 국어에는 존재하지 않는 성조가 존재하였다.
② 현대 국어에서는 사용되지 않는 모음 'ㆍ'가 사용되었다.
③ 현대 국어와 마찬가지로 'ㅔ, ㅐ'는 단모음으로 발음되었다.
④ 'ㅲ', 'ㅄ'과 같이 어두에 2개 이상의 자음이 놓이기도 하였다.
⑤ 현대 국어에는 존재하지 않는 'ㆁ', 'ㅸ'과 같은 자음이 사용되었다.

중세 국어의 음운 현상 이해

02 〈보기〉에서 설명하는 음운 현상의 사례로 적절하지 않은 것은?

보기

• **모음 조화**: 두 음절 이상의 단어에서, 뒤의 모음이 앞 모음의 영향으로 그와 가깝거나 같은 소리로 되는 언어 현상. 'ㆍ', 'ㅏ', 'ㅗ' 따위의 양성 모음은 양성 모음끼리, 'ㅡ', 'ㅓ', 'ㅜ' 따위의 음성 모음은 음성 모음끼리 어울리는 현상이다.

• 더운 ㉠바ᄆᆡ ㉡ᄇᆞᆯᄀᆞᆫ ㉢燭ㅅ브를 아쳗노니
[더운 밤에 밝은 촛불을 싫어하니]
• 스므 나ᄆᆞᆫ ㉣나ᄅᆞᆯ 밥 ㉤먹디 아니커늘
[스무 남은 날을 밥 먹지 않거늘]

① ㉠　② ㉡　③ ㉢　④ ㉣　⑤ ㉤

중세 국어의 비분절 음운 이해

03 〈보기〉의 내용을 바탕으로 주어진 자료를 분석한 내용으로 적절하지 않은 것은?

보기

15세기 국어에서는 소리의 높낮이를 이용하여 단어의 뜻을 구분하는 성조가 존재하였다. 성조에는 평성, 거성, 상성이 있는데, 평성은 낮은 소리이고 거성은 높은 소리이며 상성은 처음이 낮고 나중이 높은 소리이다. 평성은 점을 찍지 않고, 거성은 한 점, 상성은 두 점을 글자의 왼쪽에 찍었다. 이 외에 입성이라는 것이 있었는데, 입성은 소리의 높낮이와 상관없이 음절 말음이 'ㅂ, ㄷ, ㄱ, ㅅ'과 같은 장애음일 경우 짧고 빨리 끝나는 소리이다.

> 나·랏 :말ᄊᆞ·미 中듕國·귁·에 달·아 文문字·ᄍᆞᆼ·와·로 서르 ᄉᆞᄆᆺ·디 아·니ᄒᆞᆯ·ᄊᆡ
>
> –《세종어제훈민정음》

① '·랏'과 '·미'는 높은 소리로 발음되었겠군.
② '·귁'은 높으면서 짧고 빨리 끝나는 소리였겠군.
③ 'ᄆᆺ'은 낮으면서 짧고 빨리 끝나는 소리였겠군.
④ '아·니'를 발음할 때에는 음절의 높낮이에 변화가 없었겠군.
⑤ ':말'은 처음에는 'ᄊᆞ'와 같은 높이로 발음되다가 나중에는 '·와'와 같은 높이로 발음되었겠군.

도움말

15세기 국어 표기에서는 글자 왼쪽에 [❶]이 있느냐 없느냐에 따라 [❷]가 달라져.

답 ❶ 방점 ❷ 성조

중세 국어의 모음 이해

04 〈보기〉의 ㉠에 들어갈 내용으로 적절하지 않은 것은?

보기

선생님

15세기 국어의 모음 체계는 현대 국어와 차이가 있습니다. 이중 모음뿐만 아니라 삼중 모음도 존재하였고, 이중 모음이라 하더라도 반모음과 단모음의 결합 방식이 현대 국어와 다른 경우가 많았지요. 다음 표를 참고하여, 중세 국어의 모음의 특징에 대해 이야기해 볼까요?

	상향 이중 모음 (반모음+단모음)	하향 이중 모음 (단모음+반모음)
반모음 'ĭ'계	ㅑ, ㅕ, ㅛ, ㅠ	ㆎ, ㅐ, ㅚ, ㅢ, ㅔ, ㅟ
반모음 'ŏ/ŭ'계	ㅘ, ㅝ	

학생

중세 국어에서 [㉠]

① 'ㅑ, ㅕ, ㅛ, ㅠ'는 현대 국어와 같이 발음하였습니다.

② 'ㅐ, ㅔ'는 현대 국어와 달리 이중 모음으로 발음되었습니다.

③ 'ㅘ, ㅝ'는 반모음 'ŏ/ŭ'에 단모음이 결합한 이중 모음이었습니다.

④ 'ㅙ, ㅞ'는 현대 국어와 마찬가지로 이중 모음으로 발음되었습니다.

⑤ 'ㆎ, ㅢ'는 각각 단모음 'ㆍ'와 'ㅡ'에 반모음 'ĭ'가 결합한 이중 모음이었습니다.

중세 국어의 음운상 특징 이해

05 〈보기〉를 바탕으로 〈자료〉를 분석한 내용으로 적절하지 않은 것은?

보기

15세기 국어의 음절에는 초성, 중성, 종성에 올 수 있는 음운의 종류가 많았다. 초성의 경우 자음이 최대 2개까지 올 수 있었으며, 현대 국어에는 쓰이지 않는 'ㅸ', 'ㅿ' 등도 초성에 많이 쓰였다. 종성에도 자음이 최대 2개까지 올 수 있었으며 'ㅅ'도 종성에서 발음되었다.

자료

나·랏 :말ᄊᆞ·미 中듕國·귁·에 달·아 文문字·ᄍᆞᆼ·와·로 서르 ᄉᆞ㉠ᄆᆞᆺ·디 아·니ᄒᆞᆯ·ᄊᆡ ·이런 젼·ᄎᆞ·로 어·린 百·ᄇᆡᆨ姓·셩·이 니르·고·져 ·홇 ·배 이·셔·도 ᄆᆞ·ᄎᆞᆷ:내 제 ㉡·ᄠᅳ·들 시·러 펴·디 :몯ᄒᆞᇙ ·노·미 하·니·라 ·내 ·이·ᄅᆞᆯ 爲·윙·ᄒᆞ·야 :어엿·비 너·겨 ·새·로 ·스·믈여㉢·ᄃᆞᇑ 字·ᄍᆞᆼ·ᄅᆞᆯ ᄆᆡᆼ·ᄀᆞ노·니 :사ᄅᆞᆷ:마·다 :ᄒᆡ·ᅇᅧ :수㉣·ᄫᅵ 니·겨 ·날·로 ·ᄡᅮ·메 ㉤便뼌安한·킈 ᄒᆞ·고·져 ᄒᆞᇙ ᄯᆞᄅᆞ·미니·라

-《세종어제훈민정음》

①  ㉠의 'ㅅ'은 종성에서 'ㄷ'과 같은 소리로 발음되었겠군.

② ㉡의 'ㅳ'은 초성에서 두 자음 모두 발음되었겠군. 

③ ㉢의 'ㄻ'은 종성에서 두 자음 모두 발음되었겠군.

④ ㉣의 'ㅸ'은 음운으로 존재했겠군. 

⑤ ㉤의 'ㅃ'은 초성에서 하나의 자음으로 발음되었겠군.

중세 국어의 표기 방식 이해

06 ㉠~㉤ 중 〈보기〉에서 설명하는 방법으로 표기된 것이 아닌 것은?

보기

• **이어 적기**: 앞말의 받침을 뒤의 조사나 어미의 초성에 이어 적는 표기 방법이다.

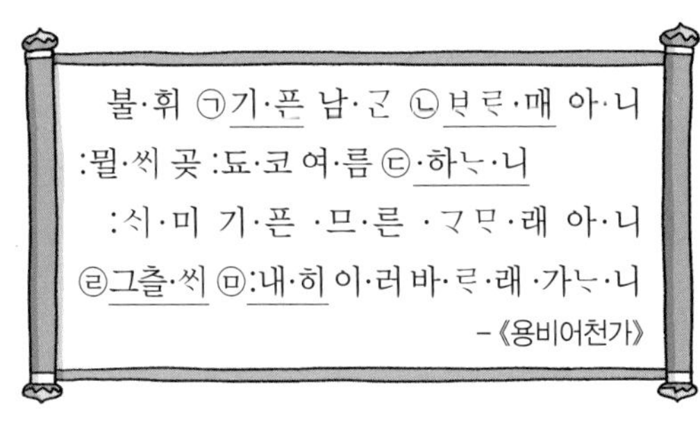
불·휘 ㉠기·픈 남·ᄀᆞᆫ ㉡ᄇᆞᄅᆞ·매 아·니 :뮐·ᄊᆡ 곶 :됴·코 여·름 ㉢·하ᄂᆞ·니
:ᄉᆡ·미 기·픈 ·므·른 ·ᄀᆞᄆᆞ·래 아·니 ㉣그츨·ᄊᆡ ㉤:내·히 이·러 바·ᄅᆞ·래 ·가ᄂᆞ·니

-《용비어천가》

① ㉠ ② ㉡ ③ ㉢ ④ ㉣ ⑤ ㉤

도움말

이어 적기 여부를 판별할 때에는 앞말의 기본형이 ❶ [ ] 을 지니고 있는지 살펴보고, 결합하는 조사나 ❷ [ ] 가 모음으로 시작하는지를 확인해 봐.

답 ❶ 받침 ❷ 어미

WEEK 1 DAY 3 필수 체크 전략 ①

대표 유형 4 중세 국어의 조사 이해

1 〈보기〉의 설명을 참고할 때, ㉠~㉢에 들어갈 말로 적절한 것은?

> 보기
>
> 일반적으로 중세 국어의 주격 조사는 앞에 결합하는 체언의 끝소리에 따라 달라졌다. 체언의 끝소리가 자음일 때 '이'가 나타났고, 체언의 끝소리가 모음 'ㅣ'도, 반모음 'ㅣ̆'도 아닌 모음일 때는 'ㅣ'가 나타났다. 그런데 체언의 끝소리가 모음 'ㅣ'이거나, 반모음 'ㅣ̆'일 때는 아무런 형태가 나타나지 않았다.
>
> • ____㉠____ 가칠 므러
> [뱀이 까치를 물어]
>
> • ____㉡____ 기픈 남ᄀᆞᆫ
> [뿌리가 깊은 나무는]
>
> • ____㉢____ 세상에 나매
> [대장부가 세상에 나와]

	㉠	㉡	㉢
①	ᄇᆡ얌	불휘ㅣ	대장뷔
②	ᄇᆡ얌	불휘ㅣ	대장뷔ㅣ
③	ᄇᆡ야미	불휘	대장뷔
④	ᄇᆡ야미	불휘	대장뷔ㅣ
⑤	ᄇᆡ야미	불휘ㅣ	대장뷔

유형 해결 전략 〈보기〉에 주어진 기준에 따라 조사의 ❶ [ ] 가 어떻게 실현되는지를 파악하고, 선지에 주어진 단어의 ❷ [ ] 적 조건을 분석한 후 적용해 봐.

답 ❶ 형태 ❷ 음운

1-1 〈보기〉의 ㉠~㉢에 해당하는 예로 적절하지 않은 것은?

> 보기
>
> 중세 국어의 주격 조사는 음운 조건에 따라 '이', '∅(영 형태)', 'ㅣ'로 실현되었다.
>
> • 자음 다음에는 '이'가 나타났다. ………………… ㉠
> 예 바비(밥+이) [밥이]
>
> • 모음 '이'나 반모음 'ㅣ̆' 다음에는 '∅(영형태)'로 실현되어, 나타나지 않았다. ………………… ㉡
> 예 활 쏘리(활 쏠 이+∅) [활 쏠 이가], 새(새+∅) [새가]
>
> • 모음 '이'와 반모음 'ㅣ̆' 이외의 모음 다음에는 'ㅣ'가 나타났다. ………………… ㉢
> 예 쇠(쇼+ㅣ) [소가]
>
> • 음운 조건에 관계없이 생략되기도 했다.
> 예 곶 됴코 [꽃 좋고], 나모 셧ᄂᆞᆫ [나무 서 있는]

① ㉠: 나리 져므러 [날이 저물어]
② ㉠: 아ᄃᆞ리 孝道ᄒᆞ고 [아들이 효도하고]
③ ㉡: 내해 ᄃᆞ리 업도다 [개천에 다리가 없도다]
④ ㉡: 太子 오ᄂᆞ다 드르시고 [태자 온다 들으시고]
⑤ ㉢: 孔子ㅣ 드르시고 [공자가 들으시고]

도움말 음운 환경에 따라 달라지는 형태소의 ❶ [ ] 를 파악하고, 제시된 예문의 형태소가 놓인 ❷ [ ] 조건을 분석해 봐.

답 ❶ 이형태 ❷ 음운

1-2 다음을 탐구한 내용으로 적절하지 않은 것은?

ㄱ. ᄃᆞ리 즈믄 ᄀᆞᄅᆞ매 비취요미 ᄀᆞᆮᄒᆞ니라
[달이 천 개의 강에 비침과 같으니라]

ㄴ. 네 후(後)에 부톄 ᄃᆞ외야
[네가 후에 부처가 되어]

ㄷ. 부텻 모미 여러 가짓 상(相)이 ᄀᆞᄌᆞ샤
[부처의 몸이 여러 가지의 상이 갖춰져 있으시어]

ㄹ. 사ᄉᆞᄆᆡ 등과 도ᄌᆞᄀᆡ 입과 눈
[사슴의 등과 도적의 입과 눈]

ㅁ. 사ᄅᆞᄆᆡ 모ᄆᆞᆯ 득(得)ᄒᆞ고 부텨를 맛나 잇ᄂᆞ니
[사람의 몸을 득하고 부처를 만나 있으니]

① ㄱ의 'ᄃᆞ리'와 '비취요미'에서 '이'가 각각 주격 조사와 부사격 조사로 사용되었다.
② ㄴ의 '네'와 '부톄'에서 'ㅣ'가 모두 주격 조사로 사용되었다.
③ ㄷ의 '부텻'과 '가짓'에서 'ㅅ'이 모두 관형격 조사로 사용되었다.
④ ㄹ의 '사ᄉᆞᄆᆡ'와 '도ᄌᆞᄀᆡ'에는 'ᄋᆡ'가 모두 관형격 조사로 사용되었다.
⑤ ㅁ의 '모ᄆᆞᆯ'과 '부텨를'에는 형태가 다른 목적격 조사가 사용되었다.

대표 유형 5 중세 국어의 어휘 이해

2 **〈보기 1〉은 중세 국어를 학습하기 위한 자료이고, 〈보기 2〉는 현대 국어사전의 일부이다. 〈보기 2〉를 참고하여 ㉠ ~ ㉤을 탐구한 내용으로 적절하지 않은 것은?**

보기 1

[중세 국어] 보살(菩薩)이 ㉠어느 나라해 ᄂᆞ리시게 ᄒᆞ려뇨
[현대 국어] 보살이 어느 나라에 내리시도록 하려는가?

[중세 국어] ㉡어늬 구더 병불쇄(兵不碎)ᄒᆞ리잇고
[현대 국어] 어느 것이 굳어 군대가 부수어지지 않겠습니까?

[중세 국어] 져믄 아히 ㉢어느 듣ᄌᆞᄫᆞ리잇고
[현대 국어] 어린 아이가 어찌 듣겠습니까?

[중세 국어] 미혹(迷惑) ㉣어느 플리
[현대 국어] 미혹한 마음을 어찌 풀겠는가?

[중세 국어] 이 두 말ᄋᆞᆯ ㉤어늘 종(從)ᄒᆞ시려뇨
[현대 국어] 이 두 말을 어느 것을 따르시겠습니까?

보기 2

어느 01 「관형사」
둘 이상의 것 가운데 대상이 되는 것이 무엇인지 물을 때 쓰는 말.

어느 02 「대명사」『옛말』
어느 것.

어느 03 「부사」『옛말』
'어찌'의 옛말.

① 체언을 수식하는 역할을 하는 것으로 보아 ㉠은 〈보기 2〉의 '어느 01'과 품사가 같다고 할 수 있겠군.
② ㉡은 〈보기 2〉의 '어느 02'에 주어의 자격을 부여하는 조사가 결합한 것이라고 할 수 있겠군.
③ ㉢은 〈보기 2〉의 '어느 03'으로 쓰여 뒤에 오는 용언을 수식한다고 할 수 있겠군.
④ 〈보기 2〉의 '어느 01'과 '어느 03'을 참고해 보니 ㉣과 '어느 01'은 품사가 서로 다르다고 할 수 있겠군.
⑤ ㉤에 사용된 '어느'는 둘 이상의 것 가운데 대상이 되는 것이 무엇인지 물을 때 쓰는 말인 〈보기 2〉의 '어느 01'에 해당한다고 볼 수 있겠군.

유형 해결 전략 중세 국어와 현대 국어가 함께 주어진 경우 ❶ [   ] 국어를 참고하면 중세 국어 어휘의 ❷ [   ]를 파악하는 데 도움받을 수 있어.

답 ❶ 현대 ❷ 품사

2-1 **〈보기〉에 나타난 어휘의 변화에 대한 설명으로 가장 적절한 것은?**

보기

지금의 '돼지'를 의미하는 말이 예전에는 '돝'이었고, '돝'에 '-아지'가 붙어 '돝의 새끼'를 의미하는 '도야지'가 쓰였다. 그런데 현대 국어의 표준어에서는 '돝'이 사라지고, '돝'의 자리를 '도야지'의 형태가 바뀐 '돼지'가 차지하게 되었다.

① '예전'의 '돝'은 '도야지'의 하의어로, 의미가 더 한정적이다.

② 현대 국어에는 '어린 돼지'에 해당하는 고유어 단어가 존재한다.

③ '예전'의 '도야지'에 해당하는 개념이 현대 국어에서는 사라졌다.

④ 현대 국어의 '돼지'와 '예전'의 '도야지'가 나타내는 개념은 다르다.

⑤ '예전'의 '도야지'의 개념을 나타내기 위해 현대 국어에서는 하나의 고유어 단어가 사용된다.

대표 유형 6 중세 국어의 문법 이해

3 〈보기〉의 ㉠~㉢에 들어갈 말이 바르게 짝지어진 것은?

보기

중세 국어에서 과거 시제는 선어말 어미 '-더-'를 사용하여, 미래 시제는 선어말 어미 '-리-'를 사용하여 표현하였다. 하지만 현재 시제는 품사에 따라 다르게 표현했는데, 동사는 선어말 어미 '-ᄂᆞ-'를 사용하였고 형용사와 '체언+이다'는 특정한 선어말 어미를 사용하지 않았다.

- 내 (㉠)
  [내가 가겠습니다.]
- 사ᄅᆞ미 (㉡)
  [사람의 스승이시다.]
- 네 이제 ᄯᅩ (㉢)
  [네가 이제 또 묻는다.]

	㉠	㉡	㉢
①	가리이다	스스이시다	묻ᄂᆞ다
②	가리이다	스스이시다	묻다
③	가리이다	스스이시ᄂᆞ다	묻ᄂᆞ다
④	가더이다	스스이시다	묻ᄂᆞ다
⑤	가더이다	스스이시ᄂᆞ다	묻다

유형 해결 전략 〈보기〉에서 설명한 시제 선어말 어미를 이해한 뒤 선지에서 ❶ [ ] 선어말 어미가 결합하는 어간의 ❷ [ ]를 파악하여 조건에 맞는 시제 표현을 찾으면 돼.

답 ❶ 시제 ❷ 품사

3-1 〈보기〉의 ㉠~㉢에 들어갈 말로 적절한 것은?

보기

중세 국어에서는 의문문의 종류에 따라 종결 어미나 보조사가 달리 쓰인다. 예를 들면 용언의 어간에 어미가 결합하여 서술어가 될 때 판정 의문문에서는 종결 어미 '-녀', 설명 의문문에서는 종결 어미 '-뇨'가 쓰인다. 반면, 체언에 보조사가 결합하여 서술어가 될 때 판정 의문문에서는 보조사 '가', 설명 의문문에서는 보조사 '고'가 쓰인다. 그런데 주어가 2인칭일 때에는 의문문의 종류와 관계없이 종결 어미 '-ㄴ다'가 쓰인다. 중세 국어 의문문의 예는 아래와 같다.

- 나고져 (㉠)
  [나가고 싶으냐?]
- 네 엇뎨 (㉡)
  [네가 어찌 아는가?]
- 現前엣 六根ᄋᆞᆫ (㉢)
  [눈앞의 육근은 하나인가 여섯인가]

	㉠	㉡	㉢
①	식브녀	안다	ᄒᆞ나카 여슷가
②	식브녀	아ᄂᆞ뇨	ᄒᆞ나카 여슷가
③	식브녀	안다	ᄒᆞ나코 여슷고
④	식브뇨	아ᄂᆞ뇨	ᄒᆞ나코 여슷고
⑤	식브뇨	안다	ᄒᆞ나카 여슷가

3-2 〈보기〉의 설명을 참고할 때, ㉠~㉢에 들어갈 단어로 적절한 것은?

보기

중세 국어 의문문의 종결 어미는 인칭의 종류와 물음말의 유무에 따라 달라진다. 주어가 1, 3인칭일 경우 물음말이 있는 의문문에는 '-ㄴ고', '-ㄹ고'와 같은 '오'형 어미가 사용되었고, 물음말이 없는 의문문에는 '-ㄴ가', '-ㄹ가'와 같은 '아'형 어미가 사용되었다. 그리고 주어가 2인칭일 경우 물음말의 유무와 상관없이 '-ㄴ다'가 사용되었다.

- 부톄 世間에 (㉠)
  [부처가 세간에 나신 것인가?]
- 네 뉘손ᄃᆡ 글 (㉡)
  [너는 누구에게서 글을 배웠는가?]
- 엇던 功德을 (㉢)
  [어떤 공덕을 쌓아 두던가?]

	㉠	㉡	㉢
①	나샤미신가	ᄇᆡ혼다	뒷더신고
②	나샤미신가	ᄇᆡ호ᄂᆞᆫ고	뒷더신가
③	나샤미신고	ᄇᆡ혼다	뒷더신다
④	나샤미신다	ᄇᆡ호ᄂᆞᆫ고	뒷더신고
⑤	나샤미신다	ᄇᆡ혼다	뒷더신가

대표 유형 7 중세 국어 문장의 짜임 이해

✎ 다음 글을 읽고 물음에 답하시오.

다른 문장 속에 들어가 하나의 문장 성분처럼 쓰이는 문장을 안긴문장이라고 하며, 이 안긴문장을 포함한 문장을 안은문장이라고 한다. 안긴문장에는 명사절, 관형절, 부사절, 서술절, 인용절이 있는데, 이 가운데 명사절은 서술어로 쓰인 용언의 어간에 명사형 어미 '-(으)ㅁ', '-기'가 붙어 만들어진다. 명사형 어미는 안긴문장에서 서술어로 쓰이는 용언이 서술 기능을 그대로 유지하면서 명사처럼 기능하도록 용언의 문법적인 기능을 바꾼다.

ㄱ. 그것이 사실임이 틀림없다.
ㄴ. 나는 그것이 사실이기를 바란다.

명사절은 문장에서 주어, 목적어, 부사어 등 다양한 문장 성분으로 쓰이는데, 위의 예문에서 ㄱ의 명사절은 주어의 기능을 하고, ㄴ의 명사절은 목적어의 기능을 한다.

한편 중세 국어에서도 다양한 명사형 어미가 사용되어 만들어진 명사절이 문장에서 여러 가지 문장 성분으로 쓰였다. 중세에 사용된 명사형 어미로는 '-옴/움'과 '-기', '-디' 등이 있었다. 이 가운데 '-옴'과 '-움'은 모음 조화에 따라 양성 모음 뒤에서는 '-옴'이, 음성 모음 뒤에서는 '-움'이 쓰였다.

4 윗글을 참고할 때, ⓐ~ⓔ 중 명사절이 포함되어 있지 않은 것은?

보기
ⓐ 날로 ᄡᅮ메 뼌한킈 ᄒᆞ고져
[나날이 씀에 편하게 하고자]
ⓑ 구르믜 축추기 둡듯 ᄒᆞ시니라
[구름이 축축하게 덮듯 하시니라]
ⓒ 부모를 현뎌케 홈이 효도ᄋᆡ ᄆᆞᄎᆞᆷ이니라
[부모를 드러나게 함이 효도의 끝이니라]
ⓓ 본향(本鄕)애 도라옴만 ᄀᆞᆮ디 몯ᄒᆞ니라
[본향에 돌아옴만 같지 못하니라]
ⓔ 내 겨지비라 가져 가디 어려ᄫᅳᆯᄊᆡ
[내가 계집이라 가져가기 어려우니]

① ⓐ ② ⓑ ③ ⓒ ④ ⓓ ⑤ ⓔ

유형 해결 전략 지문에 주어진 중세 국어에 관한 내용을 파악한 후 이를 자료에 ❶ ______ 해야 하는데, 중세 국어는 표기할 때 ❷ ______ 를 하고 있으므로 이에 유의하여 자료를 분석해야 해.

답 ❶ 적용 ❷ 이어 적기

4-1 〈보기 1〉을 참고하여 〈보기 2〉를 탐구한 내용으로 적절하지 않은 것은?

보기 1
중세 국어의 문법 자료에서도 겹문장이 확인된다. 이어진문장은 현대 국어와 마찬가지로 둘 이상의 문장이 연결 어미에 의해 결합되는데, 현대 국어에 사용되지 않는 어미가 붙어 성립되기도 하였다. 안은문장의 경우 명사절이 '-옴/움'이나 '-디', '-기'에 기대어 나타났으며, 관형절은 '-(으)ㄴ' 외에 'ㅅ'에 기대어 나타나는 경우가 있었다. 그리고 부사절은 현대 국어와 유사한 방식으로 나타났으며, 인용절이나 서술절은 조사나 어미와 같은 표지 없이 나타났다.

보기 2
(가)
[중세 국어] ᄆᆞᅀᆞᆯ히 멀면 乞食ᄒᆞ디 어렵고
[현대 국어] 마을이 멀면 걸식하기 어렵고
-《석보상절》

(나)
[중세 국어] 이 東山ᄋᆞᆫ 남기 됴ᄒᆞᆯᄊᆡ 노니논 ᄯᅡ히라
[현대 국어] 이 동산은 나무가 좋으므로 내가 노니는 땅이다.
-《석보상절》

(다)
[중세 국어] 불휘 기픈 남ᄀᆞᆫ ᄇᆞᄅᆞ매 아니 뮐ᄊᆡ 곶 됴코 여름 하ᄂᆞ니
[현대 국어] 뿌리가 깊은 나무는 바람에 아니 흔들리므로 꽃이 좋고 열매가 많으니
-《용비어천가》

①  (가)에는 '-디'를 이용한 명사절이 안겨 있군.

②  (나)의 '남기 됴ᄒᆞᆯᄊᆡ'는 서술절에 해당하는군.

③  (다)의 '불휘 기픈'은 '-(으)ㄴ'이 결합한 관형절에 해당하는군.

④  (다)의 '곶 됴코'를 보니 대등하게 연결된 이어진문장을 만들 때 현대 국어와 마찬가지로 연결 어미 '-고'를 사용하였군.

⑤  (가)의 '멀면'과 (다)의 '뮐ᄊᆡ'를 보니 문장을 대등하게 연결해 주는 표지가 다양하게 사용되었군.

도움말
'-면'과 '-ㄹᄊᆡ'는 앞 절과 뒤 절을 ❶ ______ 으로 연결하는 ❷ ______ 에 해당해. 현대어 풀이를 살펴보면 더 잘 이해할 수 있어.

답 ❶ 종속적 ❷ 연결 어미

WEEK 1 DAY 3

필수 체크 전략 ②

중세 국어의 조사 이해

01 〈보기〉를 참고할 때, ㉠과 ㉡에 들어갈 말이 바르게 짝지어진 것은?

보기

15세기 국어의 서술격 조사 '이다'는 자음 뒤에서는 '이라', 모음 'ㅣ'나 반모음 'ㅣ̆' 뒤에서는 '라', 모음 'ㅣ'나 반모음 'ㅣ̆'를 제외한 나머지 모음 뒤에서는 'ㅣ라'로 실현된다. '이다'가 아니라 '이라'로 실현되는 것은 'ㄷ'으로 시작하는 어미들이 '이-' 뒤에서는 'ㄹ'을 가지는 어미로 바뀌기 때문이다. 또한 '이-' 뒤에 선어말 어미 '-오-'가 결합하면 '-로-'로 나타난다.

- 國은 [㉠](나랗+이라)
- 밀므리 [㉡](사ᄋᆞᆯ+이-+-오-+-ᄃᆡ)

	㉠	㉡
①	나라이라	사ᄋᆞ리오ᄃᆡ
②	나라이라	사ᄋᆞ리로ᄃᆡ
③	나라이다	사ᄋᆞ리오ᄃᆡ
④	나라히라	사ᄋᆞ리로ᄃᆡ
⑤	나라히라	사ᄋᆞ리오ᄃᆡ

중세 국어 합성어의 짜임 방식 이해

02 〈보기〉의 ㉠에 해당하는 사례로 적절한 것은?

보기

중세 국어의 합성 동사 중에는 명사와 동사가 결합하여 형성된 것들이 있는데, 이들은 '주어+서술어', '목적어+서술어', ㉠'부사어+서술어'의 관계를 이루고 있다.

① 믈듣다 ② 눈멀다 ③ 맛보다
④ 힘ᄡᅳ다 ⑤ 뒤돌다

도움말

명사와 동사가 결합하여 [❶]가 이루어진 경우 명사와 동사 사이에 [❷] 조사를 넣어 보면 그 관계를 쉽게 이해할 수 있어.

답 ❶ 합성 동사 ❷ 격

중세 국어 명사의 형태 변화 이해

03 〈보기〉를 참고할 때, ㉠~㉢에 들어갈 말이 바르게 짝지어진 것은?

보기

15세기 국어의 명사 중에는 조사와 결합할 때 형태가 달라지는 경우가 있었습니다. 현대 국어의 '나무'는 뒤에 오는 조사와 무관하게 하나의 형태로만 쓰이지만, 15세기 국어에서는 단독형으로 쓰일 때나 자음으로 시작하는 말이나 '와'와 결합할 때는 '나모'로, '와'를 제외한 모음으로 시작하는 조사와 결합할 때는 '낢'으로 나타났습니다. 이와 같은 사례로는 '아우'를 의미하는 '아ᅀᆞ/앗'이 있습니다. 다음과 같은 환경에서는 어떻게 실현되었을지 생각해 볼까요?

- [㉠]와 [㉠]왜 먼 ᄯᅡ해 잇ᄂᆞ니
  [아우와 아우가 먼 땅에 있나니]
- 그뒷 [㉡]이 모딘 도ᄌᆞ기니
  [그대의 아우가 모진 도적이니]
- 妹ᄂᆞᆫ [㉢]누의라
  [매는 누이동생이다.]

	㉠	㉡	㉢
①	아ᅀᆞ	앗	아ᅀᆞ
②	아ᅀᆞ	앗	앗
③	아ᅀᆞ	아ᅀᆞ	아ᅀᆞ
④	앗	아ᅀᆞ	앗
⑤	앗	아ᅀᆞ	아ᅀᆞ

중세 국어의 시제 파악

04 〈보기〉를 바탕으로 주어진 자료의 시제를 분석한 내용으로 적절하지 않은 것은?

보기

중세 국어에서 현재 시제를 표현하기 위해서 동사는 '-ᄂᆞ-'를 사용한 반면 형용사나 서술격 조사는 가시적 형태를 사용하지 않았다. 과거 시제를 표현하기 위해서는 동사는 아무런 형태를 사용하지 않거나 '-더-'를 사용하였고, 형용사나 서술격 조사는 '-더-'를 사용하였다.

ㄱ. 네 이제 ᄯᅩ 묻ᄂᆞ다
  [네가 이제 또 묻는다.]
ㄴ. 길흘조차 부텻긔로 가ᄂᆞᆫ 저긔
  [길을 좇아 부처께로 가는 때에]
ㄷ. 네 아비 ᄒᆞ마 주그니라
  [네 아버지는 벌써 죽었다.]
ㄹ. 이 大施主의 功德이 하녀 져그녀
  [이 대시주의 공덕이 많은가 적은가]
ㅁ. 그딋 ᄯᆞᄅᆞᆯ 맛고져 ᄒᆞ더이다
  [그대의 딸을 맞고자 하였습니다.]

① ㄱ은 동사가 '-ᄂᆞ-'와 결합하여 현재 시제를 표현한 문장이군.

② ㄴ은 선어말 어미 '-ᄂᆞ-'가 관형사형 어미 앞에 쓰여 현재 시제를 표현하고 있군.

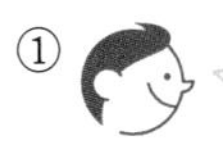

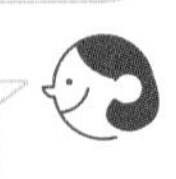

③ ㄷ은 동사가 시제를 나타내는 형태 없이 현재 시제를 표현하고 있군.

④ ㄹ은 형용사가 시제를 나타내는 형태 없이 현재 시제를 표현하고 있군.

⑤ ㅁ은 '-더-'를 사용하여 과거 시제를 표현하고 있군.

중세 국어의 주체 높임법 이해

05 〈보기〉를 참고할 때, ㉠~㉤에 대한 설명으로 적절하지 않은 것은?

보기

15세기 국어의 주체 높임은 선어말 어미 '-(ᄋᆞ/으)시/샤-'에 의해 실현되었다. '-(ᄋᆞ/으)시-'는 자음으로 시작하는 어미 앞에서 쓰였고, '-(ᄋᆞ/으)샤-'는 모음으로 시작하는 어미 앞에서 쓰였다. 그리고 '-(ᄋᆞ/으)샤-' 뒤에 오는 모음은 탈락하였다.

- 부텨 ㉠ 滅度ᄒᆞ샤미 엇뎨 ㉡ ᄲᆞᄅᆞ신고 ᄒᆞ더니
- 부텻 뎡바깃 ᄲᅧ ㉢ 노ᄑᆞ샤 ᄲᅩᆫ 머리 ㉣ ᄀᆞᄐᆞ실ᄊᆡ
- 부텨 ㉤ 니ᄅᆞ샤ᄆᆞᆯ 듣ᄌᆞᆸ고

① ㉠에는 주체 높임 선어말 어미 '-샤-'가 사용되었다.
② ㉡에는 주체 높임 선어말 어미 '-시-'가 사용되었다.
③ ㉢에는 '-ᄋᆞ샤-'가 어말 어미로 사용되었다.
④ ㉣에는 '-ᄋᆞ시-'가 '-ㄹᄊᆡ' 앞에 사용되었다.
⑤ ㉤에는 '-ᄋᆞ샤-' 뒤에서 모음 'ㅗ'가 탈락하였다.

도움말

'-ᄒᆞ+-샤-+-옴'의 경우 ❶ [ ] 가 탈락하여 ❷ [ ] 이라는 형태를 갖게 되는 거야.

답 ❶ ㅗ ❷ ᄒᆞ샴

중세 국어의 객체 높임법 이해

06 〈보기〉를 바탕으로 ㉠~㉢에 들어갈 말이 바르게 짝지어진 것은?

보기

15세기 국어에서는 목적어와 부사어 대상을 높이는 객체 높임 선어말 어미가 존재하였다. 객체 높임 선어말 어미 '-ᄉᆞᆸ-'은 'ㄱ, ㅂ, ㅅ, ㅎ' 뒤에 쓰였다. 'ㅎ' 뒤에서는 'ㅎ'과 '-ᄉᆞᆸ-'이 결합하여 '-ᄊᆞᆸ-'으로 실현되었다. '-ᅀᆞᆸ-'은 유성음 뒤에 쓰였다. '-ᄌᆞᆸ-'은 'ㄷ, ㅌ, ㅈ, ㅊ' 뒤에 쓰였다. '-ᄉᆞᆸ/ᅀᆞᆸ/ᄌᆞᆸ-'은 모음으로 시작하는 어미 앞에서 '-ᄉᆞᄫ/ᅀᆞᄫ/ᄌᆞᄫ-'으로 실현되었다.

- 如來ᄅᆞᆯ 棺애 [㉠] (녛-+___+-고)
- 부텻긔 이런 마ᄅᆞᆯ 몯 [㉡] (듣-+___+-ᄋᆞ며)
- 아자바님내ᄭᅴ 다 [㉢] (安否ᄒᆞ-+___+-고)

	㉠	㉡	㉢
①	녀ᄉᆞᆸ고	듣ᄌᆞᄫᆞ며	安否ᄒᆞᅀᆞᆸ고
②	녀ᄉᆞᆸ고	듣ᄌᆞᄇᆞ며	安否ᄒᆞᅀᆞᆸ고
③	녀ᄊᆞᆸ고	듣ᄌᆞᄫᆞ며	安否ᄒᆞᅀᆞᆸ고
④	녀ᄊᆞᆸ고	듣ᄌᆞᄇᆞ며	安否ᄒᆞᅀᆞᇦ고
⑤	녀ᄊᆞᆸ고	듣ᄌᆞᄫᆞ며	安否ᄒᆞᅀᆞᇦ고

누구나 합격 전략

중세 국어의 조사 이해

01 **다음 ㉠~㉤을 바탕으로 중세 국어의 조사의 특징을 분석한 내용으로 적절하지 않은 것은?**

> ㉠ ᄃᆞ리 즈믄 ᄀᆞᄅᆞ매 비취요미
> [달이 천 개의 강에 비치는 것이]
> ㉡ 바ᄫᆞᆯ 머굻 대로 혜여 머굼과
> [밥을 먹을 만큼 헤아려 먹음과]
> ㉢ 그 나못 불휘ᄅᆞᆯ ᄲᅢᅘᅧ
> [그 나무의 뿌리를 빼어]
> ㉣ 님금하 아ᄅᆞ쇼셔
> [임금이시여, 아십시오]
> ㉤ ᄆᆞᆰᄀᆞᆫ 믈로 모ᄉᆞᆯ ᄆᆡᇰᄀᆞ노라
> [맑은 물로 못을 만드노라]

① ㉠의 ‘ᄃᆞ리’를 보니 주격 조사 ‘ㅣ’는 모음 ‘이’로 끝난 체언 뒤에 쓰였구나.
② ㉡의 ‘바ᄫᆞᆯ’을 보니 목적격 조사 ‘ᄋᆞᆯ’은 자음으로 끝나는 체언 뒤에 쓰였구나.
③ ㉢의 ‘나못 불휘’를 보니 관형격 조사 ‘ㅅ’은 사물 뒤에 쓰였구나.
④ ㉣의 ‘님금하’를 보니 호격 조사 ‘하’는 존대 대상인 체언 뒤에 쓰였구나.
⑤ ㉤의 ‘ᄆᆞᆰᄀᆞᆫ 믈로’를 보니 부사격 조사 ‘로’는 ‘ㄹ’로 끝나는 체언 뒤에 쓰였구나.

중세 국어의 특징 이해

02 **다음을 바탕으로 중세 국어의 특징을 탐구한 내용으로 적절하지 않은 것은?**

> ㉠太子ㅣ 앗겨 ㉡ᄆᆞᅀᆞ매 너교ᄃᆡ 비들 만히 니르면 몯 ᄉᆞᆶ가 ᄒᆞ야 닐오ᄃᆡ 金으로 ᄯᅡ해 ᄭᆞ로ᄆᆞᆯ ㉢ᄠᅳᆷ 업게 ᄒᆞ면 이 東山ᄋᆞᆯ ᄑᆞ로리라 須達이 닐오ᄃᆡ ㉣니ᄅᆞ샨 야ᇰᄋᆞ로 ㉤호리이다
> **[현대어 풀이]**
> 태자가 아껴 마음에 여기되 ‘값을 많이 이르면 못 살까.’ 하여 이르되 “금으로 땅에 깔음을 틈없게 하면 이 동산을 팔겠다.” 수달이 이르되 “이르신 양으로 하겠습니다.”

① ㉠을 통해 ‘ㅣ’나 반모음 ‘ㅣ̆’를 제외한 모음 뒤에는 주격 조사 ‘ㅣ’가 사용되었음을 알 수 있다.
② ㉡을 통해 현대 국어에서는 사용되지 않는 음운 ‘ㅿ’과 ‘ㆍ’가 존재하였음을 알 수 있다.
③ ㉢을 통해 어두에 둘 이상의 자음이 놓이는 어두 자음군이 존재하였음을 알 수 있다.
④ ㉣을 통해 객체를 높이는 선어말 어미 ‘-(ᄋᆞ/으)샤-’가 존재하였음을 알 수 있다.
⑤ ㉤을 통해 상대를 높이는 선어말 어미 ‘-이-’가 존재하였음을 알 수 있다.

‘ㅎ’ 종성 체언의 이해

03 **〈보기〉를 바탕으로 ‘ㅎ’ 종성 체언에 대해 탐구한 내용으로 적절하지 않은 것은?**

> 보기
> 중세 국어에서는 ‘ᄉᆞᆯㅎ’, ‘암ㅎ[雌]’, ‘수ㅎ[雄]’, ‘안ㅎ[內]’, ‘나라ㅎ’ 등의 ‘ㅎ 종성 체언’이 있었다. ‘ㅎ 종성 체언’은 단독형으로 쓰일 때에는 ‘ㅎ’이 나타나지 않지만, 모음으로 시작하는 말과 결합할 때에는 ‘ㅎ’을 이어 적었고, 자음 ‘ㄱ, ㄷ, ㅂ’으로 시작하는 말과 결합하는 경우 ‘ㅎ’이 이들과 축약되어 ‘ㅋ, ㅌ, ㅍ’으로 나타났다. 현대 국어에서는 몇 개의 복합어에서만 ‘ㅎ’ 종성 체언의 흔적이 남아 있다.

①

‘안ㅎ’을 단독으로 사용할 때에도 ‘ㅎ’을 함께 표기하였겠군.

②

‘나라ㅎ’이 주격 조사 ‘이’와 결합하면 ‘나라히’로 표기하였겠군.

③

‘암ㅎ’이 ‘병아리’와 결합하여 ‘암평아리’라는 형태를 얻게 되었겠군.

④

‘수탉’은 ‘ㅎ’ 종성 체언인 ‘수ㅎ’과 ‘닭’이 결합하여 만들어진 단어이겠군.

⑤

‘살코기’는 ‘ㅎ’ 종성 체언인 ‘ᄉᆞᆯㅎ’과 ‘고기’가 결합하여 만들어진 단어이겠군.

중세 국어의 특징 이해

04 다음을 바탕으로 ㉠~㉤을 탐구한 내용으로 적절하지 않은 것은?

ᄒᆞᄅᆞᆫ 조심 아니 ᄒᆞ샤 ㉠브를 ㉡ᄢᅳ긔 ᄒᆞ야시ᄂᆞᆯ 그 아비 그 ᄯᆞ니ᄆᆞᆯ 구짓고 北(북)녁 堀(굴)애 ㉢브리ᅀᆞᄫᅡ 블 가져오라 ᄒᆞ야ᄂᆞᆯ 그 ㉣ᄯᆞ니미 아ᄇᆡ 말 드르샤 北堀(북굴)로 가시니 거름마다 발 드르신 ᄯᅡ해다 ㉤蓮花(연화)ㅣ 나니 자최ᄅᆞᆯ 조차 -《석보상절》

[현대어 풀이]

하루는 조심하지 아니하시어 불을 꺼지게 하시거늘, 그 아비가 그 따님을 꾸짖고, 북녘 굴에 시켜서 불을 가져오라고 하거늘, 그 따님이 아비의 말을 들으시어 북굴로 가시니, 걸음마다 발을 드신 땅에 다 연꽃이 나니, 자취를 좇아

① ㉠을 통해 중세 국어에서 '불'의 형태는 '블'이었음을 알 수 있군.
② ㉡을 통해 초성에 둘 이상의 자음이 놓이는 것이 가능했음을 알 수 있군.
③ ㉢을 통해 현대 국어에서 사용하지 않는 'ㅿ', 'ㅸ', 'ㆍ' 등이 사용되었음을 알 수 있군.
④ ㉣을 통해 이어 적기가 이루어졌음을 알 수 있군.
⑤ ㉤을 통해 보격 조사 'ㅣ'가 사용되었음을 알 수 있군.

중세 국어의 시간 표현 이해

05 〈보기 1〉을 참고하여 〈보기 2〉를 이해한 내용으로 적절하지 않은 것은?

보기 1

동작상은 시간의 흐름 속에서 동작이 일어나는 양상을 표현하는 문법 요소이다. 동작상은 어떤 사건이 특정 시간의 흐름 속에서 계속 이어지고 있음을 나타내는 진행상과, 어떤 사건이 끝났거나 끝난 후의 결과가 지속되고 있음을 나타내는 완료상으로 구분할 수 있다.

중세 국어에서는 '-아/어 잇다' 등과 같이 보조적 연결 어미와 보조 용언의 결합이나, '-(으)며셔', '-고셔' 등과 같은 연결 어미를 통해 동작상이 실현되었다. 중세 국어의 '-아/어 잇다'는 현대 국어의 '-아/어 있다'와 달리 진행상과 완료상을 실현할 때 모두 사용되었다. 그리고 어간과 결합하는 보조적 연결 어미 '-아'는 'ᄒᆞ-' 뒤에서 '-야'의 형태로 바뀌어 나타났다.

보기 2

ㄱ. 고ᄌᆞ기 안자 잇거늘
[꼿꼿하게 앉아 있거늘]
ㄴ. 서늘ᄒᆞᆫ ᄃᆡ 쉬며셔 자더니
[서늘한 곳에서 쉬면서 잤는데]
ㄷ. 누늘 長常(장상) ᄡᆞᆯ아 잇더라
[눈을 항상 쳐다보고 있었다.]
ㄹ. ᄣᅵ 무든 옷 닙고 시름ᄒᆞ야 잇더니
[때 묻은 옷을 입고 걱정하고 있더니]
ㅁ. 문 닫고셔 오직 닐오ᄃᆡ
[문을 닫고서 오직 이르되]

①  ㄱ에서는 보조적 연결 어미와 보조 용언을 활용하여 동작상을 나타내고 있다.

② ㄴ에서는 연결 어미 '-며셔'를 활용하여 완료상을 나타내고 있다. 

③  ㄷ에서는 '-아 잇-'을 통해 진행상을 실현하고 있다.

④ ㄹ에서는 보조적 연결 어미 '-아'가 'ᄒᆞ-' 뒤에서 '-야'로 실현되어 있다. 

⑤  ㅁ에서는 연결 어미 '-고셔'를 활용하여 완료상을 실현하고 있다.

중세 국어의 관형어 이해

06 〈보기〉를 바탕으로 중세 국어의 관형어에 대해 탐구한 내용으로 적절하지 않은 것은?

보기

ⓐ 부텻 것 도ᄌᆞᆨᄒᆞᆫ 罪 [부처의 것을 도둑질한 죄]
ⓑ ᄉᆡ미 기픈 므른 [샘이 깊은 물은]
ⓒ 새 구스리 나며 [새 구슬이 나며]
ⓓ 臣下ㅣ 말 아니 드러 [신하의 말 아니 들어]

① ⓐ의 '부텻'은 의존 명사 앞에 쓰여 생략할 수 없는 관형어이다.
② ⓐ의 '부텻 것 도ᄌᆞᆨᄒᆞᆫ'은 관형사절이 관형어의 역할을 하고 있다.
③ ⓑ의 'ᄉᆡ미'는 '심'에 관형격 조사가 결합하여 관형어의 역할을 하고 있다.
④ ⓒ의 '새'는 관형사가 관형어의 역할을 하고 있다.
⑤ ⓓ의 '臣下ㅣ'는 체언에 관형격 조사가 결합하여 관형어의 역할을 하고 있다.

중세 국어의 특징 이해

07 〈보기〉의 중세 국어에 대한 이해로 적절하지 않은 것은?

보기

나·랏 :말ᄊᆞ·미 中듀ᇰ國·귁·에 달·아 文문字·ᄍᆞᆼ·와·로 서르 ᄉᆞᄆᆞᆺ·디 아·니ᄒᆞᆯ·ᄊᆡ ·이런 젼·ᄎᆞ·로 어·린 百·ᄇᆡᆨ姓·셔ᇰ·이 니르·고·져 ·ᄒᆞᇙ ·배 이·셔·도 ᄆᆞ·ᄎᆞᆷ:내 제 ·ᄠᅳ·들 시·러 펴·디 :몯ᄒᆞᇙ ·노·미 하·니·라 ·내 ·이·ᄅᆞᆯ 爲·윙·ᄒᆞ·야 :어엿·비 너·겨 ·새·로 ·스·믈여·듧 字·ᄍᆞᆼ·ᄅᆞᆯ ᄆᆡᇰ·ᄀᆞ노·니 :사ᄅᆞᆷ:마·다 :ᄒᆡ·ᅇᅧ :수·ᄫᅵ 니·겨 ·날·로 ·ᄡᅮ·메 便뼌安한·킈 ᄒᆞ·고·져 ᄒᆞᇙ ᄯᆞᄅᆞᆷ·미니·라

-《세종어제훈민정음》

[현대어 풀이]

우리나라의 말이 중국과 달라 문자와 서로 통하지 아니하여서 이런 까닭으로 어리석은 백성이 말하고자 하는 바가 있어도 마침내 제 뜻을 능히 펴지 못하는 사람이 많다. 내가 이를 위하여 가엾게 여겨 새로 스물여덟 자를 만드니, 모든 사람들로 하여금 쉽게 익혀 날마다 쓰는 데 편하게 하고자 할 따름이다.

① ':말ᄊᆞ·미'와 '·ᄒᆞᇙ ·배'에 쓰인 주격 조사는 그 형태가 같지 않군.
② '하·니·라'의 '하다'는 현대 국어의 동사 '하다'와 품사가 같군.
③ '·이·ᄅᆞᆯ'과 '·새·로'에는 동일한 높낮이를 표시하는 방점이 쓰였군.
④ ':ᄒᆡ·ᅇᅧ'와 '便뼌安한·킈 ᄒᆞ·고·져'에는 모두 사동 표현이 쓰였군.
⑤ '·ᄡᅮ·메'에는 '사용하다'라는 의미를 지닌 동사 'ᄡᅳ다'가 쓰였군.

중세 국어의 부정문 이해

08 〈보기〉를 바탕으로 중세 국어의 부정문에 대해 탐구한 내용으로 적절하지 않은 것은?

보기

ⓐ 世尊이 아니 오실ᄊᆡ
[세존이 아니 오시므로]
ⓑ 닐웨사 머디 아니ᄒᆞ다
[이레야 멀지 아니하다.]
ⓒ 부텨를 몯 맛나며 法을 몯 드르며
[부처를 못 만나며 법을 못 들으며]
ⓓ 이 ᄠᅳ들 닛디 마ᄅᆞ쇼셔
[이 뜻을 잊지 마십시오.]

① ⓐ와 ⓑ를 보니 중세 국어에도 '안' 부정문이 존재했음을 알 수 있군.
② ⓐ와 ⓒ를 보니 중세 국어에도 단형 부정문이 사용되었음을 알 수 있군.
③ ⓑ와 ⓓ를 보니 중세 국어에서 장형 부정문을 구성할 때에는 연결 어미 '-디'가 사용되었음을 알 수 있군.
④ ⓒ를 보니 중세 국어에서 '몯'을 사용한 부정문은 단순 부정을 의미했음을 알 수 있군.
⑤ ⓓ를 보니 중세 국어에도 명령문에서는 '말다' 부정문이 사용되었음을 알 수 있군.

중세 국어의 시제 탐구

09 ⓐ~ⓔ를 바탕으로 중세 국어의 시제에 대해 탐구한 내용으로 적절하지 않은 것은?

• 너도 ᄯᅩ 이 ⓐ ᄀᆞᆮᄒᆞ다
[너도 또 이와 같다.]
• 네 이제 ᄯᅩ ⓑ묻ᄂᆞ다
[네가 이제 또 묻는다.]
• 五百 도ᄌᆞ기 … ⓒ도ᄌᆨᄒᆞ더니
[오백 도적이 … 도둑질하더니]
• 이 智慧 업슨 比丘ㅣ 어드러셔 ⓓ오뇨
[이 지혜 없는 비구가 어디에서 왔느냐?]
• 이 善女人이 … 다시 나디 ⓔ아니ᄒᆞ리니
[이 선여인이 … 다시 나지 아니할 것이니]

① ⓐ는 시제 선어말 어미 없이 현재 시제를 나타내고 있다.
② ⓑ는 현재 시제 선어말 어미 '-ᄂᆞ-'를 사용하여 현재 시제를 나타내고 있다.
③ ⓒ는 과거 시제 선어말 어미 '-더-'를 사용하여 과거 시제를 나타내고 있다.
④ ⓓ는 시제 선어말 어미 없이 과거 시제를 나타내고 있다.
⑤ ⓔ는 시제 선어말 어미 없이 미래 시제를 나타내고 있다.

중세 국어의 불규칙 활용 이해

10 〈보기 1〉을 바탕으로 〈보기 2〉를 이해한 내용으로 적절하지 않은 것은?

보기 1

특정한 환경이나 조건에서 불규칙적으로 어간이나 어미의 형태 변화가 일어나는 것을 불규칙 활용이라고 한다. 중세 국어에서 '싣다'의 어간이 자음으로 시작하는 어미 앞에서는 '싣-', 모음으로 시작하는 어미 앞에서는 '실-'로 교체되는 현상은 현대 국어의 'ㄷ' 불규칙으로 이어진다. '돕다'와 '젓다' 역시 자음으로 시작하는 어미 앞에서는 어간의 기본 형태를 유지하지만, 그 외의 경우에는 '도ᇦ-'과 '저ᇫ-'으로 교체된다. 이러한 교체는 'ㅸ'이 'ㅏ' 또는 'ㅓ' 앞에서 반모음 'ㅗ̆/ㅜ̆'로 변화하거나 'ㆍ' 또는 'ㅡ'와 결합하여 'ㅗ' 또는 'ㅜ'로 바뀌어 현대 국어에서 'ㅂ' 불규칙으로 나타난다. 그리고 'ㅿ'은 소실되어 현대 국어에서 'ㅅ' 불규칙으로 나타난다. 또한 어간이거나 어간의 일부인 'ᄒᆞ-'에 모음으로 시작하는 어미가 결합할 때 어미가 '-아'가 아닌 '-야'로 나타나는 것은 현대 국어의 '여' 불규칙으로 이어진다.

보기 2

ⓐ 부텻 德을 놀애 지ᅀᅥ
[부처의 덕을 노래로 지어]

ⓑ 人生 즐거ᄫᅳᆫ ᄠᅳ디
[인생 즐거운 뜻이]

ⓒ 一方이 변ᄒᆞ야
[일방이 변하여]

①  ⓐ의 '지ᅀᅥ'의 기본형은 '짛다'이었을 것으로 추측할 수 있다.

② ⓐ의 '지ᅀᅥ'는 현대 국어의 'ㅅ' 불규칙으로 이어졌음을 알 수 있다. 

③ ⓑ의 '즐거ᄫᅳᆫ'은 '즐겁-'의 어간이 모음으로 시작하는 어미 앞에서 '즐거ᇦ-'으로 교체되었음을 알 수 있다.

④ ⓑ의 '즐거ᄫᅳᆫ'이 현대 국어의 '즐거운'이 된 것은 'ㅸ'이 'ㅡ'와 결합하여 'ㅜ'로 바뀌었기 때문이다. 

⑤ ⓒ의 '변ᄒᆞ야'는 어간 '변ᄒᆞ-' 뒤에서 어미가 '-야'로 교체되었음을 보여 준다.

중세 국어의 높임법 탐구

11 〈보기 1〉을 바탕으로 〈보기 2〉를 탐구한 내용으로 적절하지 않은 것은?

보기 1

중세 국어의 주체 높임법은 주로 '-(ᄋᆞ/으)시/샤-'를 통해 실현되었다. 객체 높임법은 주로 선어말 어미 '-ᄉᆞᆸ/ᄌᆞᆸ/ᅀᆞᆸ-'을 통해 실현되었으며 특수 어휘나 조사에 의해 실현되기도 하였다. 그리고 중세 국어는 현대 국어와 달리 청자를 높이는 상대 높임 선어말 어미 '-이-', '-잇-'이 존재하였다.

보기 2

㉠ 世尊(세존)ㅅ 安否(안부) 묻ᄌᆞᆸ고 니르샤ᄃᆡ 므스므라 오시니잇고
[세존의 안부를 여쭙고 이르시되 무슨 까닭으로 오셨습니까?]

㉡ 네 아ᄃᆞ리 各各(각각) 어마님내 뫼ᅀᆞᆸ고
[네 아들이 각각 어머님을 모시고]

① ㉠에서 '-ᄌᆞᆸ-'은 '世尊(세존)ㅅ 安否(안부)'를 높이는 역할을 하고 있다.

② ㉠에서는 주체 높임 선어말 어미 '-샤-'와 '-시-'가 사용되었다.

③ ㉠에서는 청자를 높이는 상대 높임 선어말 어미 '-잇-'이 사용되었다.

④ ㉡에서는 '아ᄃᆞᆯ'을 높이는 높임 표현이 사용되지 않았다.

⑤ ㉡에서는 '-ᅀᆞᆸ-'이 문장의 부사어를 높이는 역할을 하고 있다.

창의·융합·코딩 전략 ①

01 〈보기〉를 바탕으로 ㉠~㉥에 대해 설명한 내용으로 적절하지 않은 것은?

보기

중세 국어에서 과거 시제는 선어말 어미 '-더-'를 사용하여, 미래 시제는 선어말 어미 '-리-'를 사용하여 표현하였다. 하지만 현재 시제는 품사에 따라 다르게 표현했는데, 동사는 선어말 어미 '-ᄂᆞ-'를 사용하였고 형용사와 '체언+이다'는 특정한 선어말 어미를 사용하지 않았다.

	가다	하다(多)
과거 시제	㉠	㉡
현재 시제	㉢	㉣
미래 시제	㉤	㉥

① ㉠, ㉡은 선어말 어미 '-더-'를 통해 실현할 수 있다.
② ㉢은 선어말 어미 '-ᄂᆞ-'를 통해 실현할 수 있다.
③ ㉣은 특정한 선어말 어미 없이 실현할 수 있다.
④ ㉤은 선어말 어미 '-리-'를 통해 실현할 수 있다.
⑤ ㉥은 선어말 어미 '-ᄂᆞ-'를 통해 실현할 수 있다.

도움말
'하다'는 '많다'라는 뜻이므로 ❶ ______ 야. 물론 과거 시제와 ❷ ______ 는 품사와 관계없이 같은 선어말 어미가 결합해.
답 ❶ 형용사 ❷ 미래 시제

02 〈보기〉를 참고할 때, ㉠~㉢의 품사가 바르게 짝지어진 것은?

보기

단어는 일반적으로 하나의 품사로 사용되지만 어떤 단어는 두 가지 이상의 문법적 성질을 가지고 있어 여러 가지의 품사로 쓰이는 경우가 있다. 이를 '품사 통용'이라고 한다. 품사 통용은 중세 국어에도 있었는데, 현대 국어의 품사 통용과 같은 양상으로 나타나기도 하고 다른 양상으로 나타나기도 했다. 그리고 현대 국어에서 하나의 품사로 쓰이는 단어가 중세 국어에서는 품사 통용이 나타나기도 했다.

- ㉠새 구스리 나며 [새 구슬이 나며]
- 이 나래 ㉡새ᄅᆞᆯ 맛보고 [이날에 새것을 맛보고]
- ㉢새 出家ᄒᆞᆫ 사ᄅᆞ미니 [새로 출가한 사람이니]

	㉠	㉡	㉢
①	관형사	명사	형용사
②	관형사	대명사	형용사
③	관형사	명사	부사
④	부사	대명사	부사
⑤	부사	명사	부사

도움말
현대어 풀이를 참고하면 ㉠~㉢이 문장에서 어떤 역할을 하는지 알 수 있어. 뒤에 오는 체언을 수식하면 ❶ ______ 이고, 용언을 수식하면 ❷ ______ 야.
답 ❶ 관형사 ❷ 부사

03 〈보기〉의 ⓐ와 ⓑ에 해당하는 문장이 바르게 짝지어진 것은?

보기

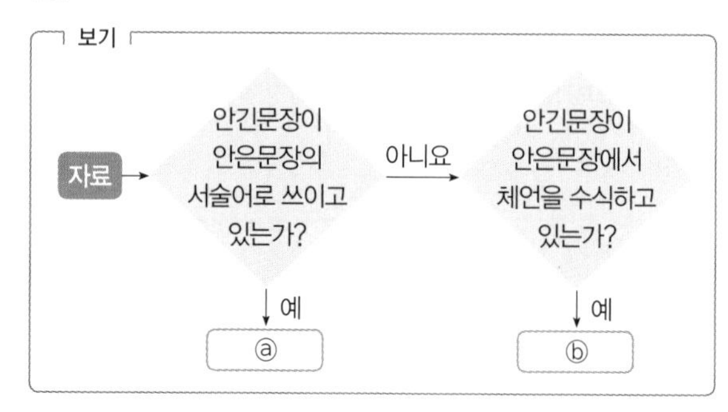

ㄱ. 우ᄂᆞᆫ 聖女ㅣ여 슬허 말라
[우는 성녀여 슬퍼 말라]
ㄴ. 니르고져 ᄒᆞᇙ 배 이셔도
[이르고자 하는 바가 있어도]
ㄷ. 太子ㅣ 글 ᄇᆡ호기ᄅᆞᆯ 즐겨
[태자가 글 배우기를 즐겨]
ㄹ. 이 東山ᄋᆞᆫ 남기 됴ᄒᆞᆯᄊᆡ
[이 동산은 나무가 좋으므로]

	ⓐ	ⓑ
①	ㄱ	ㄷ
②	ㄴ	ㄷ
③	ㄴ	ㄷ, ㄹ
④	ㄹ	ㄱ, ㄴ
⑤	ㄹ	ㄱ, ㄷ

도움말

안긴문장이 안은문장의 서술어로 쓰이는 문장은 ❶ ______을 안은문장이고, 안긴문장이 안은문장에서 체언을 수식하고 있는 문장은 ❷ ______을 안은문장이야.

답 ❶ 서술절 ❷ 관형절

04 〈보기〉의 ㉠과 ㉡에 해당하는 문장이 바르게 짝지어진 것은?

보기

의문문은 일반적으로 화자가 청자에게 질문하여 대답을 요구하는 문장이다. 의문문의 가장 대표적인 유형이 ㉠판정 의문문과 ㉡설명 의문문이다. 판정 의문문은 화자의 질문에 대하여 긍정이나 부정의 대답 혹은 선택을 요구하는 의문문이다. 설명 의문문은 주로 의문사가 사용되어 그 의문사가 가리키는 내용에 대하여 청자가 구체적으로 설명해 주기를 요구하는 의문문이다.

한편, 중세 국어에서는 현대 국어에서와 달리 보조사를 사용해서도 의문문을 만들 수 있었다. 즉, 의문사나 '-녀', '-뇨'와 같은 종결 어미 외에도 '가'와 '고'와 같은 보조사를 이용하여 의문문을 만들었다.

ⓐ 이 ᄯᆞ리 너희 죵가
[이 딸이 너희의 종인가?]
ⓑ 이 엇던 光名(광명)고
[이것이 어떤 광명인가?]
ⓒ 이 大施主(대시주)의 功德(공덕)이 하녀 져그녀
[이 대시주의 공덕이 많으냐 적으냐?]
ⓓ 太子(태자)ㅣ 이제 어듸 잇ᄂᆞ뇨
[태자는 지금 어디 있느냐?]

	㉠	㉡
①	ⓐ, ⓑ	ⓒ, ⓓ
②	ⓐ, ⓒ	ⓑ, ⓓ
③	ⓐ, ⓓ	ⓑ, ⓒ
④	ⓑ, ⓒ	ⓐ, ⓓ
⑤	ⓑ, ⓓ	ⓐ, ⓒ

도움말

'엇던', '어듸'와 같은 표현은 ❶ ______에 해당하기 때문에, 이러한 표현이 포함된 의문문은 ❷ ______이야.

답 ❶ 의문사 ❷ 설명 의문문

05 다음 ㉠~㉣을 바르게 분류한 것은?

※ 다음 단어를 통해 합성어의 형성 과정을 탐구해 보자.

㉠ 딕먹다(찍어 먹다)
㉡ 뭇기슭(멧기슭)
㉢ 힘ᄡᅳ다(힘쓰다)
㉣ 나날(나날이)

[탐구 과정]

어근의 배열이 우리말의 일반적인 문장 구성 방식에 맞습니까? — 아니요 → [A]
↓ 예
합성어의 품사와 합성어를 이루는 뒤 어근의 품사가 일치합니까? — 아니요 → [B]
↓ 예
[C]

	[A]	[B]	[C]
①	㉠	㉡	㉢, ㉣
②	㉠	㉣	㉡, ㉢
③	㉡	㉠	㉢, ㉣
④	㉡	㉢	㉠, ㉣
⑤	㉡, ㉣	㉢	㉠

도움말

'딕먹다'는 용언의 ❶ ______ '딕-'이 ❷ ______ '먹다'와 바로 결합하였으므로 비통사적 합성어에 해당돼.

답 ❶ 어간 ❷ 용언

창의·융합·코딩 전략 ②

06 다음 내용을 바탕으로 학습 과제를 수행한 결과로 적절하지 않은 것은?

> 중세 국어에서 용언의 어간 말음 'ㅿ, ㅸ'은 자음 어미 앞에서 'ㅅ, ㅂ'으로, 어간 말음 'ㅍ, ㅌ, ㅈ'은 각각 'ㅂ, ㄷ, ㅅ'으로 교체되었다. 어간 말음이 'ㅺ, ㅼ, ㅄ'과 같이 자음 2개가 나타나는 경우에는 자음 어미 앞에서 그 가운데 하나가 자동적으로 탈락되어 'ㅺ, ㅼ'은 'ㅅ'으로, 'ㅄ'은 'ㅂ'으로 교체되었다.
>
> **[학습 과제]** 다음 어간이 자음 어미 '-고'와 결합할 때 빈칸에 들어갈 용언의 활용형을 쓰시오.

어간	구ᇦ-	나ᇫ-	높-	젖-	섟-
활용형	㉠	㉡	㉢	㉣	㉤

① ㉠: 굽고　② ㉡: 낫고　③ ㉢: 놉고
④ ㉣: 젇고　⑤ ㉤: 섯고

도움말
'학습 과제'에 주어진 어간 ❶ ＿＿＿을 확인해 보고, 제시된 설명에서 ❷ ＿＿＿와 결합할 때 어떻게 변하는지 확인해 봐.
답 ❶ 말음 ❷ 자음 어미

07 다음 자료에 사용된 높임의 양상을 바르게 분석한 것은?

> 俱夷 묻ᄌᆞᄫᆞ샤ᄃᆡ 므스게 ᄡᅳ시리
>
> **[현대어 풀이]**
> 구이 물으시기를 "무엇에 쓰실 것입니까?"

	주체 높임 선어말 어미	객체 높임 선어말 어미	상대 높임 선어말 어미
①	○	○	○
②	○	○	×
③	○	×	○
④	×	×	○
⑤	×	○	×

도움말
용언에 결합해 있는 높임 ❶ ＿＿＿를 분석해 보고 각각 어떤 ❷ ＿＿＿을 실현하고 있는지 확인해 봐.
답 ❶ 선어말 어미 ❷ 높임(법)

08 다음 설명을 바탕으로 어간과 어미의 결합이 적절하지 않은 것은?

> 중세 국어에서 두 모음이 연결될 때, 다음과 같이 모음이 변하는 규칙이 있었다. 물론 이와 같은 규칙은 두 형태소가 통합될 때 나타나며 정리하면 다음과 같다.

ㅏ+ㅏ → ㅏ	ㅓ+ㅓ → ㅓ	ㆍ+ㅏ → ㅏ
ㅡ+ㅓ → ㅓ	ㆍ+ㅗ → ㅗ	ㅡ+ㅜ → ㅜ
ㅣ+ㅣ → ㅣ		
ㅣ+ㅏ, ㅓ, ㅗ, ㅜ → ㅑ, ㅕ, ㅛ, ㅠ		
반모음 'ㅣ̆'+ㅏ, ㅓ, ㅗ, ㅜ → 반모음 'ㅣ̆'+ㅑ, ㅕ, ㅛ, ㅠ		

	어간	어미	결합형
①	ᄑᆞ-	-아	파
②	ᄡᅳ-	-움	ᄡᅮᆷ
③	너기-	-어	너겨
④	ᄀᆞᄅᆞ치-	-옴	ᄀᆞᄅᆞ침
⑤	ᄃᆞ외-	-아	ᄃᆞ외야

도움말
중세 국어에서 두 개의 모음이 결합할 때에는 두 모음 중 한 모음이 ❶ ＿＿＿하거나, ❷ ＿＿＿이 첨가되기도 하였는데, 이는 규칙적인 양상을 보였어. 표에 주어진 규칙을 바탕으로 문제를 해결해 보자.
답 ❶ 탈락 ❷ 반모음(ㅣ̆)

09 〈보기〉의 ㉠에 들어갈 내용으로 가장 적절한 것은?

보기

아래의 밑줄 친 부분을 표기 방법에 따라 둘로 분류할 때, 어떤 질문이 적절한지 알아봅시다.

- 여러 가지 연이 이시니
- ᄉᆡ미 기픈 므른
- 사ᄅᆞᆷ으로 ᄒᆞ여곰

질문	㉠	
대답	예	아니요
	연이, 사ᄅᆞᆷ으로	ᄉᆡ미, 므른

① 체언과 조사가 결합할 때 각각 구분하여 표기하는가?

② 용언의 어간과 어미가 결합할 때 이를 구분하여 표기하는가?

③ 체언의 끝 자음을 모음으로 시작하는 조사 사이에 한 번 더 표기하는가?

④ 자음으로 끝나는 용언의 어간 뒤에 모음으로 시작하는 어미가 오면 이어 적는가?

⑤ 자음으로 끝나는 명사 뒤에 모음으로 시작하는 조사가 오면 앞 자음이 다음 음절의 초성 자리에 오는가?

도움말

자음으로 끝나는 체언이 모음으로 시작하는 조사와 결합할 때, 체언의 끝 자음을 다음 음절의 초성에 올려 적으면 ❶ (   ) 한 것이고, 체언과 조사를 구분하여 적으면 ❷ (   ) 한 것이야.

답 ❶ 이어 적기 ❷ 끊어 적기

10 단어의 형성과 관련하여 ㉠~㉤에 들어갈 내용을 탐구한 것으로 적절하지 않은 것은?

단어	형성 방법	구분	다른 예
나모(木)	㉠	단일어	쇼(牛)
빌먹다 → 빌-+먹다	㉡	비통사적 합성어	듣보다
벋삼다 → 벋+삼다	체언과 용언의 어간이 결합함.	통사적 합성어	㉢
너희 → 너+-희	㉣	㉤	저희

① ㉠에는 '하나의 어근으로 이루어짐.'이 들어가겠군.

② ㉡에는 '용언의 어간과 어간이 직접 결합함.'이 들어가겠군.

③ ㉢에는 '본받다'가 들어갈 수 있겠군.

④ ㉣에는 '어근에 접두사가 결합함.'이 들어가겠군.

⑤ ㉤에는 '파생어'가 들어가겠군.

도움말

하나의 어근으로 이루어지면 단일어, 둘 이상의 어근이 결합한 단어는 ❶ (   )이고, 어근과 ❷ (   )가 결합한 단어는 파생어야. 파생어의 경우 어근에 접두사가 결합했는지, 접미사가 결합했는지를 따져 봐야 해.

답 ❶ 합성어 ❷ 접사

WEEK

2 매체

이번 달 교내 신문 특집 기사는 '우리 동네 맛집 탐방'이야.
OO고 신문
인쇄 매체

이거 봐! 음식 사진도 있네. 우리 여기 가 볼래?
우아

좋아! 그럼 메뉴 뭐 있는지 좀 더 찾아보고 가자~.
인터넷 매체
#△△음식점 메뉴
누리 소통망에서 해시태그로 검색해 봤는데, 맛있어 보이는 메뉴가 많네.

응?
참, 그런데 신문에는 음식 사진만 있고 가는 방법이 안 나와 있던데, 어떻게 찾아가지?

공부할 내용 1. 매체의 특성과 수용 2. 매체의 생산과 표현 방식 3. 매체의 성찰과 향유

WEEK 2 DAY 1

개념 돌파 전략 ①

개념 01 매체의 특성

- **매체** 의사소통과 정보 전달의 다양한 수단 혹은 경로
- **대표적인 의사소통 매체** 음성과 ❶ [ ] (음성: 가장 고전적인 의사소통 매체)
- **매체별 특성**

• **인쇄 매체** 예 책, 신문

- 대중 매체의 시작과 발달을 이끈 매체
- 문자 언어를 중심으로 사진, 그림 등의 시각적 이미지를 활용하여 메시지를 전달함.
- 생산자(필자)와 수용자(독자)의 소통: 시·공간이 분리되어 있어 인쇄 매체를 매개로 하여 간접적으로 소통함.
- 전자 매체에 비해 정보 전달의 속도가 느림.

• **전자 매체**

음성·영상 매체	• 20세기를 대표하는 대중 매체로 전자 기술의 발달에 따라 등장함. 예 라디오, 텔레비전 • 소리, 음성, 문자, 이미지, 영상을 함께 전송함. • 20세기에는 일대다의 의사소통 방식으로 즉각적인 피드백이 불가능했지만, 최근에는 ❷ [ ]과 연계하여 즉각적 피드백이 가능하도록 변화됨. • 인쇄 매체에 비해 정보 전달의 속도가 빠름.
뉴 미디어	• 정보 통신 기술이 발전하면서 새롭게 등장한 인터넷과 이를 기반으로 한 다양한 디지털 형식의 매체인 뉴 미디어가 등장함. 예 인터넷, 휴대 전화 • 매체의 확장을 넘어 현대 사회의 변화를 이끈 동력으로 평가됨. • 책, 신문, 라디오, 텔레비전 등 기존의 매체를 복합적으로 구현함. • 음성과 문자 메시지, 화상 통화 등 다양한 매체적 속성을 활용한 의사소통이 이루어짐. • 대중이 정보 생산자로 참여할 수 있음. • 정보의 복제 전송이 쉬워 대량으로 정보를 유통할 수 있으며, 정보 전달의 속도가 빠름.

답 ❶ 문자 ❷ 인터넷

확인 01

다음 설명에 해당하는 예시를 찾아 바르게 연결하시오.

(1) 가장 고전적인 의사소통 매체 • • ㉠ 신문
(2) 20세기를 대표하는 대중 매체 • • ㉡ 음성
(3) 대중 매체의 시작과 발달을 이끈 매체 • • ㉢ 라디오

개념 02 매체에 따른 정보 구성 방식

- 정보를 구성할 때는 정보의 양과 질, 정보의 배치 및 제시 방식을 고려해야 함.

책	• 문자, 그림, 사진, 도표 등의 매체 언어를 사용함. • 분량의 제약이 적고, 지식과 정보의 생산이 특정한 지식을 갖춘 사람들에 의해 이루어짐. • 목차에 따라 정보가 장, 절 등으로 나뉘어 배치됨.
신문	• 문자, 그림, 사진, 도표 등의 매체 언어를 사용함. • 주로 시의성 있는 주제를 다루며, 1면에 주요 내용을 종합적으로 배치함. • 표제, 부제, 전문 등을 통해 내용을 전반적으로 파악할 수 있음.
텔레비전	• 음성 언어, 영상, 음향 등을 복합적으로 활용하여 정보를 구성함. → 정보의 실재감이 높음. • 생생한 정보를 ❶ [ ]으로 전할 수 있음. • 인쇄 매체와 비교하여 많은 사람들에게 대량의 정보를 전달할 수 있음. • 내용을 요약적으로 제시하기도 하고, 특정 주제를 심층적으로 다루기도 함.
인터넷	• 다양한 주제의 정보를 확인할 수 있으나, 정보의 신뢰성을 반드시 확인해야 함. • ❷ [ ]를 활용하여 비순차적인 검색을 허용함. • 거대 자료(빅 데이터)에 기반을 두어 사용자의 특성을 고려한 맞춤형 정보를 제공함.

답 ❶ 실시간 ❷ 하이퍼텍스트

확인 02

다음 설명에 해당하는 매체는?

> 주로 시의성 있는 주제를 다루며, 1면에 주요 내용을 종합적으로 배치한다.

① 책 ② 신문 ③ 텔레비전

개념 03 매체에 따른 정보 유통 방식

정보 제공의 속도

책	라디오, 텔레비전, 인터넷 등에 비해 정보 제공에 많은 시간이 필요함.
신문	❶ (　　　) 있는 정보를 다루지만, 사회적 사건을 실시간으로 다루기는 어려움. → 최근에는 신문을 인터넷으로도 볼 수 있게 되면서 종이 신문이 지닌 정보 제공 속도의 한계를 극복하게 됨.
라디오, 텔레비전	정보를 신속하게 전달할 수 있고, 동시에 많은 사람에게 같은 정보를 전달할 수 있음.
인터넷	시·공간을 초월하여 정보 제공이 가능함.

정보 제공의 방식과 개방성

책	구매하거나 빌려서 읽는 사람에게만 정보가 제공됨.
종이 신문	구독을 신청하거나 신문을 구매한 사람에게만 정보가 제공됨.
라디오, 텔레비전	일단 틀어 놓으면 정보가 계속 제공됨.

→ 라디오, 텔레비전, 인터넷 등은 개방성이 높고, 책과 종이 신문은 개방성이 낮음.

정보 소통의 방향성

- 최근에는 인쇄 매체와 방송 매체의 정보를 인터넷에서 볼 수 있게 됨에 따라 인터넷을 중심으로 매체가 통합되는 양상을 보임.
  → 신문과 텔레비전의 정보가 ❷ (　　　)으로 활발히 소통되는 경향이 나타남.
- 여러 매체의 기능을 갖춘 휴대 전화는 다양한 유형의 정보가 빠르게 소통되는 특성을 지님.

답 ❶ 시의성 ❷ 쌍방향

확인 03

다음 중 정보 제공의 개방성이 가장 낮은 매체를 고르시오.

책　　라디오　　인터넷　　텔레비전

개념 04 매체 자료의 수용

관점과 가치를 고려한 매체의 수용

- 매체 자료에 반영된 특정한 관점과 가치

텔레비전, 신문 매체	• 특정한 사건이나 쟁점에 관심을 두고 그 문제를 집중적으로 보도함. → 매체 자료를 생산하는 주체의 ❶ (　　　)과 가치가 작용됨. • 사실을 중심으로 보도하는 성격을 지니지만, 특정한 정보를 부각하거나 누락할 수 있음.
인터넷 기반의 매체	• 텔레비전이나 신문보다 개인적인 활용도가 높아 매체 자료 생산이 용이함. → 개인의 다양한 관점과 가치가 담길 수 있음. • 생산자와 수용자 간의 ❷ (　　　)이 활발하게 이루어짐. → 생산자의 글과 수용자의 댓글 간에 관점과 가치의 차이가 드러나는 경우가 많음. • 이해관계에 따라 우호적인 댓글이나 특정 인물을 비방하는 댓글로 여론을 이끌어 내기도 함.

- 매체 자료에 반영된 관점과 가치를 파악하고 매체 자료가 전달하는 의미를 비판적으로 수용해야 함.
  → 매체 자료의 목적, 의도, 관점, 주장의 근거, 사실성과 타당성, 이해관계 반영 정도 등을 고려하여 수용해야 함.
- 매체 자료를 수용하는 다양한 기준이 존재함.
  - 예술적 작품성, 사회적 영향력, 현실 반영 정도, 작가 의식, 독자의 수용 태도 등

매체 자료의 비판적 수용

- 기술 발달과 매체: 기술의 발달에 따라 매체 자료의 사회적 파급력이 날로 커지고 있고, 수용자는 매체 정보에 무분별하게 노출될 수 있음.
  → 매체 자료를 비판적으로 수용하는 태도가 필요함.
- 매체 언어의 수용: 매체 언어가 현실을 바라보는 특정한 관점을 구성한다는 인식을 바탕으로, 매체 자료의 숨은 의도와 가치를 읽어 내는 역량이 필요함.
- 비판적 수용을 위한 점검 항목

> - 매체 자료의 출처는 어디이며, 생산자는 누구인가?
> - 매체 자료의 내용은 객관적인 사실에 근거하고 있는가?
> - 생산자가 대상이나 사건을 바라보는 관점은 어떠한가?
> - 강조하거나 드러내려 하는 정보는 무엇이고, 누락된 정보는 무엇인가?
> - 매체 자료의 내용과 관련된 이해관계는 무엇인가?

답 ❶ 관점 ❷ 상호 작용

확인 04

다음 문장에 들어갈 알맞은 말을 골라 ○표 하시오.

매체 자료를 수용할 때에는 매체 자료가 전달하는 의미를 (비판적 / 수동적)으로 수용해야 한다.

개념 05 매체 자료의 생산 ①

목적을 고려한 매체 자료 생산

정보 전달	• 간결하고 명확한 표현을 사용함. • 정확하고 ❶ [ ] 있는 내용으로 구성함. • 특정 내용이나 사건에 집중하여 내용을 구성함. 예 뉴스, 보도문, 공고문
설득	• 타당한 논거를 제시하여 구성함. • 자신의 주장이나 관점을 명확히 밝힘. → 생산자의 주관적 견해가 개입됨. • 특정 사건을 강조하여 행동의 방향을 유도하기도 함. 예 광고, 칼럼, 기획물(다큐멘터리, 특집)
심미적 정서 표현	• 표현하고자 하는 정서를 구체화하여 표현함. • 일상에서 생각하고 느낀 것을 기록으로 남김. • 아름다움과 즐거움을 느낄 수 있는 내용으로 구성함. • 사진이나 동영상을 첨부하여 정서적 효과를 높일 수 있음. 예 문학 작품, 드라마, 뮤직 비디오, 블로그 게시물, 대중 가요
사회적 상호 작용	• 사회적 관계를 바탕으로 구성함. • 사회 구성원들과 의사소통하며 문화 형성에 참여함. • 사적 영역과 공적 영역의 ❷ [ ]을 고려하여 생산함. 예 전자 우편, 누리 소통망(SNS), 휴대 전화 문자 메시지, 모바일 메신저 대화

- 매체 자료의 생산 목적은 두 가지 이상이 복합적으로 나타나기도 함.

답 ❶ 신뢰성 ❷ 맥락

확인 05

다음 문장에 들어갈 알맞은 말을 골라 ○표 하시오.

(정보 전달 / 심미적 정서 표현)을 목적으로 매체 자료를 생산할 때에는 표현하고자 하는 정서를 구체화하여 표현한다.

개념 06 매체 자료의 생산 ②

수용자를 고려한 매체 자료 생산

• 수용자의 ❶ [   ]에 따라 내용과 난이도를 조정함.
• 수용자의 ❷ [   ]와 전달하려는 내용에 대한 배경지식을 고려함.
→ 관심사와 배경지식에 따라 내용을 구체적으로 제시할지, 간략하게 제시할지 결정함.
• 수용자의 규모에 따라 내용 전달 방식을 조정함.
• 성차별적인 내용이 없는지 고려함.

답 ❶ 연령 ❷ 관심사

확인 06

다음 문장에 들어갈 알맞은 말을 골라 ○표 하시오.

매체 자료를 생산할 때에는 수용자의 (규모 / 용모)에 따라 내용 전달 방식을 조정해야 한다.

개념 07 매체 자료의 생산 ③

매체 특성을 고려한 매체 자료 생산

• 매체의 파급력을 고려한 매체 자료 생산

• 기술의 발달에 따라 매체 자료의 사회적 파급력이 커짐.
• ❶ [   ]이 가능한 매체의 파급력을 고려해야 함.
• 인터넷 매체는 대량 정보를 전달하는 속도가 빠르기 때문에 파급력이 더욱 크게 나타남.

• 매체별 언어 특성을 고려한 매체 자료 생산

인쇄 매체	문자, 사진과 그림 같은 ❷ [ ] 요소를 활용할 수 있음.
영상 매체	시각적 요소 외에 음향과 같은 청각적 요소, 동영상 같은 시청각 요소를 복합적으로 활용할 수 있음.
인터넷 매체	문자, 음성, 소리, 이미지, 영상 등 다양한 매체 언어를 통합하여 전달할 수 있고, 시·공간적 제약을 넘어 대량 정보 전달이 가능함.

- 매체 언어는 문자 언어, 음성 언어와 달리 두 가지 이상의 매체 언어가 복합되어 전달되기 때문에 전달력이 강함.

답 ❶ 대량 전달 ❷ 시각적

확인 07

시·공간적 제약을 넘어 대량 정보 전달이 가능한 매체는?

① 인쇄 매체 ② 영상 매체 ③ 인터넷 매체

개념 08 매체 자료의 생산 과정

매체 자료를 생산하는 과정은 ❶ [   ]을 쓰는 과정과 유사함.

전체 계획 세우기
(주제 정하기, 목적과 수용자 파악하기, 매체 종류 정하기)
↓
내용 생성 및 조직하기
↓
수정 및 ❷ [   ]하기
↓
완성

답 ❶ 글 ❷ 보완

확인 08

다음 설명이 맞으면 ○, 틀리면 ×를 하시오.

(1) 매체 자료를 생산하는 과정은 글을 쓰는 과정과 유사하다. (   )

(2) 매체 자료의 내용을 생성한 후에는 수정과 보완의 단계를 거친다. (   )

개념 09 매체 언어의 표현

매체 언어

- 의사소통과 정보 전달의 다양한 수단인 ❶ [　　　] 를 통해 실현되는 언어로 문자, 음성, 소리, 이미지, 영상 등을 결합하여 의미를 생성함.
- 매체 자료의 주제 의식과 가치를 향유하려면 매체 언어의 표현이 갖는 의미와 효과를 이해해야 함.
- 매체 언어의 내용을 효과적으로 이해하기 위해서는 의미를 구성하는 다양한 요소들의 개별 특성과 상호 관련성을 이해해야 함.

매체 언어의 창의적 표현

- **언어 표현을 통한 매체 언어의 창의성**
  - 동음이의어, 발음의 유사성, 대구와 비유, 어법에 맞지 않는 표현 등 다양한 방법을 활용하여 내용을 창의적으로 전달할 수 있음.

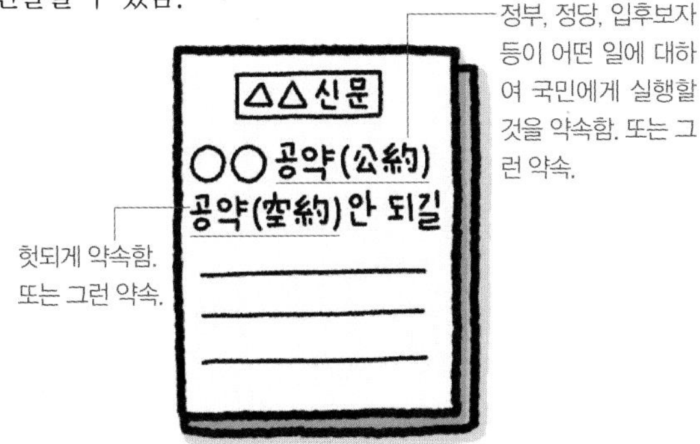

  - 풍자, 패러디, 비유와 상징 등과 같은 문학적 표현을 통해 창의성을 드러낼 수도 있음.
- **복합 양식성을 고려한 매체 언어의 창의성**

> - 언어 요소(음성, 문자), 청각 요소 (음악, 소리 효과), 몸짓 요소, 시각 요소 등의 상호 작용을 고려하여 복합 양식성을 드러낼 뿐만 아니라 카메라의 움직임과 구도, 화면 편집 등을 통해 매체 언어의 창의성을 드러냄.
> - 뉴 미디어에서 ❷ [　　　] 이 두드러지게 나타남.
>
> 예 '책'의 변화: 과거의 종이책은 주로 문자 언어로만 구성되었지만, 매체의 발달과 함께 하이퍼텍스트를 활용하여 사전을 살펴보거나 관련 영상을 시청할 수 있는 전자책이 나옴.

- **첨단 기술과의 결합을 통한 매체 언어의 창의성**
  - 컴퓨터 그래픽과 같은 첨단 기술이 매체와 결합되어 다양하고 창의적으로 표현할 수 있음.

→ 매체 언어의 창의적 표현은 수용자의 주의를 환기하여 내용 전달 효과를 높임.

답 ❶ 매체 ❷ 복합 양식성

확인 09

다음 중 언어 요소에 해당하는 것을 모두 고르시오.

문자	소리 효과	음성	음악

개념 10 매체 언어의 기능과 가치

- 다양한 언어 표현
- 복합 양식성을 고려한 표현
- 첨단 기술과의 결합을 활용한 표현

- ❶ [　　　] 를 효과적으로 전달함.
- 수용자의 관심과 흥미를 유발함.
- 전달하는 내용에 집중하도록 유도함.
- 수용자가 내용을 오래 기억하도록 함.
- 수용자가 내용을 직관적으로 빠르게 인식하도록 함.
- 주제와 ❷ [　　　] 이 잘 어우러지는 모습을 통해 수용자로 하여금 아름다움과 감동을 느끼게 함.

답 ❶ 주제 ❷ 표현

확인 10

매체 언어의 기능과 가치로 적절하지 않은 것은?

① 수용자의 관심과 흥미를 유발한다.
② 전달하는 내용에 집중하도록 유도한다.
③ 수용자가 내용을 천천히 인식하게 한다.

개념 11 바람직한 매체 언어 사용 태도

매체 언어 사용 시 고려 사항

맥락	공적인 맥락 / 사적인 맥락
목적	정보 전달, ❶ [　　　], 개인적 정서 표현, 사회적 상호 작용
대상	소통 상대의 연령, 성별, 인원 수(다수/소수), 의사소통 참여자와의 관계 등

바람직한 매체 언어 사용 태도

- 개인 정보와 ❷ [　　　] 을 보호함.
- 자신의 매체 언어생활을 성찰함.
- 폭력적이고 차별적인 언어 표현을 지양함.
- 타인과의 갈등을 조정하고, 건전한 비판을 주고받음.
- 언어적, 준언어적, 비언어적 표현을 다양하고 생생하게 구사하여 창의적이고 건전하며 긍정적인 매체 언어를 생산함.

답 ❶ 설득 ❷ 저작권

확인 11

바람직한 매체 언어 사용 태도로 적절하지 않은 것은?

① 자신의 매체 언어생활을 성찰한다.
② 다른 사람과 비판을 주고받지 않는다.
③ 폭력적, 차별적 언어 표현을 지양한다.

개념 돌파 전략 ②

01 매체에 대한 설명으로 적절하지 않은 것은?

① 인쇄 매체의 생산자와 수용자의 시·공간은 하나로 통합되어 있다.
② 대중 매체의 시작과 발달은 인쇄 매체에서 시작되었다고 할 수 있다.
③ 전자 매체는 인쇄 매체에 비해 정보 전달 속도가 빠르다고 할 수 있다.
④ 영상 매체는 최근에는 인터넷과 연계하여 즉각적 피드백이 가능해지고 있다.
⑤ 인터넷을 기반으로 한 뉴 미디어에서는 대중이 정보 생산자로 참여할 수 있다.

문제 해결 전략

❶ [ ]의 기본적 특성을 떠올려 보고, 매체별 정보 생산자와 소비자의 ❷ [ ]을 파악해 봐.

답 ❶ 매체 ❷ 특성

02 〈보기〉에서 설명하는 매체로 적절한 것은?

보기
- 문자, 그림, 사진, 도표 등의 매체 언어를 사용함.
- 분량의 제약이 적고, 지식과 정보의 생산이 특정 지식을 갖춘 사람들에 의해 이루어짐.
- 목차에 따라 정보가 장, 절 등으로 나뉘어 배치됨.

문제 해결 전략

문자, 그림, 도표 등을 ❶ [ ]로 활용하는 매체를 유추해 봐. 그런 매체 중 분량의 제약이 적고 ❷ [ ]에 따라 정보가 배치되는 것을 찾으면 되겠지.

답 ❶ 매체 언어 ❷ 목차

03 매체 자료의 비판적 수용을 위한 학생의 체크 리스트 중 적절하지 않은 것은?

[매체 자료를 비판적으로 수용하기 위한 체크 리스트]
✔ 매체 자료의 내용과 관련된 이해관계는 무엇인가? ………… ①
✔ 생산자가 강조한 정보와 누락한 정보는 무엇인가? ………… ②
✔ 매체 자료의 내용은 객관적인 사실에 근거한 것인가? ………… ③
✔ 매체 자료의 출처는 어디이며, 생산자는 믿을 만한가? ………… ④
✔ 매체에서 제공하는 정보를 신속하게 전달할 수 있는가? ………… ⑤

문제 해결 전략

매체 자료의 ❶ [ ] 수용이 의미하는 바가 무엇일지 생각해 보고, ❷ [ ]의 내용이 그와 관련된 것인지 판단해 보자.

답 ❶ 비판적 ❷ 체크 리스트

04 다음 매체에 대한 설명으로 적절하지 않은 것은?

① 생산자와 수용자 간의 상호 작용이 활발하게 이루어질 수 있다.
② 구독을 신청하거나 정보를 구매한 사람에게만 정보가 제공된다.
③ 다른 매체보다 개인적 활용도가 높아 자료의 생산이 쉬운 편이다.
④ 정보를 실시간으로 전달할 수 있어 정보 전달 속도가 매우 빠르다.
⑤ 문자 언어 외에 다양한 시청각 자료를 활용하여 정보를 구성할 수 있다.

문제 해결 전략

제시된 매체는 ❶ [ ] 을 기반으로 하고 있어. 이러한 매체의 ❷ [ ] 을 잘 파악해 봐.

답 ❶ 인터넷 ❷ 특성

05 다음 자료에 대한 설명으로 가장 적절한 것은?

어린이에게는 당신의 운전보다
도로 위로 굴러가는 공이 더 소중하고
친구와의 술래잡기가 더 다급하고
지각이 더 무섭습니다.
언제 어디서 도로 위로 뛰어들지 모르는 어린이
– 도로 위에서 어린이는 걸어 다니는 빨간 신호등입니다.

– 한국방송광고진흥공사 공익광고협의회, 2017

① 정서를 표현하는 것을 주된 목적으로 하고 있다.
② 사적 영역에 관한 맥락을 고려하여 제작된 것이다.
③ 특정 내용을 강조하여 행동의 방향을 유도하고 있다.
④ 아름다움과 즐거움을 느낄 수 있는 내용으로 구성되어 있다.
⑤ 객관적인 정보를 전달하기 위해 비유적인 표현을 사용하지 않고 있다.

문제 해결 전략

먼저 해당 매체 자료를 생산한 ❶ [ ] 이 무엇인지를 파악해 보고, 그것에 따라 ❷ [ ] 이 어떻게 달라지는지 생각해 봐.

답 ❶ 목적 ❷ 표현 방식

필수 체크 전략 ①

(가)는 종이 신문이고, (나)는 (가)의 기사를 보고 인터넷 포털 사이트에서 뉴스를 검색한 화면이다. 물음에 답하시오.

가

3면 2020년 2월 △△일 목요일 **사 회** 제2456호 ○○신문

넘치는 '가짜 뉴스'… 사실 왜곡과 사회적 갈등 유발 심각

누리 소통망 통해 빠르게, 널리 퍼져
'사실 뉴스'보다 더 많이 공유되기도

'가짜 뉴스'가 날로 늘어나며 사회적 문제를 야기하고 있다. 인터넷의 발전과 스마트폰의 보급, 누리 소통망의 발달 등 매체 환경의 변화가 가짜 뉴스의 파급력을 크게 키웠다는 분석이다.

○○에서는 '가짜 뉴스 개념과 대응 방안'이라는 토론회를 개최하였다. 토론 과정에서 매체 환경의 변화로 특히 뉴스의 생산과 유포 양상이 바뀌었다는 점이 지적되었다.

인터넷 등의 매체를 통해 누구나 뉴스를 생산하고 유포할 수 있게 되었다는 점이 가짜 뉴스의 문제점을 심각하게 만들고 있다는 것이다.

미국의 △△ 기관은 지난 미국 대통령 선거 시기에 허위로 조작된 정보가 선거에 영향을 미쳤다고 분석하였다. 실제로 미국 일부 지역에서는 '가짜 뉴스'가 잘못된 여론을 형성하여 사회적 갈등을 유발하였다.

지난 2월 ○○일 ○○에서는 가짜 뉴스 개념과 대응 방안 토론회가 열렸다. 이○○ 기자

이 토론회에서는 이와 함께 가짜 뉴스를 무엇으로 정의할 것인가에 대한 논의, 가짜 뉴스를 막기 위한 대응 방안에 대한 논의도 있었다.

언론은 정확하고 수준 높은 보도를 하고, 언론 소비자는 가짜 뉴스를 판별하기 위한 능력을 갖추기 위해 노력해야 한다는 것이다.

김○○ 기자 kimth@□□□.co.kr

세계 도시 63% 하계 올림픽 개최 곤란 2050년… "지구 온난화 영향 탓"

미세 플라스틱, 1주에 신용카드 1장 삼켜

나

인터넷 포털 가짜 뉴스

통합 검색 | 뉴스 | 사진 | 블로그 | 카페 | 더 보기

뉴스 관련도순 최신순

가짜 뉴스, 규제만이 해결책일까 18분 전 | □□일보
가짜 뉴스의 폐해를 지적하며 규제 강화를 주장하는 목소리가 높다. 정부는 물론이고 여야 정치권, 시민 단체……

정부, 가짜 뉴스 막을 민간 팩트 체크 기관 지원한다 1시간 전 | △△신문
정부가 올해 허위 조작 정보(가짜 뉴스)를 막기 위한 민간 팩트 체크 기관을 지원한다. 중간 광고·가상 광고 등……

"정부의 가짜 뉴스 규제, 위헌 소지" 2시간 전 | ☆☆일보
최근 정부에서 주도하는 가짜 뉴스 규제와 관련하여 국가가 가짜 뉴스를 규제하는 것은 위헌 소지가 있다는 지적이 나왔다……

정부, 가짜 뉴스 방치 '여전' 3시간 전 | ◇◇일보
가짜 뉴스를 근절하겠다는 선언과 달리 정부는 여전히 가짜 뉴스를 방치하고 있는 것으로 드러났다. 언론 감시 활동을……

대표 유형 1 매체의 특성 이해

1 (가)와 (나)에 대한 이해로 가장 적절한 것은?

① (가)는 각 기사의 본문 내용이, (나)는 표제의 크기가 독자의 기사 선택에 영향을 미친다.
② (가)와 달리 (나)는 각 기사의 표제뿐만 아니라 부제의 내용과 표현도 독자의 주의를 끄는 요인이 된다.
③ (가)와 달리 (나)는 기사의 배열 기준을 선택할 수 있으므로 독자의 필요에 따라 순서를 재배열하여 활용할 수 있다.
④ (나)와 달리 (가)는 기사마다 제공되는 시간이 다르므로 독자가 언제 검색하느냐에 따라 노출되는 기사에 차이가 있다.
⑤ (나)와 달리 (가)는 한 면에서 여러 언론사의 기사를 확인할 수 있으므로 다양한 정보를 접하기 위해서 활용할 수 있다.

유형 해결 전략 인쇄 매체인 ❶ 과 뉴 미디어인 인터넷 포털 사이트의 매체 특성을 고려하여 선지를 검토해야 해. 종이 신문은 인터넷에 비해 정보 제공의 속도가 느리고 정보 제공의 개방성이 ❷ 다는 특징을 지니고 있어.

답 ❶ 종이 신문 ❷ 낮

1-1 (가)와 (나)에 대한 이해로 가장 적절한 것은?

① (가)는 정보가 실시간으로 반영되기 용이하여 (나)보다 정보 전달의 속도가 빠르다.
② (가)는 구독자를 대상으로 정보가 제공되므로 (나)에 비해 정보 제공의 개방성이 낮다.
③ (가)는 (나)와 달리 생산자와 수용자의 상호 작용을 바탕으로 하여 정보의 수정이 쉽게 이루어진다.
④ (가)와 (나) 모두 하나의 사실에 대한 다양한 관점의 기사를 한꺼번에 볼 수 있다.
⑤ (가)와 (나) 모두 문자, 그림, 사진, 그래프, 동영상 등을 함께 제공하여 수용자의 빠른 이해를 돕는다.

다음은 학생이 과제 수행을 위해 인터넷에서 열람한 지역 신문사의 웹 페이지 화면이다. 물음에 답하시오.

△△군민신문

○○초등학교, 특색 있는 숙박 시설로 다시 태어난다

폐교가 지역 관광 거점으로… 지역 경제 활성화 기대

사진: ○○초등학교 시설 전경

지난 1일 △△군은 폐교된 ○○초등학교 시설을 '△△군 특색 숙박 시설'로 조성하겠다고 밝혔다. 지역 내 유휴 시설을 활용해 지역만의 특색을 살린 숙박 시설을 조성하고, 지역을 대표하는 관광 자원으로 활용하겠다는 것이다.

이번 사업을 통해 ○○초등학교 시설은 ☆☆마을 등 주변 관광 자원과 연계해 지역의 새로운 관광 거점으로 조성될 계획이다. 건물 내부는 객실·식당·카페·지역 역사관 등으로 꾸미고, 운동장에는 캠핑장·물놀이장을 조성한다. △△군은 내년 상반기까지 시설 조성을 완료하고 내년 하반기부터 운영을 시작할 예정이다.

해당 시설에 인접한 ☆☆마을은 2015년부터 캐릭터 동산, 어린이 열차 등 체험 관광 시설을 조성하여 특색 있는 지역 관광지로서 인기를 끌고 있으나 인근에 숙박 시설이 거의 없어 체류형 관광객을 유인하는 데 한계가 있다는 평가를 받아 왔다.

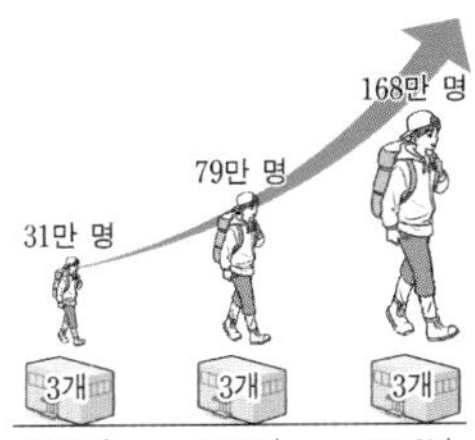

△△군 관광객 및 숙박 시설 수 추이
※ 자료: △△군 문화관광체육과(2019)

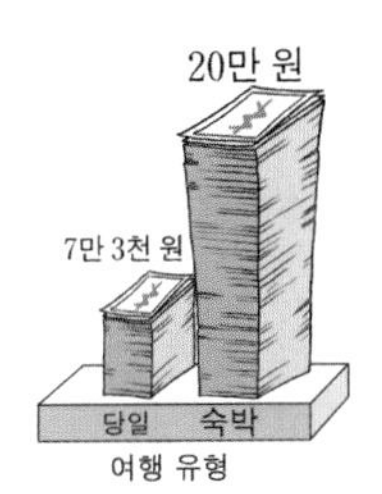

여행 1회당 지출액(2018년 기준)
※ 자료: 문화체육관광부(2019)

이번 사업을 둘러싼 우려가 전혀 없는 것은 아니지만 대다수 지역 주민들은 이를 반기는 분위기다. 지역 경제 전문가 오□□ 박사는 "당일 관광보다 체류형 관광에서 여행비 지출이 더 많다"며 "인근 수목원과 벚꽃 축제, 빙어 축제 등 주변 관광지 및 지역 축제와 연계한 시너지 효과로 지역 경제 활성화에 도움이 될 것"이라고 말했다.

2021.06.02. 06:53:01 최초 작성 | 2021.06.03. 08:21:10 수정
△△군민신문 이◇◇ 기자

좋아요(213) 싫어요(3) SNS에 공유 스크랩

관련 기사(아래를 눌러 바로 가기)
- 학령 인구 감소로 폐교 증가… 인근 주민들, "유휴 시설로 방치되어 골칫거리"
- [여행 전문가가 추천하는 지역 명소 ①] ☆☆마을… 다섯 가지 매력이 넘치는 어린이 세상

댓글

방랑자 가족 여행으로 놀러 가면 좋을 것 같아요.
↳ **나들이** 맞아요. 우리 아이가 물놀이를 좋아해서 재밌게 놀 수 있을 것 같아요. 캠핑도 즐기고요.
↳ **방랑자** 카페에서 이야기도 나눌 수 있고요.

대표 유형 2 뉴 미디어의 특성 이해

2 위 화면을 통해 매체의 특성을 이해한 학생의 반응으로 가장 적절한 것은?

① 기사를 누리 소통망(SNS)에 공유할 수 있으니, 기사 내용을 직접 수정할 수 있겠군.
② 기사에 대한 수용자들의 선호를 확인할 수 있으니, 기사에 제시된 정보의 신뢰도를 검증할 수 있겠군.
③ 기사와 연관된 다른 기사를 열람할 수 있으니, 수용자의 선택에 따라 정보를 추가로 확인할 수 있겠군.
④ 기사가 문자, 사진 등 복합 양식으로 구성되어 있으니, 시각과 청각을 결합하여 기사 내용을 이해할 수 있겠군.
⑤ 기사의 최초 작성 시간과 수정 시간이 명시되어 있으니, 다른 수용자들이 기사를 열람한 시간을 확인할 수 있겠군.

유형 해결 전략 인터넷을 기반으로 한 디지털 형식의 매체를 ❶ [ ]라고 해. ❷ [ ] 소통, 복합 양식성, 정보 제공의 높은 개방성 등이 뉴 미디어의 대표적 특성이야. 뉴 미디어의 특성과 선지의 내용을 연결시켜 판단해 봐.

답 ❶ 뉴 미디어 ❷ 쌍방향

2-1 위 매체가 가진 뉴 미디어의 특성 중 〈보기〉와 관련 있는 것으로 가장 적절한 것은?

보기

인터넷은 실시간으로 다양한 양식의 정보를 주고받으면서 쌍방향 소통이 가능한 매체이다. 그리고 인터넷을 기반으로 등장한 뉴 미디어는 언제, 어디서나, 누구와도 쉽게 소통할 수 있는 세상을 우리에게 가져다주었다.

① 생산이 완료된 매체 자료의 수정이 가능하다.
② 검색 기능으로 정보에 접근하는 속도가 빨라졌다.
③ 문자, 사진, 그래프 등 다양한 양식을 활용하여 정보를 전달한다.
④ 댓글을 통해 수용자들끼리 서로 의견을 나누면서 공감대를 형성한다.
⑤ 매체 자료에는 생산자의 주관적 의견이 반영되어 있으므로 비판적 이해가 필요하다.

(가)는 인터넷 블로그이고, (나)는 텔레비전 생방송 뉴스의 일부이다. 물음에 답하시오.

가

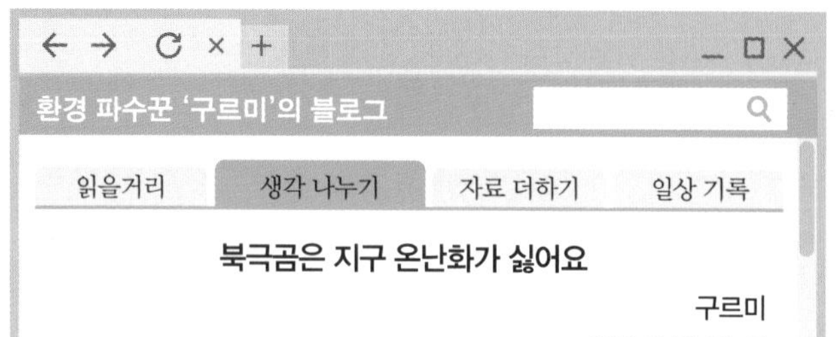

환경 파수꾼 '구르미'의 블로그

읽을거리 | 생각 나누기 | 자료 더하기 | 일상 기록

북극곰은 지구 온난화가 싫어요

구르미

2021.02.06. 12:10

여러분은 '겨울' 하면 무엇이 떠오르시나요?

추위? 얼음? 북극?

오늘은 다큐멘터리 '북극곰의 오늘과 내일'을 보고 든 생각에 대해 여러분과 의견을 나누고자 해요.

지구 온난화로 북극곰의 삶의 터전이 줄어들고 있어요.

옆의 사진은 우리에게 충격적으로 다가와요. '북극곰의 오늘과 내일'에서는 옆의 사진과 같은 상황이 계속되면 북극곰이 멸종될 수 있다고 경고하고 있어요.

북극곰을 힘들게 하고 있는 지구 온난화는 왜 일어나는 것일까요? 그래프를 보시면 지구 평균 기온의 상승과 이산화 탄소 농도가 관계가 있음을 알 수 있어요.

지구 평균 기온과 이산화 탄소 농도의 변화

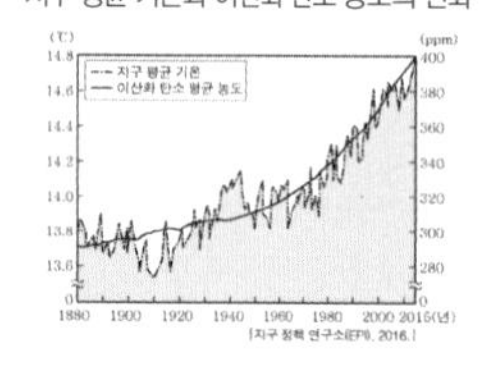

우리가 일상에서 이산화 탄소의 배출을 줄여야 하지 않을까요? 일상에서 이산화 탄소 배출을 줄이는 방법으로는 대중교통 이용하기, 가까운 거리는 걸어 다니기, 플라스틱 사용 줄이기, 대체 에너지 개발하기 등이 있어요.

이 영상은 '북극곰의 오늘과 내일' 홍보 영상인데, 다큐멘터리를 찾아서 시청하시면 북극곰의 아픔을 실감하실 수 있을 거예요.

(혹시 자료 중에 잘못된 것이 있으면 알려 주세요. 수정하겠습니다.)

#지구_온난화 #북극곰_멸종_위기 #이산화_탄소_배출_줄이기

댓글 7 공감 16

사랑이 북극곰에게 미안하네요. 이제 가까운 거리는 걸어 다니는 게 좋겠죠?

↳ **구르미** 그럼요. 저도 플라스틱의 사용을 줄이기로 결심했어요.

초록꿈 저도 이산화 탄소 배출을 줄이기 위한 노력이 필요하다고 생각해요. www.○○○.go.kr 여기서 이산화 탄소 배출 줄이기 캠페인을 벌이고 있어요.

↳ **구르미** 방문 감사합니다. 저도 주변 분들과 공유할게요.

밤톨이 대체 에너지 개발하기는 우리가 일상에서 실천할 수 있는 방법이라고 보기 어려워요.

↳ **구르미** 감사해요. 수정할게요.

몽돌이 그래프의 추세가 계속 이어지면 사진 속 작은 얼음 조각마저 사라져 북극곰은 살 곳이 없어지고 말겠어요. ㅠ.ㅠ

나

진행자: 지구 온난화의 영향으로 전국에 두 달째 가뭄이 이어지면서 여러 피해가 발생하고 있습니다. 현장을 취재한 윤○○ 기자 나와 있습니다. 상황이 심각하다면서요?

윤 기자: 네, 그렇습니다.

진행자: 현장 상황에 대해 구체적으로 말씀해 주시겠어요?

윤 기자: 취재한 자료 영상을 보시면 문제의 심각성을 확인하실 수 있습니다. 지금 영상에 보이고 있는 것이 저수지 바닥입니다. 이 영상을 보고 계시는 시청자분들께서도 문제의 심각성에 공감하실 것입니다.

진행자: 가뭄이 이렇게나 심각하군요. 그에 따라 피해도 상당할 것 같습니다.

윤 기자: 가뭄으로 인해 힘들어하는 농민 한 분을 만나 봤습니다. 인터뷰 영상 보시겠습니다.

대표 유형 3 매체 자료의 생산과 수용 이해

3 〈보기〉를 참고하여 (가)와 (나)에 대해 보인 반응으로 적절하지 않은 것은?

> 보기
>
> 텔레비전 뉴스, 인터넷 블로그 등 매체를 통해 전달되는 정보의 구체적 형태를 매체 자료라고 한다. 매체 언어는 음성, 문자, 사진, 동영상 등의 양식이 복합적으로 사용되는 특성을 지닌다. 따라서 매체 자료의 수용자는 이러한 복합 양식적인 매체 언어의 특성을 고려하여 의미를 구성할 수 있다. 이때 그 의미는 생산자와 수용자가 놓여 있는 맥락 속에서 생성된다. 그렇기 때문에 매체 자료의 수용은 생산자의 의도나 관점, 수용자의 관점이나 이해관계 등을 고려하여 이루어진다. 이 과정에서 매체 자료의 수용자는 창의적 생산자가 되기도 하면서 사회적 소통에 참여할 수 있다.

① (가)에서 그래프와 동영상 등을, (나)에서 문자와 음성 등을 활용한 것은 매체 언어의 복합 양식적 특성을 보여 주는 것이겠군.
② (가)에서 '몽돌이'가 쓴 댓글은 수용자가 매체 언어의 복합 양식적 특성을 고려하여 의미를 구성할 수 있음을 보여 주는 것이겠군.
③ (가)에서 '구르미'가 다큐멘터리를 보고 든 생각을 블로그에 올려 다른 사람들과 의견을 나눈 것은 매체 자료의 수용자가 창의적 생산자로서 사회적 소통에 참여할 수 있음을 보여 주는 것이겠군.
④ (나)에서 진행자와 윤 기자가 가뭄의 심각성을 강조한 것은 문제의식을 수용자와 공유하고자 하는 의도를 가지고 매체 자료를 생산하였음을 보여 주는 것이겠군.
⑤ (나)에서 진행자가 윤 기자에게 현장 상황에 대한 구체적인 설명을 요청한 것은 생산자들 간에 놓여 있는 맥락이 같아도 관점이 서로 다를 수 있음을 보여 주는 것이겠군.

유형 해결 전략 〈보기〉는 매체가 ❶ [ ] 을 가지고 있다는 것, 매체 자료 수용 시 생산자의 의도나 관점, 수용자의 관점이나 이해관계 등을 고려하여 이루어진다는 것, 수용자가 ❷ [ ] 가 될 수 있다는 것을 제시하고 있어. 이 점에 주목해서 선지를 확인해야 해.

답 ❶ 복합 양식성 ❷ 생산자

3-1 다음은 (가)와 (나)를 바탕으로 만든 카드 뉴스이다. 〈보기〉를 참고할 때 생산자의 의도로 적절하지 않은 것은?

 - 환경 파수꾼 '구르미'의 블로그	 - 녹색 지구의 블로그
지구 온난화	아직 먼 얘기? 나와는 상관없는 일?
 - ◇◇◇ 뉴스	 - ☆☆☆ 뉴스
우리 모두 같이 해요! 대중교통 이용하기 가까운 거리는 걸어 다니기 플라스틱 사용 줄이기	 - 녹색 지구의 블로그

> 보기
>
> 매체 자료를 생산할 때에는 소통의 목적, 수용자의 특성, 매체의 특성 등을 고려해야 한다. 또한 윤리적 태도를 갖추어 저작권 및 초상권 침해가 일어나지 않도록 해야 한다.

① 매체 자료 생산 시 인용한 자료의 출처는 정확히 밝혀야겠어.
② 분량이 짧은 매체의 특성을 고려하여 (가)처럼 이미지보다 문자 언어를 주로 활용해야겠어.
③ (가)처럼 지구 온난화의 심각성과 해결 방안을 알려 주는 것을 매체 자료 생산의 목적으로 삼아야겠어.
④ 카드 뉴스의 수용자가 일반적인 대중임을 고려하여 (가)의 해결 방안 중 '대체 에너지 개발하기'는 제외해야겠어.
⑤ 카드 뉴스는 시각적 요소를 활용할 수 있으니까 (나)의 앞부분을 캡처한 사진을 삽입하여 주제 전달 효과를 높여야겠어.

WEEK 2 DAY 2 필수 체크 전략 ②

(가)는 인터넷 블로그이고, (나)는 인터넷 포털 사이트에서 '막고굴'을 검색한 화면이다. 물음에 답하시오.

가

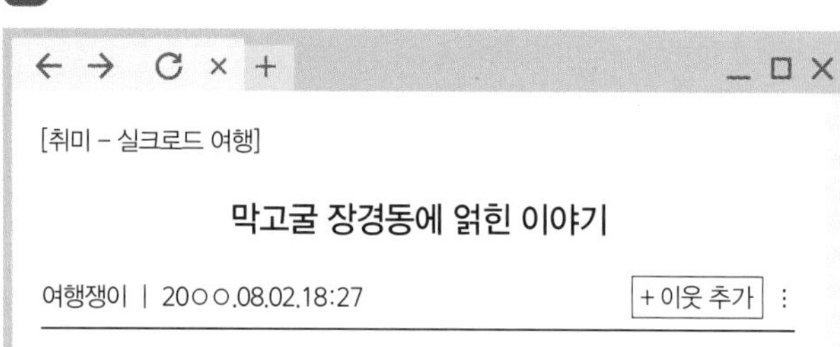

[취미 – 실크로드 여행]

막고굴 장경동에 얽힌 이야기

여행쟁이 | 20○○.08.02.18:27 +이웃 추가

'막고굴'은 중국 간쑤성 둔황에 위치한 중국 3대 석굴이다. 이 중 막고굴 16호굴은 17호굴 안에 있는 감실로 '장경동'이라고 불린다. 외세 침입을 대비해 중요 문서들을 숨겨 두기 위해 만들었다는데 이곳에서만 5만여 점의 고문서가 발굴되어 이를 '둔황 문서'라고 부른다. 발굴된 문서들은 한자, 티베트어, 산스크리트어 등으로 표기되어 상당한 역사적 가치를 지니고 있었다.

둔황 문서가 나온 장경동을 발견한 사람은 '왕원록'인데 막고굴에 쌓여 있는 토사를 제거하던 중 벽면에 금이 가서 이곳을 두드려 보니 숨겨진 또 하나의 석굴인 장경동이 나왔고 이곳에서 막대한 양의 문서가 발견되었다는 것이다. 또 다른 이야기로는 담배를 피우는데 담배 연기가 벽 속으로 빨려 들어가는 것이 이상해서 벽을 부수어 보니 장경동이 있었다는 것이다. 둘 중 어느 것이 사실인지는 모르나 장경동이 왕원록에 의해 우연히 발견되었다는 것만은 알 수 있는 사실이다.

왕원록은 이렇게 발견한 둔황 문서를 영국의 오렐 스타인, 프랑스의 폴 펠리오 등에게 팔아 둔황 문서가 전 세계로 흩어지게 만들었다. 신라 시대 승려 혜초가 쓴 《왕오천축국전》 역시 둔황 문서 속에 포함되어 있다가 왕원록이 폴 펠리오에게 넘겨 지금은 파리 국립 박물관에 소장되어 있으니, 한국에게나 중국에게나 왕원록은 원망스러운 인물이다.

하지만 왕원록이 둔황 문서를 판 이유가 당시 청나라 정부의 외면 아래 무너져 가는 둔황 석굴을 유지 보수하기 위한 것이었다고 하니 마냥 욕할 수만은 없는 인물이기도 하다.

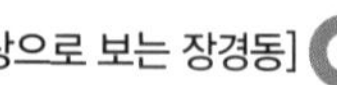

[영상으로 보는 장경동]

댓글 4 공감 1332

레몬주스 | 20○○.08.02. 19:03
막고굴에 대한 발표를 하게 되어 자료를 찾고 있었는데 큰 도움이 되었어요. 감사합니다. 막고굴의 불상이나 벽화에 관련된 정보도 궁금하네요.

└→ **여행쟁이** | 20○○.08.02. 19:13
△△TV에서 제작한 '막고굴의 불상과 벽화'라는 다큐멘터리가 도움이 되실 거예요. www.△△tv.com/makgogul 이 주소를 클릭하시면 바로 보실 수 있습니다.

실크로드 | 20○○.08.02. 19:21
글에 오류가 있어 알려 드려요. 17호굴과 16호굴을 혼동하신 모양이에요. '장경동'은 (16호굴에 딸려 있는 감실로) 17호굴입니다. 정정 바랍니다.

└→ **여행쟁이** | 20○○.08.02. 19:22
앗! 석굴 번호 정보가 잘못 들어갔군요. 하마터면 큰일 날 뻔했네요. 알려 주셔서 감사합니다!

나

인터넷 포털 막고굴

관련 검색어 둔황, 둔황 석굴, 천불동, 실크로드 여행, 명사산, 월아천

백과사전

막고굴
중국 3대 석굴 중의 하나로 둔황시 남동쪽으로 20km 떨어진 명사산 동쪽에 위치해……

중국 3대 석굴 – 막고굴
1900년대에 발견된 막고굴은 산시성 다퉁시의 윈강 석굴, 허난성 뤄양시의 룽먼 석굴과 함께 중국 3대 석굴 중……

막고굴의 역사
막고굴은 4세기 중반 16국 시대부터 건립되기 시작하여 13세기 원나라에 이르기까지 1,000여 년에 걸쳐 만들어진……

블로그

오늘도 맑음 | 20○○.06.30.
간쑤성 여행 2일차, 둔황 막고굴

어제 둔황의 아름다운 사막 명사산과 달을 닮은 오아시스 월아천을 본 감동이 채 가시지 않았는데 오늘은 석굴 예술의 백미라 불리는 막고굴을……

씹고 뜯고 맛보고 즐기고 | 20○○.04.05.
유네스코 세계 문화유산 둔황 막고굴

막고굴은 4세기 낙준이라는 승려가 명사산 기슭에서 산 위가 온통 금빛으로 빛나는 것을 보고 그곳을 찾아 첫 번째 석굴을 만들면서부터……

달걀의 문화 이야기 | 20○○.09.18.
둔황 여행기 2 – 막고굴

막고굴에 가면 곳곳에서 비천상을 만날 수 있다. 바람을 타고 하늘을 나는 비천상은 막고굴의 상징이라고 해도 과언이 아닌……

동영상

[다큐] 막고굴 비천상 이야기 | ◇◇◇ 뉴스 | 20○○.08.13.

[다큐] 막고굴의 불상과 벽화 | △△TV | 20○○.07.31.

뉴 미디어의 특성 이해

01 (가)와 (나)에 대한 이해로 적절하지 않은 것은?

① (가)는 문자, 사진, 영상 등을 복합적으로 활용한 매체 자료를 제공한다.
② (나)는 검색어를 기준으로 다양한 정보를 제공하므로 수용자의 선택권이 존중된다.
③ (가)와 (나)는 누구나 정보에 접근할 수 있으므로 정보 제공의 개방성이 높다.
④ (가)와 (나)는 실시간으로 정보가 전달될 수 있으므로 정보 전달의 속도가 빠르다.
⑤ (나)는 문자를 중심으로 한 심층적인 정보를 제공하여 (가)에 비해 정보 수용에 필요한 시간이 길다.

매체 자료의 생산과 수용 이해

02 다음은 (가)와 (나)를 바탕으로 학생이 세운 '막고굴' 안내 책자 제작 계획이다. ㉠~㉤을 평가한 내용으로 적절하지 않은 것은?

1. 막고굴의 위치
(나)의 '백과사전' 내용을 토대로 막고굴의 위치를 설명해야겠어. 막고굴의 위치를 표시한 지도 자료를 함께 제공하자. ······ ㉠
2. 막고굴의 조성 과정
(나)의 '백과사전' 내용을 바탕으로 막고굴이 건립된 기간을 구체적으로 설명하고 (가)에 제시된 막고굴을 조성하게 된 이유도 함께 언급해야겠어. ······ ㉡
3. 막고굴의 불상과 벽화
(나)의 '동영상'에서 막고굴의 대표적 불상과 벽화를 캡처하여 이미지로 제시하자. ······ ㉢
4. 막고굴 장경동과 둔황 문서
(가)에 둔황 문서를 발견한 계기와 전 세계로 흩어지게 된 경과가 잘 나와 있으니, (가)의 내용을 인용하도록 하자. 인용 출처는 꼭 정확하게 밝혀 둬야지. ······ ㉣
5. 막고굴과 관련된 인물들
(가)에 언급된 '오렐 스타인', '폴 펠리오'에 대한 정보를 검색한 후 '둔황 문서를 가져간 사람들'이라는 소제목으로 세부 내용을 추가하자. ······ ㉤

① ㉠: 정보의 정확한 전달을 위해 이미지를 추가하고 있다.
② ㉡: 매체 자료를 창의적으로 생산하는 태도가 나타난다.
③ ㉢: 매체의 특성에 맞게 자료를 변환하여 활용하고 있다.
④ ㉣: 윤리적인 매체 자료의 생산 태도가 드러난다.
⑤ ㉤: 추가 검색을 통해 기존 자료에 없는 새로운 내용을 추가하고 있다.

블로그의 특성 이해

03 <보기>를 참고하여 (가)에 대해 보인 반응으로 적절하지 않은 것은?

보기
블로그란 자신의 관심사에 따라 자유롭게 글을 올릴 수 있는 웹 사이트를 이르는 말이다. 글, 사진, 영상 등의 업로드가 자유롭고, 댓글 기능이 제공되어 타인과 의견을 나누거나 정보를 쉽게 공유할 수 있는 매체이다.
일기처럼 일상에서 일어나는 일들을 기록하여 공감을 얻거나, 관심 있는 분야에 대한 정보를 전달하거나, 사회적 문제에 대한 개인적·공동체적 의견을 주장하는 등 다양한 목적으로 작성된다. 맛집 소개, 상품 후기, 생활 팁 등의 일상적인 내용부터 문화, 경제, 법률 등의 전문적인 내용까지 아우를 수 있어 수용자는 블로그를 통해 대부분의 필요한 정보를 얻을 수 있다.
대부분 개인이 생산하지만 수많은 사람들이 블로그의 내용을 공유하여 그 영향력이 커지고 있다. 하지만 주관적으로 기록한 정보가 많기 때문에 정보의 출처나 정확성 등을 고려하여 매체 자료를 비판적으로 수용하는 태도가 필요하다.

① 생산자와 수용자가 소통할 수 있는 기능이 있군.
② 글, 사진, 영상 등 다양한 양식을 자유롭게 사용하여 매체 자료를 생산할 수 있군.
③ 개인이 자신의 취미나 관심사에 따라 자유롭게 자료를 생산할 수 있는 매체로군.
④ 사회적 문제에 대한 자신의 의견을 주장하고 대중을 설득하는 것을 목적으로 하고 있군.
⑤ 정확하지 않은 정보가 포함될 수 있으므로 제공된 정보가 정확한지 확인하여 수용하는 태도가 필요하군.

도움말
매체 자료는 ❶ [ ], 설득, 심미적 정서 표현, 사회적 상호 작용 등의 목적에 따라 생산되며, 하나의 자료에는 여러 목적이 ❷ [ ]으로 들어 있는 경우도 있다.
답 ❶ 정보 전달 ❷ 복합적

필수 체크 전략 ①

(가)는 학생들이 발표 준비를 위해 휴대 전화 메신저로 나눈 대화이고, (나)는 (가)를 바탕으로 '정민'이 제작해서 블로그에 올린 발표 자료 초안이다. 물음에 답하시오.

가

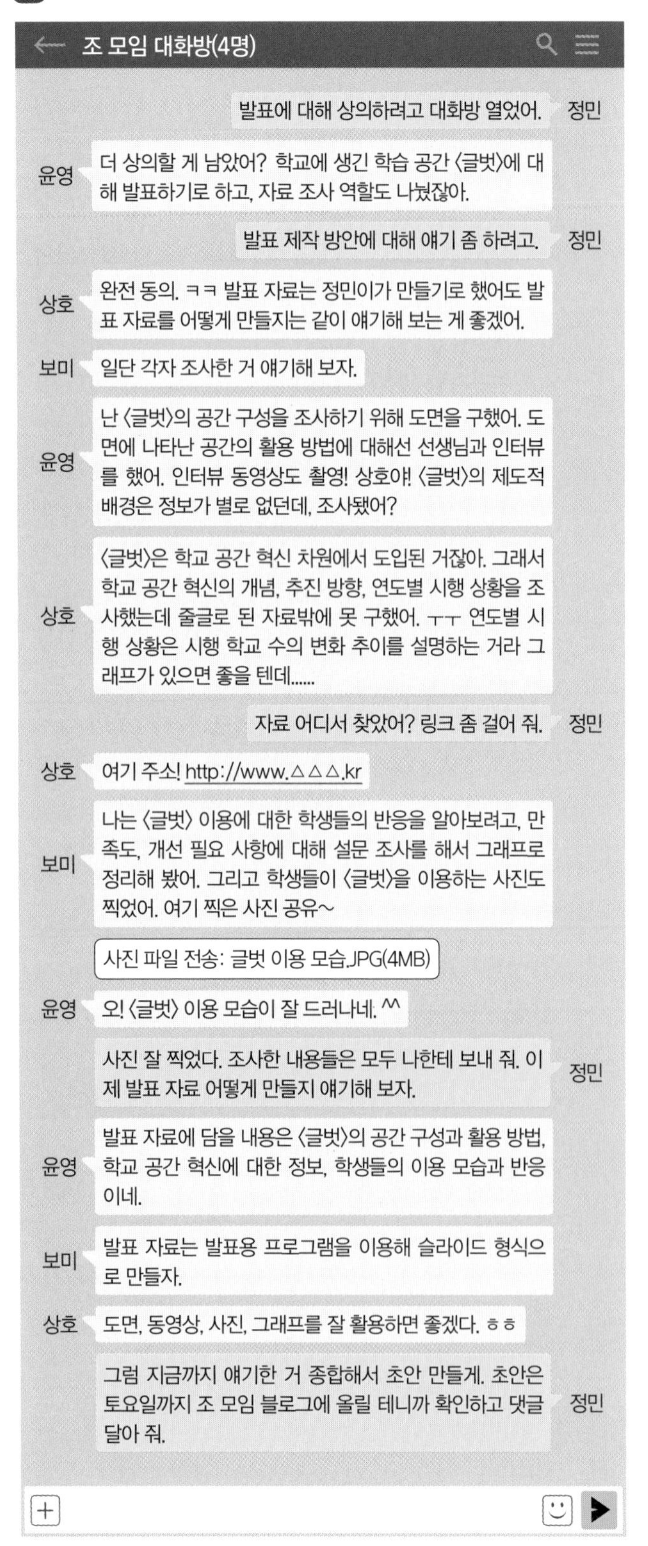

나

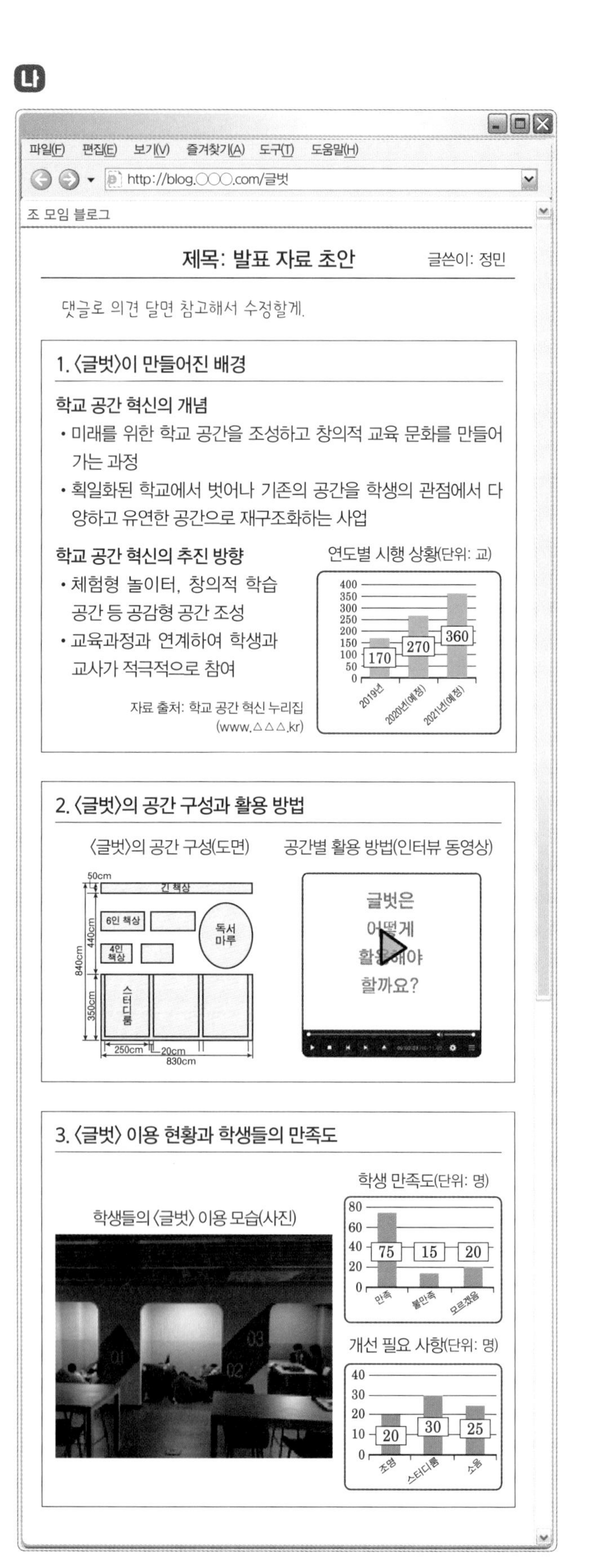

대표 유형 4 매체 자료의 수정 및 보완

1 〈보기〉는 (나)에 달린 '댓글'이다. 〈보기〉를 바탕으로 (나)의 세 번째 슬라이드를 수정한 ⓐ~ⓔ 중 적절하지 않은 것은?

보기

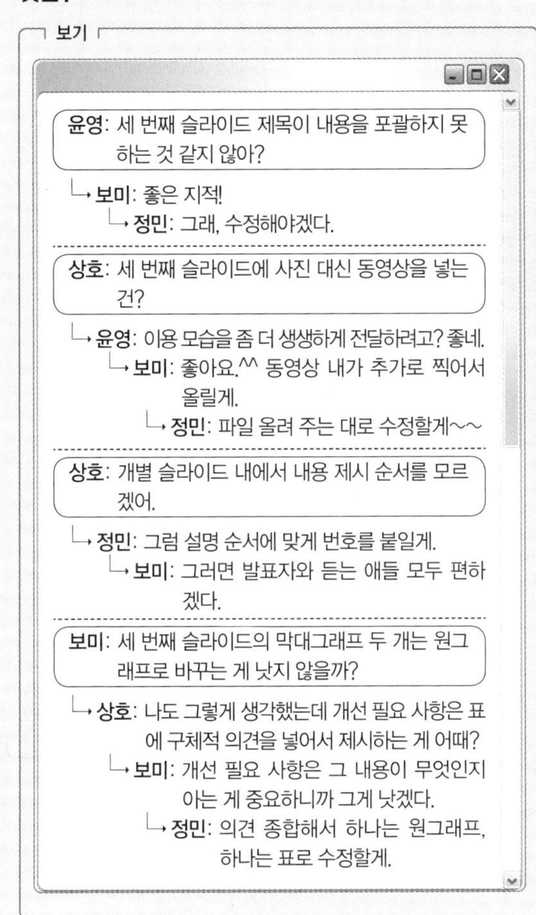

윤영: 세 번째 슬라이드 제목이 내용을 포괄하지 못하는 것 같지 않아?
↳ 보미: 좋은 지적!
↳ 정민: 그래, 수정해야겠다.

상호: 세 번째 슬라이드에 사진 대신 동영상을 넣는 건?
↳ 윤영: 이용 모습을 좀 더 생생하게 전달하려고? 좋네.
↳ 보미: 좋아요.^^ 동영상 내가 추가로 찍어서 올릴게.
↳ 정민: 파일 올려 주는 대로 수정할게~~

상호: 개별 슬라이드 내에서 내용 제시 순서를 모르겠어.
↳ 정민: 그럼 설명 순서에 맞게 번호를 붙일게.
↳ 보미: 그러면 발표자와 듣는 애들 모두 편하겠다.

보미: 세 번째 슬라이드의 막대그래프 두 개는 원그래프로 바꾸는 게 낫지 않을까?
↳ 상호: 나도 그렇게 생각했는데 개선 필요 사항은 표에 구체적 의견을 넣어서 제시하는 게 어때?
↳ 보미: 개선 필요 사항은 그 내용이 무엇인지 아는 게 중요하니까 그게 낫겠다.
↳ 정민: 의견 종합해서 하나는 원그래프, 하나는 표로 수정할게.

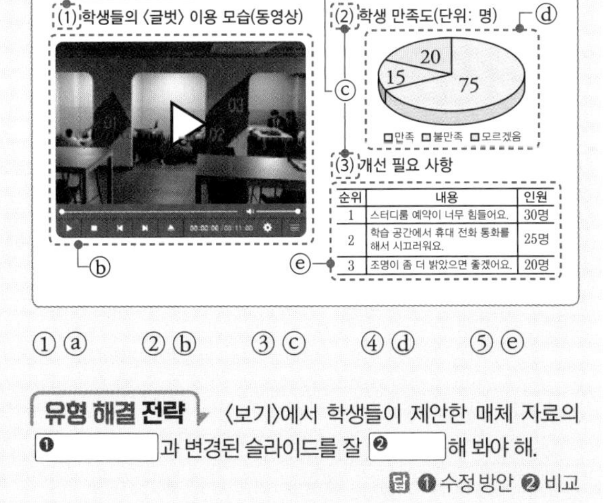

① ⓐ ② ⓑ ③ ⓒ ④ ⓓ ⑤ ⓔ

유형 해결 전략 〈보기〉에서 학생들이 제안한 매체 자료의 ❶ ______ 과 변경된 슬라이드를 잘 ❷ ______ 해 봐야 해.

답 ❶ 수정 방안 ❷ 비교

1-1 (A)는 학교 누리집에 게시될 '교내 독서 활동 안내문'의 초안이고, (B)는 독서 동아리 학생들이 (A)를 수정, 보완한 것이다. 수정 과정에서 학생들이 제시한 의견 중 반영되지 않은 것은?

(A)

방과 후 한가할 때 뭐 해?

우리 학교 도서관에서 4월 5일부터 '제2회 독서 나눔 꿈 나눔'을 시작합니다. '독서 나눔 꿈 나눔'은 앞으로 6개월간 매주 수요일 방과 후 도서관에 모여 모둠별로 자신이 읽은 책에 관한 감상을 발표하고, 책의 내용을 자신의 희망 진로와 연결하여 이야기를 나누어 보는 활동입니다. 발표자 이외의 학생들은 친구의 발표를 들으며 조언을 해 주기도 하고 자신과 관심 분야가 겹친다면 이후의 진로 독서 계획에 반영하기도 합니다.

'독서 나눔 꿈 나눔' 활동은 작년에도 참여를 희망하는 학생이 많았고, 학생들의 만족도가 높았습니다. 한가한 수요일 오후 함께 책 읽을까요?

(B)

함께 책 읽으며 함께 꿈 꾸자.

'제2회 독서 나눔 꿈 나눔'에 여러분을 초대합니다. '독서 나눔 꿈 나눔'은 학생들의 참여도와 만족도가 매우 높은 교내 활동입니다. 방과 후 도서관에서 책도 읽고 서로의 꿈도 나누는 시간을 가져 보면 어떨까요?

1. **기간**: 4월 5일 ~ 10월 5일
2. **시간**: 매주 수요일 방과 후
3. **장소**: 교내 도서관 2층
4. **주요 활동**
   - 책 읽고 소개하기
   - 책과 자신의 진로를 연계하고 확장하기
   - 발표를 듣고 서로 조언해 주기
   - 자신의 진로에 맞는 독서 계획 구성하기
5. **신청 방법**: 첨부 파일의 신청서를 작성하여 도서관에 제출하기

〈작년 활동 모습〉

① 예림: 주요 내용을 항목별로 제시하면 읽기 쉬울 것 같아.
② 유주: 신청 방법이 제시되지 않았는데, 해당 정보를 추가하면 좋겠어.
③ 은영: 작년 활동 사진을 첨부하면 학생들의 이해도와 관심도가 높아질 거야.
④ 시완: 제목이 너무 추상적인데, 독서 활동에 관한 것임을 알 수 있도록 다듬자.
⑤ 세윤: 마지막 문장은 활동 의도를 전달하며 참여를 유도할 수 있는 청유형 문장으로 수정하자.

(가)는 학생들이 발표를 위해 만든 온라인 카페이고, (나)는 발표 자료의 수정을 위해 휴대 전화 메신저로 나눈 대화의 일부이다. 물음에 답하시오.

가

http://cafe.000.com/longlifechair

장수 의자 발표 모둠

최신 글 보기

공지 사항
자료 모음
발표 자료
└ 슬라이드 1
└ 슬라이드 2
└ 슬라이드 3
└ 슬라이드 4

최신 글 보기

번호	제목	작성자	작성일
1	발표 자료 제작을 위한 역할 분담	지혜	4월 2일
2	기사문(장수 의자 소개, 설치 현황 통계)	혜영	4월 3일
3	장수 의자 이용 방법 동영상	지오	4월 4일
4	장수 의자 사진, 어르신 인터뷰 동영상	윤일	4월 7일
5	장수 의자 홍보 그림, 개선 요구 사항 통계	호상	4월 8일
6	**수정 회의 안내**	지혜	4월 9일

공지 사항

6. 수정 회의 안내

작성자: 지혜

각자 자료 조사 열심히 해 줘서 고마워.
조사한 자료를 가지고 이렇게 구성해 보았어.

슬라이드 1 – 발표 제목
▶ 장수 의자
▶ 홍보 문구
제목과 관련된 홍보 문구가 있으면 좋을 것 같아.
좋은 의견 있으면 ㉠댓글로 달아 줘!

슬라이드 2 – 제작 배경 및 제작 목적
▶ 어느 경찰관의 아이디어로부터 시작됨.
▶ 어르신 배려 및 무단 횡단 방지를 목적으로 함.

슬라이드 3 – 설치된 위치 및 이용 방법
▶ 횡단보도 신호등 기둥에 설치됨.
▶ 접혀 있는 의자를 내린 후 앉음.

슬라이드 4 – 설치 현황 및 개선 요구 사항
▶ 지역별 설치 현황
▶ 어르신 반응에 따른 개선 요구 사항

왼쪽 '발표 자료'에 있는 슬라이드 1~4를 살펴보고 오늘 밤에 모둠 대화방에서 수정 회의를 진행하자!

나

← 발표 모둠 대화방(5명)

지혜: 수정 회의 시작합시다!

지오: 우선 각 슬라이드의 제목에서 중심 화제를 이어 주는 말이 있는 경우 이를 중심 화제의 글자 크기보다 작게 하여 중심 화제를 부각할 필요가 있겠어. 더불어 중심 화제들의 제시 순서에 맞게 번호를 다는 게 좋을 것 같아.

지혜: 그래, 둘 다 반영할게.

지혜: 참, 혜영이는 기사들을 좀 더 찾아봐 줄 수 있을까? 제작 배경을 구체적으로 소개하려면 다양한 내용이 필요해서.

혜영: 그러고 보니 기사 내용의 대부분이 제작 목적에 대한 설명이구나! 알았어, 더 찾아볼게.

호상: 장수 의자가 횡단보도 신호등 기둥에 설치된 거 맞지? 사진이 너무 흐릿해서 잘 안 보여.

윤일: 이게 원본인데 확인해 볼래?
사진 파일 전송: 장수 의자 위치.JPG(8.1MB)

지혜: 이게 더 잘 보인다. 신호등 기둥에 설치된 게 확실하네. 고마워!
근데 윤일이가 올린 동영상을 슬라이드에 활용하기는 했는데, 여기에도 어르신께서 장수 의자에 앉아 계신 모습이 담겨 있어서 지오가 올린 동영상과 내용이 겹쳐. 함께 쓰는 게 적절하지 않은 것 같아.

호상: 지오가 올린 동영상에는 어르신들께서 의자를 직접 내리고 앉으시는 모습까지 담겨 있으니 이용 방법을 제시할 때는 이걸 활용하는 게 좋을 거 같은데?

지혜: 그 부분을 강조하면 훨씬 효과적이겠다.
그런데 내가 동영상 편집 방법을 잘 모르는데......

호상: 그러면 편집은 내가 할게.

지혜: 정말? 그럼 내가 너 대신 발표를 할게. 슬라이드를 제작한 사람이 내용의 흐름에 더 익숙할 테니까.

호상: 고마워. 잘 부탁해!

혜영: 그러면 윤일이가 올린 동영상을 글과 그림으로 정리해서 어르신 반응에 따른 개선 요구 사항을 제시할 때 활용하면 좋겠어. 동영상을 또 제시할 필요는 없잖아.

윤일: 그게 좋겠다. 할아버지 말씀은 글로 정리하고, '무단 횡단 금지'가 '잠시 쉬어 가세요.'보다 더 크게 장수 의자에 적혀 있어서 언짢다고 하신 할머니 말씀은 글과 사진으로 정리할게. 내가 찍어 올린 사진 중에 할머니의 말씀을 뒷받침할 만한 사진이 있으니, 이걸 함께 제시하면 할머니의 개선 요구 사항을 효과적으로 표현할 수 있을 것 같아.

지혜: 좋은 생각이야. 반영할게.
참, 그런데 호상이가 올린 두 자료의 출처가 모두 없더라. 통계 자료 출처는 내가 검색해서 찾았어. 그런데 장수 의자 홍보 그림의 출처는 못 찾았어. 혹시 그림을 찾은 인터넷 주소 좀 알려 줄래?

호상: 아, 미안해. 그 출처는 이거야. 여기 주소 보낼게.
http://www.◇◇.go.kr

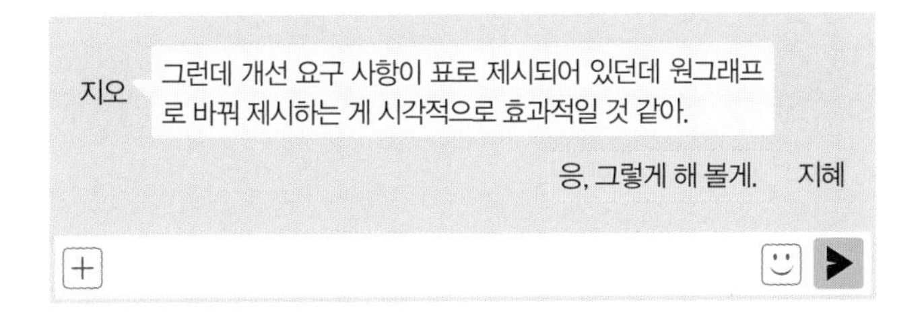

대표 유형 5 매체 언어의 창의적 표현

2 다음은 ㉠에 해당하는 내용이다. ㉮에 들어갈 문구로 가장 적절한 것은?

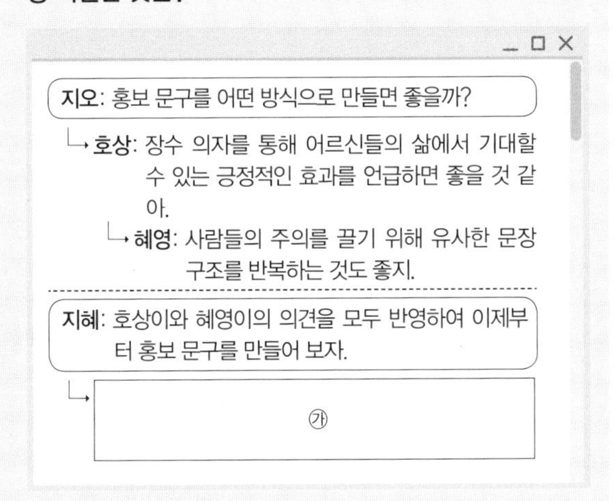

① 호상: 나의 작은 관심, 지역의 큰 기쁨. 장수 의자에 대한 관심이 지역 경제를 살립니다.
② 윤일: 장수 의자에 앉아 신호등을 기다려 보세요. 편안함을 위한 장수 의자, 안전함까지 드립니다.
③ 혜영: 장수 의자에서 만난 이웃들과 함께 웃어 보아요. 우리 지역의 공동체는 더 밝아질 것입니다.
④ 지혜: 안전을 위해 장수 의자에서 잠시 대기하세요. 장수 의자에 머물면서 당신의 삶이 지켜질 수 있습니다.
⑤ 지오: 힘겨운 기다림은 이제 그만, 편안한 기다림은 이제 시작. 장수 의자, 어르신들의 안전과 휴식을 책임집니다.

유형 해결 전략 학생들이 제안한 문구의 ❶ ☐ 상 조건과 ❷ ☐ 상 조건을 모두 고려하여 선지에 제시된 내용에 적용해 봐야 해.

답 ❶ 내용 ❷ 표현

2-1 다음은 구청 누리집에 게시된 안내문이다. 〈조건〉에 따라 Ⓐ를 작성한 것으로 가장 적절한 것은?

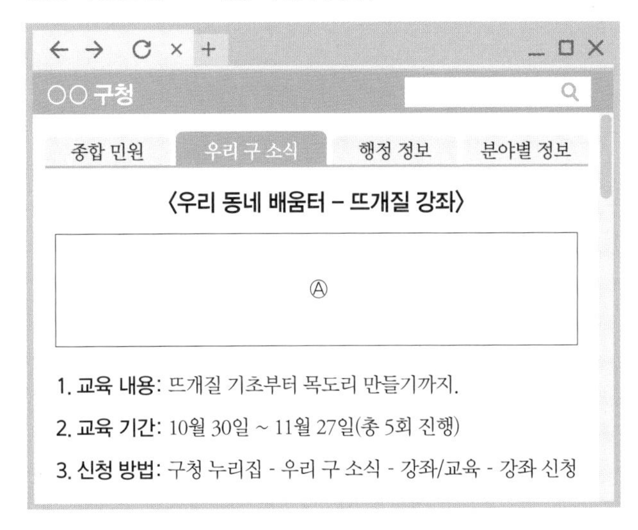

조건
- 배우는 내용이 무엇인지 드러나게 할 것.
- 비유적 표현을 활용할 것.
- 참여를 권유할 수 있도록 의문문을 활용할 것.

① 하나도 모른다고요? 처음부터 차근차근 알려 드립니다. 우리 동네 배움터로 와서 친구도 사귀고 실력도 쌓아 보면 어떨까요?
② 한 땀 한 땀 정성을 담은 선물은 누구에게나 감동이 됩니다. 우리 동네 배움터에서 이 세상에서 가장 귀한 마음을 전하는 법을 배워 보세요.
③ 바쁜 일상 속 쉼표가 필요한 시간, 뜨개질로 내 마음을 쉬게 하는 건 어떨까요? 겨울이 오기 전 예쁜 목도리를 내 손으로 완성할 수 있습니다.
④ 기초만 배우면 뜨개질로 내가 원하는 것은 무엇이든 만들 수 있습니다. 목도리부터 모자, 가방, 옷까지, 여러분도 직접 만들고 싶지 않으신가요?
⑤ 뜨개질의 기초부터 작품 완성까지 우리 동네 배움터에서는 한 달이면 충분합니다. 구청 누리집에서 신청하면 누구나 무료로 배우실 수 있답니다.

도움말
매체 언어의 창의적 표현을 통해 수용자를 ❶ ☐ 할 수 있어. ❷ ☐ 에 따라 선지의 내용을 하나하나 확인해 봐.

답 ❶ 설득 ❷ 조건

WEEK 2 DAY 3

필수 체크 전략 ②

(가)는 '인터넷 쇼핑'에 관한 책의 목차이고, (나)는 학생들이 발표를 위해 휴대 전화 메신저로 나눈 대화의 일부이다. 물음에 답하시오.

가

〈목차〉

제1장 인터넷 쇼핑몰의 유형 ······ 3

제2장 인터넷 쇼핑몰의 마케팅 전략 ······ 31
1. 콘텐츠 활용 ······ 32
2. 스타 마케팅 ······ 57
3. 문화 마케팅 ······ 71

제3장 인터넷 쇼핑과 소비자 ······ 95
1. 인터넷 쇼핑 소비자의 특성 ······ 96
2. 인터넷 쇼핑 소비자의 만족도 ······ 116

제4장 우리나라 인터넷 쇼핑과 소비자 피해 ······ 143
1. 우리나라 인터넷 쇼핑 동향 ······ 144
2. 인터넷 쇼핑 피해 실태와 유형 ······ 161

참고 문헌 ······ 194

나

← 조 모임 대화방(4명)

규민: 어제 학교에서 정한 발표 주제에 대해 좀 더 논의해 보면 어떨까?

예원: 우리 조 발표 주제가 '인터넷 쇼핑과 소비자 문제'잖아. 일단 책이든 인터넷이든 관련 자료를 좀 찾아보면서 발표 내용을 구체화해 보는 게 좋을 것 같아.

민성: 아까 도서관에 갔다가 '우리나라 인터넷 쇼핑의 특성'이라는 책이 유용해 보여서 대출해 왔거든. 목차 사진 찍어서 공유할 테니 한번 봐 줘.

사진 파일 전송: 목차.JPG

규민: 민성이 정말 부지런하다. 목차 훑어 보니 우리 발표에 활용할 자료들이 많을 것 같아.

연호: 우리가 발표하고 싶은 내용은 인터넷 쇼핑의 특성으로 인해 소비자들이 겪는 문제 아닐까? 책의 내용을 모두 다루기보다는 해당 내용에 초점을 맞추어서 필요한 부분만 인용하자.

민성: 응. 내가 내용을 조금 살펴봤더니, 4장에서 사람들이 인터넷 쇼핑을 어떻게 하는지에 관해서와 인터넷 쇼핑 피해 유형에 대해 잘 정리되어 있더라고. 그 내용은 도움이 될 것 같았어.

예원: 그런데 소비자들이 오프라인 쇼핑을 할 때 유의해야 할 점도 발표 내용에 넣어야 하지 않을까?

규민: 오프라인 쇼핑에 관한 내용은 우리 발표 주제에서 조금 벗어나는 것 같은데? 그것보다는 인터넷 쇼핑 과정에서 소비자들이 겪는 문제들을 어떻게 해결할 수 있는지 알려 주는 내용을 추가하면 좀 더 유익한 발표가 될 것 같아.

예원: 아, 그렇겠다. 그럼 인터넷 쇼핑 소비자가 문제 상황이 생겼을 때 해결할 수 있는 방법과 ㉠<u>문제가 생기지 않도록 예방하는 방법</u>에 관한 자료는 내가 찾아볼게.

연호: 그러면 발표의 주요 내용은
1) 우리나라 소비자의 인터넷 쇼핑 이용 현황
2) 소비자들이 겪을 수 있는 문제 유형
3) 인터넷 쇼핑 소비자 문제 해결 방법과 예방법
이 정도로 하면 되겠지?

민성: 좋아. 그럼 다음 모임까지 내가 책에 나와 있는 내용을 요약해서 정리해 갈게. 해결 방법과 예방법에 관한 부분은 예원이가 찾아서 정리해 줘.

연호: 나도 주제와 관련 있는 다른 책을 더 찾아볼게.

규민: 알았어. 나는 인터넷에서 구체적인 사례들을 찾아볼게. 각자 맡은 부분 다 하고 나면 미리 대화방에 공유해서 확인한 다음에 더 논의하자.

매체의 특성 이해

01 (가)와 (나)의 매체적 특성에 대한 설명으로 적절하지 <u>않은</u> 것은?

① (가)와 (나)는 문자 언어와 시각 자료 등을 활용하여 정보를 전달할 수 있다.
② (가)는 (나)에 비해 정보를 생산하고 제공하는 데에 전문적인 지식이 요구된다.
③ (가)는 (나)에 비해 정보에 대한 수용자의 즉각적 반응을 확인하는 데에 한계가 있다.
④ (나)는 (가)에 비해 여러 가지 매체들이 상호 연결되어 운용되는 경우가 많다.
⑤ (나)는 (가)에 비해 공적 영역을 다루는 경우가 많아 언어 사용을 신중하게 해야 한다.

매체 자료의 생산과 수용 이해

02 다음은 (나)를 바탕으로 학생들이 조사한 자료이다. 이를 활용하기 위한 방안으로 적절하지 않은 것은?

ㄱ. 인터넷 쇼핑 소비자 피해 대표 유형

계약 취소/반품/환불	53.2%
제품 불량/하자	12.9%
배송 지연	12.3%
운영 중단/폐쇄/연락 불가	7.8%
계약 변경/불이행	6.8%
기타	7%

– 서울시 전자 상거래 센터, 2021

ㄴ. '2020년 △△시 사회 조사 결과'에 따르면 20대 △△시민 4명 중 1명은 인터넷을 이용해 농수산물과 식품을 구매했다. 20대 응답자 중 24.3%가 농수산물과 식품을 인터넷 쇼핑몰을 통해 구입한다고 답했다. 이는 2018년과 비교해 4배가량 상승한 수치이다.

또 인터넷 쇼핑 품목 중 의류 및 신발은 20대 응답자 중 62.7%가 인터넷 쇼핑몰을 통해 구입한다고 답했다. 반면 의류 및 신발을 백화점에서 구입한다는 비율은 7.3%로 나타났다.

ㄷ. A씨는 지난해 6월 한 인터넷 쇼핑몰에서 상품을 주문했지만 기다려도 배송이 되지 않았다. 게시판을 통해 수차례 문의를 했지만 답변이 없었고, 고객 센터는 전화를 받지 않았다. 상품 설명에는 주문 취소 시 수수료가 발생한다고 되어 있어 선불리 취소도 하지 못했다. 그러던 중 동일한 피해를 입은 사람이 한국 소비자원의 도움으로 환불을 받았다는 사실을 알게 되어 A씨도 그곳에 도움을 청했다. 결국 1년이 넘게 지나서야 물품 대금 전액을 환불받을 수 있었다.

①  ㄱ을 활용하여 인터넷 쇼핑 시 소비자들이 겪을 수 있는 문제 유형을 정리해서 보여 주면 좋겠다. 그래프로 표현하면 알아보기 더 좋을 것 같아.

②  ㄴ을 활용하여 인터넷 쇼핑 비중이 늘어난 품목과 줄어든 품목을 비교해 볼 수 있겠네. 인터넷 쇼핑에 더 적합한 분야를 파악할 수 있겠어.

③  ㄴ을 활용하여 우리나라 소비자들의 인터넷 쇼핑 이용 현황 중 일부를 보여 줄 수 있을 것 같아. 대표적으로 △△시의 현황을 보여 줄 수 있겠지.

④  ㄷ을 활용하여 소비자들이 인터넷 쇼핑 중 겪었던 문제 상황을 보여 줄 수 있을 것 같아. 구체적 사례를 제시하면 관심도를 높일 수 있겠지.

⑤  ㄷ을 활용하여 인터넷 쇼핑 중 문제 상황이 발생한 경우 해결할 수 있는 방안 중 하나를 제시할 수 있을 것 같아. 방법과 절차는 좀 더 찾아봐야겠어.

도움말
제시한 자료가 의미하는 것이 무엇일지 분석하고, '연호'가 정리한 발표의 ❶ [　　　　]에 해당 자료를 어떻게 ❷ [　　　　]할 수 있을지 검토해 보자.

답 ❶ 주요 내용 ❷ 활용

매체 자료의 수정 및 보완

03 다음은 ㉠에 관한 발표 슬라이드이다. 슬라이드의 주제와 어울리지 않는 것은?

인터넷 쇼핑몰 이용 전,
이것만큼은 미리 따져 보자!

✔ 무조건 현금 결제를 유도하는 쇼핑몰은 의심해 본다. ············ ①
✔ 구매 후에는 일정한 기간 안에 계약을 철회할 수 있다. ············ ②
✔ 고객 게시판의 유무, 게시판에 배송 지연 및 항의 글 등이 있는지 확인한다. ············ ③
✔ 칭찬만 많은 상품평을 무조건 믿지 말고, 해당 쇼핑몰과 상품 정보를 정확히 확인한다. ············ ④
✔ 상품 세부 정보, 보증 기간, 배송 기간, 반품 및 환불 조건 등 거래 조건을 꼼꼼히 확인한다. ····· ⑤

WEEK 2

누구나 합격 전략

01~04 (가)는 학생들이 '고전 소설 UCC' 제작 준비를 위해 휴대 전화 메신저로 나눈 대화이고, (나)는 (가)를 바탕으로 '진희'가 작성한 이야기판 초안이다. 물음에 답하시오.

가

← 고전 소설 UCC 제작 대화방

진희: 얘들아, 만나기 어려우니까 영상 구성에 대해 여기서 이야기해 보자.

민수: 좋아.^^ 우리가 선택한 〈운영전〉은 남녀의 사랑 이야기인 만큼 두 인물을 중심으로 영상을 구성해야 할 것 같아.

서영: 그래. 궁녀 운영과 선비 김 진사의 만남, 그들의 비극적인 사랑을 표현해 보자.

지호: 만남 얘기가 나와서 말인데, ㉠운영과 김 진사가 처음 만날 때 운영이 자기 손에 튄 먹물 방울에 수줍어하는 모습에 나도 같이 설레더라.

진희: 나도 그 장면이 정말 인상적이었어. 그런데 안평대군은 주인공들을 만나게도 했지만 가로막기도 했잖아. 비중 있게 다뤄야 할 것 같은데, 어때?

민수: 그래. ㉡안평대군도 포함해서 소개하고 인물 소개 장면에서 설명하는 자막과 내레이션을 넣자. 그리고 전체 줄거리도 넣어야 작품을 잘 이해할 수 있지 않을까?

진희: 그럴 것 같아. 그럼 ㉢영상을 소설 제목 소개, 등장인물 소개, 줄거리 소개로 구성하는 걸로 하자.

민수: 우선 소설 제목을 소개할 때는 마주 보는 주인공의 모습을 화면에 넣자.

서영: 좋아. 그리고 ㉣소설의 비극적인 분위기를 느낄 수 있는 배경 음악을 사용하면 좋겠어. 다들 내가 보낸 음악 한번 들어 봐.

음악 파일 전송: 해금 연주.mp3

지호: 들어 보니까 정말 좋다. 줄거리 소개 부분에도 다른 배경 음악을 넣어 볼까? 전달 효과를 높이기 위해 내레이션도 넣고.

진희: 좋은 것 같아. 그런데 줄거리 소개는 어떻게 하면 좋을까?

지호: 있잖아. 줄거리는 내가 정리한 게 있는데, 다 같이 한번 볼래?

문서 파일 전송: 운영전 줄거리.txt

진희: 정리 잘했다. 이 자료 보고 내가 줄거리 소개에 쓸 장면을 골라 볼게. 아, 그리고 ㉤영상에 우리 이름도 넣어야겠지?

민수: 물론이지. 영상을 해치지 않는 선에서 넣자.

진희: 알았어. 그럼 내가 이야기판 초안을 만들어 볼게. 나중에 조언 부탁해.

나

이야기판 1 – 소설 제목 소개

[주요 내용]
- 화면 효과
  - 마주 보고 있는 두 주인공의 모습 제시
  - 만든 이 이름 제시
- 배경 음악
  : 구슬픈 해금 연주

[화면 구성]

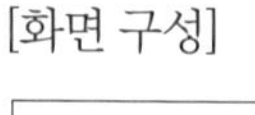

이야기판 2 – 등장인물 소개

[주요 내용]
- 화면 효과
  - 운영 → 김 진사 → 안평대군 순서로 등장
  - 자막으로 각 인물의 특징 제시
- 내레이션: 자막 내용을 구체적으로 설명

[화면 구성]

이야기판 3 – 줄거리 소개

[주요 내용]
- 화면 효과: 주요 장면을 차례대로 제시
- 배경 음악: 사랑 노랫말의 음악
- 내레이션: 각 장면에 따라 줄거리 소개

[화면 구성]

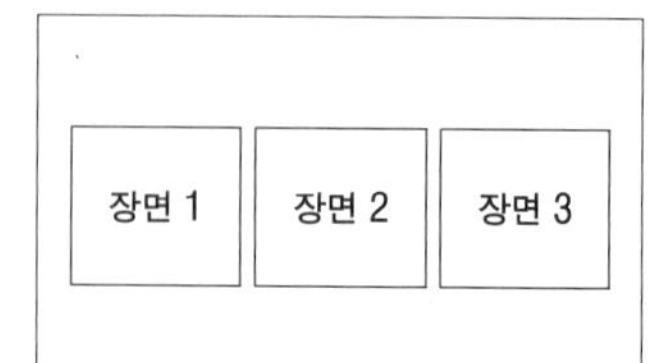

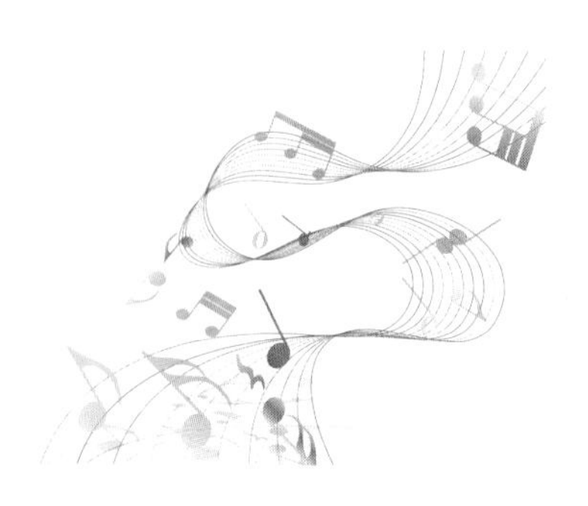

매체의 특성 이해

01 **(가)의 매체적 특성을 이해한 학생의 반응으로 가장 적절한 것은?**

①  대화 참여자들 간 자료의 공유가 어렵고, 정보 제공 속도 또한 느린 편이군.

② 문서 파일을 불특정 다수에게 전달할 수 있으므로 정보 유출에 유의해야 하는군. 

③ 시각 자료만 사용할 수 있어 청각 자료를 시각 자료로 변환해야 하는 어려움이 있군.

④ 여러 사람이 실시간으로 의사소통할 수 있어 다 같이 만나기 어려운 상황에서 사용하기 편리하군. 

⑤  실제 대화에 비해 정보의 보존이 어려워서 심도 있는 주제보다는 가볍고 일상적인 주제를 나누기에 적합하군.

매체 자료의 생산 이해

02 **㉠~㉤ 중 (나)에 구체화되지 않은 것은?**

① ㉠ ② ㉡ ③ ㉢ ④ ㉣ ⑤ ㉤

매체 자료 생산의 적절성 파악

03 **〈보기〉를 참고할 때 (나)에 대한 '진희'의 반응으로 적절하지 않은 것은?**

> 보기
>
> 매체 생산자는 매체 자료를 생산할 때 소통의 목적이 명확하게 드러나는지, 목적에 맞는 음향, 그림, 사진, 영상 등을 사용하였는지 확인해야 한다. 또한 수용자의 연령과 성별, 전달 내용에 대한 배경지식, 생산자와 수용자의 친밀 정도 등 소통의 대상이 되는 수용자를 고려하여 매체 자료를 생산하여야 한다. 그리고 매체 자료를 생산할 때 매체의 특성을 잘 활용하였는지, 내용상의 오류나 저작권의 문제 등이 없는지에 대해서도 고민하여야 한다.

① 배경 음악이 저작권을 침해하지 않는지 꼭 확인해 보아야겠군.
② 이야기판 1의 이미지가 우리가 생각한 수용자의 연령에 맞지 않으니 수정해야겠군.
③ 소설의 줄거리에 맞게 이야기판 3에 쓸 주요 장면을 잘 골라 넣었는지 확인해 보아야겠군.
④ UCC의 내용이 〈운영전〉의 인물과 줄거리를 소개한다는 목적에 충실한지 점검해 보아야겠군.
⑤ 〈운영전〉에 대한 감상을 다른 사람들과 실시간으로 나누고 싶다면 UCC를 쌍방향 소통이 가능한 매체에 공유해야겠군.

매체 자료의 수정 및 보완

04 **다음은 (나)에 대한 검토 내용을 정리한 것이다. 이를 바탕으로 (나)를 수정하기 위한 방안으로 적절하지 않은 것은?**

〈이야기판 검토 결과〉

이야기판 1	소설의 인상적인 장면을 부각해 줄 부제가 필요함.
	만든 이 이름이 부각되지 않음.
이야기판 2	웃는 얼굴의 운영은 소설의 비극적인 분위기와 어울리지 않음.
이야기판 3	세 장면만으로는 〈운영전〉의 줄거리를 구체적으로 표현하기 어려우므로 장면 수를 늘려야 함.
	노랫말이 내레이션을 방해함. 또한 줄거리 내용 전개에 따라 분위기가 달라지므로 배경 음악을 세분화하여 삽입해야 함.

① 이야기판 1에 '먹물 한 방울로 이어진 만남'이라는 부제를 삽입한다.
② 이야기판 1에 제시한 만든 이 이름을 삭제하고, 이야기판 3의 장면이 완료된 이후 마지막 화면에 단독으로 만든 이 이름을 제시한다.
③ 이야기판 2에서 운영의 이미지를 슬퍼하며 눈물을 흘리는 모습으로 교체한다.
④ 이야기판 3의 주요 장면을 6개로 늘려서 줄거리를 좀 더 구체적으로 표현할 수 있도록 구성한다.
⑤ 이야기판 3의 운영과 김 진사의 첫 만남 장면에서는 무겁고 느린 분위기의 음악을, 둘의 사랑이 비극적으로 흘러가는 장면에서는 부드럽고 잔잔한 분위기의 음악을 삽입한다.

05~08 (가)는 인터넷 신문이고, (나)는 라디오에서 방송한 대담이다. 물음에 답하시오.

가

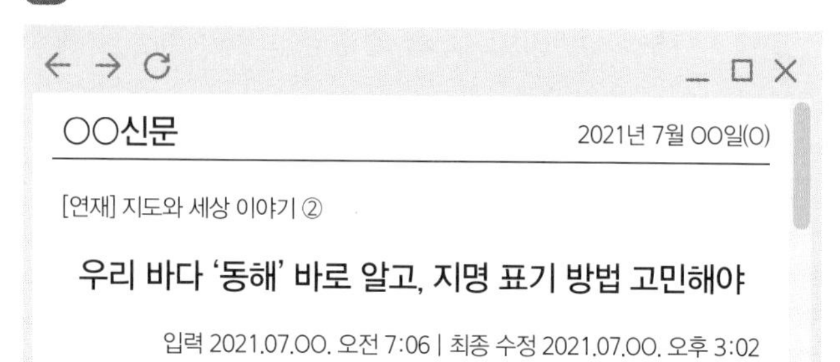
OO신문 2021년 7월 OO일(O)

[연재] 지도와 세상 이야기 ②

우리 바다 '동해' 바로 알고, 지명 표기 방법 고민해야

입력 2021.07.OO. 오전 7:06 | 최종 수정 2021.07.OO. 오후 3:02

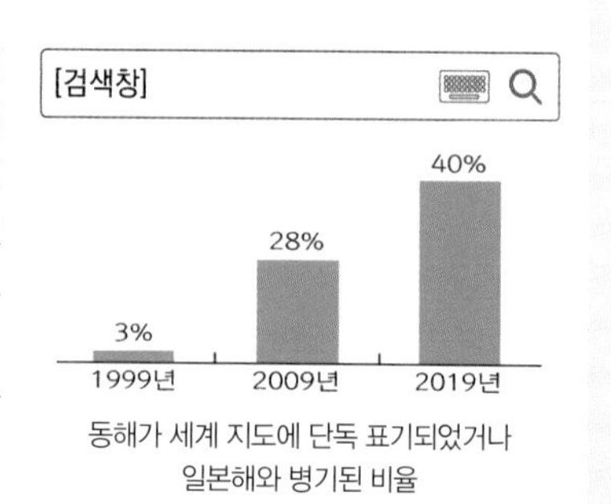

동해가 세계 지도에 단독 표기되었거나 일본해와 병기된 비율

동해가 세계 지도에 단독 표기되었거나 일본해와 병기된 비율이 예전에 비해 크게 늘었지만, 여전히 세계 지도상에는 일본해로 표기된 경우가 많다. 기록을 살펴보면 동해는 우리 민족사에서 단순히 '동쪽 바다'만 의미하지 않았고, 해가 뜨는 바다로서 신성함과 기원의 대상이었다. 또한 《고려사》에는 왕건이 고려 건국의 당위성을 설명하는 글에서 "동해의 끊어진 왕통을 이어 나가게 하는 것이다."라고 말한다. 왕건이 말한 동해는 고구려를 일컫는 것으로 이는 동해가 국호와도 같은 뜻으로 사용되었음을 보여 준다.

현재 동해의 영문 표기는 'EAST SEA'이다. 여기에는 우리 민족이 간직한 동해에 대한 정서는 없고, 단순히 동쪽에 자리한 바다만을 가리킬 뿐이라는 지적이 있다. 그래서 ㉠ <u>한국인이 사용하고 있는 토착 지명인 동해를 사용하여 영문 표기를 'DONG HAE'로 해야 한다</u>는 것이다.

김△△(◇◇박물관장) 인터뷰 동영상

동해의 이름 되찾기 연구를 지속해 온 김△△(◇◇박물관장)은 동해의 지명 표기를 'DONG HAE/EAST SEA'로 해야 한다고 주장한다. 'DONG HAE/EAST SEA'로 표기하는 것은 우리 민족의 의식 속에 자리한 동해의 의미를 부각하면서, 우리 정부가 그동안 동해를 'EAST SEA'라고 주장했던 외교적 원칙을 지키는 방법이 될 수 있을 것이다.

㉡ <u>지명은 담고 있는 의미가 사용하는 사람의 의식에 각인된다는 점에서 중요하다</u>. 그러므로 일본해가 아닌 우리 바다 '동해'를 세계 지도상에 올바르게 표기하고, 이를 널리 알리기 위한 노력을 지속해야 한다.

최□□ 기자(news@ooo.com)

[관련된 뉴스]

▶ 동해 표기의 역사, 우리 정부와 시민 단체의 노력

▶ 국제 수로 기구, 동해나 일본해 대신 고유 번호 표기 논의

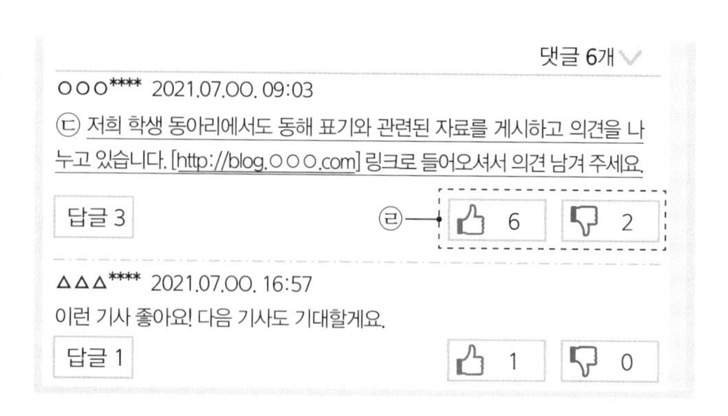
댓글 6개

ㅇㅇㅇ**** 2021.07.OO. 09:03

㉢ <u>저희 학생 동아리에서도 동해 표기와 관련된 자료를 게시하고 의견을 나누고 있습니다. [http://blog.ㅇㅇㅇ.com] 링크로 들어오셔서 의견 남겨 주세요.</u>

답글 3 ㉣ 👍 6 👎 2

△△△**** 2021.07.OO. 16:57

이런 기사 좋아요! 다음 기사도 기대할게요.

답글 1 👍 1 👎 0

나

진행자: (12시 정각을 알리는 음향 신호) 안녕하세요. 여러분은 12시 현재, '생방송 뉴스를 듣다'를 청취하고 계십니다. 오늘은 '지도와 세상 이야기'라는 연재 기사를 쓰고 있는 최□□ 기자를 모시고 기사에 대한 이야기를 들은 후, 동해의 지명 표기 방법에 대해 대화를 나눠 보겠습니다. 최 기자님, 어제 신문에 두 번째 연재 기사가 나갔습니다. 그것이 동해의 지명에 대한 내용이었지요?

기자: 맞습니다. 동해는 우리 민족사에서 남다른 의미가 있음에도 불구하고 세계 지도에 일본해로 표기되거나, 단순히 방위의 개념을 표현한 지명으로만 알려져 있는 경우가 많아 안타까웠습니다. 기사를 통해 독자들이 동해에 대해 바르게 알 수 있도록 기획한 것입니다.

진행자: 그렇군요. 그런데 방금 청취자께서 누리집 게시판을 통해 질문해 주셨네요. "세계 지도에 우리 동해가 일본해로 표기되기 시작한 이유가 무엇인가요?"라는 내용입니다. 이런 질문을 다른 분들도 많이 해 주셨는데, 혹시 이렇게 표기하게 된 역사적 사건이 있었나요?

기자: 네. 1919년 국제 수로국을 창설하기로 결의한 후, 1923년 국제 수로국 회의에서 일본이 동해의 명칭을 일본해로 등록한 일이 있었습니다. 이것이 국제적으로 고착된 것이지요.

진행자: 잠시 안내 말씀 드리겠습니다. 이번 방송은 동해의 지명 표기 방법에 대한 내용을 중점적으로 다룰 예정이었습니다. 하지만 긴급 뉴스 속보가 들어온 관계로 오늘은 여기서 마무리하겠습니다. 따라서 ㉤ <u>오늘 못 다한 이야기는 누리집의 다시 듣기 서비스에 올리도록 하겠습니다.</u> 고맙습니다.

매체의 특성 이해

05 (가)와 (나)에 대한 설명으로 적절하지 않은 것은?

① (가)는 기사에 대한 수용자의 반응을 생산자가 직접 확인할 수 있다.
② (가)는 문자, 그래프, 영상 등 복합 양식으로 구성되어 있어 수용자가 기사 내용을 쉽게 이해할 수 있다.
③ (가)는 기사와 연관된 다른 기사를 열람할 수 있어 수용자의 선택에 따라 정보를 추가로 확인하기 용이하다.
④ (나)는 현장을 생생하게 전달하고 있으므로 정보의 현장감이 높다.
⑤ (나)는 음성과 영상을 함께 사용하여 질적 신뢰도가 높은 정보를 효과적으로 제공한다.

매체의 유형과 특성 파악

06 〈보기〉는 (가)를 본 학생이 만든 인쇄 광고이다. 〈보기〉를 (가), (나)와 비교한 내용으로 적절하지 않은 것은?

보기

① 〈보기〉는 정보의 양이 많은 (가)와 달리 핵심 내용을 짧은 문구로 제시하고 있다.
② 〈보기〉는 매체 자료의 생산이 일방향적으로 이루어지지만, (가)는 매체 자료의 생산과 수용이 쌍방향적으로 이루어진다.
③ 〈보기〉는 생산자의 주장만을 전달하고 있는 반면, (가)는 생산자의 주장과 이를 뒷받침하는 근거까지 함께 전달하고 있다.
④ 〈보기〉는 청각적 요소만을 사용하는 (나)와 달리 시각적 요소를 사용하여 정보를 효과적으로 전달하고 있다.
⑤ 〈보기〉는 생산자인 학생이 하나의 주장을 제시하고 있는 반면, (나)는 생산자인 진행자와 기자가 대담을 통해 서로 상이한 주장을 제시하고 있다.

매체의 정보 구성 방식 파악

07 다음은 (가)와 (나)의 매체 정보 구성 방식에 대해 평가한 내용이다. 적절하지 않은 것은?

정보 구성의 주체	• (가)는 수용자가 응답한 설문 조사 결과를 토대로 한 그래프를 활용하고 있다는 점에서, 수용자들이 정보를 주체적으로 구성하고 있음을 알 수 있다. ………… ① • (나)는 수용자의 질문에 대해 생산자가 답변하면서 정보를 제공하고 있다는 점에서, 수용자들이 정보 구성에 주체적으로 참여하고 있음을 알 수 있다. ………… ②
정보의 성격	(가)와 (나) 모두 세계 지도상에 '동해'가 일본해로 표기된 경우가 많다는 사회적 문제를 다루고 있다는 점에서, 시의성 있는 정보로 구성되어 있음을 알 수 있다. ………… ③
정보의 양과 질	• (가)는 그래프, 역사적 근거, 전문가의 인터뷰 동영상 등 다양한 자료를 활용하여 정보를 전달하고 있다는 점에서, (나)에 비해 많은 정보를 담고 있음을 알 수 있다. …… ④ • (나)는 긴급 뉴스 속보로 인해 정보를 제대로 전달하지 못하고 있다는 점에서, (가)에 비해 정보의 양과 질이 부족하다. ……… ⑤

매체 자료 수용의 적절성 파악

08 ㉠~㉤에 대한 수용자의 반응으로 가장 적절한 것은?

① ㉠: 신문 기사라 주장이 타당하고 합리적이므로 이견 없이 수용해도 되겠군.
② ㉡: 매체의 소통 목적을 고려할 때 기사의 내용과 무관한 불필요한 부분이군.
③ ㉢: 댓글 작성자는 매체 자료의 수용자이자 또 다른 생산자임을 알 수 있군.
④ ㉣: 기사 내용에 대한 다른 수용자들의 선호도를 시각적으로 볼 수 있군.
⑤ ㉤: 생산자의 음성을 바탕으로 하는 매체이므로 시간이 지나면 정보가 사라진다는 한계가 있군.

WEEK 2

창의·융합·코딩 전략 ①

01~02 (가)는 학생들이 학생회장 후보자 홍보 동영상 제작 준비를 위해 휴대 전화 메신저로 나눈 대화이고, (나)는 (가)를 바탕으로 작성한 이야기판이다. 물음에 답하시오.

가

학생회장 후보자 지원단 대화방(5명)

경호: 얘들아, 대화방 열었어. 서로 즉각적으로 의견을 나눌 수 있고 대화 내용이 남아 있어 그 내용을 참고하며 의견을 나눌 수도 있어서 좋을 것 같아.

한신: 학생회장 후보자 홍보 동영상 제작에 대해 이야기하자는 거지?

경호: 응, 맞아. 의견 줄래?

소희: 누리 소통망에 올릴 홍보 동영상은 우리의 슬로건인 '소통과 화합'을 잘 강조할 수 있어야 할 것 같아. 전에 만든 포스터에서는 그게 잘 드러나지 않아서 아쉬웠어.

연주: 좋은 생각이야.

한신: 누가 이야기판 만들래? 나한테 이야기판 양식이 있어. 공유할게.

파일 전송: 이야기판 양식.hwp(15.0KB)

지섭: 내가 이야기판을 만들어 볼게. 그럼 지금부터 동영상을 어떻게 구성할지 의견을 줘.

경호: 학생회장 후보를 소개할 때 후보자의 힘찬 발걸음을 부각할 수 있는 배경 음악을 삽입하자.

소희: 슬로건인 '소통과 화합'이 잘 드러나도록 내용을 나누어 구성하되, 슬로건은 일관되게 노출하자.

연주: 소통 장면에서는 경청하는 태도를, 화합 장면에서는 여럿이 함께하는 모습의 영상을 보여 주도록 하자. 이때 공약 사항을 자막으로 제시하고, 내레이션으로 자막 내용에 대해 설명해 주자.

경호: 공약 사항을 자막으로 제시할 때 주의를 환기하기 위해 효과음을 넣자.

한신: 학교에 바라는 점을 말하는 인터뷰를 제시하고, 인터뷰의 핵심 내용을 나타내는 말들을 자막으로 추가하자.

지섭: 좋아. 잘해 볼게. ┌(^^)┘

나

장면		장면 설명
S#1	소통과 화합	(상단에 일관되게 슬로건 제시) 학생들과 함께, 후보자가 힘찬 발걸음으로 등교한다. [배경 음악] 밝고 역동적인 느낌 [자막] 기호 ×번 김□□와 함께 새로운 학교생활이 시작됩니다.
S#2	소통과 화합	후보자가 귀 옆에 양손을 가져다 댄다. [효과음] (자막이 나올 때) 빠밤 [자막] 학급별 소통함 제작 [내레이션] 여러분의 목소리를 귀 기울여 듣겠습니다.
S#3	소통과 화합	세 학생이 어깨동무를 한다. [효과음] (자막이 나올 때) 빠밤 [자막] 한마음 축제 개최 [내레이션] 축제를 통해 하나가 되는 ○○고를 만들겠습니다.
S#4	소통과 화합	학교에 바라는 점을 말하는 한 학생의 인터뷰를 제시한다. [자막] 1. 학생의 의견이 잘 반영되는 학교 원해. 2. 소외되는 사람이 없는 학교 원해.
S#5	소통과 화합 투표함	투표하는 손을 보여 준다. [자막] 당신의 한 표를 기호 ×번에 행사하세요.

01 〈보기〉를 참고하여 (나)에 대해 보인 반응으로 적절하지 않은 것은?

> **보기**
>
> 동영상은 음성과 영상을 활용하는 매체로서의 특성을 지닌다. 또한 문자, 이미지, 소리 등 다양한 요소를 함께 활용하여 의미를 구성하는 복합 양식성을 띠고, 이를 통해 주제를 효과적으로 전달한다.
>
> 이때 문자는 음성으로 전달하기 어려운 내용을 대신 전달하기도 하고 혹은 생산자가 중요하다고 생각하는 정보를 강조하기 위해서 활용되기도 한다. 또한 음성 외에 배경 음악이나 효과음 등을 활용하여 정보를 생생하게 전달하거나 강조할 수도 있고, 특정한 분위기를 형성할 수도 있다.

①  S#1에서 밝고 역동적인 느낌의 배경 음악을 삽입한 것은 후보자에 대한 좋은 인상을 심어 줄 수 있는 분위기를 형성하는 역할을 하겠군.

② 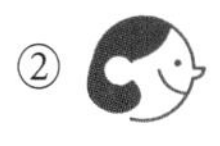 S#2와 S#3에서 자막이 나올 때 효과음을 활용한 것은 정보를 강조하여 전달하는 역할을 하겠군.

③  S#2와 S#3에서 자막과 내레이션을 함께 활용한 것은 문자와 음성을 동시에 활용하여 주제를 효과적으로 전달하는 역할을 하겠군.

④ 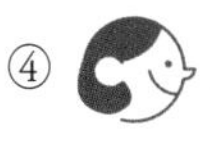 S#4에서 인터뷰 영상에 자막을 활용한 것은 인터뷰 참여자의 음성 없이 정보를 효과적으로 전달하는 역할을 하겠군.

⑤  S#1~S#5에서 문자를 통해 슬로건을 일관되게 노출한 것은 중요하다고 생각하는 정보를 강조하기 위해서겠군.

도움말

〈보기〉에서 설명하는 ❶ [ ] 매체의 특성을 바탕으로 동영상 ❷ [ ]의 구성 의도를 이해해 보자.

답 ❶ 동영상 ❷ 이야기판

02 다음은 (나)에 대한 검토 의견 중 일부이다. 이를 바탕으로 추가할 장면으로 가장 적절한 것은?

> **소희**: 얘들아, 동영상 이야기판을 보면서 우리가 만들 동영상을 머릿속으로 그려 봤는데, 마지막 장면이 좀 안 어울린다는 생각이 들어.
>
> **연주**: 나도 느끼긴 했는데, 그래도 학생회장 후보자 홍보 동영상이니까 마지막은 우리 후보자에게 투표해 달라는 내용으로 끝나야 하지 않을까?
>
> **한신**: 마지막 장면이 필요하기는 한데 안 어울린다면 연결이 부자연스러운 게 아닐까? 내용 흐름이 자연스럽게 S#4와 S#5 사이에 한 장면을 추가하는 건 어때?
>
> **지섭**: 좋아. 그러면 S#4와 S#5 사이에 들어갈 장면과 필요한 요소 등을 구체적으로 고민해 보자.

	장면	장면 설명
①		후보자가 화면 중심에 등장한다. [효과음] (후보자가 등장할 때) 빠밤 [자막] 제가 생각하는 좋은 학교는?
②		학교 전체 모습을 조망할 수 있도록 드론으로 촬영한 학교 모습을 제시한다. [내레이션] 여러분의 행복한 학교생활을 책임지겠습니다.
③		학생회장에게 바라는 점을 말씀하시는 선생님의 인터뷰를 제시한다. [자막] 선생님들과도 소통하며, 선생님과 학생을 연결해 주는 학생회장 원해.
④		후보자가 인터뷰한 학생을 포함한 친구들과 손을 잡고 서 있다. [내레이션] 여러분이 바라는 학교를 함께 만들어 갈 기호 ×번 김□□입니다.
⑤		학교에서 관리가 필요한 곳의 모습을 화면 분할로 3군데 정도 제시한다. [내레이션] 학교 구석구석을 살피는 학생회장이 되겠습니다.

창의·융합·코딩 전략 ②

(가)와 (나)는 인터넷 신문이다. 물음에 답하시오.

가

ㅇㅇ일보 2020년 5월 00일(0)

교통안전 중요성 인식 … 패러다임의 전환

지난 4월부터 시행된 '안전속도 5030' 정책은 보행자 안전을 위하여 도로의 기본 제한 속도를 주요 도로는 시속 50㎞ 이내, 이면도로는 시속 30㎞ 이내로 조정한 정책이다. 오래전부터 그 필요성이 제기되었고, 관계 기관의 여러 연구를 거쳐 시행되었다.

우리나라의 교통사고 사망자 수는 2000년 이후부터 시민 의식이 향상되며 감소하기 시작했다. 그러나 2019년 한국교통안전공단에 따르면 우리나라 보행자 사망 비율은 39.7%로 OECD 회원국 평균 19.7%에 비해 2배가 넘는다. OECD 회원국 37개국 중 31개국이 도심부 제한 속도를 시속 50㎞로 설정하고 있으며, 우리나라보다 빨리 제한 속도를 줄인 호주는 25%, 덴마크와 독일은 각각 24%와 20%씩 사고가 줄었다는 점에서 우리에게도 필요성이 큰 정책이라 할 수 있는 것이다.

많은 운전자들은 '안전속도 5030' 정책을 규제로 인식하지만 이 정책의 목적은 도심의 차량 운행 속도 자체를 낮추는 데 있다. 속도를 줄이면 운전자의 시야가 넓어져 위험 상황을 더 잘 인지해 사고를 예방할 수 있고, 사고가 나더라도 충격량이 줄어 심각한 사고로 이어질 가능성이 줄어든다. 시속 10㎞만 줄어도 보행자가 중상을 입을 확률이 92.6%에서 72.7%로 약 20%p 감소한다는 연구 결과도 있다. '속도 운전'에서 '안전 운전'으로, '차량 중심'에서 '사람 중심'으로 인식의 전환이 이루어지길 기대한다.

나

더스쿠프 2020년 5월 13일(목)

안전속도 제한 옳지만 … 그럼에도 고민할 맹점

지난 4월 17일 '안전속도 5030' 정책이 전국적으로 시행됐다. 이제부터 도심의 주요 도로는 시속 50㎞ 이내, 이면 도로는 시속 30㎞ 이내로 운전해야 한다. 그런데 정책을 시행하자마자 운전자들의 불만이 터져 나오고 있다. 뻥 뚫린 도로를 정책 때문에 천천히 달려야 하느냐는 것이다. 정책 시행을 빌미로 한 단속이 늘어났다는 푸념도 많다.

지난해 국내 교통사고 사망자는 3,079명이나 됐다. OECD 회원국과 비교해도 우리나라의 교통사고 사망자는 여전히 많다. 이런 면에서 '안전속도 5030' 정책의 의미는 크다.

그러나 개선해야 할 점도 많다. 첫째, 지능형 교통 시스템을 구축하여 시속 50km의 속도로 움직여도 앞의 신호가 차량의 흐름에 맞게 녹색으로 바뀌어야 한다. 그래야 운전 시간이 길어졌다는 불만을 잠재울 수 있다. 둘째, 도로의 특성을 반영하여 정책을 합리적으로 운용해야 한다. 중앙 분리대가 설치되어 있고, 갓길과 차도 폭이 여유가 있는 곳에서는 속도를 높여도 안전한 운행과 보행자 보호가 가능하다. 따라서 이런 도로의 운행 속도는 현실적으로 높여서 차량 운행의 융통성을 발휘할 필요가 있다. 셋째, 대국민 홍보와 캠페인을 강화해야 한다. 정책을 시행했다고 해서 무작정 단속을 늘리기보다 좋은 정책이 잘 정착되도록 긍정적인 부분을 국민에게 적극적으로 알리려는 노력이 필요하다.

03 (가)와 (나)에 대한 이해로 적절하지 <u>않은</u> 것은?

①  (가)와 (나)는 모두 우리나라 교통사고 현황과 관련하여 새로 시행된 정책의 필요성을 인정하고 있다.

②  (가)는 정책 시행의 긍정적인 부분을 강조하고 있고, (나)는 정책 시행의 문제점을 고민해야 함을 강조하고 있다는 점에서 차이가 있다.

③  (가)는 정책의 시행을 통하여 이룰 수 있는 점을 수치 자료를 활용하여 제시하고 있고, (나)는 정책이 제대로 시행되기 위하여 개선해야 할 점들을 제시하고 있다.

④  (가)의 관점에서 살펴보면 (나)에서 제시한 운전자들의 불만은 인식의 전환을 통해 해소되어야 할 것이라 할 수 있다.

⑤  (나)의 관점에서 살펴보면 (가)에서 제시한 정책 시행에 따른 이점들을 얻기 위해서는 단속을 통하여 정책이 원칙적으로 시행되도록 주의를 기울여야 할 것이라 할 수 있다.

도움말

두 기사가 '안전속도 5030' 정책에 대해 각각 어떤 ❶[　　]을 가지고 있는지 생각해 보고, 두 기사의 작성 ❷[　　]과 의도를 파악해 봐.

답 ❶ 관점 ❷ 목적

✎ (가)는 텔레비전 방송 뉴스이고, (나)는 신문 기사이다. 물음에 답하시오.

가

[장면 1] 	진행자: 포털 사이트에서 정보를 검색하는 경우 많으시죠? 국내 유명 포털 사이트에서 제공하는 검색어 제안 기능이 본래 목적대로 이용되고 있지 않다는 제보가 최근 급증하고 있습니다. ㉠ 이 소식을 유□□ 기자가 전해 드립니다.
[장면 2] 	기자: 검색어 제안 기능은 전체 이용자의 검색 횟수를 기반으로 한 알고리즘에 바탕을 두고 있습니다. 그런데 이 점을 악용하는 사례가 있다고 합니다. ㉡ 어떤 방식인지 알아보겠습니다.
[장면 3] 	IT 전문가: 이렇게 검색창에서 특정 단어를 검색한 후 특정 업체명을 검색하겠습니다. 이 작업을 수천 회 반복하면 특정 단어를 검색할 때 특정 업체가 검색어로 제안될 수 있습니다.
[장면 4] 	기자: 검색어 제안 기능은 이용자에게 편의를 제공하기 위한 포털 사이트의 서비스입니다. 하지만 최근 대가를 받고 검색어 제안 기능에 특정 업체명이 제시되도록 하여 업무 방해죄로 처벌받은 경우도 있었습니다.
[장면 5]	포털 사이트 관계자: 비정상적 방법에 의해 검색어가 제안되는 경우가 발생하지만, 차단 시스템을 주기적으로 업그레이드하여 해당 결과를 제외하고 있습니다.
[장면 6] 	기자: 검색어 제안 기능이 본래 목적대로 운영되지 못하고 상업적인 목적으로 악용되고 있는 사례가 발생하고 있습니다. ㉢ 이용자들의 주의가 필요한 때입니다.

나

6면 2021년 X월 X일 화요일 **사 회** 제1210호 ☆☆신문

'검색어 제안 기능'에 대한 토론회 열려
규제 강화에 대한 입장 차이 확인

최근 포털 사이트의 '검색어 제안 기능'에 대한 사회적 논의가 필요하다는 목소리가 높다. 지난 9일 ◎◎기관의 주관으로 검색어 제안 기능에 대한 토론회가 열렸다.

토론회에 참여한 언론 정보 전문가는 검색어 제안 기능을 통해 이용자가 편리하게 자신이 원하는 정보에 접근할 수 있으므로 규제를 최소화해야 한다는 입장을 보였다. 법에 저촉되지 않는다면, 검색어 제안 기능의 운영은 그 주체인 포털 사이트가 자율적으로 결정할 수 있는 영역이라고 보았다.

한편 시민 단체 대표는 최근 부정한 방법에 의해 검색어가 제안됨으로써 이용자들이 피해를 입는 사례가 빈번하게 발생하고 있어 검색어 제안 기능에 대해 규제를 강화해야 한다는 입장을 보였다. ㉣ 또한 선량한 이용자가 입을 수 있는 피해를 예방할 필요가 있다고 말했다.

㉤ 토론회를 방청한 한 시민은 "자율성과 공익적 가치가 균형과 조화를 이룰 수 있도록 다양한 목소리가 고려되면 좋겠습니다."라고 의견을 밝혔다.

윤OO 기자 oooo@OOO.co.kr

04 (가)와 (나)의 언어적 특성을 고려할 때, ㉠~㉤에 대한 설명으로 가장 적절한 것은?

① ㉠: 대용 표현을 사용하여 문제의 해결 가능성을 압축적으로 설명하고 있다.
② ㉡: 미래 시제를 나타내는 표현을 사용하여 기대 효과를 제시하고 있다.
③ ㉢: 청유형 문장을 사용하여 보도 내용과 관련한 수용자의 행동 변화를 유도하고 있다.
④ ㉣: 접속 표현을 사용하여 기사 내용의 흐름을 전환하고 있다.
⑤ ㉤: 인용 표현을 사용하여 토론회에 다녀온 시민의 견해를 직접 제시하고 있다.

도움말
각 선지에서 제시하고 있는 ❶ ______을 확인하고, 해당 표현이 ㉠~㉤에 ❷ ______되어 있는지 확인해 봐.
답 ❶ 언어 표현 ❷ 반영

후편 마무리 전략

핵심 한눈에 보기

국어사

고대 국어 우리말을 표기할 고유 문자가 없었기 때문에 한자의 음과 뜻을 빌려 차자 표기를 함.
- 고유 명사의 표기, 서기체 표기, 이두, 구결, 향찰

중세 국어

음운상 특징

- 현대 국어에서 쓰이지 않는 자음 'ㅸ, ㅿ, ㆆ, ㆁ'과 모음 'ㆍ'가 있었음.
- 단어의 첫머리에 둘 이상의 자음이 오는 어두 자음군이 있었음.
- 모음 조화가 비교적 잘 지켜지는 편이었음.
- 방점을 찍어 소리의 높낮이를 나타내는 성조를 표시하였음.

표기상 특징

- 8종성법: 어말에 적을 수 있는 받침을 여덟 글자로 제한함.

- 이어 적기(연철): 앞말의 받침을 뒤의 조사나 어미의 초성에 이어 적음.

문법상 특징

- 주격 조사로 '이'만 쓰였으며, 환경에 따라 다른 형태로 실현되었음.
- 주체 높임법, 객체 높임법, 상대 높임법이 있었음.

어휘상 특징

- 지금은 사라진 고유어가 많이 쓰임. 예 ᄀᆞ롬[江]
- 중국어가 귀화하여 고유어처럼 쓰임. 예 사탕[砂糖]
- 몽골어, 여진어에서도 어휘가 유입됨. 예 보라매

근대 국어

음운상 특징

- 'ㅿ'이 소실되었으며, 'ㆁ'은 종성에서만 실현되고 글꼴이 'ㅇ'으로 변함. 'ㆍ'도 점차 소실됨.
- 성조가 사라지면서 방점 표기도 사라짐.
- 구개음화 현상이 점진적으로 나타남.

표기상 특징

- 7종성법: 8종성법에서 'ㄷ'이 빠지고 'ㆁ'이 'ㅇ'으로 바뀜.
- 거듭 적기(중철): 앞 음절의 받침을 거듭해 뒷말의 초성으로 적음.

문법상 특징

- 주격 조사 '가'가 사용되기 시작함.

- 객체 높임 선어말 어미 '-ᄉᆞᆸ/ᄌᆞᆸ/ᅀᆞᆸ-'이 점차 쓰이지 않게 됨.

어휘상 특징

- 고유어가 한자어로 많이 대체됨. 예 ᄀᆞ롬 → 강
- 어휘의 의미 변화가 많이 일어남.

예

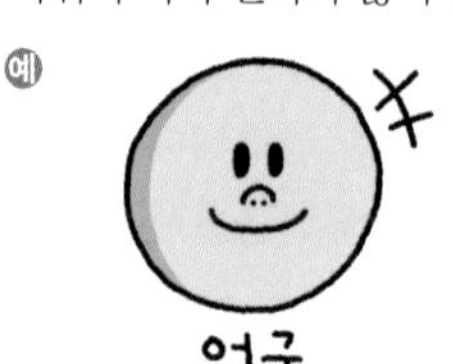

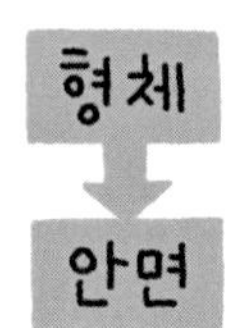

매체

매체 의사소통과 정보 전달의 다양한 수단 혹은 경로 → 대표적인 의사소통 매체: 음성과 문자

매체별 특성

인쇄 매체

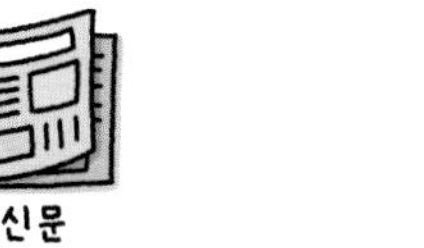

- 대중 매체의 시작과 발달을 이끈 매체
- 문자 언어를 중심으로 사진, 그림 등의 시각적 이미지를 활용하여 메시지를 전달함.

음성·영상 매체

- 20세기를 대표하는 대중 매체로 전자 기술의 발달에 따라 등장함.
- 소리, 음성, 문자, 이미지, 영상을 함께 전송함.

뉴 미디어

- 인터넷과 이를 기반으로 한 다양한 디지털 형식의 매체
- 음성과 문자 메시지, 화상 통화 등 다양한 매체적 속성을 활용한 의사소통이 이루어짐.

매체에 따른 정보 유통 방식

정보 제공의 속도 책 < 신문 < 라디오, 텔레비전, 인터넷

정보 제공의 개방성 정도 책, 종이 신문 < 라디오, 텔레비전, 인터넷

정보 소통의 방향성

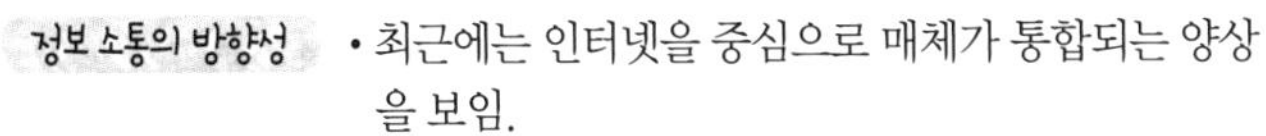

- 최근에는 인터넷을 중심으로 매체가 통합되는 양상을 보임.
  → 신문과 텔레비전의 정보가 쌍방향으로 활발히 소통되는 경향이 나타남.
- 여러 매체의 기능을 갖춘 휴대 전화는 다양한 유형의 정보가 빠르게 소통되는 특성을 지님.

매체 언어 매체를 통해 실현되는 언어로, 문자, 음성, 소리, 이미지, 영상 등을 결합하여 의미를 생성함.

매체 언어의 창의적 표현

구분	내용
언어 표현을 통한 매체 언어의 창의성	동음이의어, 발음의 유사성, 대구와 비유, 어법에 맞지 않는 표현 등 다양한 방법을 활용하여 내용을 창의적으로 전달함.
복합 양식성을 고려한 매체 언어의 창의성	언어 요소, 청각 요소, 몸짓 요소, 시각 요소 등의 상호 작용을 고려하여 복합 양식성을 드러내며, 카메라의 움직임과 구도, 화면 편집 등을 통해 매체 언어의 창의성을 드러냄. → 뉴 미디어에서는 복합 양식성이 두드러지게 나타남.

신유형·신경향 전략

✿ 언어 영역에서는 지문이나 〈보기〉를 통해 개념이나 사례를 제시하고 국어 사용에 적용하는 문제가 주로 출제됩니다. 매체 영역에서는 다양한 매체 자료를 제시하고 각 매체의 특성을 파악하고 있는지, 두 자료를 비교할 수 있는지를 묻는 문제가 주로 출제됩니다. 언어와 매체 통합 지문에서는 다양한 매체 자료에 언어의 특성이 어떻게 반영되어 나타나는지 파악해 보는 문제가 자주 출제됩니다.

01~02 다음 글을 읽고 물음에 답하시오.

사동 표현은 주어가 남에게 동작을 하도록 시키는 뜻을 나타내는 것으로, 파생적 사동과 통사적 사동으로 구분될 수 있다. 15세기 국어에서의 사동 표현을 살펴보면 우선 파생적 사동은 주동사에 사동 접사 '-이-, -히-, -기-, -오/우-, -호/후-, -ᄋᆞ/으-' 등이 붙어 만들어졌다. 다만 '걷다'와 같은 ㄷ 불규칙 용언에 '-이-'가 결합될 때에는 어간 '걷-'의 받침 'ㄷ'이 'ㄹ'로 바뀌어 '걸이다'[걸리다]로 쓰였다. 한편 현대 국어의 '-게 하다'에 해당하는 통사적 사동도 있었다. 이때 보조적 연결 어미는 '-게/긔'가 주로 쓰였는데, 모음이나 자음 'ㄹ'로 끝나는 어간 뒤, 혹은 '이다'의 '이-' 뒤에서는 '-에/의'로도 쓰였다. '얻게 ᄒᆞ다'[얻게 하다]는 '얻-'에 '-게 ᄒᆞ다'가 결합된 통사적 사동의 예이다.

피동 표현은 주어가 남에 의해 동작을 당하게 되는 뜻을 나타내는 것으로, 파생적 피동과 통사적 피동으로 구분될 수 있다. 15세기 국어에서의 피동 표현을 살펴보면 우선 파생적 피동은 능동사에 피동 접사 '-이-, -히-, -기-'가 붙어 만들어졌다. 한 가지 특이한 점은 피동 접사 앞 자음이 'ㄹ'이면 '-이-'에 연음되어 쓰였을 법하지만, 'ㄹ'은 연음되지 않았다. 또 능동사가 그대로 피동사로 쓰이는 경우도 있었다. 이러한 동사를 중립 동사라고 하는데, 15세기 국어에는 많은 중립 동사가 존재하였다. 한편 15세기 국어의 통사적 피동은 보조적 연결 어미 '-아/어'와 보조 동사 '디다'가 결합한 '-아/어디다'에 의해 실현되었으나, 현대 국어에 비해서는 드물게 나타났다.

01 〈보기〉의 사동 표현에서 ⓐ~ⓓ를 탐구해 얻은 결과로 적절하지 않은 것은?

보기
- 사ᄅᆞᄆᆞᆯ ⓐ알의(알-+-의) ᄒᆞᄂᆞᆫ 거시라
  [사람을 알게 하는 것이라]
- 風流를 ⓑ들이(듣-+-이-)ᄉᆞᆸ더니
  [풍류를 들리더니]
- ᄒᆡ마다 數千人을 ⓒ사ᄅᆞ(살-+-ᄋᆞ-)니
  [해마다 수천 인을 살리니]
- 서르 ᄧᆞᆨ ⓓ마촐씨니(맞-+-호-+-ㄹ씨니)
  [서로 짝 맞출 것이니]

①  ⓐ에서는 'ㄹ'로 끝나는 어간 뒤에 보조적 연결 어미 '-의'가 결합되었군.

②  ⓑ에서는 사동 접사가 결합될 때 어간 받침 'ㄷ'이 'ㄹ'로 바뀌었군.

③  ⓑ를 통사적 사동으로 바꾸어 표현하면 '드데 ᄒᆞ'로 나타낼 수 있겠군.

④  ⓒ는 '-ᄋᆞ-'가, ⓓ는 '-호-'가 동사 어간에 결합하여 만들어진 파생적 사동이겠군.

⑤ ⓒ, ⓓ에는 현대 국어에서 사용되지 않는 형태의 사동 접사가 결합되었군.

02 〈보기〉의 피동 표현에서 ⓐ~ⓓ를 탐구해 얻은 결과로 적절하지 않은 것은?

보기
- 東門이 도로 ⓐ다티고
  [동문이 도로 닫히고]
- 獄門이 절로 ⓑ열이고
  [지옥문이 절로 열리고]
- 뫼해 살이 ⓒ박거늘
  [산에 화살이 박히거늘]
- 뫼히여 돌히여 다 ⓓ노가디여
  [산이며 돌이며 다 녹아]

①  ⓐ와 ⓑ는 파생적 피동에 해당하겠군.

② 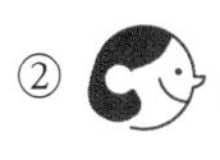 ⓐ에는 피동 접사 '-이-'가 결합하여 피동을 실현하고 있군.

③  ⓑ는 어간이 'ㄹ'로 끝나 연음되지 않았군.

④  ⓒ는 피동 접사 없이 피동의 의미를 실현할 수 있는 중립 동사에 해당하겠군.

⑤  ⓓ는 '녹-'에 '-아디여'가 결합하여 통사적 피동을 실현하고 있군.

03 다음 ㉠~㉣의 사례로 적절하지 않은 것은?

합성어는 형성 방법과 종류가 매우 다양하다. 그중 국어의 일반적인 단어 배열법에 따라 어근을 결합한 합성어를 통사적 합성어라 하고, 그렇지 않은 것을 비통사적 합성어라고 한다. 이러한 단어 합성법은 중세 국어에서도 찾아볼 수 있다. ㉠명사와 명사가 결합한 합성어, ㉡용언의 관형사형과 명사가 결합한 합성어, ㉢용언의 연결형과 용언의 어간이 결합한 합성어와 같은 통사적 합성어와 ㉣용언의 어간과 어간이 연결 어미 없이 결합한 비통사적 합성어가 그러한 예이다.

① ㉠: 눈믈(눈물)
② ㉡: 즌ᄒᆞᆰ(진흙)
③ ㉢: 아라듣다(알아듣다)
④ ㉣: 빌먹다(빌어먹다)
⑤ ㉣: 니러셔다(일어서다)

04 〈보기 1〉을 바탕으로 〈보기 2〉의 ㉠~㉤을 탐구한 내용으로 적절하지 않은 것은?

보기 1

조사와 어미는 앞말의 뒤에 붙어서 문장 안에서 문법적 의미를 표시한다는 점에서 유사한 특징을 지닌다.

보기 2

㉠나랏 말ᄊᆞ미 ㉡中듕國귁에 달아 文문字ᄍᆞᆼ와로 서르 ᄉᆞᄆᆞᆺ디 ㉢아니ᄒᆞᆯᄊᆡ 이런 젼ᄎᆞ로 어린 百ᄇᆡᆨ姓셩이 ㉣니르고져 호ᇙ ㉤배 이셔도 ᄆᆞᄎᆞᆷ내 제 ᄠᅳ들 시러 펴디 몯ᄒᆞᇙ 노미 하니라

-《세종어제훈민정음》

[현대어 풀이]

우리나라의 말이 중국과 달라 문자와 서로 통하지 아니하므로 이런 까닭으로 어리석은 백성이 말하고자 하는 바가 있어도 마침내 제 뜻을 능히 펴지 못하는 사람이 많다.

	탐구 대상	비교 대상	탐구한 내용
①	㉠의 'ㅅ'	'우리나라의'의 '의'	'ㅅ'은 앞말이 문장의 관형어임을 표시하는 조사이다.
②	㉡의 '에'	'중국과'의 '과'	'에'는 앞말이 비교의 대상임을 표시하는 조사이다.
③	㉢의 '-ㄹᄊᆡ'	'아니하므로'의 '-므로'	'-ㄹᄊᆡ'는 앞말이 뒤에 오는 내용과 인과 관계로 연결됨을 표시하는 어미이다.
④	㉣의 '-고져'	'말하고자'의 '-고자'	'-고져'는 어떤 행동을 할 의도나 욕망을 가지고 있음을 나타내는 연결 어미이다.
⑤	㉤의 'ㅣ'	'바가'의 '가'	'ㅣ'는 앞말이 문장의 보어임을 표시하는 조사이다.

05~06 (가)는 인터넷 신문이고, (나)는 카드 뉴스이다. 물음에 답하시오.

가

◇◇신문

㉠"체중 감량·면역력 향상에 도움"
… ㉡SNS 부당 광고 389건 적발

㉢식품 의약품 안전처가 누리 소통망(SNS)에서 체험기 등을 이용해 식품을 부당 광고한 사례 389건을 적발하고 사이트 차단과 행정 처분을 요청했다.

식약처는 최근 블로그 등 온라인 매체에서 개인의 체험기, 사용 후기인 것처럼 위장해 제품을 홍보하고 소비자를 현혹하는 부당 광고 행위가 늘어남에 따라 소비자 피해를 예방하기 위해 이번 점검을 실시했다.

점검 대상은 식품·건강 기능 식품에 대한 체험기에 '체중 감량', '면역력 향상', '불면증·숙면에 도움' 등의 내용을 부당하게 광고한 게시물로, 7월(532건)과 8월(358건) 두 차례에 걸쳐 점검했다.

이 중 질병 예방·치료에 대한 효능·효과가 있는 것으로 인식될 우려가 있는 광고가 262건(67.3%)으로 가장 많았다. 구체적으로 액상 차에 불면증, 천식·아토피·비염 등 질병의 예방·치료에 효능이 있다고 광고한 사례이다.

일반 식품을 건강 기능 식품으로 오인·혼동하게 만드는 광고도 87건(2.4%) 적발됐다. 기타 가공품에 '면역력'과 '피로 회복'을, 과채주스에 '다이어트'와 '체중 감량' 등의 효과를 광고한 사례이다.

㉣이 밖에 ▲소비자 기만 광고 20건(5.1%) ▲거짓·과장 광고 19건(4.9%) ▲의약품 오인·혼동 광고 1건(0.3%) 등이 적발됐다.

㉤식약처 사이버 조사단 ○○○ 단장은 "누리 소통망이 개인의 경험과 정보를 나누고 타인과 교류하는 서비스라는 점을 악용해, 체험기인 것처럼 위장해 제품을 광고하는 수단으로 활용하고 있어 문제가 되고 있다"면서 "누리 소통망에서 제품을 구매할 때 질병 치료 효능·효과 등 부당 광고에 현혹되지 않도록 각별히 주의해 달라"고 당부했다.

이어 "체험기, 사용 후기, 해시태그(#)를 활용한 부당 광고 행위를 근절할 수 있도록 포털사와 판매업체 등을 대상으로 관련 협회와 함께 교육과 홍보를 실시해 자율적인 관리를 유도할 예정"이라고 밝혔다.

신□□ 기자(shin@◇◇news.co.kr)

나

[카드 1]

[카드 2]

면역에 대한
잘못된 상식으로
피해를 보는 경우가 많다.
면역력과 관련하여 세간에
떠도는 내용들을 살펴보고,
그 진실을 가려 보도록 하자.

[카드 3]

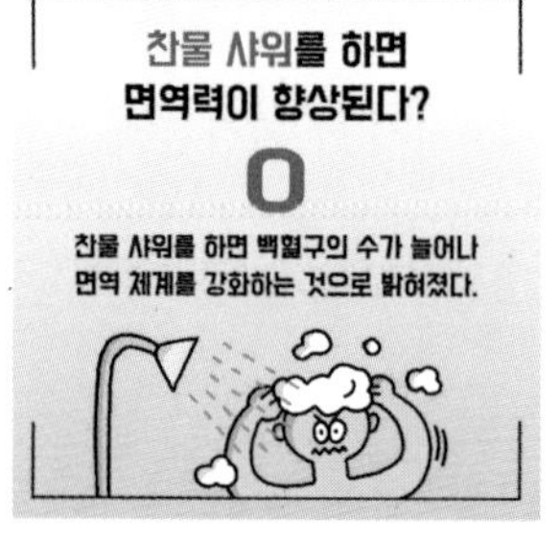

[카드 4]

[카드 5]

찬물 샤워를 하면
면역력이 향상된다?
O
찬물 샤워를 하면 백혈구의 수가 늘어나
면역 체계를 강화하는 것으로 밝혀졌다.

[카드 6]

저체중은 감염병에
취약하다?
O
저체중인 사람들은 영양소 섭취가
제대로 이루어지지 않아 면역 세포 기능이
약해지고 감염병에 취약해지는 경우가 많다.
저체중

05 (가)의 언어적 특성을 고려할 때, ㉠~㉤에 대한 설명으로 적절하지 않은 것은?

① ㉠: 표제에 큰따옴표를 사용하여 강조하고자 하는 내용을 표시하고 있다.
② ㉡: 표제를 명사로 종결하여 내용을 요약적으로 제시하고 있다.
③ ㉢: 능동문을 사용하여 행위의 주체를 분명히 드러내고 있다.
④ ㉣: 기호를 사용하여 내용에 대한 가독성을 높이고 있다.
⑤ ㉤: 접속 부사를 사용하여 문장을 자연스럽게 연결하고 있다.

06 (나)를 제작하는 과정에서 반영된 학생의 계획으로 적절하지 않은 것은?

① '카드 1'에서는 내용을 직관적으로 전달할 수 있도록 핵심어를 크게 제시해야겠어.
② '카드 2'에서는 이 카드 뉴스에서 전달하고자 하는 바와 그 이유를 제시해야겠어.
③ '카드 3~6'에서는 질문의 핵심과 관련된 이미지를 함께 제시하여 내용에 대한 이해를 높여야겠어.
④ '카드 3~6'에서 질문에 대한 대답은 부호를 사용하고 크기를 달리하여 강조해야겠어.
⑤ '카드 3~6'에서 대답에 대한 이유는 글보다 이미지를 중심으로 하여 시각적으로 전달해야겠어.

✎ (가)는 텔레비전 방송 뉴스이고, (나)는 잡지에 실린 인쇄 광고이다. 물음에 답하시오.

가

[장면 1]
진행자: 더워지는 요즘, 판매량이 급증하고 있는 제품이 있습니다. 휴대용 선풍기인데요. 어떤 제품을 선택하는 것이 좋을까요? 박○○ 기자가 전해 드립니다.

[장면 2]
박 기자: 휴대하기 간편하면서도 힘들지 않게 시원한 바람을 선사해 인기가 높은 휴대용 선풍기. 시중에 판매되는 휴대용 선풍기 종류만도 수백 개가 넘습니다. 그러면 소비자들은 어떤 기준으로 휴대용 선풍기를 선택하고 있을까요?

[장면 3]
이△△: 좋아하는 연예인이 광고하는 제품을 살까 하다가, 이왕이면 성능도 좋고 디자인도 맘에 드는 제품을 선택했어요.

[장면 4]
박 기자: 대형 인터넷 쇼핑몰에서 소비자를 대상으로 휴대용 선풍기 구매 기준을 설문한 결과, 풍력, 배터리 용량과 같은 제품 성능이 1순위였습니다. 이어 디자인, 가격 등 다양한 응답이 뒤를 이었습니다. 그런데 휴대용 선풍기는 안전사고의 위험도 있는 만큼 안전성을 고려하여 제품을 선택해야 합니다.

[장면 5]
박 기자: 그러면 안전성은 어떻게 확인할 수 있을까요? 먼저, KC 마크가 부착되어 있는지 살펴보아야 합니다. KC 마크는 안전성을 인증받은 제품에만 부착됩니다.

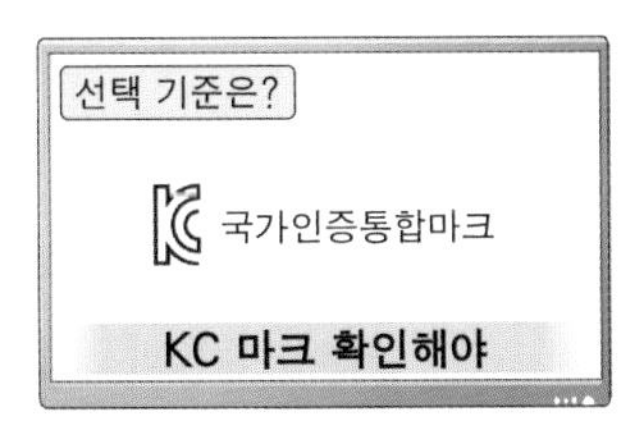

간혹 광고로는 안전 인증 여부를 확인하기 힘든 경우도 있으므로 실물을 보지 않고 구매하는 경우 소비자들의 주의가 필요합니다. 다음으로, 보호망의 간격이 촘촘하고 날이 부드러운 재질로 된 제품을 선택해야 손이 끼어 다치는 사고를 막을 수 있습니다.

[장면 6]
박 기자: 휴대용 선풍기 사고가 빈번한 여름철, 안전한 제품을 구매하기 위한 소비자들의 현명한 선택이 필요합니다.

나

07 (가)를 본 학생이 (나)를 활용하여 다음의 학습 활동을 수행한 결과로 적절하지 <u>않은</u> 것은?

> [학습 활동]
> 이미지, 문구 등을 활용한 표현 방법을 중심으로 잡지에 실린 두 개의 인쇄 광고 비교하기
>
> [자료]

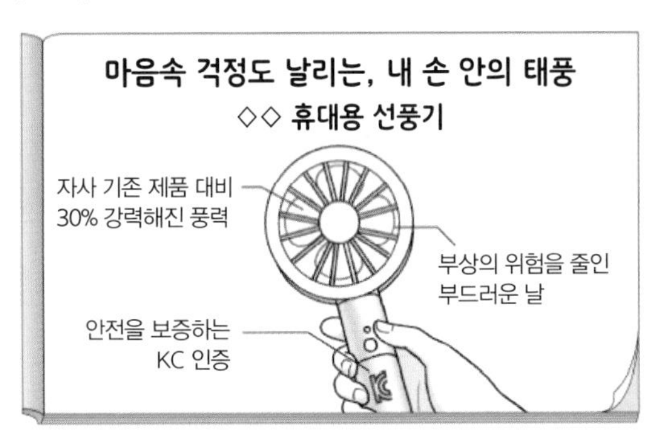

① (나)는 바람의 움직임을 연상하게 하는 곡선의 형태로 문구를 배치하여 제품의 쓰임새를 떠올리게 하고 있다.
② '자료'는 기존 제품과의 비교를 통해 제품이 소비자들이 중시하는 구매 기준에 부합한다는 점을 부각하고 있다.
③ '자료'는 (나)와 달리 제품의 안전 관련 정보를 이미지와 문구로 표시하여 제품의 안전성을 드러내고 있다.
④ (나)는 동일한 단어를 반복하여, '자료'는 비유적 표현을 활용하여 제품의 장점을 제시하고 있다.
⑤ (나)는 유명인의 이미지를, '자료'는 제품의 이미지를 제시하여 제품의 성능이 우수함을 강조하고 있다.

1·2등급 확보 전략

01~02 다음 글을 읽고 물음에 답하시오.

동사는 움직임이 주어에만 미치는 자동사와 움직임이 주어 이외에 목적어에도 미치는 타동사로 나눌 수 있다.

우선 '서다, 웃다, 눕다' 등은 대표적인 자동사이다. 반면 '보이다, 먹히다, 꽂히다' 등은 원래는 자동사가 아니었으나, 피동의 의미를 나타내는 접미사가 붙어 피동사가 된 것들인데, 피동사는 모두 자동사에 해당한다.

다음으로 '막다, 밟다, 깎다' 등은 대표적인 타동사이다. 반면 '앉히다, 눕히다, 웃기다' 등은 원래는 타동사가 아니었으나, 사동의 의미를 나타내는 접미사가 붙어 사동사가 된 것들인데, 사동사는 모두 타동사에 해당한다.

그런데 ㉠자동사 중에는 주어 이외에 보어나 부사어를 필수적으로 요구하는 것이 있고, ㉡타동사 중에는 주어와 목적어 이외에 부사어를 필수로 요구하는 것이 있기도 하다.

[A] 한편 동사의 어간에 어미가 결합할 때 음운의 변동이 일어나는 경우가 있다. 예를 들어 '먹-+-다 → 먹다[먹따]'에서는 한 음운이 다른 음운으로 바뀌는 교체가 일어나고, '날-+-는 → 나는[나는]'에서는 원래 있던 음운이 없어지는 탈락이 일어난다. 그리고 '노랗-+-고 → 노랗고[노:라코]'에서는 두 개의 음운이 합쳐져서 하나로 되는 축약이 일어난다.

---

01 ㉠과 ㉡에 해당하는 사례를 골라 바르게 연결한 것은?

ㄱ. 나는 친구에게 선물을 주었다.
ㄴ. 아이들이 너무 시끄럽게 굴었다.
ㄷ. 이렇게 하면 이익이 적게 남는다.
ㄹ. 그 선수가 상대 공격수의 앞을 막았다.

	㉠	㉡
①	ㄱ	ㄹ
②	ㄴ	ㄱ
③	ㄴ	ㄷ
④	ㄷ	ㄴ
⑤	ㄷ	ㄹ

02 [A]를 바탕으로 〈보기〉의 ⓐ~ⓒ에 대해 탐구한 내용으로 적절하지 않은 것은?

보기
ⓐ 닫-+-고 → 닫고[닫꼬], 입-+-지 → 입지[입찌]
ⓑ 가-+-아서 → 가서[가서], 울-+-니 → 우니[우:니]
ⓒ 놓-+-고 → 놓고[노코], 않-+-던 → 않던[안턴]

①  '듣-+-다 → 듣다[듣따]'는 ⓐ와 동일한 유형의 음운 변동이 적용된 사례이다.

② '담그-+-아 → 담가[담가]'는 ⓑ와 동일한 유형의 음운 변동이 적용된 사례이다. 

③  '쌓-+-네 → 쌓네[싼네]'는 ⓒ와 동일한 유형의 음운 변동이 적용된 사례이다.

④ '덮-+-다 → 덮다[덥따]'는 ⓐ와 동일한 유형의 음운 변동이 두 번 적용된 사례이다. 

⑤ '닮-+-고 → 닮고[담:꼬]'는 ⓐ, ⓑ와 동일한 유형의 음운 변동이 모두 적용된 사례이다.

함정문제

03 〈보기〉의 ㄱ~ㄷ에 대해 탐구한 내용으로 적절한 것은?

보기
ㄱ. 이곳에 다시 방문해 주기를 기대합니다.
ㄴ. 아침에 독서를 하는 학생들이 늘어나고 있다.
ㄷ. 그가 이 사건의 범인이었음이 드디어 밝혀졌다.

①  ㄱ에는 주어 역할을 하는 안긴문장이 있다.

②  ㄴ은 ㄷ과 달리 안긴문장의 주어가 생략되어 있다.

③ ㄷ은 ㄱ과 달리 안은문장의 서술어가 2개의 문장 성분을 필요로 한다.

④  ㄴ과 ㄷ에는 모두 관형어 역할을 하는 안긴문장이 있다.

⑤  ㄱ, ㄴ, ㄷ은 모두 안긴문장 속에 부사어가 있다.

04 다음 학습 활동에 대해 탐구한 내용으로 적절하지 않은 것은?

[학습 활동] 아래의 한글 맞춤법 규정을 바탕으로 주어진 사례에 대해 탐구해 봅시다.

[한글 맞춤법]
제19항 어간에 '-이'나 '-음/-ㅁ'이 붙어서 명사로 된 것과 '-이'나 '-히'가 붙어서 부사로 된 것은 그 어간의 원형을 밝히어 적는다.
다만, 어간에 '-이'나 '-음'이 붙어서 명사로 바뀐 것이라도 그 어간의 뜻과 멀어진 것은 원형을 밝히어 적지 아니한다.
[붙임] 어간에 '-이'나 '-음' 이외의 모음으로 시작된 접미사가 붙어서 다른 품사로 바뀐 것은 그 어간의 원형을 밝히어 적지 아니한다.
제20항 명사 뒤에 '-이'가 붙어서 된 말은 그 명사의 원형을 밝히어 적는다.
[붙임] '-이' 이외의 모음으로 시작된 접미사가 붙어서 된 말은 그 명사의 원형을 밝히어 적지 아니한다.

같이, 노름, 지붕, 곳곳이, 이파리

① '같이'는 어간에 '-이'가 붙어서 부사로 된 말이다. 따라서 제19항에 따라 어간의 원형을 밝혀 적은 것이다.
② '노름'은 어간에 '-음'이 붙어서 명사로 된 말이지만 어간의 뜻과 멀어진 것이다. 따라서 제19항의 '다만'에 따라 원형을 밝혀 적지 않은 것이다.
③ '지붕'은 어간에 '-이'나 '-음' 이외의 모음으로 시작된 접미사가 붙어서 다른 품사로 바뀐 것이다. 따라서 제19항의 [붙임]에 따라 원형을 밝혀 적지 않은 것이다.
④ '곳곳이'는 명사 뒤에 '-이'가 붙어서 부사로 된 말이다. 따라서 제20항에 따라 명사의 원형을 밝혀 적은 것이다.
⑤ '이파리'는 명사에 '-이' 이외의 모음으로 시작된 접미사가 붙어서 된 말이다. 따라서 제20항의 [붙임]에 따라 원형을 밝혀 적지 않은 것이다.

05 〈보기〉의 선생님의 질문에 대한 답을 골라 바르게 연결한 것은?

보기

중세 국어의 주격 조사는 음운 조건에 따라 '이', 'ø(영형태)', 'ㅣ'로 실현되었습니다. 자음 뒤에서는 '이'로 나타났고, 모음 'ㅣ'와 반모음 'ㅣ̆' 뒤에서는 'ø'로 실현되어 나타나지 않았습니다. 모음 'ㅣ'와 반모음 'ㅣ̆'를 제외한 나머지 모음 뒤에서는 'ㅣ'로 나타났습니다. 그렇다면 아래의 ⓐ~ⓕ에서 주격 조사의 형태가 각각 어떻게 나타났는지 파악해 볼까요?

- 이 ⓐ<u>ᄯᆞ리</u> 너희 죵가
[이 딸이 너희들의 종이냐?]
- 그 ⓑ<u>아비</u> 그 ᄯᆞ니ᄆᆞᆯ 구짖고
[그 아비가 그 따님을 꾸짖고]
- 하ᄂᆞᆳ ⓒ<u>벼리</u> 눈 ᄀᆞᆮ 디니이다
[하늘의 별이 눈과 같이 떨어집니다.]
- ⓓ<u>부톄</u> 目連(목련)이ᄃᆞ려 니ᄅᆞ샤ᄃᆡ
[부처가 목련에게 이르시되]
- ⓔ<u>불휘</u> 기픈 남ᄀᆞᆫ ᄇᆞᄅᆞ매 아니 뮐ᄊᆡ
[뿌리가 깊은 나무는 바람에 아니 움직이므로]
- 어린 百ᄇᆡᆨ姓셩이 니르고져 ᄒᆞᇙ ⓕ<u>배</u> 이셔도
[어리석은 백성이 말하고자 하는 바가 있어도]

	이	ø(영형태)	ㅣ
①	ⓐ, ⓒ	ⓑ, ⓔ	ⓓ, ⓕ
②	ⓐ, ⓓ	ⓑ, ⓕ	ⓒ, ⓔ
③	ⓑ, ⓒ	ⓐ, ⓕ	ⓓ, ⓔ
④	ⓒ, ⓓ	ⓐ, ⓔ	ⓑ, ⓕ
⑤	ⓒ, ⓔ	ⓑ, ⓕ	ⓐ, ⓓ

선생님의 설명 중 중세 국어의 주격 조사가 다르게 실현되는 ❶ ＿＿＿을 파악하고, 사례들에 ❷ ＿＿＿해 보자.

답 ❶ 음운 조건 ❷ 적용

06~08 (가)는 인터넷 신문, (나)는 (가)를 바탕으로 학생들이 휴대 전화 메신저로 나눈 대화, (다)는 (가)와 (나)를 바탕으로 '은수'가 만든 카드 뉴스의 초안이다. 물음에 답하시오.

가

△△신문

'건강 생활 실천 지원금 제도 시범 사업' 시작

이번 달 말부터 '건강 생활 실천 지원금 제도 사업'이 시범적으로 실시된다. '건강 생활 실천 지원금 제도'는 스스로 건강을 잘 관리하는 사람에게 지원금을 제공하여 질병을 예방할 수 있도록 하는 제도이다. 우리나라는 음주·흡연·비만 등으로 인한 질병 발생과 만성 질환자 증가로 사회·경제적 부담이 증가하는 상황이다. 따라서 예방 분야에 투자를 확대하는 정책이 필요하다는 지적이 있었다.

시범 사업은 전국 24개 지역에서 3년간 시행된다. 연간 약 34만 명이 참여하고, 시범 지역 내 '건강 예방형'과 '건강 관리형'의 두 가지 유형으로 나누어 참여한다. 지원금은 걷기와 건강 관리 프로그램 이수 등과 같이 건강 생활을 실천하면 적립되는 '실천 지원금'과 혈압·혈당·체중 등 건강 지표 개선 정도에 따라 적립되는 '개선 지원금'이 있다. 지원금은 인터넷 쇼핑몰, 지역 화폐 등으로 우선 제공할 예정이다. 업무 담당자는 "향후 건강 생활 실천 지원금 제도가 정착되면 국민 건강 수준이 향상되고, 불필요한 의료비는 감소될 것으로 예상된다"며 "절감된 재원은 보장성 강화 등 건강 보험의 지속적인 발전에 기여할 것"이라고 말했다.

채□□ 기자(chae@△△news.co.kr)

나

← 동아리 대화방(5명)

은수: 얘들아, 이 기사 봤어? 좋은 제도인 것 같아서 공유함. 같이 읽어 보자.

문서 파일 전송: 건강 생활 실천 지원금 제도.hwp

승민: 응, 나도 봤어. 더 찾아보니, 우리 지역이 시범 사업 지역에 선정되었더라고. 많은 사람들이 참여하면 좋겠다고 생각해.

지혜: 우리 동아리가 여러 사회 문제들에 대해 관심을 갖고 참여하는 동아리니까, 이 기사를 바탕으로 카드 뉴스 같은 걸 만들어 보면 어떨까 하는데 너희 생각은 어때?

윤주: 좋은 생각이야. 카드 뉴스를 만들어서 누리 소통망에 공유하자. 누리 소통망은 누구나 쉽게 정보를 접할 수 있으니까 많은 사람들이 볼 수 있을 거야.

건우: 그래, 그러면 어떻게 구성할지 아이디어를 내 보자. 내가 대화 중에 따로 문서 작성해서 정리해 볼게.

승민: 우선 ㉠제도에 대한 소개가 필요하겠지? 스스로 자신의 건강을 관리하면 지원금을 받을 수 있다는 핵심 내용이 들어가야 할 것 같아.

윤주: 사람들이 관심을 갖게 하려면 ㉡우리나라 질병 발생에 관련된 현황이나 그로 인한 문제점 등 제도 시행의 배경을 먼저 제시하는 게 좋을 것 같아.

건우: ㉢사업이 시행되는 기간도 알려 주면 참여할 때 도움이 될 거야.

지혜: 그런데, 참여자 유형이 건강 예방형과 건강 관리형으로 나뉜다고 했는데, 그건 어떤 차이지?

승민: 내가 지금 인터넷 검색해 봤더니 이렇게 나와 있네.

"건강 예방형은 만 20세부터 64세인 일반 건강 검진 수검자 중 혈압·혈당·체질량 지수(BMI)가 주의 범위에 있는 사람을, 건강 관리형은 일차 의료 만성 질환 관리 시범 사업에 참여 중인 사람을 대상으로 한다."

은수: 건강 예방형은 질병에 걸리지 않았지만 건강에 주의를 기울여야 하는 사람, 건강 관리형은 이미 만성 질환을 앓고 있어 꾸준히 관리해야 하는 사람인 것 같네.

은수: ㉣건강 예방형과 건강 관리형을 구분해서 안내해야겠다.

윤주: ㉤기사 내용을 바탕으로 지원금이 어떻게 지급되는지도 자세히 안내하면 좋겠어.

건우: 카드 뉴스에서는 시각 자료도 활용할 수 있으니, 내용과 관련된 이미지들을 활용하면 주제와 잘 맞을 것 같아.

지혜: 내용을 전달할 때 도식화하거나, 최대한 간결하게 써 보자. 대부분 휴대 전화를 활용해 카드 뉴스를 보니까 한 화면에 글씨가 너무 많으면 읽기 어려울 것 같아.

은수: 그럼 건우가 정리한 내용을 바탕으로 내가 초안을 만들어 볼게. 완성되면 공유할 테니까 그때 수정 사항 논의하자.

다

슬라이드 1	슬라이드 2
	우리나라의 상황 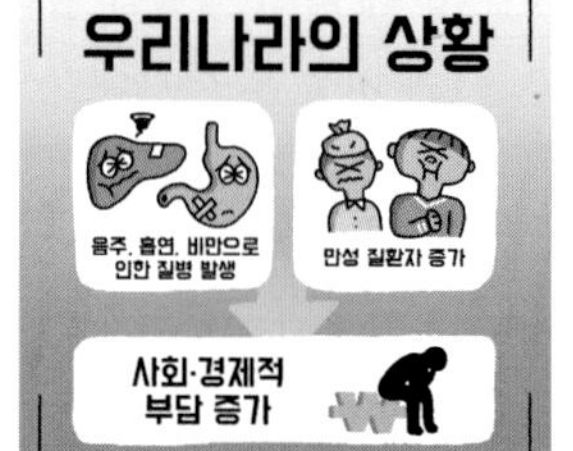
슬라이드 3	**슬라이드 4**
건강 생활 실천 지원금 제도란? 스스로 건강 관리를 하는 사람에게 지원금을 제공하여 질병을 예방하는 제도	건강 생활 실천 지원금 제도 시범 사업 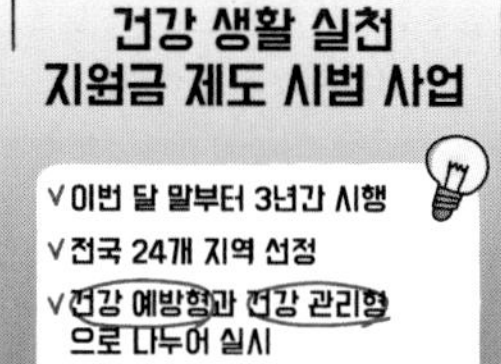

06 (나)의 대화에 대한 설명으로 적절하지 않은 것은?

① '은수'는 휴대 전화 메신저 대화의 특성을 활용하여 대화 참여자에게 자신이 알고 있는 자료를 공유하고 있다.

② '승민'은 휴대 전화 메신저 대화에 참여하면서 동시에 다른 매체를 활용하여 부가적인 정보를 탐색하고 있다.

③ '윤주'는 카드 뉴스를 만들어 공유할 매체의 특성을 언급하며 카드 뉴스 제작 활동에 긍정적인 태도를 보이고 있다.

④ '지혜'는 카드 뉴스가 제공할 정보를 수용할 사람의 입장을 고려하지 않고 매체 언어의 표현 전략을 제안하고 있다.

⑤ '건우'는 매체의 정보 구성 방식을 고려하여 카드 뉴스에서 활용할 수 있는 시각 자료를 제시할 것을 제안하고 있다.

답 ❶ 매체 ❷ 카드 뉴스

07 ㉠~㉤ 중 (다)에 반영되지 않은 것은?

① ㉠　② ㉡　③ ㉢　④ ㉣　⑤ ㉤

08 다음은 (다)에 대한 검토 내용 중 일부이다. ㉮에 들어갈 문구로 가장 적절한 것은?

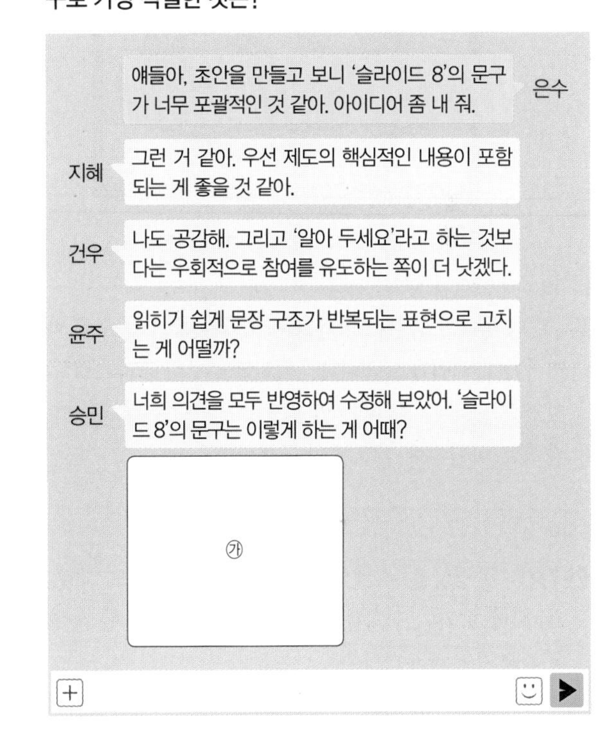

① 음주·흡연·비만, 만병의 근원입니다. 지금 바로 운동하며 건강한 노후를 준비하세요.

② 실천하자, 건강 습관! 챙기자, 지원금! 건강 생활 실천 지원금 제도가 여러분을 기다립니다.

③ 매일 건강 관리하면, 매번 지원금이 들어옵니다. 건강 생활 실천 지원금 제도, 함께 참여합시다.

④ 내가 실천한 건강 생활 습관, 지원금으로 돌아옵니다. 건강 생활 실천 지원금 제도가 곧 시행됩니다.

⑤ 줄줄 새는 건강 보험금을 생활 속 작은 실천으로 지킬 수 있습니다. 당신이 국가 재원을 지켜 주세요.

09~11 (가)는 텔레비전 방송 뉴스이고, (나)는 인쇄 광고이다. 물음에 답하시오.

가

[장면 1]

민 기자: 얼마 전 누리 소통망에 등장한 영상이 충격을 주고 있습니다. 이 영상이 충격적이었던 이유는 바닷물고기인 아귀의 내장에서 플라스틱 생수병이 나왔기 때문인데요. 관련 영상, 함께 보시죠.

[장면 2 – 관련 영상]

[장면 3 – 인터뷰 영상]

김○○(영상 제보자): 어머니가 새벽 시장에서 사 오신 아귀에서 이상하게 악취가 났습니다. 배를 열어 보니 플라스틱병이 들어 있었고, 내장은 다 썩어 있었습니다. 아귀는 플라스틱병을 삼킨 채로 바닷속에 살고 있었나 봅니다.

[장면 4]

민 기자: 이 영상을 본 네티즌들은 정말 슬프면서도 괴로운 일이고, 바다 오염이 심각한 상태임을 절실히 느끼게 된다며 충격을 감추지 못했습니다.

지난해 세계를 휩쓴 전염병으로 인해 포장과 배달이 크게 늘면서 플라스틱 폐기물 또한 급증했습니다. (그래프 화면 나오며) 환경부에 따르면 지난해 상반기 국내 플라스틱 쓰레기 발생량은 5,088톤으로, 전년도 동기 대비 15.6% 증가했습니다. 그러나 급증한 플라스틱 폐기물과 장기적 경기 침체, 해외 플라스틱 수출량의 감소로 인해 플라스틱 재활용률은 떨어졌습니다. (도표 화면 나오며) 환경부가 공개한 '생활 폐기물 용도별 선별 수량 대비 재활용률 현황'에 따르면 플라스틱 재활용률은 2015년 58%에서 2019년에는 41%로 감소했습니다.

한편, 설문 조사 결과 우리나라 국민의 98%가 플라스틱 폐기물로 인한 환경 오염이 심각하다고 생각하고 있습니다. 그러나 국민의 74.8%가 일주일에 최소 두세 개 이상 플라스틱 용기를 사용한다고 밝혔습니다. 일상생활에서 일회용 음료 컵이나 생수병과 같은 일회용품 사용을 줄이고 다회용 컵을 사용하는 등의 노력을 실천해야 하는 때입니다. ◇◇◇ 뉴스 민○○입니다.

나

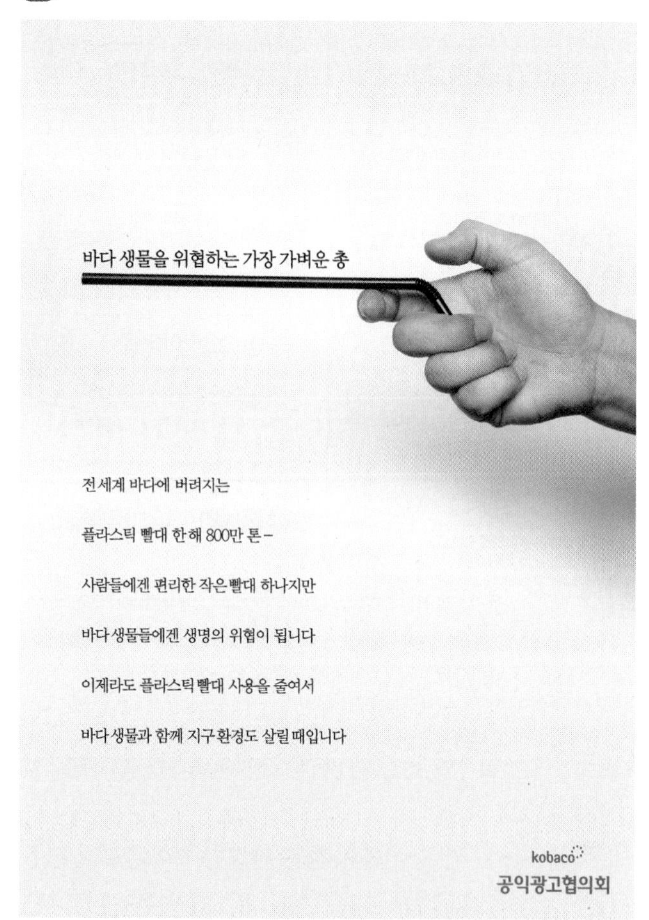

– 한국방송광고진흥공사 공익광고협의회, 2018

09 (가)를 시청한 학생의 반응으로 적절하지 않은 것은?

① 인터뷰 화면을 제시하여 보도 내용의 사실성을 높이고 있군.

② 그래프와 도표 등 시각 자료를 제공하여 수용자의 이해를 돕고 있군.

③ 수용자가 관심을 가질 만한 영상 자료를 활용하여 내용을 전개하고 있군.

④ 설문 조사 결과를 인용하여 상황의 심각성과 실천의 중요성을 드러내고 있군.

⑤ 사건의 원인이 된 사회적 배경을 제시하여 사회적 차원의 해결 방안을 제안하고 있군.

10 〈보기〉를 참고하여 (나)에 대해 보인 반응으로 적절하지 않은 것은?

보기

매체 언어는 매체를 통해 실현되는 언어로 문자, 음성, 소리, 이미지, 영상 등을 결합하여 의미를 생성한다.

매체 언어를 창의적으로 사용하기 위해서는 매체 언어의 복합 양식성을 고려할 필요가 있다. 언어 그 자체의 특성을 통해 창의성이 드러나는 경우도 있지만, 그림이나 음향 등과의 상호 작용을 통해 새롭고 창의적인 의미가 구성되는 경우도 많기 때문이다.

이 외에도 매체 언어의 창의성은 동음이의어나 발음의 유사성, 대구와 비유 등 다양한 표현 방법을 활용함으로써 드러낼 수 있는데, 이를 통해 생산자의 의도를 효과적으로 전달할 수 있다.

① 명사와 평서형 종결 어미로 문장을 마무리함으로써 전달하고자 하는 바를 명확하게 드러내고 있군.
② 빨대를 버리는 손의 모습을 총을 쥔 것과 유사하게 연출함으로써 인간의 공격성을 비판적으로 표현하고 있군.
③ '총'이라는 단어와 사진 속 빨대 형태의 유사성을 활용해 표현한 것은 매체 언어의 복합 양식성을 보여 주는 것이군.
④ '가장 가벼운 총'의 원관념이 '바다에 버려지는 플라스틱 빨대'라는 점에서 비유적 표현을 통해 의미가 새롭게 구성되고 있군.
⑤ '사람들에겐 편리한 작은 빨대 하나지만 바다 생물들에겐 생명의 위협이 됩니다'라는 대구 표현을 통해 매체 언어의 창의성을 발휘하고 있군.

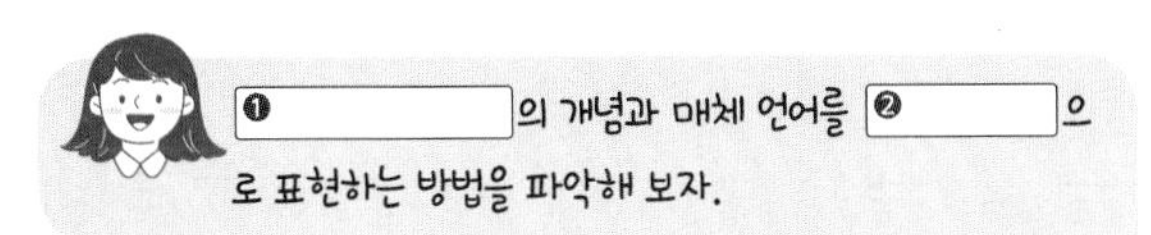

답 ❶ 복합 양식성 ❷ 창의적

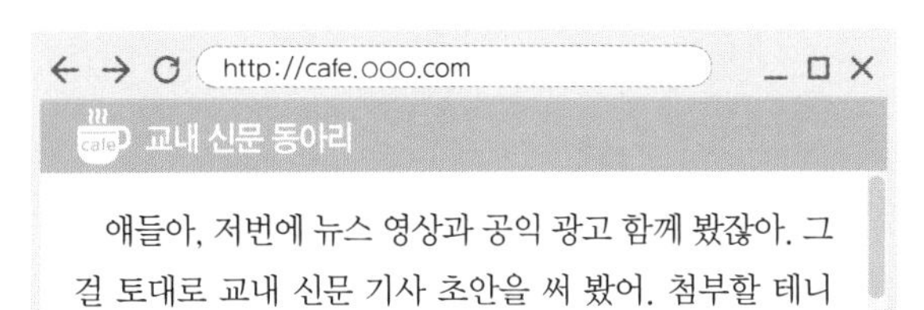

함정문제

11 다음은 학생이 교내 신문 동아리 카페 게시판에 올린 글이다. 이 글에 달린 학생들의 댓글로 적절하지 않은 것은?

http://cafe.ooo.com

교내 신문 동아리

얘들아, 저번에 뉴스 영상과 공익 광고 함께 봤잖아. 그걸 토대로 교내 신문 기사 초안을 써 봤어. 첨부할 테니 읽어 보고 의견 줘.

플라스틱 없는 미래로

몇 년 전 코에서 플라스틱 빨대를 빼내며 괴로워하는 바다거북의 모습을 대부분 보았을 것이다. 인간의 사소한 행동이 생태계에 얼마나 큰 재앙을 가져올 수 있는지를 느끼게 해 준 영상이었다.

그러나 인간의 행동은 쉽게 변하지 않아서 이제는 아귀의 뱃속에서 제 몸집만큼이나 큰 생수병이 나오는 것이 우리의 현실이 되었다. 전 세계에서 바다로 버려지는 플라스틱 빨대의 양만 한 해에 800만 톤이라고 하며 그 외 일회용 음료 컵, 생수병 등 다른 플라스틱 폐기물을 떠올려 보면 그 양은 상상을 초월할 것이다. 또한 일회용 종이컵의 과도한 사용에 관한 문제도 지속적으로 제기되어 왔다.

무엇보다 생활 속에서 일회용 플라스틱 사용을 줄이는 것이 가장 중요하다. 그리고 플라스틱 쓰레기를 올바르게 분리배출하는 것도 플라스틱이 자연으로 흘러가지 않게 하는 중요한 방법이다. 우리가 버리는 플라스틱 중 재활용품으로 수거되는 비율에 비하여 실제로 재활용이 되는 비율은 현저히 낮기 때문이다. 우선 플라스틱 용기에 묻은 음식물 등의 이물질과 용기에 붙은 라벨을 제거하여 분리배출해야 한다. 또 투명한 용기와 유색인 용기를 분리하여 지정된 배출함에 넣어야 한다.

① 두 번째 문단의 마지막 문장은 기사 내용의 흐름에 맞지 않는 것 같아. 삭제하는 게 좋겠어.
② 과거에 화제가 되었던 영상의 내용을 도입부에서 언급하여 독자들의 관심을 끌 수 있을 것 같아.
③ 기사 마지막 부분이 좀 허전한 것 같아. 여러 환경 오염 문제를 해결할 수 있는 다양한 방법을 안내하며 마무리하자.
④ 독자들이 생활 속에서 쉽게 실천할 수 있는 방법을 알려 준 점이 참 유익했던 것 같아. 나도 실천해야겠다는 생각이 들었어.
⑤ 기사의 표제가 내용과 직접적으로 어울리지 않는 것 같아. 플라스틱 사용을 줄이자는 것과 올바른 배출 방법에 좀 더 초점을 맞추어 수정하자.

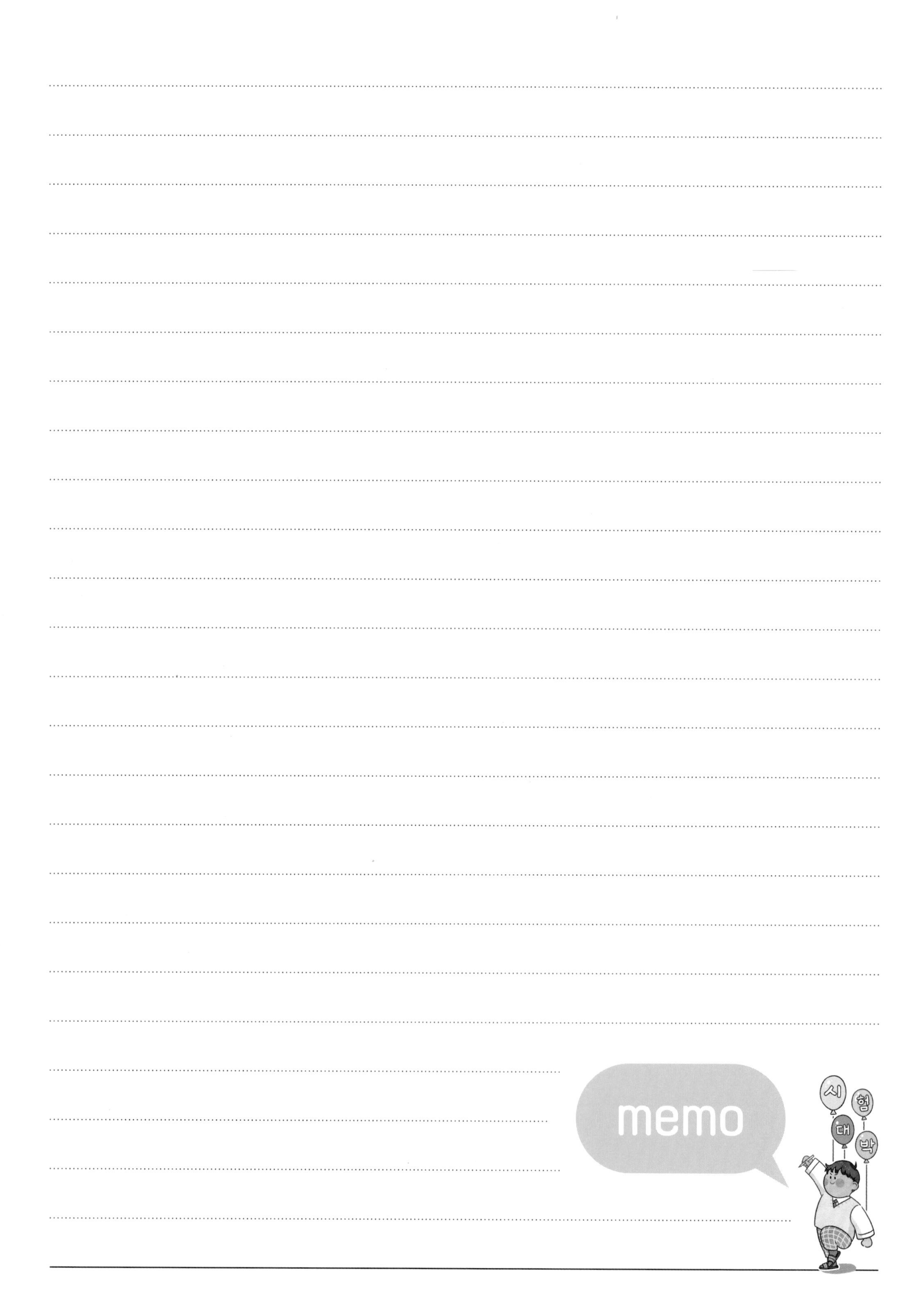
memo
시
험
대
박

내신&수능 국어에 대처하는 현명한 자세

국어 실력이 쑥쑥!

우리만 따라와!

내신 수능

입문 기초

교과서 다품

중3(예비고)~고1 〈고등 국어(공통)〉

★★⯪☆☆

11종 교과서 공통 개념을 다~ 품다!

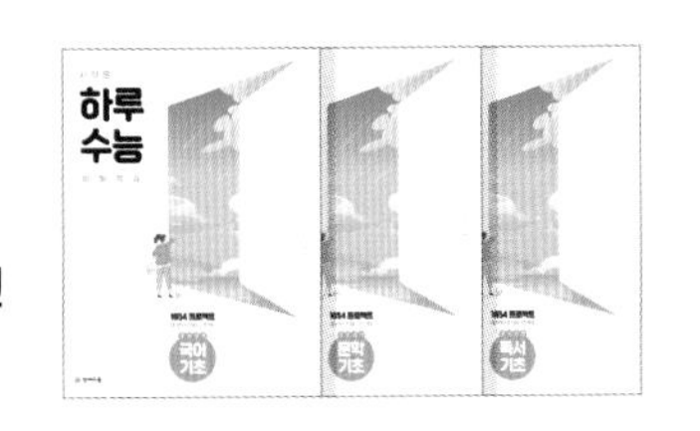

시작은 하루 수능 국어

고1~2 (국어 기초/문학 기초/독서 기초)

★⯪☆☆☆

1일 6쪽, 4주로 완성하는 기초 수능 국어

내신 대비

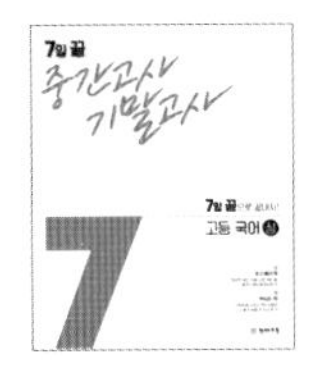

7일 끝 국어

고1~3 (고등 국어[상], [하]/문학/독서/화·작/언·매)

★★☆☆☆

7일이면 끝나는 중간·기말 대비서

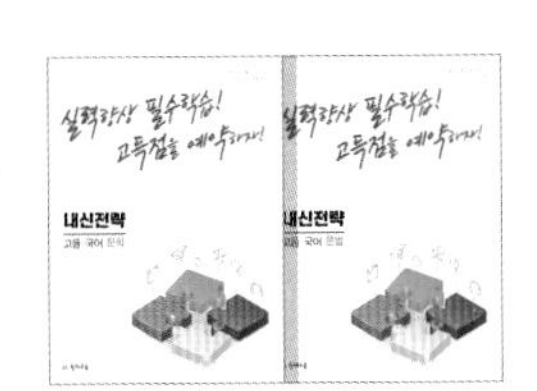

고등 내신전략 국어

예비고~고1 (문학/문법)

★★★☆☆

11종 교과서 영역별 공통서

국어 기본

100인의 지혜

고1~2 (문학/문법·화작/독서)

★★⯪☆☆

빈틈 없는 국어 영역별 기본 개념서

비문학 훈련

수능 국어 독서 DNA 깨우기

예비고~고2 (기출 배경지식/독해 원리/기출 유형)

★★★☆☆

배경지식을 기초로 한 단계적 독해 훈련

문학의 해법

해법문학

고1~3 (고전 시가/고전 산문/현대 시/현대 소설/수필·극)

★★★☆☆

875편의 작품을 수록한 문학 종합 참고서

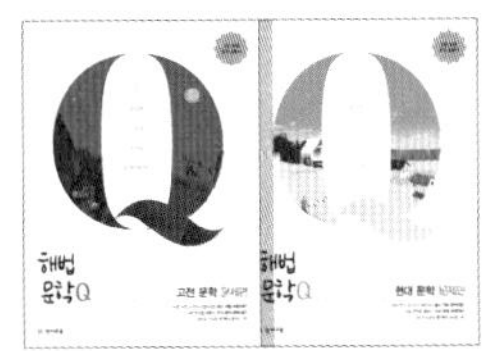

해법문학Q

고2~3 (고전 문학/현대 문학)

★★★⯪☆

수능형 문제로 꽉 채운 필수 문학 문제집

수능 특강

고단백 수능 단기특강

고1~3 (기본편/문학/독서/언어와 매체/화법과 작문/고전시가/현대시/고난도 독서·문학)

★★★⯪☆

부족한 영역을 골라 약점을 보완하는 특강서

수능 대비

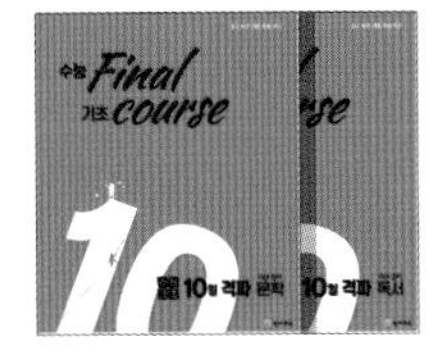

10일 격파 국어

고1~3 (문학/독서)

★★⯪☆☆

수능 기초 파이널 코스

수능전략 국어

고2~3 (문학/독서/언어와 매체/화법과 작문)

★★★★☆

개념부터 실전까지 한 번에!

book.chunjae.co.kr

교재 내용 문의 ·························· 교재 홈페이지 ▸ 고등 ▸ 교재상담
교재 내용 외 문의 ······················· 교재 홈페이지 ▸ 고객센터 ▸ 1:1문의
발간 후 발견되는 오류 ··················· 교재 홈페이지 ▸ 고등 ▸ 학습지원 ▸ 학습자료실

수능공략 필승학습!
단기간에 끝장내자!

실전에 강한
수능전략

BOOK 3

정답과 해설

국어영역 언어와 매체

천재교육

수능전략

국·어·영·역

언어와 매체

BOOK 3

정답과 해설

DAY **1** 개념 돌파 전략 ①

8~11쪽

01 분절 음운 **02** ② **03** ③ **04** 생년필 **05** (1) 자음군 단순화 (2) 'ㅎ' 탈락 **06** ④ **07** 나, 친구, 책 **08** ③ **09** ② **10** 먹어 **11** 동음이의 관계(동음이의어) **12** 안 **13** ① **14** 과일 **15** (1) 파리 (2) 초콜릿

DAY **1** 개념 돌파 전략 ②

12~13쪽

01 ③ **02** ③ **03** ⑤ **04** ④
05 ② **06** ④

01 최소 대립쌍과 음운의 개념 확인

'물'은 '불, 둘'처럼 하나의 자음이 달라지거나, '말, 밀'처럼 하나의 모음이 달라질 때 말의 뜻이 달라진다. 이를 통해 자음이나 모음, 즉 음운이 말의 뜻을 구별해 주는 역할을 함을 알 수 있다.

오답 잡기

① 모음이 혼자서 하나의 음절을 만들 수 있는 예: 이, 위, 왜
② 비분절 음운 중 소리의 길이에 의해 말의 뜻이 구별되는 예
: 눈[눈]으로 하늘에서 내리는 눈[눈:]을 본다.
④ 음운 변동의 예: 국밥[국빱], 굳이[구지], 담요[담:뇨]
⑤ 우리말의 음절 구조

- 모음 예 이, 위, 왜
- 모음+자음 예 입, 열, 약
- 자음+모음 예 나, 도, 자
- 자음+모음+자음 예 물, 말, 불

개념 더 보기

- **음운**
말의 뜻을 구별해 주는 소리의 가장 작은 단위
- **음운의 종류**

분절 음운	음절의 경계를 나눌 수 있는 음운 예 자음, 모음
비분절 음운	음절의 경계를 나눌 수 없는 음운 예 소리의 길이, 높낮이, 강약

- **최소 대립쌍**
오직 한 가지 음운에 의해 의미가 구별되는 단어의 짝. 최소 대립쌍을 찾아봄으로써 어떤 소리가 음운인지 아닌지를 확인할 수 있음.

02 음운 변동 현상 이해

음운 변동 현상이란 한 음운이 환경에 따라 변화(교체, 축약, 탈락, 첨가)하는 현상이다. 반면에 연음 현상은 앞 음절의 종성이 모음으로 시작하는 뒤 음절의 초성으로 이어져 발음되는 현상이다. 음운 변동 현상과 연음 현상을 구분하려면 구성하는 음운이 달라졌는지의 여부를 확인하여야 한다. 'ㅎ'이 끝소리인 어간이 모음으로 시작하는 어미나 접미사와 결합하는(좋-+-으니/아/아서) 음운 환경에서는 어간의 'ㅎ'이 탈락하게 되는데, 이를 'ㅎ' 탈락이라고 하며 'ㅎ' 탈락은 음운 탈락 현상의 하나이다. '좋으니'를 발음하면 [조:으니]와 같이 음운 'ㅎ'이 탈락하여 음운의 개수가 1개 줄어들게 된다.

오답 잡기

① '값을[갑쓸]'에서는 된소리되기 현상이 일어나며 음운의 수가 변하지 않는다.
② '밤나무[밤:나무]'에서는 음운의 변동이 일어나지 않으며 음운의 수도 변하지 않는다.
④ '하늘이[하느리]'에서는 음운의 변동이 없이 연음 현상이 일어나며 음운의 수가 변하지 않는다.
⑤ '말씀이시다[말:쓰미시다]'에서는 음운의 변동이 없이 연음 현상이 일어나며 음운의 수가 변하지 않는다.

03 단모음 체계표 이해

단모음 체계표의 기준, 문법 용어의 의미 등을 정확하게 이해한 뒤 하나의 단모음이 가진 성질을 잘 이해하고 있어야 한다. 예를 들어 'ㅐ'는 전설 모음, 평순 모음, 저모음이므로 혀의 위치가 앞쪽에 있고 혀의 높이가 'ㅔ'보다 조금 더 낮으며 입술을 평평하게 만들어 내는 소리라는 것을 이해할 수 있어야 한다. ㉠의 'ㅔ'와 ㉡의 'ㅐ'는 전설 모음이자 평순 모음이라는 공통점을 지니고 있으나 'ㅔ'는 중모음, 'ㅐ'는 저모음이므로 'ㅐ'의 혀의 높이가 'ㅔ'보다 낮다.

오답 잡기

①, ④ ㉠, ㉡은 모두 평순 모음이므로 둘 다 입술을 둥글게 오므리지 않고 발음한다.
② ㉠은 중모음이고 ㉡은 저모음이므로 혀의 높이가 다르다.
③ ㉠, ㉡은 모두 전설 모음이므로 둘 다 혀의 위치를 앞쪽에 두고 발음한다.

개념 더 보기

단모음의 분류
- 발음할 때 혀의 앞뒤 위치에 따라 전설 모음, 후설 모음으로 나뉨.

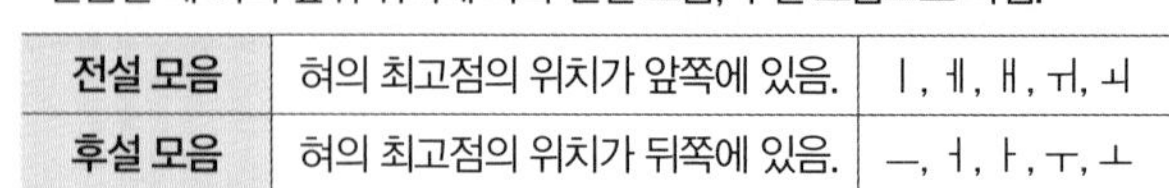

전설 모음	혀의 최고점의 위치가 앞쪽에 있음.	ㅣ, ㅔ, ㅐ, ㅟ, ㅚ
후설 모음	혀의 최고점의 위치가 뒤쪽에 있음.	ㅡ, ㅓ, ㅏ, ㅜ, ㅗ

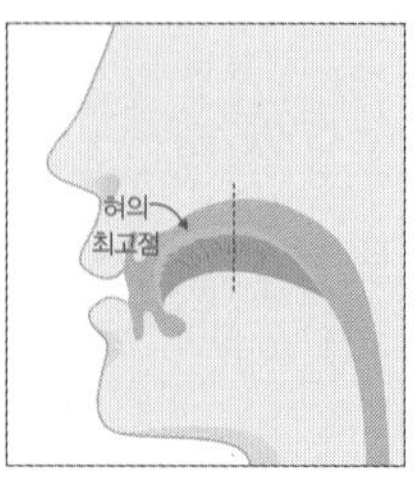

▲ 전설 모음

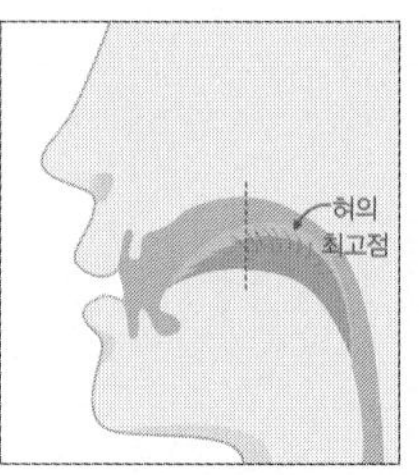

▲ 후설 모음

• 발음할 때 입술 모양에 따라 원순 모음, 평순 모음으로 나뉨.

원순 모음	입술이 둥글게 오므라짐.	ㅟ, ㅚ, ㅜ, ㅗ
평순 모음	입술이 둥글게 오므라지지 않음.	ㅣ, ㅔ, ㅐ, ㅡ, ㅓ, ㅏ

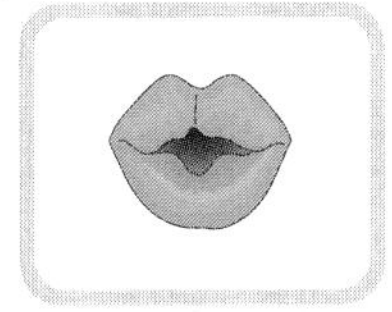
▲ 원순 모음

▲ 평순 모음

• 발음할 때 혀의 높이에 따라 고모음, 중모음, 저모음으로 나뉨.

고모음	혀의 높이가 높음.	ㅣ, ㅟ, ㅡ, ㅜ
중모음	혀의 높이가 중간 정도임.	ㅔ, ㅚ, ㅓ, ㅗ
저모음	혀의 높이가 낮음.	ㅐ, ㅏ

→ 혀의 높이가 높을수록 입은 작게 벌어지고, 혀의 높이가 낮을수록 입은 크게 벌어짐.

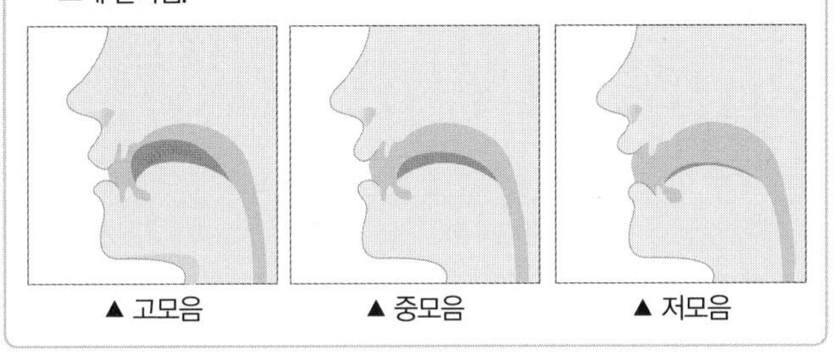
▲ 고모음 ▲ 중모음 ▲ 저모음

04 형태소와 단어의 개념 이해

'하늘이'는 자립 형태소인 '하늘'과 의존 형태소인 '이'로 나눌 수 있다.

오답 잡기

① '맑고'는 '맑-'과 '-고'라는 두 개의 형태소로 나눌 수 있다.
② '하늘', '맑-', '푸르-'는 실질 형태소로, 해당 단어의 어근에 해당한다.
③ '-다'는 문장을 종결하는 문법적인 의미를 지니는 형식 형태소이다.
⑤ '푸르다'는 의존 형태소인 '푸르-'와 '-다'가 결합한 형태이다.

보기 돋보기

문장	하늘이 맑고 푸르다.					
형태소	하늘	이	맑-	-고	푸르-	-다
형태소의 종류	자립	의존	의존	의존	의존	의존
	실질	형식	실질	형식	실질	형식

05 품사의 분류 기준 이해

품사는 단어의 성질이 공통된 것끼리 모아 갈래지어 놓은 것을 말한다. 품사는 단어의 형태, 기능, 의미에 따라 나눌 수 있는데, 동사는 기능상 용언에 속한다. 용언은 문장의 주어를 서술하는 기능을 한다.

오답 잡기

① 수사는 문장 안에서 형태가 변하지 않는 불변어이다. 형태가 변하는 품사는 동사, 형용사, 서술격 조사이다.
③ 관형사는 체언 앞에 놓여 체언을 꾸며 주는 단어이다. 해당 설명은 부사에 관한 내용이다.
④ 명사는 사람이나 사물 등의 이름을 나타내는 단어이다. 해당 설명은 대명사에 관한 내용이다.
⑤ 감탄사는 문장 내의 다른 성분에 얽매이지 않고 비교적 독립적으로 쓰이는 단어로 독립언에 해당한다. 해당 설명은 조사에 관한 내용이다.

06 다의어와 동음이의어 탐구

다의어는 의미적 관련성이 있는 두 가지 이상의 뜻을 가진 단어를 의미하며, 일반적으로 중심적 의미에서 주변적 의미가 파생된 것으로 분석한다. 반면 동음이의어는 소리는 같지만 의미적 관련성이 없이 뜻이 다른 단어이다. 발[1]은 다의어에 해당하므로, 의미 「1」과 「2」는 의미적 관련성을 지니고 있다.

오답 잡기

① 발[1]은 하나의 단어가 둘 이상의 의미를 지니고 있으므로 다의어에 해당한다.
② 발[1]과 발[2]는 사전에 다른 표제어로 제시되어 있고 의미적 관련성이 없으므로 동음이의어에 해당한다.
③ 발[1]의 「1」은 해당 단어의 중심적 의미로, 가장 기본적이고 핵심적인 의미이다.
⑤ 발[1]과 발[2]가 동음이의어에 해당하므로 발[1]의 「2」와 발[2]는 의미적 관련성이 없다.

DAY 2 필수 체크 전략 ①

14~17쪽

1 ③	1-1 ④	2 ④	2-1 ③
2-2 ①	3 ⑤	3-1 ④	3-2 ④
4 ④	4-1 ⑤	5 ①	5-1 ①

1 음운의 특성 이해

자음 체계표의 기준, 문법 용어의 의미를 정확하게 이해하여 하나의 자음이 가진 성질을 잘 이해하고 있어야 한다. 자음 체계표에서 자음의 위치가 의미하는 바가 무엇인지를 명확하게 파악하고 선지에 제시된 내용과 일치하는지 확인한다. 외국 학생은 '불고기'의 'ㅂ'을 'ㄷ', 'ㄱ', 'ㄴ'으로 잘못 발음하고 있다. 〈보기〉의 자음 체계표에 의하면 'ㅂ'은 조음 위치상 '입술소리'이고 조음 방법상 '안울림소리-파열음'이므로 '불'은 두 입술을 맞닿게 하면서(조음 위치) 목청을 울리지 않고(조음 방법) 소리 내야 한다.

오답 잡기

①, ② 'ㅂ'은 조음 위치상 두 입술 사이에서 소리 나므로 적절하지 않다.

④ 'ㅂ, ㄷ, ㄱ'은 모두 파열음이므로 폐에서 나오는 공기의 흐름을 일단 막았다가 터뜨리면서 소리를 낸다.

⑤ 'ㅂ, ㄷ'은 안울림소리이다. 코로 공기를 내보내며 목청을 울리며 소리 내는 것은 울림소리 중 비음으로, 'ㅁ, ㄴ, ㅇ'이 이에 해당한다.

개념 더 보기

자음의 분류

• 조음 위치에 따른 분류

입술소리	두 입술 사이에서 나는 소리	ㅁ, ㅂ, ㅃ, ㅍ
잇몸소리	혀끝과 윗잇몸 사이에서 나는 소리	ㄴ, ㄷ, ㄸ, ㄹ, ㅅ, ㅆ, ㅌ
센입천장소리	혓바닥과 센입천장 사이에서 나는 소리	ㅈ, ㅉ, ㅊ
여린입천장소리	혀 뒷부분과 여린입천장 사이에서 나는 소리	ㄱ, ㄲ, ㅇ, ㅋ
목청소리	목청 사이에서 나는 소리	ㅎ

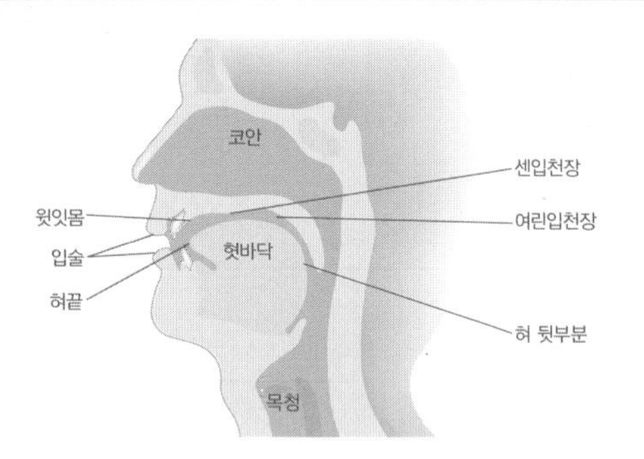

• 조음 방법에 따른 분류

파열음	폐에서 나오는 공기를 막았다가 터뜨리면서 내는 소리	ㄱ, ㄲ, ㄷ, ㄸ, ㅂ, ㅃ, ㅋ, ㅌ, ㅍ
파찰음	파열음과 마찰음의 두 가지 성질이 모두 있는 소리	ㅈ, ㅉ, ㅊ
마찰음	입 안이나 목청 사이의 통로를 좁히고 공기를 그 좁힌 틈 사이로 내보내 마찰을 일으키면서 내는 소리	ㅅ, ㅆ, ㅎ
비음	입 안의 통로를 막고 코로 공기를 내보내면서 내는 소리	ㅁ, ㄴ, ㅇ
유음	혀끝을 잇몸에 가볍게 대었다가 떼거나, 잇몸에 댄 채 공기를 그 양옆으로 흘려 보내면서 내는 소리	ㄹ

1-1 음운의 특성 이해

〈보기〉에서 설명하는 1음절은 저모음이면서 평순 모음, 2음절은 전설 모음이면서 원순 모음이다. 따라서 1음절에 해당하는 모음은 'ㅐ, ㅏ', 2음절에 해당하는 모음은 'ㅟ, ㅚ'이다. 1, 2음절의 조건을 모두 만족하는 단어 카드는 '참외'이다.

오답 잡기

① 1음절 'ㅏ': 저모음, 평순 모음 / 2음절 'ㅐ': 전설 모음, 평순 모음

② 1음절 'ㅐ': 저모음, 평순 모음 / 2음절 'ㅏ': 후설 모음, 평순 모음

③ 1음절 'ㅣ': 고모음, 평순 모음 / 2음절 'ㅔ': 전설 모음, 평순 모음

⑤ 1음절 'ㅗ': 중모음, 원순 모음 / 2음절 'ㅗ': 후설 모음, 원순 모음

2 음운 체계와 음운의 변동 이해

'국민 → [궁민]'에서 'ㄱ'이 'ㅇ'으로 변하였는데, 'ㄱ'은 파열음이고 'ㅇ'은 비음이므로 조음 방법이 변하였다. '물난리 → [물랄리]'에서 'ㄴ'이 'ㄹ'로 변하였는데, 'ㄴ'은 비음이고 'ㄹ'은 유음이므로 조음 방법이 변하였다.

오답 잡기

① '국민 → [궁민]'에서 파열음 'ㄱ'이 'ㅇ'으로 바뀐 것은 뒤 자음 'ㅁ'의 영향을 받은 것이다. 그리고 바뀐 음운 'ㅇ'은 유음이 아니라 비음이다.

② '물난리 → [물랄리]'는 비음 'ㄴ'이 유음 'ㄹ'의 영향으로 유음 'ㄹ'로 바뀌는 '유음화'가 일어났다.

③ '굳이 → [구지]'에는 잇몸소리 'ㄷ'이 모음 'ㅣ' 앞에서 센입천장소리 'ㅈ'으로 변하는 '구개음화'가 일어났다.

⑤ '굳이 → [구지]'에서 'ㄷ'이 'ㅈ'으로 변하였는데 'ㄷ'은 잇몸소리이고 'ㅈ'은 센입천장소리이므로 조음 위치가 변하였다. 그러나 '물난리 → [물랄리]'에서는 'ㄴ'이 'ㄹ'로 변하였는데 둘 다 잇몸소리이므로 조음 위치가 변하지 않았다.

2-1 음운 체계와 음운의 변동 이해

㉠ '별님[별:림]'과 ㉣ '칼날[칼랄]'은 비음 'ㄴ'이 유음 'ㄹ'의 영향으로 유음 'ㄹ'로 바뀐 유음화의 예, ㉡ '해돋이[해도지]'는 끝소리 'ㄷ'이 모음 'ㅣ'와 만나 'ㅈ'으로 바뀐 구개음화의 예, ㉢ '닫는[단는]'은 파열음 'ㄷ'이 비음 'ㄴ'의 영향으로 비음 'ㄴ'으로 바뀐 비음화의 예이다.

잇몸소리이자 파열음인 'ㄷ'이 잇몸소리이자 비음인 'ㄴ'으로 바뀐 ㉢과 잇몸소리이자 비음인 'ㄴ'이 잇몸소리이자 유음인 'ㄹ'로 바뀐 ㉣은 모두 조음 위치는 바뀌지 않고 조음 방법만 바뀐 경우에 해당한다.

오답 잡기

①, ②, ④ ㉠은 잇몸소리이면서 비음인 'ㄴ'이 잇몸소리이면서 유음인 'ㄹ'로 바뀌었으므로 조음 방법만 바뀐 경우에 해당한다. ㉡은 잇몸소리이면서 파열음인 'ㄷ'이 센입천장소리이면서 파찰음인 'ㅈ'으로 바뀌었으므로 조음 위치와 조음 방법이 모두 바뀐 경우에 해당한다.

2-2 음운 체계와 음운의 변동 이해

'설날[설:랄]'은 유음화/순행 동화, '공론[공논]'은 비음화/순행 동화, '난로[날:로]'는 유음화/역행 동화가 일어난다. '설날[설:랄]'은 잇몸

소리이자 비음인 'ㄴ'이 앞 음운 'ㄹ'의 영향을 받아 잇몸소리이자 유음인 'ㄹ'로 바뀌었으므로 조음 방법이 바뀐 것이다.

오답 잡기

③, ④ '공론[공논]'은 잇몸소리이자 유음인 'ㄹ'이 앞 음운 'ㅇ'의 영향을 받아 잇몸소리이자 비음인 'ㄴ'으로 바뀌었으므로 조음 방법이 바뀐 것이다.

⑤ '난로[날:로]'는 잇몸소리이자 비음인 'ㄴ'이 뒤 음운 'ㄹ'의 영향을 받아 잇몸소리이자 유음인 'ㄹ'로 바뀌었으므로 조음 방법이 바뀐 것이다.

개념 더 보기

음운 동화의 방향에 따른 분류

순행 동화	앞 음운의 영향을 받아 뒤 음운이 동화되는 현상 예 종력[종:녁], 칼날[칼랄]
역행 동화	뒤 음운의 영향을 받아 앞 음운이 동화되는 현상 예 닫는[단는], 신라[실라]

3 음운 동화 현상 이해

〈보기〉의 '활동 1'은 음운 변동이 일어난 지점을 찾을 수 있는지를, '활동 2'는 순행/역행 동화를 판단할 수 있는지를 묻고 있다. '잡념[잠념]'은 '001000'으로 표시할 수 있으므로 역행 동화로 판단할 수 있다.

오답 잡기

① '국민'은 [궁민]으로 발음되므로 '001000'으로 표시할 수 있다. 따라서 역행 동화이다.

② '글눈'은 [글룬]으로 발음되므로 '000100'으로 표시할 수 있다. 따라서 순행 동화이다.

③ '명량'은 [명냥]으로 발음되므로 '000100'으로 표시할 수 있다. 따라서 순행 동화이다.

④ '신랑'은 [실랑]으로 발음되므로 '001000'으로 표시할 수 있다. 따라서 역행 동화이다.

3-1 음운 교체 현상 이해

선생님은 음운 교체 현상에 대해 설명하고 있다. ㉠은 음절의 끝소리 규칙이 일어나는 환경, ㉡은 된소리되기, 비음화, 유음화의 환경, ㉢은 구개음화의 환경과 주로 관련된다. 제시된 '활동 자료'의 단어가 어떤 음운 교체 현상에 해당하는지, 음운 변동 현상이 일어나는 횟수는 몇 번인지 정확하게 파악해야 한다. ④의 '달나라[달라라]'는 ㉡(유음화)이면서 ⓐ에 해당한다.

오답 잡기

① 부엌[부억]: ㉠ 음절의 끝소리 규칙 / 1회

② 앞집[압집 → 압찝]: ㉠ 음절의 끝소리 규칙, ㉡ 된소리되기 / 2회

③ 입술[입쑬]: ㉡ 된소리되기 / 1회

⑤ 물받이[물바지]: ㉢ 구개음화 / 1회

3-2 된소리되기 이해

'뻗다[뻗따]'는 받침 'ㄷ' 뒤에 연결되는 'ㄷ'이 된소리로 나는 경우에 해당하므로 ㉡이 아니라 ㉠의 예로 볼 수 있다.

오답 잡기

① ㉠~㉢의 예를 통해 음운이 교체되는 현상임을 알 수 있다.

② ㉠~㉢의 예를 통해 된소리되기가 일어날 때 음운 개수의 변화가 없음을 알 수 있다.

③ '목덜미[목떨미]'는 받침 'ㄱ' 뒤에 연결되는 'ㄷ'이 된소리로 나는 경우에 해당하므로 ㉠의 예로 볼 수 있다.

⑤ '할 것을[할꺼슬]'은 관형사형 어미 '-(으)ㄹ' 뒤에 연결되는 'ㄱ'이 된소리로 나는 경우에 해당하므로 ㉢의 예로 볼 수 있다.

4 음운 변동의 이해와 적용

'색연필[생년필]'에는 앞말이 자음으로 끝나고 뒷말이 모음 'ㅣ'나 반모음 'ㅣ̆'로 시작할 때 'ㄴ'이 덧붙는 '첨가('ㄴ' 첨가: 연 → 년)'와, 첨가된 'ㄴ'의 영향을 받아 'ㄱ'이 'ㅇ'으로 바뀌는 '교체(비음화: 색 → 생)'가 나타난다. 이는 '잡일[잠닐]'에서 일어나는 음운 변동 과정과 같다.

오답 잡기

① 법학[버팍]: 축약(거센소리되기)

② 담요[담:뇨]: 첨가('ㄴ' 첨가)

③ 국론[국논 → 궁논]: 교체('ㄹ'의 비음화) → 교체(비음화)

⑤ 한여름[한녀름]: 첨가('ㄴ' 첨가)

보기 돋보기

음운 변동의 유형

교체	한 음운이 다른 음운으로 바뀌는 현상으로, 교체 현상에 의한 음운 수의 변화 없음. – 음절의 끝소리 규칙, 된소리되기, 비음화, 유음화, 구개음화
축약	두 음운이 합쳐져 다른 음운으로 바뀌는 현상으로, 축약 현상에 의해 음운 수가 줄어듦. – 거센소리되기
탈락	원래 있던 음운이 없어지는 현상으로, 탈락 현상에 의해 음운 수가 줄어듦. – 자음군 단순화, 'ㄹ' 탈락, 'ㅎ' 탈락, 'ㅏ, ㅓ' 탈락, 'ㅡ' 탈락
첨가	없던 음운이 새로 생기는 현상으로, 첨가 현상에 의해 음운 수가 늘어남. – 'ㄴ' 첨가, 반모음 첨가

4-1 음운 변동의 이해와 적용

㉠은 탈락, ㉡은 첨가, ㉢은 교체, ㉣은 축약에 대한 설명이다. '구급약[구:금냑]'은 'ㄴ'이 첨가된 후 'ㅂ'이 'ㄴ'과 만나 'ㅁ'으로 교체(비음화)되었다. '빔윷[빔:뉻]'은 'ㄴ'이 첨가되고 'ㅊ'이 'ㄷ'으로 교체(음절의 끝소리 규칙)되었으므로 적절하다.

오답 잡기

① 놓아[노아]: 탈락('ㅎ' 탈락) → ㉠
일시[일씨]: 교체(된소리되기) → ㉢

② 관리[괄리]: 교체(유음화) → ㉢
콩엿[콩녇]: 첨가('ㄴ' 첨가), 교체(음절의 끝소리 규칙) → ㉡+㉢

③ 앉히다[안치다]: 축약(거센소리되기) → ㉣
끓이다[끄리다]: 탈락('ㅎ' 탈락) → ㉠

④ 읊조리다[읍쪼리다]: 탈락(자음군 단순화), 교체(된소리되기) → ㉠+㉢
끗끗하다[끋꾸타다]: 교체(음절의 끝소리 규칙), 축약(거센소리되기) → ㉢+㉣

5 음운 변동의 이해와 적용

음운 축약은 'ㄱ, ㄷ, ㅂ, ㅈ'과 'ㅎ'이 만나면 [ㅋ], [ㅌ], [ㅍ], [ㅊ]로 발음되는 것이다. '먹히다'는 [머키다]로 발음되므로 축약에 해당한다.

오답 잡기

② '밭머리'는 'ㅌ'이 음절의 끝소리 규칙으로 'ㄷ'으로 교체된 뒤, 뒤에 나오는 'ㅁ'의 영향을 받아 'ㄴ'으로 교체되어 [반머리]로 발음된다. 따라서 교체에 해당한다.

③ '솜이불'은 원래 없던 음운인 'ㄴ'이 첨가되어 [솜:니불]로 발음되므로 첨가에 해당한다.

④ '좋으면'은 'ㅎ'이 탈락하여 [조:으면]으로 발음되므로 탈락에 해당한다.

⑤ '한여름'은 원래 없던 음운인 'ㄴ'이 첨가되어 [한녀름]으로 발음되므로 첨가에 해당한다.

5-1 음운 변동의 이해와 적용

'맏형[마텽]'은 'ㄷ'과 'ㅎ'이 만나 'ㅌ'으로 변하는 음운 축약 현상이, '좋은[조:은]'은 'ㅎ'이 탈락하는 음운 탈락 현상이 나타난다.

오답 잡기

② 무릎[무릅]: 음절의 끝소리 규칙 - 음운 교체
외곬[외골]: 자음군 단순화 - 음운 탈락

③ 약학[야칵]: 거센소리되기 - 음운 축약
논리[놀리]: 유음화 - 음운 교체

④ 눈약[눈냑]: 'ㄴ' 첨가 - 음운 첨가
같이[가치]: 구개음화 - 음운 교체

⑤ 맨입[맨닙]: 'ㄴ' 첨가 - 음운 첨가
많이[마:니]: 'ㅎ' 탈락 - 음운 탈락

DAY

2 필수 체크 전략 ②

18~19쪽

01 ④ 02 ① 03 ⑤ 04 ①
05 ② 06 ⑤

01 음운의 개념과 특성 이해

㉠, ㉡은 분절 음운인 모음과 자음을, ㉢은 비분절 음운인 소리의 길이를 확인할 수 있는 예이다. ㉣은 음운 변동 중 음운 교체와 음운 탈락이 나타나 있다. '닭고기[닥꼬기]'에서 자음군 'ㄺ' 중 'ㄹ'이 탈락하면서(음운 탈락 - 자음군 단순화) 'ㄱ' 뒤에 오는 2음절의 'ㄱ'이 된소리 'ㄲ'으로 바뀌는 된소리되기(음운 교체)가 일어난다. '좋아[조:아]'는 'ㅎ'이 탈락하는 음운 탈락 현상이 일어난다. 따라서 ㉣은 음운 변동 후에 [ㄷ, ㅏ, ㄱ, ㄲ, ㅗ, ㄱ, ㅣ, ㄱ, ㅏ, ㅈ, ㅗ, ㅏ]의 12개 음운으로 구성된다.

오답 잡기

① '강-공-궁'은 모음 'ㅏ, ㅗ, ㅜ'에 의해 말의 뜻이 달라지고 있으므로 모음이 음운임을 보여 준다.

② '강-감-각'은 자음 'ㅇ, ㅁ, ㄱ'에 의해 말의 뜻이 달라지고 있으므로 자음이 음운임을 보여 준다.

③ '눈[눈:]'과 '눈[눈]'은 소리의 길이에 따라 말의 뜻이 달라지고 있으므로 소리의 길이가 음운임을 보여 준다.

⑤ '닭고기가[닥꼬기가]'에서 음운 탈락과 음운 교체 현상이, '좋아[조:아]'에서 음운 탈락 현상이 나타난다.

02 음운 체계와 음운 교체 현상 이해

〈보기〉는 사례 ㉠이 순행 동화인지 역행 동화인지를 판단하는 ㉡, 나타난 음운 변동 현상이 자음 체계표상 조음 방법이 바뀐 것인지 조음 위치가 바뀐 것인지 판단하는 ㉢을 바르게 채울 수 있는가를 묻고 있다. '강릉[강능]'은 'ㄹ'이 앞 음운 'ㅇ'의 영향을 받아 비음 'ㄴ'으로 바뀌어 조음 방법이 달라진 것이다.

오답 잡기

② '겹눈[겸눈]'은 한 음운이 뒤 음운의 영향을 받아 조음 방법이 달라진 사례이다.

③ '밥물[밤물]'은 한 음운이 뒤 음운의 영향을 받아 조음 방법이 달라진 사례이다.

④ '실내[실래]'는 한 음운이 앞 음운의 영향을 받아 조음 방법이 달라진 사례이다.

⑤ '물놀이[물로리]'는 한 음운이 앞 음운의 영향을 받아 조음 방법이 달라진 사례이다.

03 음운 변동 현상 파악

㉠은 'ㄴ' 첨가 현상이 일어나 음운의 개수가 늘어나므로 ⑤는 적절하지 않다. ㉡, ㉢, ㉣, ㉤은 모두 음운이 줄어든 사례이다.

오답 잡기

① ㉠은 'ㄴ' 첨가 현상, ㉣은 'ㄹ' 탈락 현상이 일어나므로 모두 1회의 음운 변동 현상이 나타난다.

② ㉡과 ㉤은 모두 거센소리되기 현상이 일어난다.

③ ㉢은 자음군 단순화와 된소리되기가 일어나 2회, ㉣은 'ㄹ' 탈락 현상이 일어나 1회이므로 음운 변동의 횟수가 다르다.

④ ㉢은 자음군 단순화로 'ㄹ'이 탈락하였고, ㉣은 'ㄹ' 탈락 현상으로 'ㄹ'이 탈락하였으므로 동일한 음운이 탈락하였다.

보기 돋보기

㉠ 눈요기[눈뇨기]: 'ㄴ' 첨가 / 음운 변동 1회 / 음운 수가 1개 늘어남. (+ㄴ)
㉡ 눕히다[누피다]: 거센소리되기 / 음운 변동 1회 / 음운 수가 1개 줄어듦. (ㅂ+ㅎ→ㅍ)
㉢ 젊고[점ː꼬]: 자음군 단순화, 된소리되기 / 음운 변동 2회 / 음운 수가 1개 줄어듦. (자음군 단순화로 -ㄹ, 된소리되기는 음운 수 변화 없음.)
㉣ 놀-+-세 → [노ː세]: 'ㄹ' 탈락 / 음운 변동 1회 / 음운 수가 1개 줄어듦. (-ㄹ)
㉤ 파랗다[파ː라타]: 거센소리되기 / 음운 변동 1회 / 음운 수가 1개 줄어듦. (ㅎ+ㄷ→ㅌ)

04 음운 축약 현상과 탈락 현상 이해

음운 변동 현상은 음운이 처한 음운 환경에 의해 일어난다. 용언 어간 '좋-'이 '-아, -으니, -아서, -으므로'처럼 모음으로 시작되는 어미와 만나면, 'ㅎ' 탈락의 환경에 부합하므로 'ㅎ'이 탈락하게 된다. 반면에 용언 어간 '좋-'이 'ㄱ, ㄷ, ㅈ'으로 시작되는 어미와 만나면 거센소리되기의 환경에 부합하므로 어간 끝소리 'ㅎ'이 뒤 음절 초성과 만나 거센소리가 된다. 따라서 '좋고'는 [조ː코]로 발음되어 제시된 다른 선지에서 제시한 사례들과 음운 변동 현상이 다르게 나타난다.

05 음운 동화 현상 이해

㉠은 비음화, ㉡은 유음화, ㉢은 구개음화에 대한 설명이다. '식물[싱물]'은 'ㅁ' 앞에서 'ㄱ'이 'ㅇ'으로 변하므로 ㉠에 해당하는 예로 적절하다.

오답 잡기

①, ③, ④ '권리[궐리]'는 유음화의 예, '받는[반는]'은 비음화의 예, '맨입[맨닙]'은 'ㄴ' 첨가의 예이다.

⑤ '햇빛이[핻비치 → 핻삐치]'는 음절의 끝소리 규칙, 된소리되기의 예이다. '빛이'가 [비치]로 발음되는 것은 연음 현상으로 음운 변동 현상이 아니다.

보기 돋보기

음운 동화 현상

개념	한 음운이 인접한 다른 음운의 성질을 닮아 그 음운으로 바뀌거나 그 음운과 비슷한 소리로 바뀌는 현상 → 음운 교체 현상에 속함.	
예	비음화	'ㄱ, ㄷ, ㅂ'이 비음 'ㄴ, ㅁ' 앞에서 비음 'ㅇ, ㄴ, ㅁ'으로 바뀜.
	유음화	'ㄴ'이 유음 'ㄹ' 앞이나 뒤에서 유음 'ㄹ'로 바뀜.
	구개음화	'ㄷ, ㅌ'이 모음 'ㅣ'로 시작하는 형식 형태소와 만났을 때 구개음 'ㅈ, ㅊ'으로 바뀜.

06 음운 변동 과정 파악

음운 변동은 음운 변동의 환경이 갖추어진 후 일어난다. 첫 번째 음운 변동에 의해 음운이 바뀌면 이로 인해 음운 환경이 바뀌고, 이에 따라 다음 음운 변동이 일어나므로, 음운 변동 과정을 파악하기 위해서는 반드시 어떤 음운 환경이 형성되어 있는지를 확인해야 한다.

'따뜻한'은 먼저 음절의 끝소리 규칙에 따라 [따뜯한]이 된다. 그 뒤 'ㄷ'과 'ㅎ'이 축약하여 [따뜨탄]이 된다. 음절의 끝소리 규칙은 음운 교체 현상, 거센소리되기는 음운 축약 현상이다. 이와 같은 순서로 음운 변동이 일어나는 것은 ⑤의 '숱하다[수타다]'이다. '숱하다'는 먼저 음절의 끝소리 규칙(음운 교체)에 따라 1음절의 종성 'ㅌ'이 'ㄷ'으로 바뀌어 [숟하다]가 된다. 그 뒤 'ㄷ'과 'ㅎ'이 축약하여 거센소리되기(음운 축약)가 일어나 [수타다]로 발음된다.

오답 잡기

① 꽃다지 → (음절의 끝소리 규칙 (교체)) [꼳다지] → (된소리되기 (교체)) [꼳따지]

② 엿가락 → (음절의 끝소리 규칙 (교체)) [엳가락] → (된소리되기 (교체)) [엳까락]

③ 밭이랑 → (음절의 끝소리 규칙, 'ㄴ' 첨가 (교체, 첨가)) [받니랑] → (비음화 (교체)) [반니랑]

④ 벗나무 → (음절의 끝소리 규칙 (교체)) [벋나무] → (비음화 (교체)) [번나무]

DAY 3 필수 체크 전략 ①

20~23쪽

1 ①	1-1 ⑤	1-2 ⑤	2 ①
2-1 ③	3 ③	3-1 ⑤	4 ①
4-1 ③			

1 형태소의 이해

'하늘이 매우 높고 푸르다.'에서 자립 형태소는 '하늘', '매우'로 2개이다.

오답 잡기

② 형식 형태소는 '이, -고, -다'로 3개이다.

③ 의존 형태소는 '이, 높-, -고, 푸르-, -다'로 5개이다.

④ 실질 형태소이면서 의존 형태소인 것은 '높-, 푸르-'로 2개이다.

⑤ 실질 형태소이면서 자립 형태소인 것은 '하늘, 매우'로 2개이다.

1-1 형태소와 단어의 이해

일정한 뜻을 가진 가장 작은 말의 단위는 형태소이다. '꽃집'은 하나의 단어이지만, '꽃'과 '집'이라는 두 개의 형태소로 이루어져 있다.

오답 잡기

① ㉠은 '나', '는', '꽃집', '에', '갔다'라는 5개의 단어로 이루어져 있다.

② '-다'는 의존 형태소이면서 형식 형태소이므로 그 자체로 단어가 아니다.

③ '나'는 하나의 단어이면서 뜻을 가진 가장 작은 말의 단위이므로 형태소이기도 하다.

④ '는', '에'는 조사이므로 자립할 수 없지만 단어로 인정한다.

1-2 형태소의 이해와 적용

㉤ '한여름'은 '정확한' 또는 '한창인'의 뜻을 더하는 접두사 '한-'이 '여름'과 결합한 파생어이다. 접두사는 혼자 쓰일 수 없는 의존 형태소이고, 어근인 '여름'은 혼자 쓰일 수 있는 자립 형태소이다.

오답 잡기

① ㉠ '되면'은 실질 형태소인 '되-'와 형식 형태소인 '-면'으로 이루어져 있다.

② ㉡ '잡겠다고'는 의존 형태소인 '잡-', '-겠-' '-다고'로 이루어져 있다.

③ ㉢ '숲속'은 자립 형태소인 '숲'과 '속'으로 이루어져 있다.

④ ㉣ '밤하늘'은 실질 형태소인 '밤'과 '하늘'로 이루어져 있다.

2 단어의 형성 방식 파악

지문 돋보기

- 어간의 개념
  - 용언 등이 활용될 때 사용하는 개념
  - 용언이 활용될 때 형태가 변하지 않는 부분을 가리킴.
- 어근의 개념
  - 단어를 구성할 때 실질적인 의미를 나타내는 부분을 가리킴.
  - 어근의 앞이나 뒤에 결합하여 특정한 의미나 기능을 더하는 접사와 결합하기도 함.

※ 용언을 어근과 접사로 분석할 때에는 어간만을 대상으로 함.

'휘감다'는 어근 '감-'에 접사 '휘-'가 결합하여 만들어진 단어이다. 따라서 '휘감다'의 어간은 '휘감-'이고, 어근은 '감-'이므로 b에 들어가는 유형이다.

오답 잡기

② '자라다'의 어간과 어근은 모두 '자라-'로 동일하다.

③ '먹히다'의 어간은 '먹히-'이고, 어근은 '먹-'이다. '먹히다'는 어근 '먹-'에 접사 '-히-'가 결합하여 만들어진 단어이다.

④ '치솟다'의 어간은 '치솟-'이고, 어근은 '솟-'이다. '치솟다'는 어근 '솟-'에 접사 '치-'가 결합하여 만들어진 단어이다.

⑤ '검붉다'의 어간은 '검붉-'이고, 어근은 '검-', '붉-'이다. '검붉다'는 어근 '검-'과 어근 '붉-'이 결합하여 만들어진 단어이다.

2-1 단어의 형성 방식 파악

'먹이다'는 어근 '먹-'에 접사 '-이-'가 결합한 파생어이고, '먹고살다'는 어근 '먹-'과 '살-'이 연결 어미에 의해 연결된 합성어이다. 따라서 '먹이다'와 '먹고살다'는 모두 단일어가 아니므로 어간과 어근이 일치하지 않는다. 우선 '먹이다'의 경우 어간은 '먹이-'이지만, 어근은 '먹-'이다. '먹고살다'의 경우 어간은 '먹고살-'이지만, 어근은 '먹-'과 '살-'이다.

개념 더 보기

단어의 형성 방식

단어	단일어		하나의 어근으로 된 단어 예 마을, 산, 먹다
	복합어	합성어	둘 이상의 어근으로 이루어진 단어 예 밤하늘, 숲속, 돌아보다
		파생어	어근과 접사로 이루어진 단어 예 맨손, 한여름, 놀이, 어른스럽다

3 단어의 의미와 특성 파악

'차가 경적을 울리며 멈추다.'에서 '멈추다'는 '사물의 움직임이나 동작이 그치다.'라는 의미를 지니므로 '멈추다 [1]「1」'의 용례에 해당한다.

오답 잡기

① '그치다「1」'의 문형 정보 '【(…을)】'을 통해 '그치다「1」'은 주어만을 필요로 하는 자동사로도 쓰이고, 대상이 되는 목적어를 필요로 하는 타동사로도 쓰임을 알 수 있다. 이는 '그치다「1」'이 자동사로 쓰일 때의 용례 '비가 그치다.'와 타동사로 쓰일 때의 용례 '(아이가) 울음을 그치다.'에서 확인할 수 있다.

② '그치다「2」'의 문형 정보 '【…에】【…으로】'를 통해 '그치다「2」'가 부사어를 반드시 필요로 함을 알 수 있다. 이는 용례에서 사용된 부사어 '절반 정도에', '예감으로'를 통해 확인할 수 있다.

④ 다의어란 두 가지 이상의 뜻을 가진 단어이다. '그치다'와 '멈추다'는 하나의 표제어 아래에 두 가지 이상의 의미가 제시되어 있으므로 다의어이다.

⑤ '그치다「1」'과 '멈추다'의 뜻풀이와 용례를 보면 '그치다「1」'은 '일이나 움직임이 멈추거나 끝나다. 또는 그렇게 하다.'라는 뜻이

고 '멈추다'는 '사물의 움직임이나 동작이 그치다. 또는 그치게 하다.'라는 뜻이므로 유사한 의미를 지니고 있음을 확인할 수 있다. 따라서 두 단어는 유의 관계에 있다.

3-1 단어의 의미와 특성 파악

'크다'는 형용사와 동사로 품사가 통용되는 단어로, 〈보기〉에는 '크다'가 사전에 하나의 표제어로 등재되어 형용사와 동사로 쓰일 때의 다양한 의미 정보가 담겨 있다. '크다 [Ⅱ]「3」'은 동사로 쓰인 경우에 해당하는데, 의미상 부사어 없이 쓰일 수 있다.

오답 잡기

③ '크다 [Ⅰ]「3」'은 형용사이므로 명령문의 서술어로 쓰일 수 없다.

④ '크다 [Ⅱ]「1」'은 동사이므로 현재 시제 선어말 어미가 결합할 수 있다.

개념 더 보기

품사의 통용

하나의 단어가 둘 이상의 품사로 쓰이는 경우 이를 품사의 통용이라고 한다.

예 1. 오늘은 비가 온다. (명사)
우리 오늘 만나자. (부사)
2. 교실에 남은 학생 수는 여섯이다. (수사)
내 동생은 여섯 살이다. (관형사)

4 국어 규범의 이해

㉠ '안개꽃 밖에'의 '밖에'는 조사로 한글 맞춤법 제41항을 적용해 '안개꽃밖에'로 써야 한다. 따라서 제41항을 적용해 '안개꽃밖에'로 정정해야겠다는 진술은 적절하다.

오답 잡기

② ㉡ '너만큼'의 '만큼'은 조사이므로 제41항을 적용해 '너만큼'으로 써야 한다. 따라서 제42항을 적용해 띄어 써야 한다는 진술은 적절하지 않다.

③ ㉢ '천 원짜리'의 '짜리'는 수나 양 또는 값을 나타내는 명사구 뒤에 붙어 '그만한 수나 양을 가진 것' 또는 '그만한 가치를 가진 것'의 뜻을 더하는 접미사이다. 접미사는 혼자 쓰일 수 없으므로 붙여 써야 한다. 따라서 제43항을 적용해 '천 원 짜리'로 정정해야 한다는 진술은 적절하지 않다.

④ ㉣ '어찌할 줄'의 '줄'은 의존 명사이므로 제42항을 적용하여 띄어 쓰는 것이 맞다. 따라서 제43항을 적용해 '어찌할줄'로 정정해야 한다는 진술은 적절하지 않다.

⑤ ㉤ '7 연구실'은 명사가 숫자와 함께 쓰인 것이므로 제43항의 '다만, 순서를 나타내는 경우나 숫자와 어울리어 쓰이는 경우에는 붙여 쓸 수 있다.'에 따라 띄어 쓰는 것이 원칙이지만 붙여 쓸 수 있다. 따라서 제46항을 적용해 '7연구실'로 정정해야 한다는 진술은 적절하지 않다.

4-1 국어 규범의 이해

'덤벼들어 보아라'에서 앞말인 '덤벼들다'가 합성 용언이므로 보조 용언인 '보아라'를 띄어 쓰는 것이 맞다.

오답 잡기

① '집어넣어둔다'에서 앞말인 '집어넣다'는 합성 용언에 해당하므로 '집어넣어 둔다'와 같이 띄어 써야 한다.

② '올 듯하다'는 제47항을 적용하여 띄어 쓰는 것이 원칙이고 붙여 쓰는 것도 허용되므로 정정할 필요가 없다.

④ '할만하니'는 제47항을 적용하자면 띄어 쓰는 것이 원칙이나 붙여 쓰는 것도 허용하므로 정정할 필요가 없다.

⑤ '아는 척을 한다'는 중간에 조사가 들어간 경우에 해당하므로 '아는 척을 한다'와 같이 띄어 쓰는 것이 맞다.

DAY 3 필수 체크 전략 ②

| 24~25쪽

01 ⑤ 02 ③ 03 ② 04 ④
05 ④

01 형태소와 단어의 이해

'-었-'과 '-다'는 자립할 수 없는 의존 형태소이면서 문법적인 기능을 하는 형식 형태소이다. 따라서 실질적인 의미를 지니고 있다는 진술은 적절하지 않다.

오답 잡기

① '뜰', '벌써'는 각각 자립 형태소이면서 하나의 단어이다.

② '에', '이'는 모두 조사인데, 조사는 문법적인 의미를 지니는 형식 형태소이지만 단어로 인정한다.

③ '배꽃'은 실질 형태소인 '배'와 '꽃'이 결합하여 이루어진 합성어이다.

④ '피-'는 실질 형태소이지만 자립할 수 없는 의존 형태소이다.

보기 돋보기

문장	뜰에 배꽃이 벌써 피었다.							
단어	뜰	에	배꽃		이	벌써	피었다	
형태소	뜰	에	배	꽃	이	벌써	피-	-었-	-다
형태소의 종류	자립	의존	자립	자립	의존	자립	의존	의존	의존
	실질	형식	실질	실질	형식	실질	실질	형식	형식

02 통사적 합성어와 비통사적 합성어의 이해와 적용

㉠은 부사 '잘'에 용언의 어간 '되-'가 결합하여 이루어진 합성어이므로 통사적 합성어이다.

㉡은 연결 어미 없이 용언의 어간 '굳-'과 '세-'가 직접 결합하여 이루어진 합성어이므로 비통사적 합성어이다.

㉢은 연결 어미 없이 용언의 어간 '얽-'과 '매-'가 직접 결합하여 이루어진 합성어이므로 비통사적 합성어이다.

㉣은 용언의 어간 '파-'와 연결 어미 '-고', 용언의 어간 '들-'이 결합하여 이루어진 합성어이므로 통사적 합성어이다.

03 용언의 활용 이해

'기르다'가 '길러'와 같이 활용하는 것은 어간의 끝음절 '르'가 어미 '-아/어' 앞에서 'ㄹㄹ'로 변하는 현상(르 불규칙 활용)으로, 어간이 불규칙하게 변하는 경우에 해당하는 사례이다.

오답 잡기

① '기쁘다'가 '기뻐'와 같이 활용할 때 어간의 'ㅡ'가 탈락하는 것은 'ㅡ' 탈락으로 설명할 수 있으므로 규칙 활용에 해당한다.

③ '긋다'가 '그어'로 활용하는 것은 어간의 끝 'ㅅ'이 모음 어미 앞에서 탈락하는 현상(ㅅ 불규칙 활용)으로, 어간이 불규칙하게 변하는 경우에 해당한다.

④ '줍다'가 '주워'로 활용하는 것은 어간의 끝 'ㅂ'이 모음 어미 앞에서 '오/우'로 변하는 현상(ㅂ 불규칙 활용)으로, 어간이 불규칙하게 변하는 경우에 해당한다.

⑤ '이르다'가 '이르러'와 같이 활용하는 것은 어간이 '르'로 끝나는 용언 뒤에서 어미 '-어', '-어서'의 '-어'가 '-러'로 바뀌는 현상(러 불규칙 활용)으로, 어미가 불규칙하게 변하는 경우에 해당한다.

개념 더 보기

용언의 불규칙 활용

어간이 변하는 경우	ㅅ 불규칙 활용	'ㅅ'이 모음 어미 앞에서 탈락하는 현상 예 짓다 → 지어
	ㄷ 불규칙 활용	'ㄷ'이 모음 어미 앞에서 'ㄹ'로 변하는 현상 예 묻다[問] → 물어
	ㅂ 불규칙 활용	'ㅂ'이 모음 어미 앞에서 '오/우'로 변하는 현상 예 돕다 → 도와
	르 불규칙 활용	'르'가 어미 '-아/어' 앞에서 'ㄹㄹ'로 변하는 현상 예 흐르다 → 흘러
	우 불규칙 활용	'우'가 모음 어미 앞에서 탈락하는 현상 예 푸다 → 퍼
어미가 변하는 경우	여 불규칙 활용	어간이 '하-'로 끝나는 용언 뒤에서 어미 '-아'가 '-여'로 바뀌는 현상 예 하다 → 하여
	러 불규칙 활용	어간이 '르'로 끝나는 용언 뒤에서 어미 '-어', '-어서'의 '-어'가 '-러'로 바뀌는 현상 예 푸르다 → 푸르러
어간과 어미가 모두 변하는 경우	ㅎ 불규칙 활용	'ㅎ'으로 끝나는 어간에 '-아/어'가 오면, 어간의 일부인 'ㅎ'이 탈락하고 어미도 변하는 현상 예 빨갛-+-아 → 빨개

※ '들다'의 활용형 '들고, 드니, 드느냐'에서 볼 수 있듯이 '-니', '-느냐'와 결합할 때 어간의 'ㄹ'이 탈락하지만 이러한 현상이 음절의 끝에 'ㄹ'이 있는 동사에 예외 없이 나타나므로 'ㄹ' 탈락은 불규칙 활용으로 보지 않는다. '끄다', '쓰다' 등도 활용할 때 '꺼', '써'와 같이 어간의 'ㅡ'가 탈락하지만 같은 이유로 'ㅡ' 탈락은 불규칙 활용으로 보지 않는다.

04 국어의 로마자 표기법 이해

'알약[알략]'을 'allyak'으로 표기한 것은 음운 변화를 반영하여 표기한 것이다.

오답 잡기

① ㄱ에서 '설악[서락]'의 'ㄹ'은 'r'로, ㄴ에서 '울산[울싼]'의 'ㄹ'은 'l'로 표기한 것을 통해 같은 자음이더라도 놓이는 환경에 따라 다른 로마자로 표기한다는 것을 알 수 있다.

② ㄴ에서 '울산[울싼]'을 'Ulsan'으로 표기한 것을 통해 된소리되기는 로마자 표기에 반영하지 않는 것을 알 수 있다.

③ ㄷ에서 '곶[곧]'을 'got'으로 표기한 것을 통해 표기보다는 발음에 따라 표기한다는 점을 알 수 있다.

⑤ ㄷ에서 '곶'의 'ㄱ'은 'g'로, ㄹ에서 '약'의 'ㄱ'은 'k'로 표기한 것을 통해, 동일한 자음 'ㄱ'이 놓인 위치에 따라 다른 로마자로 표기한다는 점을 알 수 있다.

05 사전 활용하기

'쓰다 [2]'는 '몸이 좋지 않아서 입맛이 없다.'라는 의미이므로 용례에서 '쓰다'를 '달다'로 바꾸어도 '달다「3」'의 의미와 통하지 않는다. '달다「3」'은 심리적 상태를 나타내는 표현으로 볼 수 있다.

오답 잡기

① '달다 「1」'과 '쓰다 [1]「1」'의 뜻풀이를 살펴보면 맛에 관한 표현으로 의미상 반의 관계를 이룬다고 볼 수 있다. 두 의미의 용례에서 '달다', '쓰다'를 바꾸어 사용해 보면 의미가 상반됨을 파악할 수 있다.

③ '쓰다 [1]「1」'은 중심적 의미, '쓰다 [1]「2」'는 주변적 의미에 해당하므로 의미상 '쓰다 [1]「2」'는 '쓰다 [1]「1」'에서 파생된 것으로 볼 수 있다.

⑤ '달다 「2」'와 '쓰다 [2]'의 용례를 통해 서술어가 필요로 하는 문장 성분의 개수가 같다는 점을 확인할 수 있다.

누구나 합격 전략 26~29쪽

01 ②	02 ①	03 ②	04 ③	05 ⑤
06 ③	07 ⑤	08 ⑤	09 ④	10 ⑤
11 ③	12 ⑤	13 ③	14 ①	

01 모음 체계 이해

'ㅟ'는 발음할 때 입술 모양이나 혀의 위치가 변하지 않는 단모음이다.

오답 잡기

① 'ㅛ'는 발음할 때 입술 모양이나 혀의 위치가 변하는 이중 모음이다.

③ 'ㅓ'와 'ㅏ'는 단모음이다.

④ 'ㅔ'와 'ㅐ'는 모두 전설 모음이자 평순 모음이지만, 혀의 높이가 달라 각각 중모음, 저모음으로 발음한다.

⑤ 'ㅜ'와 'ㅗ'는 모두 원순 모음이지만, 혀의 높이가 달라 각각 고모음, 중모음으로 발음한다.

개념 더 보기

● 이중 모음의 종류

'ǐ[j]'계 이중 모음	ㅑ, ㅕ, ㅛ, ㅠ, ㅒ, ㅖ
'ㅗ̆/ㅜ̆[w]'계 이중 모음	ㅘ, ㅝ, ㅙ, ㅞ

● 이중 모음 'ㅢ'에 대한 두 가지 견해

① 'ㅣ'를 반모음으로 보아 'ㅢ'는 단모음 'ㅡ'와 반모음 'ǐ'가 결합한 것으로 분석한다.

② 'ㅡ'를 반모음으로 보아 'ㅢ'는 반모음 'ㅡ̆'와 단모음 'ㅣ'가 결합한 것으로 분석한다.

02 음운 변동 현상 파악

ⓐ 물엿 → [물녇] → [물렫]
  'ㄴ' 첨가, 음절의 끝소리 규칙 (첨가, 교체) / 유음화 (교체)

ⓑ 신여성 → [신녀성]
  'ㄴ' 첨가 (첨가)

ⓒ 내복약 → [내:복냑] → [내:봉냑]
  'ㄴ' 첨가 (첨가) / 비음화 (교체)

ⓓ 옛이야기 → [옏:니야기] → [옌:니야기]
  음절의 끝소리 규칙, 'ㄴ' 첨가 (교체, 첨가) / 비음화 (교체)

ⓐ~ⓓ에서 공통적으로 일어나는 음운 변동 현상은 '첨가' 현상이다.

오답 잡기

② 음운 교체에 대한 설명이다.

③ 음운 탈락에 대한 설명이다.

④ 음운 축약에 대한 설명이다.

03 음운 변동 현상 이해와 적용

㉠은 음운 탈락, ㉡은 음운 첨가 또는 음운 축약, ㉢은 음운 교체 중 동화 현상, ㉣은 동화 현상 이외의 음운 교체 현상이 일어나는 단어가 들어가야 적절하다. ②의 '쓰-+-어라 → 써라[써라]'는 어간의 'ㅡ'가 탈락하는 'ㅡ' 탈락 현상의 예이므로 ㉡이 아니라 ㉠에 들어가기에 적절한 단어이다.

오답 잡기

① '닭[닥]'은 자음군 단순화가 일어나 'ㄹ'이 탈락하므로 음운 탈락에 해당한다.

③ '듣는[든는]'은 비음화가 일어나므로 음운 교체에 해당한다.

④ '한낮[한낟]'은 음절의 끝소리 규칙이 일어나므로 음운 교체에 해당한다.

⑤ '신다[신:따]'는 된소리되기가 일어나므로 음운 교체에 해당한다.

04 연음 현상 이해

'옷 안'의 '안'은 실질적 의미를 지닌 형태소이므로 앞 음절 '옷'이 음절의 끝소리 규칙으로 인해 [옫]으로 변한 뒤 연음되어야 한다. 따라서 음운 변동 현상이 일어난 뒤 연음 현상이 일어난 예이다.

오답 잡기

①, ② '낮이'의 '이'와 '빛을'의 '을'은 모두 조사로 형식 형태소이므로 곧바로 연음이 되어 [나지], [비츨]과 같이 발음된다.

④, ⑤ '꽃 아래'의 '아래'와 '무릎 위'의 '위'는 실질 형태소이므로 '꽃'과 '무릎'에 음절의 끝소리 규칙이 먼저 적용되어 [꼳], [무릅]으로 변한 뒤 연음된다.

보기 돋보기

● 형태소의 종류

실질적 의미의 유무	실질 형태소	구체적인 대상이나 상태를 나타내는 실질적인 의미를 가진 형태소. 체언, 용언의 어간 등
	형식 형태소	문법적인 의미, 즉 형식적인 의미만을 가진 형태소. 조사, 어미, 접사 등

05~06

● 음운 변동의 유형

교체	한 음운이 다른 음운으로 바뀌는 현상. 음운의 개수 변동 없음.
첨가	없던 음운이 새로 생기는 현상. 음운의 개수 늘어남.
탈락	한 음운이 없어지는 현상. 음운의 개수 줄어듦.
축약	두 음운이 합쳐져 다른 음운으로 바뀌는 현상. 음운의 개수 줄어듦.

● 용언 '잃다'의 활용을 통해 보는 음운 변동 현상

㉮ 잃고[일코]	거센소리되기(축약)	음운의 개수 줄어듦.
㉯ 잃네 → [일네] → [일레]	자음군 단순화(탈락) → 유음화(교체)	음운의 개수 줄어듦.

- 음운 변동이 일어나는 경우 음운 개수의 변화가 나타나기도 함.
- 두 가지 음운 변동이 순차적으로 일어나는 경우도 있음.

05 음운 변동 현상 이해

㉮에는 음운 축약, ㉯에는 음운 탈락과 음운 교체 현상이 나타난다. '가랑잎[가랑닙]'에는 'ㄴ' 첨가 현상과 음절의 끝소리 규칙이 나타나는데, 'ㄴ' 첨가 현상은 음운 첨가 현상으로 ㉮, ㉯에는 나타나지 않는다.

오답 잡기

① '좋아요[조:아요]'는 'ㅎ'이 탈락하는 현상으로 음운 탈락이 나타난다. ㉮는 음운 축약 현상이 나타나는 예이므로 '좋아요'와 동일한 음운 변동 현상이 아니다.

② '묻히고[무치고]'는 거센소리되기가 일어나 음운 축약이 나타나며 ㉮와 동일하게 1개의 음운이 줄어든다.

③ '막일[망닐]'은 '[막닐] → [망닐]'의 순서로 'ㄴ' 첨가(첨가)가 먼저 나타나고 비음화(교체)가 일어난다. 따라서 음운 탈락 후 교체가 이루어지는 ㉯의 음운 변동 과정과 동일하지 않다.

④ ㉯는 음운 탈락과 교체로 두 가지 음운 변동 현상이 일어나지만, '논일[논닐]'은 음운 첨가 현상('ㄴ' 첨가)만 일어난다.

06 음운 변동 과정 파악

'잃네'는 자음군 단순화가 일어나 [일네]가 되었다가, 유음화에 의해 [일레]로 발음된다. 따라서 음운 탈락 후 음운 교체가 일어난다.

07 자음군 단순화의 이해

제시된 설명을 통해 종성의 자음군 중 탈락하는 음운을 ×, 발음되는 음운을 ○로 표시하는 것을 알 수 있다. '여덟'의 '덟'은 종성의 자음군 중 뒤에 있는 자음이 탈락하여 앞에 있는 자음만 발음되므로 [여덜]로 발음한다.

오답 잡기

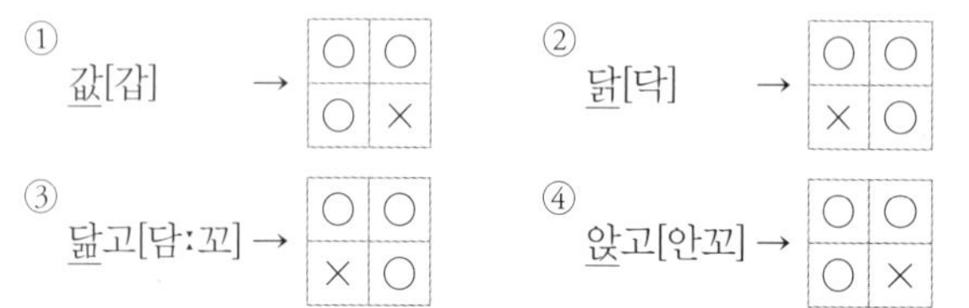

08 형태소의 이해와 적용

'먹었다'의 '-었-'은 과거 시제 선어말 어미로, 문법적인 의미만을 가진 형식 형태소이면서 혼자 쓰일 수 없는 의존 형태소이므로 ㉱에 해당한다.

오답 잡기

① '돌보다'의 '돌-'은 실질 형태소이면서 의존 형태소이므로 ㉯에 해당한다.

② '꽃잎'의 '잎'은 구체적인 의미를 지닌 실질 형태소이면서 자립 형태소이므로 ㉮에 해당한다.

③ '웃음'의 '-음'은 형식 형태소이면서 의존 형태소이므로 ㉱에 해당한다.

④ '사실이 아니다.'의 '이'는 조사로, 혼자 쓰일 수 없는 의존 형태소이면서 형식 형태소이다. 따라서 ㉱에 해당한다.

09 동사와 형용사의 특성 파악

ㄹ에서 '빠른'에 쓰인 관형사형 어미는 '-ㄴ'이고, '찾는'에 쓰인 관형사형 어미는 '-는'이다. 형용사에는 관형사형 어미 '-는'이 결합할 수 없다.

오답 잡기

① '기쁜다'가 비문법적인 표현이라는 점에서 형용사의 어간에는 현재 시제 선어말 어미가 결합할 수 없음을 알 수 있다.

② '이튿날이 밝았다.'의 '밝다'는 '밤이 지나고 환해지며 새날이 오다.'라는 의미의 동사이고, '햇살이 밝다.'의 '밝다'는 '불빛 따위가 환하다.'라는 의미의 형용사이다. 이를 통해 한 단어가 동사와 형용사로 모두 쓰이는 경우도 있음을 알 수 있다.

③ '노력하자'와는 달리 '건강하자'가 비문법적인 표현이라는 점에서 형용사의 어간에는 청유형 어미가 결합할 수 없음을 알 수 있다.

⑤ '가려고'와는 달리 '예쁘려고'가 비문법적인 표현이라는 점에서 형용사의 어간에는 목적, 의도를 나타내는 어미가 결합할 수 없음을 알 수 있다.

10 파생어의 특성 파악

'감기다'는 '감다'에 '피동'이나 '사동'의 뜻을 더하는 접미사 '-기-'가 결합된 파생어로, '감다'와 '감기다' 모두 품사는 동사이다.

오답 잡기

① '잠보'는 '잠'에 '그것을 특성으로 지닌 사람'의 뜻을 더하는 접미사 '-보'가 결합된 것으로 품사는 명사이다.

② '풋사랑'은 '사랑'에 '미숙한', '깊지 않은'의 뜻을 더하는 접두사 '풋-'이 결합된 것으로 품사는 명사이다.

③ '사랑스럽다'는 '사랑'에 '그러한 성질이 있음'의 뜻을 더하고 형용사를 만드는 접미사 '-스럽다'가 결합된 것으로 '사랑'과 달리 형용사이다.

④ '휘감다'는 '감다'에 '마구' 또는 '매우 심하게'의 뜻을 더하는 접두사 '휘-'가 결합된 것으로 품사는 동사이다.

11 보조사의 특성 파악

'그는 누구보다 빨리 달릴 수 있다.'에서 '보다'는 서로 차이가 있는 것을 비교하는 경우, 비교의 대상이 되는 말에 붙어 '~에 비해서'의 뜻을 나타내는 부사격 조사이다.

오답 잡기

① '이 책은 내 동생이 빌려 왔다.'에서 '은'은 문장 속에서 어떤 대상이 화제임을 나타내는 보조사이다.

② '한순간도 마음을 놓지 못한다.'에서 '도'는 극단적인 경우까지 양보하여, 다른 경우는 더 말할 필요도 없이 그러하다는 뜻을 나타내는 보조사이다.

④ '밤도 늦었고 비까지 내리는 날이었다.'에서 '까지'는 이미 어떤 것이 포함되고 그 위에 더함의 뜻을 나타내는 보조사이다.

⑤ '그는 편지는커녕 제 이름조차 못 쓴다.'에서 '조차'는 이미 어떤 것이 포함되고 그 위에 더함의 뜻을 나타내는 보조사이다.

12 사전 활용하기

'쓰다'가 모음으로 시작하는 어미와 결합하여 '써'로 활용하는 것은 규칙 활용에 해당한다. 어간의 'ㅡ'가 탈락하는 것은 음운 탈락 현상으로 설명할 수 있으며, 불규칙 활용으로 보지 않는다.

오답 잡기

③ '쓰다 [1]「2」'의 유의어로는 '의복, 모자, 신발, 액세서리 따위를 입거나, 쓰거나, 신거나, 차거나 하다.'의 의미를 지닌 '착용하다' 정도가 들어갈 수 있다.

13 다의어의 의미 파악

③의 '쓸다'의 중심적 의미는 '비로 쓰레기 따위를 밀어 내거나 한데 모아서 버리다.'이므로, '낙엽이 많이 쌓여 마당을 쓸었다.'의 '쓸다'가 중심적 의미에 해당한다. '태풍이 쓸고 간 자리는 처참했다.'의 '쓸다'는 '전염병 따위가 널리 퍼지거나 태풍, 홍수 따위가 널리 피해를 입히다.'라는 뜻으로 주변적 의미에 해당한다.

오답 잡기

① '팽이가 잘도 돈다.'의 '돌다'는 '물체가 일정한 축을 중심으로 원을 그리면서 움직이다.'라는 중심적 의미로 쓰였다. '해외 공장이 무리 없이 잘 돌고 있다.'의 '돌다'는 주변적 의미인 '기능이나 체제가 제대로 작용하다.'라는 뜻으로 쓰였다.

② '그는 백 살까지 살았다.'의 '살다'는 중심적 의미인 '생명을 지니고 있다.'라는 뜻으로 쓰였다. '세게 부딪혔는데도 시계가 살아 있다.'의 '살다'는 '살다'의 주변적 의미 중 하나인 '움직이던 물체가 멈추지 않고 제 기능을 하다.'라는 뜻으로 쓰였다.

④ '신호등을 잘 보고 건너야 한다.'의 '보다'는 중심적 의미인 '눈으로 대상의 존재나 형태적 특징을 알다.'라는 뜻으로 쓰였다. '손해를 보면서 물건을 팔 사람은 없다.'에서 '보다'는 '어떤 일을 당하거나 겪거나 얻어 가지다.'라는 뜻으로 '보다'의 주변적 의미로 쓰였다.

⑤ '신발 끈을 풀고 다시 묶어라.'의 '풀다'는 '묶이거나 감기거나 얽히거나 합쳐진 것 따위를 그렇지 아니한 상태로 되게 하다.'라는 뜻의 중심적 의미로 쓰였다. '어려운 말은 알기 쉽게 풀어서 이야기하자.'의 '풀다'는 '어려운 것을 알기 쉽게 바꾸다.'라는 뜻으로, '풀다'의 주변적 의미로 쓰였다.

14 품사의 통용과 띄어쓰기 이해

'세월이 물과 같이 흐른다.'에서 '같이'는 '어떤 상황이나 행동 따위와 다름이 없이.'의 뜻을 가진 부사이므로 앞말과 띄어 써야 한다.

오답 잡기

② '그녀는 매일 같이 지각했다.'에서 '같이'는 앞말이 나타내는 그때를 강조하는 조사이므로 앞말에 붙여 써야 한다.

③ '그는 새벽 같이 길을 나섰다.'에서 '같이'는 앞말이 나타내는 그때를 강조하는 조사이므로 앞말에 붙여 써야 한다.

④ '큰 것은 큰 것 대로 따로 모아라.'에서 '대로'는 따로따로 구별됨을 나타내는 조사이므로 앞말에 붙여 써야 한다.

⑤ '틈나는대로 약속한 것을 찾아보았다.'에서 '대로'는 '어떤 상태나 행동이 나타나는 족족.'의 뜻을 가진 의존 명사이므로 앞말과 띄어 써야 한다.

창의·융합·코딩 전략 ①

30~31쪽

01 ② 02 ⑤ 03 ④ 04 ①

01 음운 변동 과정 파악

제시된 단어에 나타난 음운 변동의 유형과 횟수를 정확하게 파악해야 [도표 작성 규칙]에 따라 정확한 위치를 표시할 수 있다. ②의 '하얗고[하:야코]'는 어간의 'ㅎ'과 어미의 'ㄱ'이 만나 음운 축약 현상이 일어난다. 축약이 한 번만 일어나므로 이를 도표에 적용하면 왼쪽으로 한 칸 이동해야 한다. 따라서 '하얗고[하:야코]'의 바른 위치는 ㉠이다.

오답 잡기

① 낳아[나아]: 'ㅎ' 탈락(음운 탈락) ⇨ ㉠
③ 식용유[시굥뉴]: 'ㄴ' 첨가(음운 첨가) ⇨ ㉢
④ 물약 → [물냑] → [물략]: 'ㄴ' 첨가(음운 첨가) → 유음화(음운 교체) ⇨ ㉣
⑤ 늦여름 → [늗녀름] → [는녀름]: 음절의 끝소리 규칙(음운 교체)+'ㄴ' 첨가(음운 첨가) → 비음화(음운 교체) ⇨ ㉤

02 음운 변동 현상 이해

ⓒ '제삿날[제:산날]'과 ⓓ '예삿일[예:산닐]'은 모두 사잇소리 현상으로 'ㄴ' 첨가가 된 예에 해당한다.

오답 잡기

①, ③ ㉠은 ⓐ '같이[가치]'에서 교체(구개음화)가, ⓑ '좋지[조:치]'에서 축약(거센소리되기)이 일어나 발음된 것이다.

개념 더 보기

사잇소리 현상으로서의 'ㄴ' 첨가
합성어를 이루는 뒷말의 첫소리 'ㄴ, ㅁ' 앞에서 'ㄴ' 소리가 덧나거나, 뒷말의 첫소리 모음 앞에서 'ㄴㄴ' 소리가 덧나는 현상
예 제사+날 → 제삿날[제:산날], 이+몸 → 잇몸[인몸]
예사+일 → 예삿일[예:산닐], 나무+잎 → 나뭇잎[나문닙]

03 용언의 활용 탐구

[A]에는 규칙 활용하는 사례, [B]에는 어간과 어미 모두 불규칙하게 변하는 사례, [C]에는 어미가 불규칙하게 변하는 사례, [D]에는 어간이 불규칙하게 변하는 사례가 들어가야 한다.

㉠ '까맣다'는 모음 어미가 결합하면 '까매'와 같이 활용하므로 어간과 어미 모두 불규칙하게 변하는 것으로 [B]에 해당한다(ㅎ 불규칙 활용).

㉡ '줍다'는 모음 어미가 결합하면 '주워'와 같이 활용하므로 어간이 불규칙하게 변하는 것으로 [D]에 해당한다(ㅂ 불규칙 활용).

㉢ '믿다'는 '믿고, 믿어'와 같이 활용할 때 어간과 어미가 규칙 활용하므로 [A]에 해당한다.

㉣ '크다'는 '크고, 커'와 같이 활용할 때 어간과 어미가 규칙 활용하므로 [A]에 해당한다.

㉤ '푸르다'는 모음 어미가 결합하면 '푸르러'와 같이 활용하므로 어미가 불규칙하게 변하는 것으로 [C]에 해당한다(러 불규칙 활용).

04 띄어쓰기 원칙 탐구

탐구 과정을 통해 의존 명사인 '지'는 앞말과 띄어 쓰고, 어미인 '-ㄴ지'는 용언이 활용할 때 붙여 쓴다는 사실을 확인할 수 있다. 이를 바탕으로 유사한 사례인 '데'와 '-ㄴ데'의 띄어쓰기에 대해 탐구해 보도록 하고 있다. '그 책을 다 읽는데 삼 일이 걸렸다.'에서 '데'는 '일'이나 '것'의 뜻을 나타내는 의존 명사이므로 띄어 써야 한다.

오답 잡기

② '머리 아픈 데 먹는 약 가지고 있니?'에서 '데'는 '경우'의 뜻을 나타내는 의존 명사이므로 띄어 쓰는 것이 맞다.
③, ④ '여기가 내 고향인데 참 경치가 좋지.'와 '네가 그럴 사람이 아닌데 실수를 했네.'에서 '-ㄴ데'는 뒤 절에서 어떤 일을 설명하거나 묻거나 시키거나 제안하기 위하여 그 대상과 상관되는 상황을 미리 말할 때에 쓰는 연결 어미이므로 붙여 쓰는 것이 맞다.
⑤ '예전에 가 본 데가 어디쯤인지 모르겠다.'에서 '데'는 '곳'이나 '장소'의 뜻을 나타내는 의존 명사이므로 띄어 쓰는 것이 맞다.

창의·융합·코딩 전략 ②

32~33쪽

05 ③ 06 ③ 07 ④ 08 ③

05 음운 변동의 이해와 적용

'맛없다[마덥따]'는 음절의 끝소리 규칙, 자음군 단순화, 된소리되기가 일어나므로 '교체'와 '탈락' 현상이 나타난다. '영업용[영업뇽 → 영엄뇽]'은 'ㄴ' 첨가와 비음화가 일어나므로 '첨가'와 '교체' 현상이 나타난다. '깨끗하다[깨끋하다 → 깨끄타다]'는 음절의 끝소리 규칙과 거센소리되기가 일어나므로 '교체'와 '축약' 현상이 나타난다. '급행열차[그팽녈차]'는 거센소리되기와 'ㄴ' 첨가가 일어나므로 '축약'과 '첨가' 현상이 일어난다. 따라서 ⓐ에는 '맛없다', ⓑ에는 '깨끗하다', ⓒ에는 '영업용', ⓓ에는 '급행열차'가 적절하다.

06 형태소의 유형과 특징 파악

'봄'은 자립 형태소이면서 실질 형태소이다. '이'는 조사, '새-'는 접사로 의존 형태소이면서 형식 형태소이다. '피-'는 동사의 어간으로 의존 형태소이면서 실질 형태소이다. 따라서 ③이 적절하다.

보기 돋보기

문장	봄꽃이 새하얗게 피었다.								
형태소	봄	꽃	이	새-	하얗-	-게	피-	-었-	-다
형태소의 종류	자립	자립	의존	의존	의존	의존	의존	의존	의존
	실질	실질	형식	형식	실질	형식	실질	형식	형식

07 단어의 형성 방식 파악

〈보기〉에서 ㉠은 단일어, ㉡은 파생어, ㉢은 합성어에 해당한다. '이야기'와 '소나기'는 어근 하나만으로 이루어진 단일어이다. '겁쟁이', '맨다리', '풋사과'에서 '겁', '다리', '사과'는 어근이고 여기에 결합한 '-쟁이', '맨-', 풋-'은 접사이므로 이들 단어는 모두 파생어이다. '봄바람'과 '첫사랑'은 어근과 어근이 결합한 합성어이다. 따라서 정답은 ④이다.

08 품사의 기능과 특징 파악

"그대를 사랑하오.", "건강은 건강할 때 지키는 것이 중요하오." 등에서 확인할 수 있듯이, 평서문에서도 종결 어미 '-오'가 쓰일 수 있다. 따라서 ③은 적절하지 않다. 참고로, '적용'의 빈칸에 '요'가 오기 위해서는 '되어'의 준말 '돼'에 보조사 '요'가 붙은 '돼요'의 형태가 제시되어야 한다.

오답 잡기

① '-오'는 종결 어미이므로 어간에 붙는다는 진술은 타당하다. 제시된 예문의 '아니-'와 '기쁘-' 등은 모두 어간이며 여기에 '-오'가 붙어 '아니오', '기쁘오'로 실현됨을 확인할 수 있다.

② '멈추시오(멈추-+-시-+-오)'는 '용언의 어간+선어말 어미+종결 어미'의 구조이다. 이를 통해 '-오'가 선어말 어미에 붙을 수 있음을 확인할 수 있다.

④ 제시된 예문에서 '-오'를 빼면 "*얼마나 기쁘?", "*일단 멈추시."와 같이 문장이 성립하지 않는다. 이를 통해 '-오'가 빠지면 문장이 성립하지 않음을 확인할 수 있다.

⑤ '가십시오, 가오, 가게, 가라(가렴, 가려무나)'에서 알 수 있듯이 '-오'는 상대방을 보통 정도로 높이는 기능을 한다. 즉, '-오'는 상대 높임법의 하오체에서 쓰이는 종결 어미이다.

DAY 1 개념 돌파 전략 ① | 36~39쪽

01 (1) 서술어 (2) 보어 (3) 목적어 **02** (1) ㉠ (2) ㉡ **03** 아 **04** 홑문장 **05** 의도 **06** (1) 서술절 (2) 인용절 (3) 명사절 **07** 주체 높임법 **08** 나는 밥을 먹지 못했다. **09** (1) 과거 시제 (2) 현재 시제 **10** ① **11** ② **12** 통일성

DAY 1 개념 돌파 전략 ② | 40~41쪽

01 ④ **02** ④ **03** ⑤ **04** ⑤ **05** ⑤ **06** ⑤

01 문장의 개념 이해

문장은 생각이나 감정을 완결된 내용으로 표현하는 최소의 언어 형식이다. 문장은 문장 성분으로 이루어지는데, 문장 성분은 크게 주성분, 부속 성분, 독립 성분으로 나눌 수 있다. 문장을 이루는 데 일반적으로 부속 성분이나 독립 성분은 필수적이지 않지만, 주성분은 반드시 필요하다. 또한 서술어에 따라 필요한 문장 성분의 수와 종류가 달라지기도 한다.

개념 더 보기

서술어의 자릿수

서술어는 그 성격에 따라서 필요한 문장 성분들의 개수가 다른데, 이를 서술어의 자릿수라고 함.

한 자리 서술어	주어 하나만 필요한 서술어	예 꽃이 예쁘다.
두 자리 서술어	주어 이외에 목적어나 부사어, 또는 보어 등이 더 필요한 서술어	예 그는 영화를 보았다.
세 자리 서술어	주어와 목적어 그리고 부사어가 필요한 서술어	예 엄마가 우리에게 용돈을 주셨다.

02 홑문장과 겹문장의 이해

홑문장과 겹문장은 주어와 서술어의 관계가 몇 번 나타나느냐에 따라 구분할 수 있다. 그리고 겹문장은 크게 이어진문장과 안은문장으로 나눌 수 있다. a는 '토끼는'이 주어, '귀가 꽤 길다.'가 서술절로 서술절을 안은문장이므로 ㉢에 해당한다. 서술절을 안은문장은 특별한 표지가 없다는 것이 특징이다. b는 '철수가'가 주어, '했다'가 서술어로 주어와 서술어의 관계가 한 번만 나타나는 홑문장이므로 ㉠에 해당한다. c는 '바람이 세차게 불다.'와 '비가 억세게 내린다.'가 대등적 연결 어미 '-고'에 의해 연결된 대등하게 연결된 이어진문장이므로 ㉡에 해당한다.

03 높임 표현의 파악

'어머니께서는 할머니께 편지를 드리기 위해 안방에 들어가셨어.'에서 주체는 '어머니', 객체는 '할머니', 대화의 상대는 '화자보다 나이가 어리거나 비슷한 사람'이다. 주체를 높이기 위해 사용한 표지는 높임의 주격 조사 '께서', 주체 높임 선어말 어미 '-시-'이고, 객체를 높이기 위해 사용한 표지는 높임의 부사격 조사 '께', 특수 어휘 '드리다'이다. 상대 높임법은 종결 어미인 '-어'를 통해 비격식체인 해체가 사용되었음을 알 수 있다.

오답 잡기

① 대화의 상대는 '화자보다 나이가 어리거나 비슷한 사람'이고, 문장의 주체는 '어머니'이다.
② 문장의 주체와 객체를 모두 높이고 있다.
③ 문장의 주체를 높이는 데 특수 어휘는 사용하지 않았다.
④ 대화의 상대인 청자를 높이고 있지 않다.

개념 더 보기

주체를 높이는 또 다른 방법

'계시다', '주무시다'와 같이 주체를 높이는 특수한 어휘를 쓰기도 함.

예 우리 부모님은 시골에 계신다.
할아버지께서 방에서 주무신다.

04 부정 표현의 이해

의지 부정문에서는 어떠한 행위를 하지 않겠다는 의지를 나타내는 부정으로 부정 부사 '안'이 쓰이고, 능력 부정문에서는 특정 행위를 할 능력이 없음을 나타내는 부정으로 부정 부사 '못'이 쓰인다. ㉤은 부정 부사 '못'을 사용하여 의지 부정이 아닌 능력 부정의 의미를 나타내는 능력 부정문이다.

개념 더 보기

'말다' 부정문

명령문이나 청유문의 부정에 사용되며, 용언의 어간에 '-지 말다'를 써서 나타냄.

예 오늘은 과자를 먹지 마라.
오늘은 과자를 먹지 말자.

05 사건시와 발화시의 관계 파악

㉠은 발화시가 사건시보다 앞서는 경우로 미래 시제를, ㉡은 발화시와 사건시가 일치하는 경우로 현재 시제를, ㉢은 사건시가 발화시보다 앞서는 경우로 과거 시제를 나타낸다. 그리고 ⓐ는 과거 시제 선어말 어미 '-았-'이, ⓑ는 현재 시제 선어말 어미 '-는-'이, ⓒ는 미래 시제 선어말 어미 '-겠-'이 사용되었으므로 ⑤가 적절하다.

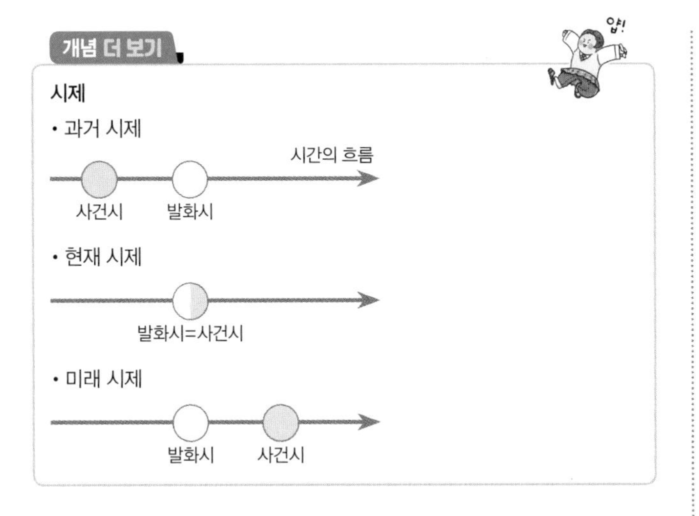

06 담화의 개념 이해

담화의 구성 요건 중 응집성은 담화의 형식적 구성 요건으로, 담화를 구성하는 발화가 지시, 대용, 접속 표현 등을 통해 자연스럽게 연결되어야 한다는 것이다. 담화를 구성하는 발화가 하나의 주제를 중심으로 일관성을 가져야 한다는 것은 통일성이다.

DAY 2 필수 체크 전략 ①

42~45쪽

1 ②	1-1 ⑤	2 ④	2-1 ④
2-2 ③	3 ①	3-1 ⑤	4 ③
4-1 ④	5 ①	5-1 ④	6 ①
6-1 ②			

1 서술어의 자릿수 파악

〈보기〉에서는 서술어가 요구하는 문장 성분이 빠져 있으면 문법적으로 정확하지 못한 문장이 되므로 그 성분을 보충하여야 한다고 설명하고 있다. 하지만 ②의 '문제는 우리가 예의를 지키지 못하는 경우가 많다.'라는 문장은 서술어가 필수적으로 요구하는 문장 성분이 빠진 문장이 아니라, 주어와 서술어의 호응이 적절하지 않아 문법적으로 맞지 않는 문장이다. 따라서 〈보기〉에서 설명하는 사례로 적절하지 않다.

오답 잡기

① '요청하다'는 주어, 목적어, 부사어를 필수적으로 요구하는 세 자리 서술어이다. 따라서 '정부에'라는 부사어를 추가한 것은 적절하다.

③ '소개하다'는 주어, 목적어, 부사어를 필수적으로 요구하는 세 자리 서술어이다. 따라서 '누나에게'라는 부사어를 추가한 것은 적절하다.

④ '삼다'는 주어, 목적어, 부사어를 필수적으로 요구하는 세 자리 서술어이다. 따라서 '그 일을'이라는 목적어를 추가한 것은 적절하다.

⑤ '어둡다'가 '어떤 분야에 대하여 잘 알지 못하다.'라는 의미로 쓰일 때는 주어와 부사어를 필수적으로 요구하는 두 자리 서술어이다. 따라서 '동네 지리에'라는 부사어를 추가한 것은 적절하다.

1-1 서술어의 자릿수 파악

ㅁ의 '싸우다'는 주어와 부사어를 필수적으로 요구하는 두 자리 서술어이다. 따라서 '친구와'와 같은 부사어가 반드시 필요하다.

오답 잡기

① '열리다'는 주어만 필수적으로 요구하는 한 자리 서술어이다.

② '먹다'는 주어와 목적어를 필수적으로 요구하는 두 자리 서술어이다.

③ '읽히다'는 주어, 목적어, 부사어를 필수적으로 요구하는 세 자리 서술어이고, '읽다'는 주어와 목적어를 필수적으로 요구하는 두 자리 서술어이다. 따라서 '읽히다'와 '읽다'는 서술어의 자릿수가 다르다.

④ '두다'는 주어, 목적어, 부사어를 필수적으로 요구하는 세 자리 서술어이고, '여기다'도 주어, 목적어, 부사어를 필수적으로 요구하는 세 자리 서술어이다. 따라서 '두다'와 '여기다'는 서술어의 자릿수가 같다.

2 관형사, 관형어, 관형절의 이해

ㄷ의 '다섯'이 의존 명사 '개'를 꾸며 주는 수 관형사라는 내용은 적절하지만 '동전 다섯'은 문장의 요건을 갖추고 있지 못하므로 관형절이라고 할 수 없다.

오답 잡기

① ㄱ의 '유명한'은 용언 '유명하다'의 어간에 관형사형 어미 '-ㄴ'이 결합된 것으로, 명사 '관광지'를 꾸며 주고 있으므로 관형어라고 할 수 있다.

② ㄴ의 '그녀의'는 체언 '그녀'에 관형격 조사 '의'가 결합된 것으로, 명사 '화단'을 꾸며 주고 있으므로 관형어라고 할 수 있다.

③ ㄴ의 '산'은 용언 '사다'의 어간에 관형사형 어미 '-ㄴ'이 결합된 것으로, 명사 '꽃'을 꾸며 주고 있으므로 '내가 산'은 관형절이라고 할 수 있다.

⑤ ㄱ의 '어느'와 ㄷ의 '그'는 모두 관형사로, 각각 명사 '지역', '사실'을 꾸며 주고 있으므로 관형어라고 할 수 있다.

2-1 관형어의 형성 방법 파악

④의 '집에서 나왔지만 막상 갈 곳이 없었다.'에서 '막상'은 부사가 부사어가 된 경우이다.

오답 잡기

① 관형사가 그대로 관형어가 된 경우이다.
② 체언에 관형격 조사 '의'가 결합되어 관형어가 된 경우이다.
③ 용언 어간에 관형사형 어미가 결합되어 관형어가 된 경우이다.
⑤ 관형격 조사 '의'가 생략되어 '체언+체언'의 구성으로 관형어가 된 경우이다.

2-2 관형격 구성의 의미 이해

③의 '친구의 지갑'은 '소유주-대상'의 관계로, '그녀의 소개'는 '주체-행동'의 관계로 연결되어 있다.

오답 잡기

① '경찰의 의심'은 '주체-행동'의 관계로, '나의 물건'은 '소유주-대상'의 관계로 연결되어 있다.
② '통일의 위업'은 '의미상 동격'의 관계로, '너의 부탁'은 '주체-행동'의 관계로 연결되어 있다.
④ '어머니의 친구'는 '사회적·친족적' 관계로, '그들의 각오'는 '주체-행동'의 관계로 연결되어 있다.
⑤ '선생님의 조카'는 '사회적·친족적' 관계로, '사랑의 감정'은 '의미상 동격'의 관계로 연결되어 있다.

3 부사어의 이해

'그건 바로 너!'처럼 부사어가 체언을 수식하는 경우가 아예 없는 것은 아니지만, 〈보기〉의 '그는 소리 없이 떠났다.', '그는 무척 열심히 일한다.', '확실히 엄마의 약속은 효과가 있었다.'에서는 그 사실을 알 수 없다. 따라서 부사어가 체언을 수식할 수 있다는 것은 〈보기〉를 통해 부사어에 대해 탐구한 내용으로 적절하지 않다.

오답 잡기

② '그는 소리 없이 떠났다.'에서 '소리 없이'가 '떠났다'를 수식하는 것을 통해 부사절이 수식언의 기능을 할 수 있다는 것을 알 수 있다.
③ '확실히 엄마의 약손은 효과가 있었다.'에서 '확실히'를 생략해도 문장이 성립하기 때문에 부사어가 문장 내에서 생략할 수 있음을 알 수 있다.
④ '그는 무척 열심히 일한다.'에서 '무척'이 '열심히'를 수식하는 것을 통해 부사어가 다른 부사어를 수식하는 경우가 있음을 알 수 있다.
⑤ '확실히 엄마의 약손은 효과가 있었다.'에서 '확실히'가 이동돼 '엄마의 약손은 확실히 효과가 있었다.'가 되어도 문장이 성립하는 것을 통해 부사어는 문장 내에서 위치 이동을 할 수 있음을 알 수 있다.

3-1 부사어의 기능 파악

⑤에서 부사어 '아주'는 서술어 '울창했다'를 수식하는 것이 아니라 관형어 '오랜'을 수식하고 있다.

오답 잡기

① '닮다'는 '…와/과'나 '…을/를'을 필요로 하는 두 자리 서술어로, 이 문장에서 '엄마와'는 문장을 구성하는 데에 반드시 필요한 필수적 부사어이다.
② 용언 '깨끗하다'의 어간에 부사형 어미 '-게'가 결합한 '깨끗하게'가 부사어로 쓰여 서술어를 수식하고 있다.
③ 명사 '하늘'에 부사격 조사 '에서'가 결합한 '하늘에서'가 부사어로 쓰여 서술어를 수식하고 있다.
④ 부사 '반짝반짝'이 부사어로 쓰여 서술어를 수식하고 있다.

4 홑문장과 겹문장의 이해

'우리는 어제 학교로 돌아왔다.'에서 주어는 '우리는'이고 서술어는 '돌아왔다'이다. 따라서 주어와 서술어가 한 번만 나타나는 홑문장이다.

오답 잡기

① 종속적으로 연결된 이어진문장이다.
② '소리도 없이'라는 부사절을 안은문장이다.
④ '우리가 돌아온'이라는 관형절을 안은문장이다.
⑤ 대등하게 연결된 이어진문장이다.

4-1 홑문장과 겹문장의 이해

④의 '그는 갔으나 그의 예술은 살아 있다.'는 '그는 갔다.'와 '그의 예술은 살아 있다.'가 대등하게 연결된 이어진문장이다. 따라서 ㉡이 아니라 ㉢의 예문으로 적절하다.

오답 잡기

①, ② 주어와 서술어가 한 번만 나타나는 홑문장이다.
③ '성격이 매우 좋은'이라는 관형절을 안은문장이다.
⑤ 대등하게 연결된 이어진문장이다.

5 종속적으로 연결된 이어진문장의 의미 관계 이해

①의 '책을 많이 읽으면 생각이 깊어진다.'는 종속적 연결 어미 '-으면'을 통해 앞의 절과 뒤의 절이 조건의 의미 관계를 맺고 있다.

오답 잡기

② 종속적 연결 어미 '-으려고'를 통해 앞의 절과 뒤의 절이 의도의 의미 관계를 맺고 있다.

③ 종속적 연결 어미 '-어도'를 통해 앞의 절과 뒤의 절이 양보의 의미 관계를 맺고 있다.

④ 종속적 연결 어미 '-는데'를 통해 앞의 절과 뒤의 절이 배경의 의미 관계를 맺고 있다.

⑤ 종속적 연결 어미 '-어서'를 통해 앞의 절과 뒤의 절이 인과의 의미 관계를 맺고 있다.

5-1 연결 어미의 의미 파악

④ '모두들 음정에 주의하며 노래를 제대로 부르자.'의 연결 어미 '-며'를 '-면서'로 바꾸면 '모두들 음정에 주의하면서 노래를 제대로 부르자.'가 된다. 이렇게 연결 어미를 바꾸어도 바꾸기 전과 비슷한 의미의 문장이 성립하는 것으로 보아, 해당 문장의 연결 어미 '-며'는 앞뒤 문장의 동작이 동시에 일어남을 나타낸다고 할 수 있다.

오답 잡기

①, ②, ③ 앞 문장과 뒤 문장의 주어가 서로 다르고, 연결 어미 '-며'를 '-면서'로 바꾸면 의미적으로 어색하다. 따라서 해당 문장의 연결 어미 '-며'는 두 가지 이상의 동작이나 상태를 나열함을 의미한다고 할 수 있다.

⑤ 앞 문장의 주어 '일부'와 뒤 문장의 주어 '일부'가 서로 다른 집단을 가리킨다는 점에서 앞 문장과 뒤 문장의 주어가 서로 같다고 볼 수 없다. 또한 연결 어미 '-며'를 '-면서'로 바꾸면 의미적으로도 어색하다. 따라서 해당 문장의 연결 어미 '-며'는 두 가지 이상의 동작이나 상태를 나열함을 의미한다고 할 수 있다.

6 안은문장과 안긴문장의 이해

ⓐ '내일은 따뜻하지만 비가 온다는'은 '내일은 따뜻하다.'와 '비가 온다.'가 연결 어미 '-지만'을 통해 이어진 다음, 관형사형 어미 '-는'이 결합하여 관형절로 쓰이고 있다. 따라서 인용절로 쓰이고 있다는 설명은 적절하지 않다.

오답 잡기

② ⓑ '공원이 많고 거리가 깨끗한'은 '공원이 많다.'와 '거리가 깨끗하다.'가 연결 어미 '-고'를 통해 이어진 다음, 관형사형 어미 '-ㄴ'이 결합하여 관형절로 쓰이고 있다.

③ ⓒ '바람이 거세지고 어둠이 내리기'는 '바람이 거세지다.'와 '어둠이 내리다.'가 연결 어미 '-고'를 통해 이어진 다음, 명사형 어미 '-기'가 결합하여 명사절로 쓰이고 있다.

④ ⓓ '그녀는 왔으나 그가 안 왔음'은 '그녀는 왔다.'와 '그가 안 왔다.'가 연결 어미 '-으나'를 통해 이어진 다음, 명사형 어미 '-음'이 결합하여 명사절로 쓰이고 있다. 그리고 여기에 목적격 조사 '을'이 결합하여 주성분인 목적어의 기능을 하고 있다.

⑤ ⓔ '꽃이 피고 새가 지저귀는'은 '꽃이 피다.'와 '새가 지저귀다.'가 연결 어미 '-고'를 통해 이어진 다음, 관형사형 어미 '-는'이 결합하여 관형절로 쓰이고 있다. 그리고 조사와 결합 없이 부속 성분인 관형어의 기능을 하고 있다.

6-1 안은문장과 안긴문장의 이해

㉠에는 '그가 범인임'이라는 명사절이, ㉡에는 '(그녀가) 농담을 던짐'이라는 명사절이, ㉢에는 '형이 음식을 다 먹기'라는 명사절이 각각 안겨 있다. ㉠에서 명사절은 주격 조사 '이'와 결합하여 주어의 기능을 하고 있고, ㉡에서 명사절은 부사격 조사 '으로써'와 결합하여 부사어의 기능을 하고 있다. 그리고 ㉢에서 명사절은 보조사 '만'과 결합하여 목적어의 기능을 하고 있다. 따라서 ㉠~㉢은 안긴문장의 종류가 모두 동일하고 ㉡에서 안긴문장은 안은문장 안에서 부사어의 기능을 한다고 한 ②가 적절하다.

DAY 2 필수 체크 전략 ②

46~47쪽

01 ①	02 ⑤	03 ②	04 ②
05 ③	06 ⑤	07 ⑤	08 ⑤

01 문장 성분의 이해

㉠은 주어가 두 개(토끼는, 귀가) 있지만, ㉡은 주어가 한 개(그녀는) 밖에 없다. ㉡에서 '대학생이'는 보어에 해당한다.

오답 잡기

② ㉢과 ㉣은 각각 '일을'과 '사실을'이라는 목적어가 있다.
③ ㉠은 보어가 없지만, ㉡은 보어(대학생이)가 있다.
④ ㉡은 독립어가 없지만, ㉢은 독립어(아)가 있다.
⑤ ㉢은 부사어(너무)가 있고, ㉣은 관형어(그)가 있다.

02 목적어의 형태 이해

'한길만은'은 '체언(한길)+보조사(만)+보조사(은)'의 형태이기 때문에 ㄹ의 예로 적절하지 않다. ㄹ의 예로 적절하려면 '한길만을'이 되어야 한다.

오답 잡기

① 체언(산책)
② 체언(이사)+목적격 조사(를)
③ 체언(꽃구경)+보조사(만)
④ 체언(해외여행)+보조사(도)

03 품사와 문장 성분의 이해

ⓑ '형은 노래를 아주 잘 불렀었다.'에서 부사 '아주'는 부사 '잘'을 수식하는 부사어로 쓰였다.

오답 잡기

① ⓐ '그는 일하는 솜씨가 제법이다.'에서 '제법이다'는 부사 '제법'과 서술격 조사 '이다'가 결합해 서술어로 쓰였다.
③ ⓒ '나중에 성인 돼서 다시 찾아오렴.'에서 '성인'은 보어로, 보격 조사 '이'가 생략된 형태이다.
④ ⓓ '비둘기 다섯 마리가 도로를 횡단했다.'에서 '다섯'은 수 관형사로, 의존 명사 '마리'를 수식하는 관형어로 쓰였다.
⑤ ⓔ '그는 운동은 잘하지만 노래는 잘 못한다.'에서 '운동은'은 명사 '운동'과 보조사 '은'이 결합해 목적어로 쓰였다.

04 문장의 짜임 이해

②의 '수미는 시험이 끝나기를 기다렸다.'에서 '시험이 끝나기'가 안긴문장(명사절)이고, 이 안긴문장에 생략된 문장 성분은 없으므로 ㉡의 예로 적절하지 않다.

오답 잡기

① 주어(아버지께서는)와 서술어(모셨다)의 관계가 한 번만 나타나므로 ㉠(홑문장)의 예로 적절하다.
③ '그가 돌아왔다는 소문이 퍼졌다.'에서 '그가 돌아왔다는'이 안긴문장(관형절)이고, 이 안긴문장에 생략된 문장 성분이 없으므로 ㉢의 예로 적절하다.
④ 앞 절(나는 사과를 싫어하지만)과 뒤 절(그는 사과를 좋아한다)이 대등하게 이어지므로 ㉣(대등하게 연결된 이어진문장)의 예로 적절하다.
⑤ 앞 절(기차가 오면)과 뒤 절(우리도 빨리 가자)이 종속적으로 이어지므로 ㉤(종속적으로 연결된 이어진문장)의 예로 적절하다.

05 문장 성분과 안은문장의 이해

ⓒ의 '무지개를'은 안긴문장(무지개가 아름답다.)의 주어이면서 안은문장(그녀는 아름다운 무지개를 바라보았다.)의 목적어이다.

오답 잡기

① ⓐ의 '하늘이'는 서술어 '파랗다'의 주어이고, '눈이'는 서술어 '부시다'의 주어이다.
② ⓑ의 '받았다'는 주어(그는) 이외에도 부사어(친구에게)와 목적어(선물을)를 필수적으로 요구한다.
④ ⓐ의 '눈이 부시게'는 '파랗다'를 수식하고 있고, ⓒ의 '아름다운'은 '무지개'를 수식하고 있다.
⑤ ⓑ의 '좋은'은 안긴문장(선물이 좋다.)의 서술어이고, ⓒ의 '아름다운'도 안긴문장(무지개가 아름답다.)의 서술어이다.

06 명사절의 이해

㉤에서 명사절(내가 오기)은 조사와 결합하지 않고 체언 '전'을 수식하고 있으므로 관형어로 쓰였다.

오답 잡기

① ㉠에서 명사절(빛깔이 푸르기)은 주격 조사 '가'와 결합하여 주어로 쓰였다.
② ㉡에서 명사절(그가 돌아오기)은 목적격 조사 '를'과 결합하여 목적어로 쓰였다.
③ ㉢에서 명사절(기차역에 가기)은 조사와 결합하지 않고 서술어를 수식하는 부사어로 쓰였다.
④ ㉣에서 명사절(우리가 행복하기)은 조사와 결합하지 않고 서술어의 동작 대상이 되는 목적어로 쓰였다.

07 명사절과 관형절의 이해

㉤에는 명사절이 없고, 관형절은 '선생님께서 쓰신'으로 부사어가 아닌 목적어 '편지를'이 생략되었다.

오답 잡기

① ㉠에는 관형절이 없고, 명사절(매듭을 풀기)에 주격 조사 '가'가 결합하여 주어로 쓰였다.
② ㉡에는 명사절이 없고, '사람들은 약속 시간보다 빨리 왔다.'에서 주어(사람들은)가 생략된 관형절(약속 시간보다 빨리 온)이 있다.
③ ㉢에는 '그녀는 호텔에 숙박하다.'에서 부사어(호텔에)가 생략된 관형절(숙박하는)이 있고, 명사절(숙박하는 호텔에 계속 있기)에 목적격 조사 '를'이 결합하여 목적어로 쓰였다.
④ ㉣에는 관형절이 없고, 명사절(내가 빵을 다 먹었음)에 목적격 조사 '을'이 결합하여 목적어로 쓰였다.

08 이어진문장의 이해

⑤의 '동생은 빵은 좋아하나 야채는 싫어한다.'는 대등하게 연결된 이어진문장으로, 대조의 의미 관계를 맺고 있다.

오답 잡기

① 종속적으로 연결된 이어진문장 – 원인
② 종속적으로 연결된 이어진문장 – 조건
③ 종속적으로 연결된 이어진문장 – 양보
④ 종속적으로 연결된 이어진문장 – 의도

DAY
3 필수 체크 전략 ①

48~51쪽

1 ③	1-1 ①	2 ④	2-1 ④
3 ①	3-1 ②	4 ③	4-1 ③
5 ④	5-1 ②	6 ④	6-1 ⑤
6-2 ④			

1 높임 표현의 이해

㉡은 특수 어휘 '말씀'을 통해 서술의 주체인 '부모님'을 높이고 있다.

오답 잡기

① ㉠은 해라체의 종결 어미 '-어라'를 통해 대화 상대인 '재윤'을 낮추고 있다.
② ㉠은 '할아버지께'에 사용된 부사격 조사 '께'를 통해 서술의 객체인 '할아버지'를 높이고 있다.
④ ㉡은 하십시오체의 종결 어미 '-습니다'를 통해 대화 상대인 '선생님'을 높이고 있다.
⑤ ㉡은 '부모님께서'에 사용된 주격 조사 '께서'와 '하셨습니다'에 사용된 주체 높임 선어말 어미 '-시-'를 통해 서술의 주체인 '부모님'을 높이고 있다.

1-1 높임 표현의 적용

㉠ '철수'가 '어머니'로 바뀌면 주체가 높임의 대상으로 바뀌게 된다. 따라서 주격 조사도 높임의 주격 조사 '께서'로 고쳐야 한다.

오답 잡기

② ㉠ '철수'가 '어머니'로 바뀌면 주체가 높임의 대상으로 바뀌게 된다. 그런데 동사 '데리고'는 주체가 아닌 객체와 관련이 있으므로 '모시고'로 고치는 것은 적절하지 않다.
③ ㉡ '영희'가 '어머니'로 바뀌면 객체가 높임의 대상으로 바뀌게 된다. 그런데 '가는'은 객체가 아닌 주체와 관련이 있으므로 '가시는'으로 고치는 것은 적절하지 않다.
④, ⑤ ㉡ '영희'가 '어머니'로 바뀌면 객체가 높임의 대상으로 바뀌게 된다. 그런데 '보셨어'는 화자인 자기 자신을 높이는 표현이고 '보았습니다'는 대화 상대방(듣는 이)을 높이는 표현이다. 따라서 '보았어'를 '보셨어'나 '보았습니다.'로 고치는 것은 적절하지 않다.

2 부정 표현의 이해

㉠은 '긴 부정문'에 해당하고, ㉡은 '단순 부정'에 해당한다. '다행히 소풍을 가는 날 비가 내리지 않았다.'의 '내리지 않았다'에서 '-지 아니하다'라는 긴 부정문이 사용되었음을 알 수 있다. 또한 비가 내리지 않은 현상을 나타낸 것이므로, 능력이나 의지가 아닌 단순히 사실이나 상태를 부정하는 의미로 사용되었다고 할 수 있다.

오답 잡기

① 부사 '못'을 사용한 짧은 부정문으로, 단순히 사실을 부정한 단순 부정에 해당한다.
② 부사 '안'을 사용한 짧은 부정문으로, 의지 부정에 해당한다.
③ '-지 못하다'를 사용한 긴 부정문으로, 능력 부정에 해당한다.
⑤ '-지 아니하다'를 사용한 긴 부정문으로, 의지 부정에 해당한다.

2-1 부정 표현의 파악

㉢에서 '못'은 능력 부정을 나타내는 부사로, 운동을 하고 싶어도 할 수 없는 '그'의 능력을 부정하고 있다.

오답 잡기

① ㉠에서 '안'을 '못'으로 바꾸면 '오늘은 날씨가 못 덥다.'가 되어 어색한 문장이 된다.
② ㉠에서 '안'은 상태 부정을 나타내는 부사로, '덥다'라는 상태를 부정하고 있다.
③ ㉡에서 '아니다'는 부정 형용사로, '그녀'가 '학생'이라는 것을 부정하고 있다.
⑤ ㉢에서 '못 한다'를 '하지 못한다'로 바꾸면 '그는 부상을 당해 운동을 하지 못한다.'가 되는데, 이는 어법상 자연스러운 문장이다.

3 과거 시제의 이해

①의 '너는 이제 집에 돌아오면 혼났다.'에서 '-았-'은 사건시가 발화시보다 앞서 있는 과거 시제로 쓰였다고 보기 어렵다. 제시된 문장에 사용된 '-았-'의 경우 화자가 미래의 사건이나 일을 이미 정하여진 사실인 양 말할 때 쓰인 것이라고 할 수 있다.

3-1 시간 표현의 이해

ⓐ에서 '잔다'를 통해 현재 시제 선어말 어미 '-ㄴ-'을 활용한 시간 표현은 확인할 수 있지만, 관형사형 어미를 활용한 시간 표현은 사용되지 않았다.

오답 잡기

① 발화시와 사건시가 일치하는 시간 표현은 현재 시제를 의미한다. '잔다'에서 현재 시제가 사용되었으므로 적절하다.
③ 사건시보다 발화시가 나중인 시간 표현은 과거 시제를 의미한다. '봤다'에서 과거 시제가 사용되었으므로 적절하다.
④ 시간 부사 '어제'와 과거 시제 선어말 어미 '-았-'을 활용한 시간 표현이 사용되었으므로 적절하다.
⑤ 사건시보다 발화시가 앞선 시간 표현은 미래 시제를 의미한다. '내리겠습니다'에서 미래 시제가 사용되었으므로 적절하다.

4 피동 표현의 적용

'안다'의 피동사와 사동사는 '안기다'로 형태가 동일하다. 따라서 '안기다'가 피동사인지 사동사인지는 문맥에 따라 판단해야 한다. ③의 '친구는 버스에서 자기 짐까지 나에게 안겼다.'에서 '안기다'는 '두 팔로 감싸게 하거나 그렇게 하여 품 안에 있게 하다.'의 의미로, 피동 표현이 아니라 사동 표현이 실현된 것이다.

오답 잡기

① '풀리다'는 '모르거나 복잡한 문제 따위가 밝혀지거나 해결되다.'의 의미로 피동 표현이 실현된 것이므로 적절하다.
② '읽히다'는 '글에 담긴 뜻이 헤아려져 이해되다.'의 의미로 피동 표현이 실현된 것이므로 적절하다.
④ '깎이다'는 '풀이나 털 따위가 잘리다.'의 의미로 피동 표현이 실현된 것이므로 적절하다.
⑤ '이용되다'는 '대상이 필요에 따라 이롭게 쓰이다.'의 의미로 피동 표현이 실현된 것이므로 적절하다.

4-1 피동 표현의 이해

'주다'는 피동사로 파생이 되지 않기 때문에 ㉠에 해당한다. 그리고 '동생은 선생님께 꾸중을 들었다.'의 '듣다'는 '들리다'라는 피동사가 존재하지만, 파생적 피동문으로 바꿀 수 없기 때문에 ㉡에 해당한다.

오답 잡기

① '날다'는 피동사 '날리다'로 파생이 가능하기 때문에 ㉠에 해당하지 않는다. '경찰이 드디어 도둑을 잡았다.'의 '잡다'는 '잡히다'라는 피동사가 존재하며 '도둑이 드디어 경찰에게 잡혔다.'로 바꿀 수 있기 때문에 ㉡에 해당하지 않는다.
② '풀다'는 피동사 '풀리다'로 파생이 가능하기 때문에 ㉠에 해당하지 않는다. '사람들이 열심히 풀을 뽑았다.'의 '뽑다'는 '뽑히다'라는 피동사가 존재하지만, '풀이 열심히 사람들에게 뽑혔다.'라는 파생적 피동문으로 바꾸면 어색한 문장이 되므로 ㉡에 해당한다.
④ '기울다'는 피동사로 파생이 되지 않기 때문에 ㉠에 해당한다. '벌레가 광선이의 다리를 쏘았다.'의 '쏘다'는 '쏘이다'라는 피동사가 존재하며 '광선이의 다리가 벌레에게 쏘였다.'로 바꿀 수 있기 때문에 ㉡에 해당하지 않는다.
⑤ '가누다'는 피동사로 파생이 되지 않기 때문에 ㉠에 해당한다. '민솔이가 그림을 멋지게 그렸다.'의 '그리다'는 '-어지다'가 결합한 '그려지다'를 통해 '그림이 민솔이에 의해 멋지게 그려졌다.'라는 통사적 피동문은 가능하지만, 파생적 피동문으로 바꿀 수는 없다.

5 사동 표현의 이해

④에서 '-게 하다'가 사용된 '할머니께서 손자에게 색동옷을 스스로 입게 하셨다.'는 '스스로'라는 어휘를 통해 중의성을 해소하고 있기 때문에 간접 사동의 의미로만 해석되어 의미가 중의적으로 나타나지 않는다. 따라서 ㉣의 예로 적절하지 않다.

오답 잡기

① '선생님'이 '윤호'에게 '책을 읽는 동작'을 하도록 시키고 있으므로 ㉠의 예로 적절하다.
② '재우다'는 용언 '자다'에 사동 접미사 '-이-'와 '-우-' 두 개가 붙은 경우이므로 ㉡의 예로 적절하다.
③ 용언 '깎다'에 '-게 하다'가 붙은 사동문이므로 ㉢의 예로 적절하다.
⑤ '돼지를 먹이다.'는 '돼지를 사육하다.'라는 의미로 사동의 의미에서 다소 멀어진 경우이므로 ㉤의 예로 적절하다.

개념 더 보기

직접 사동과 간접 사동

주동문의 동사나 형용사 어근에 사동 접미사가 붙은 사동사에 의한 사동을 단형 사동이라 하고, '-게 하다'에 의한 사동을 장형 사동이라 한다. 사동을 일으키는 주체가 사동 행위를 받는 대상의 행위에 함께 참여하는 의미를 표현하는 경우를 직접 사동이라 하고 그렇지 않은 경우를 간접 사동이라 하는데, 단형 사동은 맥락에 따라 직접 사동과 간접 사동의 두 가지 의미로 모두 해석될 수 있으나 장형 사동은 간접 사동으로만 해석된다.

5-1 사동 표현의 이해

'주리다'는 '제대로 먹지 못하여 배를 곯다.'라는 뜻으로 '주다'에서 파생된 사동사가 아니지만, '울리다'는 '울다'에서 파생된 사동사이므로 ㄱ은 적절하다. '던지다', '견디다'와 같이 어간이 'ㅣ'로 끝나는 동사의 경우 사동 접사의 결합에 제약이 있기도 하므로 ㄷ은 적절하다.

오답 잡기

ㄴ. '받다'는 파생적 사동이 불가능하지만, '날다'는 '날리다'로 파생적 사동이 가능하므로 적절하지 않다.
ㄹ. '닮다'는 특정한 상대를 필수적으로 요구하는 동사로 사동 접사가 결합하지 못한다. 그러나 '타다'는 특정한 상대를 필수적으로 요구하는 동사가 아니며, 사동 접사 '-이우-'가 결합하여 '태우다'로 파생적 사동이 가능하므로 적절하지 않다.

개념 더 보기

사동 접사의 결합에 제약이 있는 경우
파생적 사동은 사동 접사 '-이-, -히-, -리-, -기-, -우-, -구-, -추-' 등이 붙어 만들어지는데, '높이다', '좁히다', '울리다', '옮기다', '비우다' 등이 그 예이다. 다만 일부 용언은 사동 접사의 결합에 제약이 있기도 하다. 예를 들어 '(회사에) 다니다', '(손을) 만지다'와 같이 어간이 'ㅣ'로 끝나는 동사, '(형과) 만나다', '(원수와) 맞서다'와 같이 특정한 상대 등을 필수적으로 요구하는 동사, '(돈을) 주다', '(편지를) 받다'와 같이 주거나 받는 뜻을 가진 동사 등은 대개 사동 접사가 결합되지 못한다.

6 직접 발화와 간접 발화 파악

㉣은 화자가 자신의 의도를 직접 드러내고자 하는 상황에서 종결 표현(명령형)과 화자의 의도(명령)를 일치시켜 표현한 명시적 표현이다. 따라서 화자의 명령에 대한 청자의 부담을 덜어 주기 위해 화자의 의도와 종결 표현을 일치시키지 않고 있다는 진술은 적절하지 않다.

6-1 담화 상황에서의 '우리'의 범주 파악

'우리'는 담화 상황에 따라 가리키는 대상이 달라지기도 한다. 그리고 어떤 대상이 자기와 친밀한 관계임을 나타내는 말로 쓰이기도 한다. ⓐ는 수진과 수진의 언니가 친밀한 관계임을 나타내는 말로 쓰였고, ⓑ는 미영과 미영의 엄마가 친밀한 관계임을 나타내는 말로 쓰였다. ⓒ는 영희와 수진과 미영, ⓓ는 미영과 영희, ⓔ는 영희와 수진과 미영을 가리킨다. 따라서 가리키는 대상이 같은 것은 ⓒ와 ⓔ이다.

6-2 담화 상황에서의 높임 표현과 지시 표현 이해

'이쪽'은 화자에게 가까운 곳이나 방향, '그쪽'은 청자에게 가까운 곳이나 방향, '저쪽'은 화자와 청자에게 모두 멀리 있는 곳이나 방향을 지시하는 표현이다. 따라서 ㉤은 직원과 학생으로부터 멀리 떨어진 원장의 방을 지시하는 표현이라 할 수 있다.

오답 잡기

① ㉠과 ㉡은 모두 원장을 높이기 위해 사용한 표현이다.
② ㉢과 ㉦은 모두 학생과 원장이 통화를 한 날을 지칭하는 표현이다.
③ ㉣은 화자가 상대방의 행위를 높이기 위해 사용한 표현이고 ㉧은 화자가 자신의 행위를 낮추기 위해 사용한 표현이다.
⑤ ㉥은 현재의 담화 상황에 참여하지 않는 인물을 지칭하는 표현이다.

DAY 3 필수 체크 전략 ② 52~53쪽

01 ④	02 ⑤	03 ②	04 ⑤
05 ②	06 ④		

01 안긴문장에서의 높임 표현 이해

④에서 안긴문장은 '동생이 찾아뵈려던'으로, 안긴문장에서의 객체 높임의 대상은 '어르신'이며 안은문장의 목적어로 실현되었다.

오답 잡기

① 안긴문장은 '고향에 계신'으로, 안긴문장에서의 주체 높임의 대상은 '아버지'이며 안은문장의 주어로 실현되었다.
② 안긴문장은 '낮잠을 주무시는'으로, 안긴문장에서의 주체 높임의 대상은 '할아버지'이며 안은문장의 목적어로 실현되었다.
③ 안긴문장은 '집에 계신'으로, 안긴문장에서의 주체 높임의 대상은 '부모님'이며 안은문장의 목적어로 실현되었다.
⑤ 안긴문장은 '어제 인사를 드린'으로, 안긴문장에서의 객체 높임의 대상은 '할머니'이며 안은문장의 부사어로 실현되었다.

02 시제와 동작상 파악

ㅁ에서는 '나오셨다'를 통해 사건시가 발화시보다 앞서는 과거 시제가 쓰인 것을 확인할 수 있다. 하지만 '-고서'를 통해 앞 절의 사건이 뒤 절의 사건보다 앞선 것임을 나타내고 있을 뿐, 진행상을 나타내고 있지는 않다.

오답 잡기

① '먹고 있다'를 통해 동작이 진행되고 있음을 나타내는 진행상을 표현하고 있다.
② '모자를 쓰고 있다'는 모자를 쓰는 동작을 하고 있는 중이라는 진행상의 의미로도 해석할 수 있고, 이미 모자를 쓴 상태라는 완료상의 의미로도 해석할 수 있다.
③ 연결 어미 '-면서'는 두 가지 이상의 움직임이나 사건이 동시에 겸하여 있음을 나타낸다. 따라서 음악을 흥얼거리는 행위와 걷는 행위가 동시에 일어나고 있음을 표현하고 있다.
④ '열려 있다'를 통해 동작이 이미 완료되었음을 나타내는 완료상을 표현하고 있다.

03 부정 표현의 이해

ㄴ은 '물이 흐르다.'라는 객관적 사실을 부정하는 표현이며, 긴 부정문뿐만 아니라 '이곳에는 이제 물이 [안/못] 흐른다.'와 같이 짧은 부정문도 가능하다.

오답 잡기

④ '어떤 경우에도 절대로.'라는 뜻을 지닌 부사 '결코'는 부정 표현과 함께 쓰인다.

04 이중 피동 표현 파악

'담다'는 어근 '담-'에 피동 접미사 '-기-'만 붙어도 피동의 의미를 드러낼 수 있는데, ⑤의 '담겨진'은 '-어지다'까지 불필요하게 붙여 쓴 이중 피동 표현이다.

오답 잡기

① 기본형 '펼치다'의 어근 '펼치-'에 '-어지다'가 붙은 긴 피동문이다.
② 기본형 '가리다'의 어근 '가리-'에 '-어지다'가 붙은 긴 피동문이다.
③ 기본형 '그리다'의 어근 '그리-'에 '-어지다'가 붙은 긴 피동문이다.
④ 기본형 '버리다'의 어근 '버리-'에 '-어지다'가 붙은 긴 피동문이다.

05 사동 표현의 이해

㉡의 '아이들이 집으로 숨었다.'는 주동문으로 이 문장에서 주동사 '숨다'는 주어, 부사어를 필요로 하는 두 자리 서술어이다. 이와 달리 사동문 '그녀는 아이들을 집으로 숨겼다.'에서 사동사 '숨기다'는 주어, 목적어, 부사어를 필요로 하는 세 자리 서술어이다. 따라서 주동문이 사동문으로 바뀌면 서술어가 필요로 하는 문장 성분의 개수는 달라진다.

오답 잡기

① 형용사 '높다'에 사동 접미사 '-이-'가 결합하여 사동사 '높이다'가 되었다.
③ 피사동주인 '냉장고'가 의지가 없는 사물이기 때문에 '냉장고가 창고로 옮았다.'와 같은 주동문을 만들 수 없는 경우이다.
④ '읽다'의 경우 서술어의 특성상 '읽히다', '읽게 하다'와 같이 사동 표현으로 바뀌었을 때 모두 간접 사동의 의미로 해석이 가능하다.
⑤ '연탄불이 피다.'와 같이 주동문의 서술어가 자동사일 때는 주동문의 주어가 사동문에서 목적어가 되고, '형이 밥을 먹는다.'와 같이 주동문의 서술어가 타동사일 때는 주동문의 주어가 사동문의 부사어가 된다.

06 담화의 개념과 맥락의 이해

'근데'는 화제를 앞의 내용과 관련시키면서 다른 방향으로 이끌어 나갈 때 쓰는 접속 표현이다.

오답 잡기

① ⓐ는 '주희'가 말한 대화 내용에 부합하지 않으므로 담화의 통일성을 떨어뜨리는 발화이다.
② '아영'의 발화 후 이어지는 '주희'의 발화를 통해 ⓑ가 '아영'이 발화한 '학교'의 대용 표현임을 알 수 있다.
③ ⓒ와 ⓓ는 사진을 통해 알 수 있는 장소로 '아영'의 발화를 통해 '도서관'을 지칭하는 표현이라는 것을 알 수 있다.
⑤ ⓕ를 통해 '아영'과 '주희'가 사전에 미리 약속 시간을 정해 놓았음을 알 수 있다.

누구나 합격 전략 | 54~57쪽

01 ③	02 ②	03 ②	04 ③	05 ④
06 ②	07 ③	08 ④	09 ②	10 ①
11 ②	12 ③			

01 문장 성분의 이해

ㄷ에서 '돌려주다'는 세 자리 서술어로 주어, 목적어, 부사어를 필수적으로 요구한다. '어제'와 '민규에게'는 둘 다 부사어이지만, 생략해도 문장이 성립하는 '어제'와 달리 '민규에게'는 서술어 '돌려주다'가 필수적으로 요구하는 성분이라는 점에서 차이가 있다.

오답 잡기

① ㄱ의 '선생님이'는 보어로, 필수적인 성분이며 '되었다'의 뜻을 보충하여 준다.
② ㄴ의 '삼았다'는 서술어로, 필수적인 성분이며 문장 안에서 주체의 행위를 표현하는 기능을 한다.
④ ㄹ의 '잘랐다'는 두 자리 서술어로 주어, 목적어를 필수적으로 요구한다. 따라서 관형어인 '꼼꼼한'과 부사어인 '가위로'는 필수적이지 않은 성분이며 각각 '철수가'와 '잘랐다'를 수식하는 기능을 한다.
⑤ ㅁ의 '어머니께서는'은 주어로, 필수적인 성분이며 문장 안에서 행위의 주체로 기능을 한다.

02 주어의 이해

주격 조사는 앞말이 받침 있는 체언일 경우 '이'가 붙고, 앞말이 받침 없는 체언일 경우 '가'가 붙는다. 따라서 주격 조사는 앞말의 형태와 관계가 있다. ㄴ의 '날'은 받침이 있으므로 뒤에 주격 조사 '이'가, '비'는 받침이 없으므로 뒤에 주격 조사 '가'가 결합된 것이다.

오답 잡기

① ㄱ에서는 '했어'의 주체인 '너'가 주격 조사 없이 사용된 것을 통해 주격 조사가 생략될 수도 있음을 알 수 있다.
③ ㄷ에서는 '영수가'의 위치가 서술어 '먹었다' 다음에 오는 것을 통해 주어의 위치가 상황에 따라 이동할 수도 있음을 알 수 있다.
④ ㄹ에서는 명사절에 주격 조사가 결합된 '그녀가 범인임이'를 통해 절에 주격 조사가 결합하여 주어의 역할을 할 수도 있음을 알 수 있다.
⑤ ㅁ에서는 대화의 청자가 주어일 때 생략된 것을 통해 주어가 대화 상황에 따라 생략될 수도 있음을 알 수 있다.

03 부사어의 이해

'나무가 엄청 높이 자랐다.'의 '엄청'은 부사어 '높이'를 수식하므로, 관형어를 수식하는 부사어가 아니라 부사어를 수식하는 부사어이다.

오답 잡기

① 부사어 '어서'가 용언 '떠나자'를 수식하고 있다.
③ 부사어 '매우'가 부사어 '빨리'를 수식하고 있다.
④ 부사어 '과연'이 문장 전체인 '그의 예언대로 되었구나.'를 수식하고 있다.
⑤ 부사어 '및'이 단어 '가정'과 '학교'를 이어 주고 있다.

04 홑문장과 겹문장의 이해

ㄷ은 앞 절과 뒤 절이 '대조'의 의미 관계를 맺고 있는 대등하게 연결된 이어진문장이다.

오답 잡기

① ㄱ은 주어(친구는)와 서술어(돌아갔다)의 관계가 한 번만 나타나므로 홑문장이다.

② ㄴ에서 안은문장의 주어(그녀는)와 안긴문장의 주어(심성이)는 다르다.

④ ㄹ에서 안긴문장은 '동생이 (빵을) 준'으로, 안긴문장의 목적어(빵을)와 안은문장의 목적어(빵을)가 중복되므로 생략되었다.

⑤ ㅁ에서 '그의 말이 사실임'이라는 명사절이 목적격 조사 '을'과 결합하여 목적어의 기능을 하고 있다.

05 이어진문장의 이해

'비가 내려서 소풍을 연기했다.'는 종속적으로 연결된 이어진문장으로, 앞 절과 뒤 절의 의미 관계는 '원인'이다.

06 안은문장과 안긴문장의 이해

'형이 (열심히 공부하는) 동생에게 (친구가 만든) 사탕을 주었어.'의 문장 전체의 서술어는 '주었어'이고, 주어는 '형이'이다. 이 문장의 관형절은 두 개로 '열심히 공부하는'과 '친구가 만든'이다. 이 중에서 '(동생이) 열심히 공부하는'은 주어가 생략돼 있다. 그리고 '친구가 (사탕을) 만든'은 목적어가 생략돼 있으며 '만든'의 주어는 '친구가'이다.

07 주체 높임과 객체 높임의 이해

㉠은 객체인 '할머니'를 높이는 특수 어휘이다. ㉡은 주체인 '어머니'를 높이는 주체 높임 선어말 어미 '-시-'를 포함하고 있다. ㉢은 객체인 '할머니'를 높이는 특수 어휘이다. ㉣은 객체인 '아버지'를 높이는 특수 어휘이다. ㉤은 주체인 '할머니'를 높이는 주격 조사 '께서'가 결합되어 있다.

08 부정 표현의 이해

명령형이나 청유형의 부정문을 만들 때에는 '말다' 부정문이 사용된다. '위험한 곳에는 가지 마라.'는 청유형의 부정문이 아니라 명령형의 부정문이다. 청유형의 부정문은 '위험한 곳에는 가지 말자.'이다.

09 시간 표현과 어미의 관계 이해

㉡에는 추측의 의미를 나타내는 '-겠-'이 선어말 어미로 쓰였고, 의문형 종결 어미 '-니'가 어말 어미로 쓰였다.

10 피동 표현의 이해

'버려지는'은 '버리다'의 어간 '버리-'에 '-어지다'가 결합해서 만들어진 피동 표현이므로 이중 피동 표현이 아니다.

오답 잡기

② '담긴'은 '담다'의 어간 '담-'에 피동 접미사 '-기-'가 결합하여 실현된 피동 표현이다.

③ '열린다고'는 '열다'의 어간 '열-'에 피동 접미사 '-리-'가 결합하여 실현된 피동 표현으로, 피동 표현을 사용함으로써 행사를 여는 주체보다 행사 자체가 강조되는 효과를 거두고 있다.

④ '이 제품들은 모두 좋은 곳에 쓰일 것이다.'를 능동 표현으로 바꾸면 '이 제품들을 모두 좋은 곳에 쓸 것이다.'가 된다. 따라서 '쓰일'을 '쓸'과 같이 능동 표현으로 바꾸면 피동문의 주어(이 제품들은)가 능동문의 목적어(이 제품들을)로 바뀌게 된다.

⑤ 체언 '구조' 뒤에 피동 접미사 '-되다'가 결합하여 주어(사람들이)가 행위를 당하는 것을 표현하고 있다.

11 사동 표현의 이해

ㄱ은 '아기가 웃었다.'라는 서술어가 자동사인 주동문을 사동문으로 만든 것이고, ㅁ은 '사무실이 비었다.'라는 서술어가 자동사인 주동문을 사동문으로 만든 것이므로 모두 ㉠에 해당하는 문장이다.

오답 잡기

ㄴ. '발걸음이 늦었다.'라는 서술어가 형용사인 주동문을 사동문으로 만든 것에 해당한다.

ㄷ. '동생이 옷을 입었다.'라는 서술어가 타동사인 주동문을 사동문으로 만든 것에 해당한다.

ㄹ. '내가 사진을 보았다.'라는 서술어가 타동사인 주동문을 사동문으로 만든 것에 해당한다.

보기 돋보기

사동사에 의한 사동 표현

- 서술어가 형용사인 주동문을 사동문으로 바꾸는 경우: 주동문의 주어가 사동문의 목적어가 되며, 사동문의 주어가 새로 생김.
  예 주동: 길이 넓다.
  사동: 구에서 길을 넓히다.
- 서술어가 자동사인 주동문을 사동문으로 바꾸는 경우: 주동문의 주어가 사동문의 목적어가 되며, 사동문의 주어가 새로 생김.
  예 주동: 얼음이 녹다.
  사동: 아이들이 얼음을 녹이다.
- 서술어가 타동사인 주동문을 사동문으로 바꾸는 경우: 주동문의 주어는 사동문의 부사어가 되고, 주동문의 목적어는 그대로 사동문의 목적어가 되며, 사동문의 주어가 새로 생김.
  예 주동: 혜수가 책을 읽다.
  사동: 선생님께서 혜수에게 책을 읽히다.

12 간접 발화의 이해

㉢에서 형이 동생에게 "그거 어디서 많이 본 옷 같은데?"라고 물어본 것은 이미 동생이 자신의 옷을 입었다는 것을 인지하고 한 말이다. 따라서 자신의 옷을 함부로 입지 말라는 요구가 담겨 있다고 볼 수 있으므로, 발화자가 요구하는 바를 의문문을 통해 상대방에게 간접적으로 표현한 발화라고 볼 수 있다.

창의·융합·코딩 전략 ①

58~59쪽

01 ③ 02 ⑤ 03 ③ 04 ②

01 문장의 짜임 파악

㉮의 안긴문장은 명사절로, 안은문장의 주어로 쓰이고 있으며 체언을 수식하고 있지 않으므로 ⓒ에 해당한다. ㉯의 안긴문장은 서술절로, 안긴문장이 안은문장의 서술어로 쓰이고 있으므로 ⓐ에 해당한다. ㉰의 안긴문장은 부사절로, 안은문장의 부사어로 쓰이고 있으며 체언을 수식하고 있지 않으므로 ⓒ에 해당한다. ㉱의 안긴문장은 명사절로, 안은문장의 관형어로 쓰이고 있으며 체언을 수식하고 있으므로 ⓑ에 해당한다.

02 서술어의 자릿수 파악

㉣의 '만들다'는 주어(그들은), 목적어(이웃 나라를), 부사어(속국으로)를 필수적으로 요구하는 세 자리 서술어이다. ㉤의 '만들다'는 주어(그는), 목적어(혈압을), 부사어(올라가게)를 필수적으로 요구하는 세 자리 서술어이다.

오답 잡기

㉠의 '만들다'는 주어(그는), 목적어(터널을)를 필수적으로 요구하는 두 자리 서술어이다.

㉡의 '만들다'는 주어(협회에서), 목적어(경기 규칙을)를 필수적으로 요구하는 두 자리 서술어이다.

㉢의 '만들다'는 주어(우리는), 목적어(협동조합을)를 필수적으로 요구하는 두 자리 서술어이다.

개념 더 보기

조사 '에서'의 기능

조사 '에서'는 부사격 조사로 사용되는 경우 외에도 단체를 나타내는 명사 뒤에 붙어 주격 조사로 사용되는 경우가 있다.

예 이번 대회는 우리 학교에서 우승을 차지했다.
정부에서 실시한 조사 결과가 발표되었다.

03 시간 표현의 파악

과거 시제 선어말 어미 '-었었-'은 현재와 비교하여 다르거나 단절되어 있는 과거의 사건을 표현한다. 따라서 ⓐ를 시간적으로 거리가 먼 ⓒ에서 발화한다면, 선어말 어미 '-었었-'을 사용하여 '나는 어렸을 때 묘목을 심었었지.'와 같이 표현할 수 있다.

오답 잡기

① 발화시보다 사건시가 선행한다는 것은 과거 시제를 의미하므로 선어말 어미 '-었-'을 사용하여 '나는 묘목을 심었다.'와 같이 표현할 수 있다.

② 사건시가 발화시 이후라는 것은 미래 시제를 의미하므로 선어말 어미 '-겠-'을 사용하여 '묘목이 자라면 나무 아래에서 잘 수 있겠다.'와 같이 표현할 수 있다.

④ ⓒ에서 ⓑ를 회상하여 발화한다는 것은 과거 시제를 의미하므로 '나는 나무 아래에서 잤다.'와 같이 표현할 수 있다.

⑤ 발화시보다 사건시가 선행한다는 것은 과거 시제를 의미하므로 '나무가 잘려서 그루터기만 남았다.'와 같이 표현할 수 있다. '이제 나무 아래에서 낮잠은 다 잤다.'는 과거 시제 선어말 어미 '-았-'을 사용하였지만, '앞으로는 나무 아래에서 낮잠을 잘 수 없다.'라는 의미, 즉 사건시가 발화시 이후인 미래의 의미를 나타내므로 적절하지 않다.

04 사동 표현의 파악

㉠에서 '더위를 먹다.'는 관용구이므로 ㉠은 '*친구가 그녀에게 더위를 먹였다.', '*친구가 그녀에게 더위를 먹게 했다.'와 같은 사동문으로 바꿀 수 없다. ㉡에서 '마시다'는 사동 접미사의 결합에 제약이 있기 때문에 ㉡은 '형이 동생에게 우유를 마시게 한다.'와 같은 통사적 사동문으로만 바꿀 수 있다. ㉢은 '어머니가 아기를 침대 위에서 재운다.'와 같은 파생적 사동문이나 '어머니가 아기를 침대 위에서 자게 한다.'와 같은 통사적 사동문으로 모두 바꿀 수 있다.

창의·융합·코딩 전략 ② 60~61쪽

05 ① 06 ① 07 ② 08 ③

05 문장의 짜임 이해

'나는 그 책도 샀다.'라는 문장의 구문 도해를 나타내기 위해서는 해당 문장의 짜임을 이해해야 한다. 이 문장은 주어 '나는', 관형어 '그', 목적어 '책도', 서술어 '샀다'로 이루어진 문장이다. 그러므로 중간에 내리그은 세로줄 왼편에는 주성분인 주어(나는), 목적어(책도), 서술어(샀다)를, 오른편에는 부속 성분인 관형어(그)를 배치해야 한다. 이때 서로 다른 두 성분 사이에는 가로로 외줄을 그어야 하고, 주어인 '나는'과 그 외의 부분을 구분할 때에는 가로로 쌍줄을 그어야 한다. 또한 '는', '도'와 같은 조사는 앞말과의 사이에 짧은 세로줄을 그어 표시해야 한다.

06 문장 성분의 특징 파악

㉠~㉤ 중 체언을 수식하는 것은 ㉠, ㉢, ㉣, ㉤이 해당한다. 그리고 관형격 조사와 결합할 수 없는 것은 ㉠, ㉤이 해당한다. 그중에서 문장에서 생략이 가능한 것은 ㉠으로, ㉠을 생략해도 '거리에 꽃이 피었다.'로 문장이 성립한다.

오답 잡기

② ㉡은 용언 '춥다'를 수식하는 부사어이다.

③, ④ ㉢과 ㉣은 체언으로, 관형격 조사 '의'가 결합할 수 있다.

⑤ ㉤은 관형어로, 의존 명사 앞의 관형어를 생략하면 문장이 어색해지므로 생략할 수 없다.

07 부정 표현의 이해

㉠에는 '못' 부정문이면서 짧은 부정문인 '동생이 못 잔다.'와 '못' 부정문이면서 긴 부정문인 '동생이 자지 못한다.'가 들어갈 수 있다. ㉡에는 '안' 부정문이면서 짧은 부정문인 '동생이 안 잔다.'가 들어갈 수 있다. ㉢에는 '안' 부정문이면서 긴 부정문인 '동생이 자지 않는다.'가 들어갈 수 있다.

08 올바른 문장 표현 판단하기

ⓑ에 따르면, 수정 전 문장에서 '왜냐하면'에 호응하는 서술어는 '때문이다'이므로 '~는 것이다.'로 수정한 문장 역시 호응 관계가 자연스럽지 않다. 따라서 ③은 적절하지 않다.

오답 잡기

① ⓐ에 따르면, 수정 전 문장에서는 '빠져나갈 방법을'이라는 목적어가 빠져 있으므로 수정한 문장은 적절하다.

② ⓐ에 따르면, 수정 전 문장에서 필수 부사어 '이모와'가 필요하므로 수정한 문장은 적절하다.

④ ⓑ에 따르면, 수정 전 문장의 '비록'을 '만약'으로 고쳐야 '입장이라면'과 호응을 이루므로 수정한 문장은 적절하다.

⑤ ⓒ에 따르면, 수정 전 문장에서 '이미'와 '기존'이 의미상으로 중복된 표현이므로 수정한 문장은 적절하다.

전편 마무리 전략

신유형·신경향 전략

64~67쪽

01 ④	02 ④	03 ③	04 ⑤	05 ③
06 ②	07 ③	08 ③	09 ⑤	

01 단모음의 변별적 자질 이해

〈보기 1〉에서 제시한 단모음 체계표에 따르면 단모음 'ㅔ'는 전설 모음, 중모음, 평순 모음이다. 전설 모음이기 때문에 [-후설성], 중모음이기 때문에 [-고설성], [-저설성], 평순 모음이기 때문에 [-원순성]의 변별적 자질을 가지고 있다.

오답 잡기

① 단모음 'ㅐ'는 전설 모음, 저모음, 평순 모음이다. 전설 모음이기 때문에 [-후설성], 저모음이기 때문에 [-고설성], [+저설성], 평순 모음이기 때문에 [-원순성]의 변별적 자질을 가지고 있다.

② 단모음 'ㅏ'는 후설 모음, 저모음, 평순 모음이다. 후설 모음이기 때문에 [+후설성], 저모음이기 때문에 [-고설성], [+저설성], 평순 모음이기 때문에 [-원순성]의 변별적 자질을 가지고 있다.

③ 단모음 'ㅗ'는 후설 모음, 중모음, 원순 모음이다. 후설 모음이기 때문에 [+후설성], 중모음이기 때문에 [-고설성], [-저설성], 원순 모음이기 때문에 [+원순성]의 변별적 자질을 가지고 있다.

⑤ 단모음 'ㅣ'는 전설 모음, 고모음, 평순 모음이다. 전설 모음이기 때문에 [-후설성], 고모음이기 때문에 [+고설성], [-저설성], 평순 모음이기 때문에 [-원순성]의 변별적 자질을 가지고 있다.

02 품사의 통용 파악

탐구 자료의 밑줄 친 단어의 품사는 다음과 같다.

자료 돋보기

ㄱ. 오늘은 화요일이다. / 비가 오늘 왔다.
　오늘(명사) / 오늘(부사)

ㄴ. 아차, 우산을 놓고 왔다! / 아차 잘못하면 큰일이 난다.
　아차(감탄사) / 아차(부사)

ㄷ. 지금까지 한 말은 정말이다. / 너를 정말 사랑해. / 큰일 났네, 정말!
　정말(명사) / 정말(부사) / 정말(감탄사)

ㄹ. 비교적인 관점에서 생각해 보자. / 오늘의 주제는 동서양 신화의 비교적 고찰입니다. / 우리 동네는 교통이 비교적 편리하다.
　비교적(명사) / 비교적(관형사) / 비교적(부사)

따라서 ㄴ과 ㄹ에 공통적으로 사용된 품사는 부사이다.

03 피동 표현의 파악

㉢은 행위의 주체인 '그녀'가 중요하지 않을 때 피동 표현을 사용한다.

오답 잡기

① ㉠에서 안는 행위의 주체는 '엄마'이고 행위의 대상은 '아기'이다. ㉠은 '아기'를 부각하기 위해 피동 표현을 사용한 경우이다.

② ㉡에서는 피동 표현을 통해 '물병'을 엎은 주체인 '나'를 밝히지 않고 있다.

④ ㉣에서 '시장'을 뽑은 행위의 주체는 '사람들'이다. ㉣은 행위의 주체가 누구나 아는 사람이어서 말할 필요가 없을 때 피동 표현을 사용한 경우이다.

⑤ ㉤은 '날씨'를 푼 행위의 주체를 분명히 설정하기 어려워 피동 표현을 사용한 경우이다.

04 부정 표현의 파악

'아이가 아파서 밥을 먹지 못했다.'라는 문장은 보조 용언 '못하다'를 사용하여 긴 부정문을, '못' 부정문을 사용하여 능력 부정을 나타내고 있다.

오답 잡기

① 짧은 부정문, 단순 부정

② 긴 부정문, 단순 부정

③ 긴 부정문, '말다' 부정(명령형에 대한 부정)

④ 짧은 부정문, 능력 부정

05 높임 표현의 파악

'어머니, 할머니께서 방금 동생을 데리고 공원에 가셨어요.'에서 주체는 '할머니', 객체는 '동생', 상대는 '어머니'이다. 화자의 입장에서 주체인 '할머니'와 상대인 '어머니'는 높임의 대상이고, 객체인 동생은 높임의 대상이 아니다. 주체 높임의 표지로는 주격 조사 '께서'와 선어말 어미 '-시-'가 사용되었으며, 상대 높임의 표지로는 종결 어미 '-어요'가 사용되었다.

06~09

가 종이 신문 기사

표제를 제시하여 핵심 주제를 파악할 수 있게 함.

나 카드 뉴스

- 정보를 슬라이드 형태로 제시하여 전달의 효과를 높임.
- (가)의 핵심적인 내용을 명확하게 정리하여 제공함.
- 문자 언어 외에 그림, 그래프 등 시각 자료를 함께 활용하여 정보 전달력을 높임.

06 매체 자료의 비판적 수용

(나)의 '카드 1'과 '카드 2'에서는 각각 (가)에 제시된 '○○ 기관 보고서'와 '○○ 기관 통계 자료'라는 출처를 밝히지 않고 있다. 정보의 출처를 밝히지 않은 매체 자료를 수용할 때에는 제시된 정보가 신뢰할 수 있는 정보인지 반드시 확인해야 한다.

오답 잡기

① (가)는 청소년의 사회 참여 현황과 관련된 내용의 기사문으로 여러 이론이 제시되어 있지 않다.

③ (나)에서는 문제에 대한 해결 방안을 제시하고 있을 뿐 대립된 의견이 제시되어 있지 않다.

④ (가)와 (나)에는 예상 반론에 대해 반박하고 있는 내용이 없다.

⑤ (가)와 (나)에서는 작성자의 주장을 나열하고 있는 것이 아니라, 청소년과 전문가의 의견을 제시하고 있다.

개념 더 보기

매체 자료의 비판적 수용을 위한 점검 항목

- 매체 자료의 출처는 어디이며, 생산자는 누구인가?
- 매체 자료의 내용은 객관적 사실에 근거하는가?
- 생산자가 대상, 사건을 바라보는 관점은 어떠한가?
- 강조하거나 드러내려 하는 정보는 무엇이고, 누락된 정보는 무엇인가?
- 매체 자료의 내용과 관련된 이해관계는 무엇인가?

07 정보 전달과 설득

(가)에서 기관 중심의 사회 참여를 선호하는 청소년의 경향과 관련된 내용은 찾아볼 수 없다. '카드 3'에서 기관의 이미지를 청소년의 이미지보다 더 크게 그린 것은, 현재의 청소년 사회 참여가 기관을 중심으로 이루어진다는 점을 드러내기 위한 것이라고 볼 수 있다.

오답 잡기

① (나)의 '카드 1'에서는 '청소년도 사회 참여가 필요합니다.'라고 말하는 청소년의 이미지를 제시하여 사회 참여를 바라는 청소년의 인식을 보여 주고 있다.

② (나)의 '카드 2'에서는 청소년의 사회 참여 활동 경험을 그래프로 나타내어 문제 상황을 시각적으로 보여 주고 있다.

④ (나)의 '카드 4'에서는 '기관 중심의 활동'과 '청소년 주도적 활동'이 악수하는 이미지를 제시하여 두 가지 유형이 조화를 이루어야 한다는 점을 보여 주고 있다.

⑤ (나)의 '카드 4'에서는 (가)의 교수 인터뷰 내용 중 청소년의 사회 참여 활성화의 방향과 관련된 내용을 문구로 제시하고 있다.

08 매체 언어의 표현 방법

㉢은 앞 절 '청소년이 주도하는 사회 참여 활동 기회가 부족하다'와 뒤 절 '참여가 확산되지 못하고 있다'가 까닭이나 근거를 나타내는 연결 어미 '-여'로 연결된 문장이다. 따라서 앞 절의 내용은 뒤 절 내용의 목적에 해당하는 것이 아니라 까닭이나 근거에 해당한다.

오답 잡기

① ㉠은 기사의 표제이며 '-ㄴ가'라는 의문형 종결 어미를 사용하고 있다.

② ㉡은 '88.3%' 앞에 부사 '무려'를 사용하여 응답한 비율이 높다는 점을 나타내고 있다.

④ ㉣은 '만들어져야 한다'라는 피동 표현을 사용하여 사회 활동에 참여하는 행위의 주체인 '청소년'보다는 행위의 대상인 '사회적 분위기'에 초점을 두어 서술한 표현이다.

⑤ ㉤은 "사회 참여 활동을 ~ 아쉬웠다."라는 김 모 학생의 말을 격 조사 '고'를 사용하여 간접 인용으로 제시한 표현이다.

09 매체의 정보 구성 방식

(나)에서는 청소년이 주도적으로 사회 참여를 할 수 있는 구체적 방법이 제시되지 않았다. 따라서 '카드 B'를 활용하여 '우리 학교 쓰레기 분리배출 캠페인', '우리 학교 앞 신호등 설치 건의'와 같은 우리 학교 학생들이 실천할 수 있는 구체적 방법을 제안할 수 있다.

오답 잡기

① (나)에서 청소년의 사회 참여가 필요한 이유를 언급하고 있지는 않지만, '카드 A'는 청소년이 사회 참여 활동을 하지 않는 이유와 관련된 내용이므로 '카드 A'를 활용하여 청소년의 사회 참여가 필요한 이유를 보여 준다는 것은 적절하지 않다.

② (나)에서 청소년 주도의 사회 참여 기회가 부족함을 지적하고는 있지만, '카드 A'에는 학생들의 사회 참여 이유가 제시되어 있지 않으므로 적절하지 않다.

③ (나)의 '카드 3'에서 청소년의 사회 참여가 확산되기 어려운 이유에 대해 언급하고 있으므로 적절하지 않다.

④ (나)에서 사회 참여가 청소년에게 미치는 영향을 강조하고 있지 않으므로 적절하지 않다.

1·2등급 확보 전략

68~73쪽

01 ⑤	02 ⑤	03 ④	04 ④	05 ③
06 ①	07 ③	08 ⑤	09 ①	10 ③
11 ③				

01 음운 변동과 국어의 로마자 표기법 이해

ⓔ '광한루'는 종성 위치에서만 유음화가 일어나 [광:할루]로 발음되는 것이 맞지만, (나)에서 제시한 'ㄱ'은 모음 앞에서 'g'로 적고 장모음의 표기는 따로 하지 않는다는 점을 고려할 때 'Gwanghallu'로 표기해야 한다.

함정문제 해결 전략

음운 변동과 국어의 로마자 표기법을 모두 이해해야 해결할 수 있는 문제이다. 각 단어의 음운 변동 과정을 분석하여 어느 위치에서 어떤 종류의 변동 현상이 일어나는지 파악하고, (나)에 제시된 국어의 로마자 표기법 표기 일람과 표기상의 유의점에 따라 적용해 보도록 한다.

02 동화의 유형 이해

'국내[궁내]', '집념[짐념]', '학문[항문]'은 각각 동화음 'ㄴ', 'ㄴ', 'ㅁ'이 피동화음 'ㄱ', 'ㅂ', 'ㄱ'에 후행하며(㉠), 피동화음이 동화음의 조음 방법만 닮는 동화가 일어난다(㉡).

오답 잡기

'인력[일력]'은 동화음 'ㄹ'이 피동화음 'ㄴ'에 후행하며, 피동화음이 동화음과 완전히 같아지는 동화가 일어나므로 ㉠만 일어난다. '찰나[찰라]'는 동화음 'ㄹ'이 피동화음 'ㄴ'에 선행하며, 피동화음이 동화음과 완전히 같아지는 동화가 일어나므로 ㉠과 ㉡이 모두 일어나지 않는다.

03 표준 발음법과 음운 변동의 이해

'젊고'는 표준 발음법 제11항에 따라 겹받침 'ㄻ'이 자음 앞에서 [ㅁ]으로 발음하는 경우이므로 먼저 'ㄱ'이 탈락하는 자음군 단순화가 일어나 [점:고]가 된다. 그 뒤에 용언이 활용할 때 어미의 첫소리 'ㄱ, ㄷ, ㅅ, ㅈ'이 어간의 끝소리 'ㄴ, ㅁ' 뒤에서 된소리로 발음되는 된소리되기의 음운 환경이 갖추어져 [점:꼬]로 발음된다.

오답 잡기

① 표준 발음법 제10항에 따라 '앉는'은 'ㅈ'이 탈락하여 [안는]으로 발음된다. 비음화는 일어나지 않는다.

② 표준 발음법 제10항 '다만'에 따라 '밟지'에서는 'ㄹ'이 탈락함을 알 수 있다. 그 뒤에 된소리되기의 음운 환경이 갖추어져 [밥:찌]로 발음된다.

③ 표준 발음법 제11항에 따라 '닭띠'는 'ㄹ'이 탈락하여 [닥띠]로 발음된다. 된소리되기는 일어나지 않는다.

⑤ 표준 발음법 제10항에 따라 '없게'는 'ㅅ'이 탈락하고 된소리되기가 일어나 [업:께]로 발음된다. 음절의 끝소리 규칙은 일어나지 않는다.

개념 더 보기

된소리되기의 환경

- 끝소리 'ㄱ, ㄷ, ㅂ' 뒤에 'ㄱ, ㄷ, ㅂ, ㅅ, ㅈ'이 올 때
  예 먹다[먹따], 책방[책빵], 듣고[듣꼬], 입지[입찌]
- 용언 어간의 끝소리 'ㄴ, ㅁ' 뒤에 'ㄱ, ㄷ, ㅅ, ㅈ'으로 시작하는 어미가 올 때
  예 신다[신:따], 남습니다[남:씀니다]

함정문제 해결 전략

표준 발음법 제10항에서는 겹받침을 이루는 두 개의 자음 중 뒤 자음이 탈락하는 경우, 제11항에서는 겹받침을 이루는 두 개의 자음 중 앞 자음이 탈락하는 경우를 규정하고 있다. 각 조항의 내용과 예외 사항을 이해하여 각 단어에 적용해 보도록 한다.

04 품사의 분류 기준 이해

'같은'은 형용사이므로 용언에 해당하지만, '함께'는 부사이므로 수식언에 해당한다.

오답 잡기

① '여러'와 '온'은 모두 관형사이므로 의미에 따라 나누면 같은 품사이다.

③ '영화'는 명사, '아주'는 부사로 형태에 따라 나누면 모두 불변어이다.

⑤ '지겹다'는 형용사이므로 용언에 해당하지만, '처음'은 명사이므로 체언에 해당한다.

05 문장의 짜임 탐구

ㄴ은 홑문장으로 서술어는 '싫어한다' 1개이며, ㄷ은 겹문장 중 이어진문장으로 서술어는 '소설가이자'와 '선생님이다' 2개이다.

오답 잡기

① ㄱ은 서술절을 안은문장으로 주어 '나는'과 서술어의 역할을 하는 서술절 '발이 크다'로 이루어져 있고, '발이 크다'는 주어 '발이'와 서술어 '크다'로 이루어져 있다. ㄷ은 이어진문장으로 앞 절의 주어 '그는', 서술어 '소설가이자', 뒤 절의 주어 '그는', 서술어 '선생님이다'로 이루어져 있다. 따라서 ㄱ과 ㄷ을 이루고 있는 문장 성분은 주어와 서술어로 동일하다.

② ㄱ은 '나는'이 안은문장의 주어이고 '발이 크다'라는 서술절이 서술어의 역할을 하는, 서술절을 안은문장이다. ㄹ은 '그는 포도를 먹고'와 '나는 감을 먹는다'라는 2개의 절이 대등하게 이어져 있다. 따라서 ㄱ과 ㄹ은 모두 주어와 서술어의 관계가 두 번 나타난다.

④ ㄴ의 '나는'은 주어, '겨울만'은 목적어이고, ㄹ의 '그는'과 '나는'은 주어, '포도를'과 '감을'은 목적어이므로 ㄴ과 ㄹ은 모두 주어와 목적어를 포함하고 있다.

⑤ ㄷ과 ㄹ은 모두 이어진문장으로, ㄷ은 '-자'라는 연결 어미를, ㄹ은 '-고'라는 연결 어미를 포함하고 있다.

06~08

가 휴대 전화 메신저
- 실시간 쌍방향 의사소통이 가능함.
- 정보의 전달 및 공유 속도가 빠름.
- 시각 자료, 청각 자료 등 다양한 자료를 활용할 수 있음.

나 문학 기행 홍보물
- 문학 기행 일정 및 유의 사항 등의 정보를 제공함.
- 전달 매체의 특성에 따라 사진, 배경 음악 등의 자료를 활용할 수 있음.

06 매체의 특성 이해

(가)에서 휴대 전화 메신저의 대화 참가자는 4명의 문학 기행 준비 위원들로 구성되어 있다. 휴대 전화 메신저 대화방을 이용하면 대화 참가자들의 소통과 정보 공유가 빠르고 쉽게 이루어질 수 있지만, 이는 대화방에 참여한 사람에만 국한하는 것으로 누구에게나 정보를 제공하는 것은 아니다.

오답 잡기

② 현아는 문서 파일을, 아윤은 사진 파일을, 우성은 음악 파일을 전송하고 있다. 이를 통해 (가)에서는 대화 참여자들끼리 정보를 빠르고 쉽게 공유할 수 있다는 것을 알 수 있다.

③, ④ (가)에서는 휴대 전화 메신저를 통해 대화 참여자들이 같은 공간에 있지 않아도 실제 대화와 다름없이 실시간으로 의견을 교환하고 질문과 답변을 이어 가고 있다.

⑤ 아윤이 대화 참여자들에게 보내는 사진 파일, 우성이 대화 참여자들에게 보내는 음악 파일 등을 통해 휴대 전화 메신저로 시각 요소 및 청각 요소를 활용한 다양한 정보를 여러 사람에게 전달할 수 있음을 알 수 있다.

07 매체 자료 생산의 적절성 파악

홍보 포스터는 인쇄 매체로 문자 언어를 중심으로 사진, 그림 등의 시각 요소를 활용하여 정보를 전달할 수 있다. 반면에 누리집용 자료는 인터넷을 기반으로 하여 시각, 청각, 시청각 요소를 복합적으로 활용하여 정보를 전달할 수 있다. 하이퍼링크는 인터넷 매체에서만 사용할 수 있는 기능이므로 인쇄 매체인 홍보 포스터에는 사용할 수 없다.

오답 잡기

① 홍보 포스터와 누리집용 자료 모두 언어 요소를 활용할 수 있으므로 동일한 문구를 사용할 수 있다.

② 누리집용 자료는 동영상 삽입이 가능하므로 여러 장의 사진을 편집하여 사용할 수 있다.

④ 홍보 포스터와 누리집용 자료 모두 시각 요소를 활용할 수 있으므로 글자의 굵기나 색깔 등을 이용하여 주목도를 높일 수 있다.

⑤ 홍보 포스터에는 청각 요소를 사용하는 것이 불가능하여 배경 음악을 사용할 수 없지만, 누리집용 자료에서는 사용이 가능하다.

개념 더 보기

하이퍼링크
인터넷상에서 다른 사이트와 연결되어 있는 단어를 말한다. 하이퍼텍스트 문서 안에서 모든 형식의 자료를 연결하고 가리키는 고리가 되며, 동영상, 음악, 그림, 프로그램, 파일, 문서 등의 특정 위치를 지정할 수 있다.

08 매체 자료의 수정 및 보완

검토 의견을 통해 홍보 문구의 내용으로 문학 기행의 주제, 탐방 장소, 활동의 특징이 포함되어야 함을 알 수 있다. (가), (나)의 내용을 통해 문학 기행의 주제는 윤동주 시인에 관한 것이며, 탐방 장소는 윤동주기념관과 윤동주문학관임을 알 수 있다. 또한 도규의 말을 통해 온라인과 오프라인 활동이 함께 이루어지는 것을 이번 문학 기행의 특징으로 홍보하고자 하는 것을 파악할 수 있다. 이를 모두 반영한 홍보 문구로는 ⑤가 가장 적절하다.

오답 잡기

① 윤동주기념관과 윤동주문학관은 직접 탐방하는 장소이므로 적절하지 않다.

② 탐방 장소 및 활동의 특징이 드러나지 않으므로 적절하지 않다.

③ 문학 기행의 주제, 탐방 장소, 활동의 특징이 구체적으로 드러나지 않으므로 적절하지 않다.

④ 온라인 활동에 대한 언급이 없으므로 적절하지 않다.

09~11

가 교내 신문
- 글을 통해 정보를 전달함.
- 글자의 크기와 굵기, 형태 등을 달리해 집중도를 높임.
- 수면 위상 지연 증후군의 개념, 증상, 해결 방법 등을 제시함.

나 카드 뉴스
- 간략한 문구와 그림 등을 활용해 정보를 전달함.
- 글자의 크기와 굵기, 형태 등을 달리하고, 그림을 활용해 집중도를 높임.
- 다른 정보로의 이동이 용이함.
- 수용자의 반응을 확인할 수 있음.
- 수면 위상 지연 증후군의 개념, 증상, 해결 방법 등을 제시함.

09 매체의 특성 이해

(가)와 (나)는 모두 수면 위상 지연 증후군에 대한 정보를 전달하고 있지만 활용하는 매체는 다르다. (가)는 인쇄 매체인 신문으로 표제와 부제, 본문 등을 통해 주요 내용을 깊이 있게 제시하고 있으며, (나)는 인터넷 매체를 활용한 카드 뉴스로 간략한 문구와 그림을 통해 빠르고 이해하기 쉽게 전달하고 있다. 한편 (가)와 (나) 모두 공통적으로 문자 언어를 통해 정보를 전달하고 있는데, 글자의 크기나 굵기 등을 달리해 제목과 세부 내용을 구분하고 있다.

오답 잡기

② (가)는 문자 언어만, (나)는 문자 언어와 그림 등을 함께 사용하여 정보를 전달하고 있다.

③ (가)는 정보를 상세하게 설명하고 있으며, (나)는 핵심 내용을 이미지화하여 전달하고 있다.

④ (가)는 실시간으로 수용자의 참여가 불가능한 매체이다.

⑤ (가)에는 다른 정보에 접근할 수 있는 기능이 없으며, 이는 (나)에 해당하는 설명이다.

10 뉴 미디어의 특성 파악

〈보기〉에서는 뉴 미디어의 특성으로 생산자와 수용자 간의 쌍방향 소통, 수용자가 생산자나 다른 수용자에 미치는 영향력 등을 언급하고 있다. ㉢은 기사의 내용에 대한 수용자의 평가를 숫자로 나타낸 것으로, 수용자가 생산된 매체 자료를 평가함으로써 생산자의 후속 기사 작성이나 또 다른 수용자의 기사 내용 평가에 영향을 미칠 수 있음을 보여 준다.

오답 잡기

① ㉠은 생산된 자료의 수정이 자유로움을 드러낸다.

② ㉡은 카드 뉴스의 분류 기준을 명시하고 있다.

④ ㉣은 다른 정보로의 접근성이 높음을 보여 준다.

⑤ ㉤은 다른 정보로의 이동성이 높음을 보여 준다.

11 매체 자료 수용의 적절성 파악

제시된 설명을 통해 미디어 리터러시의 개념을 이해하고, 각각의 능력이 의미하는 바가 무엇인지 이해해야 한다. ③에서는 객관적 수치의 제공 여부가 미치는 영향을 생각해 봄으로써 정보의 객관성과 품질에 대해 비판적으로 접근하여 평가하고 있으므로 평가 능력에 해당하는 수용자의 반응으로 적절하다.

오답 잡기

① (나)에 제시된 정보를 이해하고 이에 대해 추가 검색을 하는 능력이 드러나므로 접근 능력에 해당한다.

② 첫 번째 컷을 통해 수면 위상 지연 증후군의 구체적인 양상이 이미 제시되어 있음을 알 수 있다.

④, ⑤ 창조 능력은 콘텐츠 생산과 관련된 능력이다. 핵심 내용이 쉽고 빠르게 파악되는 것이나 자신의 상황에 비추어 이해하는 것은 창조 능력과는 관련이 없다.

보기 돋보기

○ 미디어 리터러시

개념	다양한 형태의 매체에 접근해 필요한 정보를 찾아 이해하고 비판적으로 수용하며, 다양한 매체 자료를 생산할 수 있는 능력
구성 요소	접근 능력, 분석 능력, 평가 능력, 창조 능력

DAY 1 개념 돌파 전략 ① 6~9쪽

01 이두 **02** (1) ㅸ, ㅿ, ㆁ, ㆆ (2) 높낮이 **03** (1) 8종성법 (2) 이어 적기 **04** 이 **05** (1) ㉡ (2) ㉠ **06** ㅿ **07** 이어 적기, 거듭 적기 **08** ② **09** (1) ㉠ (2) ㉡

DAY 1 개념 돌파 전략 ② 10~11쪽

01 ③ **02** ③ **03** ④ **04** ③
05 ④ **06** ②

01 고대 국어의 특징 이해

고대 국어에서는 우리말의 문장을 표기할 수 있는 방법으로 서기체 표기, 이두, 구결, 향찰 등 다양한 차자 표기법이 존재하였다. 따라서 우리말의 문장을 표기할 수 있는 방법이 존재하지 않았다는 진술은 적절하지 않다.

오답 잡기

① 고대 국어에서는 우리말을 표기할 고유 문자는 존재하지 않아서 한자를 차용하였다.
② 고대 국어에서 자음의 된소리는 아직 발달하지 않은 상태로 추정되므로 적절하다.
④ 고대 국어에서는 고유 명사를 표기할 때 한자의 뜻과 음을 빌려 표기하였으므로 적절하다.

02 중세 국어의 음운상 특징 이해

'ㅐ, ㅔ'는 현대 국어에서와 달리 중세 국어에서는 단모음 'ㅏ, ㅓ'와 반모음 'ㅣ̆'가 결합한 이중 모음이었다. 따라서 현대 국어에서와 음가가 같은 모음 'ㅐ, ㅔ'가 존재하였다는 진술은 적절하지 않다.

03 중세 국어의 표기상 특징 이해

중세 국어에서는 앞말의 받침을 뒤의 조사나 어미의 초성에 이어 적는 이어 적기 방식이 일반적인 표기 방식이었다.

오답 잡기

① 성조를 표시하는 방점은 15세기에는 표기되었으므로 적절하지 않다.
② 중세 국어에서는 8종성법에 따라 종성에서 'ㄷ'과 'ㅅ'의 음가를 구별하여 표기하였으므로 적절하지 않다.
③ 어말에 적을 수 있는 자음은 'ㄱ, ㄴ, ㄷ, ㄹ, ㅁ, ㅂ, ㅅ, ㆁ'의 8개였으므로 적절하지 않다.
⑤ 앞 음절의 받침을 거듭하여 뒷말의 초성에 적는 방식은 거듭 적기인데, 거듭 적기는 근대 국어 시기에 나타난 과도기적인 표기 방식이므로 적절하지 않다.

04 중세 국어의 조사 이해

중세 국어에서는 앞말이 무정 명사일 경우에는 관형격 조사 'ㅅ'이 결합하였다. 관형격 조사 '이/의'는 앞말이 유정 명사이면서 높임의 대상이 아닐 때 실현되었던 관형격 조사이다.

05 근대 국어의 특징 이해

근대 국어의 종성에서는 'ㄷ'과 'ㅅ'의 발음상의 구별이 어려워지면서 'ㄷ'을 'ㅅ'으로 적는 경향이 나타났다. 따라서 'ㅅ'을 'ㄷ'으로 적는 경향이 나타났다는 진술은 적절하지 않다.

06 중세 국어의 표기 방식 탐구

'값이'를 '갑시'로 적은 것은 이어 적기한 것이다. 따라서 거듭 적기의 사례로 적절하지 않다.

오답 잡기

① '옷시'의 경우 'ㅅ'을 거듭 적기하였으므로 적절한 사례이다.
③ '먹글'의 경우 'ㄱ'을 거듭 적기하였으므로 적절한 사례이다.
④ '님금미'의 경우 'ㅁ'을 거듭 적기하였으므로 적절한 사례이다.
⑤ '도적글'의 경우 'ㄱ'을 거듭 적기하였으므로 적절한 사례이다.

DAY

2 필수 체크 전략 ①

12~15쪽

1 ①	**1**-1 ②	**1**-2 ④
2 ①	**2**-1 ⑤	**3** ①
3-1 ⑤		

1 중세 국어의 표기 방식 이해

ⓐ '노피'는 앞 형태소의 끝소리를 뒤 형태소의 첫소리로 옮겨 적고 있으므로 이어 적기에 해당한다. 그러나 ⓕ '놉히'는 'ㅍ'을 'ㅂ'과 'ㅎ'으로 나누어 표기하는 방식인 재음소화 표기에 해당하는 예이므로 거듭 적기에 해당하지 않는다.

오답 잡기

② ⓑ '므레'는 '믈에'의 앞 형태소의 끝소리 'ㄹ'을 뒤 형태소의 첫소리로 옮겨 적은 이어 적기 표기이다.

③ ⓒ '사ᄅᆞᆷ이니'는 체언 '사ᄅᆞᆷ'과 조사 '이니'가 결합할 때 형태소의 본모양을 밝혀 끊어 적기하고 있다.

④ ⓓ '도적글'은 '도적을'에서 '도적'의 끝소리 'ㄱ'을 뒤 형태소의 첫소리에도 다시 거듭 적은 것이다.

⑤ ⓔ '븕은'은 어간 '븕-'과 어미 '-은'이 만날 때 끊어 적기하였지만, ⓖ '드러'는 어간 '들-'과 어미 '-어'가 만날 때 이어 적기하였다.

1-1 중세 국어의 음운과 표기상 특징 이해

'ᄉᆞ뭇디'의 경우 'ᄉᆞᄆᆾ다'가 기본형이지만 8종성법 때문에 'ㅊ'을 'ㅅ'으로 표기한 것이다. 따라서 'ㄷ'으로 발음되는 받침을 'ㅅ'으로 표기하였다는 진술은 적절하지 않다.

오답 잡기

① '·랏', ':말', '·미'에서 글자 왼쪽에 성조를 나타내는 방점이 찍혀 있으므로 적절하다.

③ 'ᄠᅳ들'에서 단어의 초성에 'ㅳ'이 적혀 있으므로 적절하다.

④ 현대 국어에서 사용하지 않는 'ㆆ'이 사용되었으므로 적절하다.

⑤ 'ᄊᆞᄅᆞᆷ'이 '이니라'와 결합할 때 이어 적기되었으므로 적절하다.

1-2 모음 조화가 반영된 형태 이해

'바믹'는 '밤'에 'ᄋᆡ'가 결합한 것으로, 'ㅏ'는 양성 모음인데도 예외적으로 '의'가 결합한 것이다. 따라서 음성 모음 'ㅏ'에 결합했다는 진술은 적절하지 않다.

2 중세 국어 부사격 조사의 이형태 이해

'서리'는 단모음 'ㅣ'로 끝나는 단어이므로 부사격 조사 '예'가 사용되며, '상두산'에서 '산'의 'ㅏ'는 양성 모음이므로 부사격 조사 '애'가, '구천'의 'ㅓ'는 음성 모음이므로 부사격 조사 '에'가 사용된다. 이 부사격 조사들은 앞말의 음운론적 특성에 따라 형태를 달리하므로 음운론적 이형태에 해당한다.

개념 더 보기

중세 국어의 부사격 조사

• 중세 국어의 처소의 부사격 조사는 '애/에/예'로 실현됨.

양성 모음 뒤	애
음성 모음 뒤	에
모음 'ㅣ'나 반모음 'ǐ' 뒤	예

• 시간이나 장소를 나타내는 일부 체언 뒤에서는 'ᄋᆡ/의'가 쓰이기도 함.

양성 모음 뒤	ᄋᆡ
음성 모음 뒤	의

2-1 중세 국어의 객체 높임 선어말 어미의 이형태 이해

㉠에는 모음으로 끝나는 용언과 모음으로 시작하는 어미 사이에 놓이는 선어말 어미이므로 '-ᅀᆞᇦ-'이 들어가야 한다. ㉡에는 'ㄷ'으로 끝나는 용언과 모음으로 시작하는 어미 사이에 놓이는 선어말 어미이므로 '-ᄌᆞᇦ-'이 들어가야 한다.

3 중세 국어의 음운 변동 현상 이해

ⓐ는 'ㅎ' 종성 체언인 '하ᄂᆶ'이 주격 조사 '이'와 결합한 것으로 연음되어 음운의 개수에 변동이 없지만, ⓓ에서는 '하ᄂᆶ' 말음 'ㅎ'과 조사 '도'의 'ㄷ'이 축약되어 'ㅌ'이 되면서 음운의 개수가 1개 줄어든다.

오답 잡기

② ⓑ에서는 관형격 조사와 결합하여 쓰일 때 'ㅎ'이 실현되지 않은 것이다. 따라서 'ㅎ'이 다른 음운으로 교체되었다는 진술은 적절하지 않다.

③ ⓑ에서는 관형격 조사 'ㅅ' 앞에서 'ㅎ'이 실현되지 않았으므로 체언 말음 'ㅎ'의 존재를 알 수 없지만, ⓓ에는 'ㅌ'에 'ㅎ'이 축약되어 있으므로 체언 말음 'ㅎ'의 존재를 알 수 있다.

④ ⓑ는 체언이 관형격 조사와 함께 쓰인 것으로, 체언이 단독으로 쓰인 사례가 아니다.

⑤ '토'와 '콰'는 각각 체언 말음 'ㅎ'과 조사 '도', '과'가 축약한 형태이므로 '토', '콰'가 존재했다는 진술은 적절하지 않다.

3-1 중세 국어의 특징 이해

'ᄉᆞᆯᄒᆞᆫ'은 'ᄉᆞᇙ+ᄋᆞᆫ'이 연음된 것을 표기한 것으로, 보조사 '은'에 대응하는 'ᄒᆞᆫ'이 있었다는 진술은 적절하지 않다.

오답 잡기

② 'ᄇᆞᄅᆞ매'는 'ᄇᆞᄅᆞᆷ'에 부사격 조사 '애'가 결합한 것으로 양성 모음끼리 결합하는 양상을 보이고 있으므로 모음 조화가 이루어졌음을 알 수 있다.

DAY

2 필수 체크 전략 ②

16~17쪽

01 ③	02 ⑤	03 ④	04 ④
05 ①	06 ③		

01 중세 국어의 음운상 특징 이해

중세 국어의 모음 'ㅔ'와 'ㅐ'는 단모음이 아니라 이중 모음이었다. 따라서 'ㅔ, ㅐ'가 단모음으로 발음되었다는 진술은 적절하지 않다.

02 중세 국어의 음운 현상 이해

㉤ '먹디'에서 '-디'는 앞에 오는 어간의 음운이 양성 모음인지 음성 모음인지에 따라 달라지는 어미가 아니다. 따라서 모음 조화의 사례로 적절하지 않다.

오답 잡기

① '바ᄆᆡ'는 '밤'과 'ᄋᆡ'가 결합한 것으로 양성 모음끼리 결합하였으므로 모음 조화의 사례로 적절하다.
② 'ᄫᆞᆯᄀᆞᆫ'은 'ᄫᆞᆰ-'과 '-ᄋᆞᆫ'이 결합한 것으로 양성 모음끼리 결합하였으므로 모음 조화의 사례로 적절하다.
③ '燭ㅅ브를'에서 '브를'은 '블'과 '을'이 결합한 것으로 음성 모음끼리 결합하였으므로 모음 조화의 사례로 적절하다.
④ '나ᄅᆞᆯ'은 '날'과 'ᄋᆞᆯ'이 결합한 것으로 양성 모음끼리 결합하였으므로 모음 조화의 사례로 적절하다.

03 중세 국어의 비분절 음운 이해

'아·니'의 '아'는 평성으로 낮은 소리이지만, '·니'는 거성으로 높은 소리이다. 따라서 '아·니'를 발음할 때에는 음절의 높낮이에 변화가 생긴다. 따라서 변화가 없었다는 진술은 적절하지 않다.

오답 잡기

① '·랏'과 '·미'는 왼쪽에 점이 하나 찍혀 있으므로 거성으로 높은 소리에 해당한다.
② '·귁'은 왼쪽에 점이 하나 찍혀 있으므로 거성이고, 음절 말음이 'ㄱ'이므로 짧고 빨리 끝나는 소리인 입성이다.
③ '믓'은 점이 없으므로 평성이고, 음절 말음이 'ㅅ'이므로 짧고 빨리 끝나는 소리인 입성이다.
⑤ ':말'은 왼쪽에 점이 두 개 찍혀 있으므로 상성에 해당한다. 따라서 평성인 '쏘'처럼 처음에는 낮은 소리로 발음되다가 나중에 거성인 '·와'처럼 높은 소리로 발음한다.

04 중세 국어의 모음 이해

중세 국어에서 'ㅙ, ㅞ'는 '반모음+단모음+반모음'의 구조를 지니는 삼중 모음에 해당한다. 따라서 현대 국어와 마찬가지로 이중 모음으로 발음되었다는 진술은 적절하지 않다.

오답 잡기

① 중세 국어에서 'ㅑ, ㅕ, ㅛ, ㅠ'는 '반모음+단모음'의 구조이므로 현대 국어와 같이 발음되었다.
② 'ㅐ, ㅔ'는 현대 국어에서는 단모음이지만, 중세 국어에서는 각각 단모음 'ㅏ, ㅓ'에 반모음 'ǐ'가 결합한 하향 이중 모음이었다.
③ 중세 국어에서 'ㅘ, ㅝ'는 각각 반모음 'ㅗ̆/ㅜ̆'에 단모음 'ㅏ, ㅓ'가 결합한 이중 모음이다.
⑤ 중세 국어에서 'ㆎ, ㅢ'는 하향 이중 모음이므로 각각 단모음 'ㆍ'와 'ㅡ'에 반모음 'ǐ'가 결합한 이중 모음이다.

05 중세 국어의 음운상 특징 이해

〈보기〉를 보면 'ㅅ'도 종성에서 발음되었다고 하였으므로 'ㄷ'과 같은 소리로 발음되었다는 분석은 적절하지 않다. 중세 국어의 'ㅅ'은 'ㄷ'과 다른 소리로 발음되었다.

오답 잡기

② 〈보기〉에서 초성에 자음이 최대 2개까지 올 수 있다고 하였으므로 적절하다.
③ 〈보기〉에서 종성에도 자음이 최대 2개까지 올 수 있다고 하였으므로 적절하다.
④ 〈보기〉에서 'ㅸ'은 현대 국어에서는 쓰이지 않는데 15세기 국어 초성에서 쓰였다고 하였으므로 적절하다.
⑤ 'ㅃ'는 자음이 2개가 아니라 된소리이므로 초성에서 하나의 자음으로 발음되었다는 것은 적절하다.

06 중세 국어의 표기 방식 이해

'하ᄂᆞ니'의 경우 용언의 어간 '하-'에 어미 '-ᄂᆞ-'와 '-니'가 결합한 것이다. 따라서 앞말이 받침을 지닌 경우가 아니므로 이어 적기가 일어나는 환경에 해당하지 않는다.

오답 잡기

① ㉠은 '깊-+-은'을 이어 적기한 것이다.
② ㉡은 'ᄇᆞᄅᆞᆷ+애'를 이어 적기한 것이다.
④ ㉣은 '긎-+-을씨'를 이어 적기한 것이다.
⑤ ㉤은 '내ㅎ+이'를 이어 적기한 것이다.

DAY

3 필수 체크 전략 ①

18~21쪽

1 ③	1-1 ④	1-2 ②
2 ⑤	2-1 ④	3 ①
3-1 ①	3-2 ①	4 ②
4-1 ⑤		

1 중세 국어 주격 조사의 이형태 이해

'ᄇᆞ얌'은 자음으로 끝나므로 주격 조사 '이'가 결합한 후 연음되어 'ᄇᆞ야미'가 되고, '불휘'는 반모음 'ㅣ̯'로 끝나는 단어이므로 주격 조사가 실현되지 않는다. '대장부'의 경우 체언의 끝소리가 'ㅜ'이므로 주격 조사 'ㅣ'가 결합하여 '대장뷔'로 실현된다.

1-1 중세 국어 주격 조사의 이형태 이해

'太子'는 주격 조사가 실현되지 않았는데, 이는 음운 조건에 관계없이 생략된 경우이다. '太子(태자)'는 ㉡의 음운 조건이 아니므로, 만약 주격 조사가 생략되지 않았다면 ㉢의 음운 조건에 따라 '太子ㅣ'로 나타났어야 한다.

오답 잡기

① '나리'는 '날'에 주격 조사 '이'가 결합한 형태이므로 ㉠의 사례로 적절하다.

② '아ᄃᆞ리'는 '아ᄃᆞᆯ'에 주격 조사 '이'가 결합한 형태이므로 ㉠의 사례로 적절하다.

③ 'ᄃᆞ리'는 체언이 모음 'ㅣ'로 끝나 주격 조사가 실현되지 않았으므로 ㉡의 사례로 적절하다.

⑤ '孔子ㅣ'는 '孔子(공자)'의 모음 'ㅏ' 뒤에서 주격 조사 'ㅣ'가 실현되었으므로 ㉢의 사례로 적절하다.

1-2 중세 국어의 조사 이해

ㄴ의 '네'의 'ㅣ'는 대명사 '너'에 결합한 주격 조사가 맞지만, '부톄'의 'ㅣ'는 후행하는 서술어가 'ᄃᆞ외야'이므로 보격 조사에 해당한다.

오답 잡기

① 현대어 풀이를 보면 'ᄃᆞ리'는 '달이'로, '비취요미'는 '비침과'로 해석된다. 따라서 'ᄃᆞ리'의 '이'는 주격 조사로, '비취요미'의 '이'는 부사격 조사로 사용되었음을 알 수 있다.

③ 현대어 풀이를 보면 '부텻'은 '부처의'로, '가짓'은 '가지의'로 해석되므로 'ㅅ'이 모두 관형격 조사로 사용되었음을 알 수 있다.

④ '사ᄉᆞᄆᆡ'는 '사ᄉᆞᆷ+ᄋᆡ'로 분석되고, '도ᄌᆞᄀᆡ'는 '도ᄌᆞᆨ+ᄋᆡ'로 분석된다. 이때의 'ᄋᆡ'는 현대어 풀이를 보면 모두 '의'로 해석되고 있으므로 관형격 조사에 해당한다.

⑤ '모ᄆᆞᆯ'은 '몸ᄋᆞᆯ'을 이어 적기한 것이므로 목적격 조사 'ᄋᆞᆯ'이 쓰였고, '부텨를'에는 '를'이 쓰였으므로 서로 형태가 다른 목적격 조사가 쓰인 것임을 알 수 있다.

2 중세 국어 품사의 통용 이해

㉤의 현대어 풀이를 보면 '어느 것을'이라고 되어 있으므로 ㉤은 '어느 02'에 목적격 조사 'ㄹ'이 붙은 형태로 이해할 수 있다. 따라서 '어느 01'에 해당한다는 진술은 적절하지 않다.

오답 잡기

① ㉠은 '나라'를 수식하고 있으므로 관형사에 해당한다. 따라서 '어느 01'과 품사가 같다.

② ㉡은 '어느 것이'라고 해석되고 있으므로 '어느 02'에 주격 조사 'ㅣ'가 결합한 것이라고 볼 수 있다.

③ ㉢은 '어찌'로 해석되며 '듣ᄌᆞᄫᆞ리잇고'를 수식하고 있으므로 적절한 설명이다.

④ ㉣은 '어찌'로 해석되며 '어느 03'에 해당하는 부사이다. 따라서 '어느 01'과는 품사가 다르다.

2-1 어휘의 변화 이해

'예전'의 '도야지'는 '돼지의 새끼'를 의미했기 때문에 현대 국어의 '돼지'가 나타내는 개념과는 다르다.

오답 잡기

① '예전'의 '돝'은 '돼지', '도야지'는 '돼지의 새끼'를 의미하였으므로, '돝'이 '도야지'의 하의어로 의미가 더 한정적이라는 진술은 적절하지 않다.

② 현대 국어에서 '어린 돼지'에 해당하는 고유어 단어는 존재하지 않으므로 적절하지 않다.

③ '예전'의 '도야지'를 지칭하는 현대 국어의 고유어 단어가 존재하지 않을 뿐 해당하는 개념은 존재하므로 적절하지 않다.

⑤ '예전'의 '도야지'의 개념을 나타내기 위한 하나의 고유어 단어는 현대 국어에 존재하지 않으므로 적절하지 않다.

3 중세 국어의 시간 표현 이해

㉠의 현대어 풀이를 보면 '가겠습니다'이므로 ㉠에는 미래 시제 선어말 어미 '-리-'를 사용한 '가리이다'가 들어가야 한다. ㉡의 경우 '체언+이다'의 구성을 취하고 있으므로 현재 시제 선어말 어미는 사용되지 않는다. 따라서 '스스이시다'가 들어가는 것이 적절하다. ㉢의 '묻다'는 동사이므로 현재 시제 선어말 어미 '-ᄂᆞ-'가 결합한 '묻ᄂᆞ다'가 들어가야 한다.

개념 더 보기

중세 국어의 시제

현재 시제	• 동사, '잇다': 현재 시제 선어말 어미 '-ᄂᆞ-'와 결합함. • 형용사, '체언+이다': 가시적 형태를 사용하지 않음.
과거 시제	• 동사: 가시적 형태를 사용하지 않거나 '-더-'와 결합함. • 형용사, '체언+이다', '잇다': 과거 시제 선어말 어미 '-더-'와 결합함.
미래 시제	'-(ᄋᆞ/으)리-'와 결합함.

3-1 중세 국어의 종결 표현 이해

㉠에서 '나가고 싶으냐?'는 판정 의문문에 해당하므로 ㉠에는 '-녀'와 결합한 '식브녀'가 들어가야 한다. ㉡의 주어는 2인칭이므로 종결 어미 '-ㄴ다'가 결합한 '안다'가 들어가는 것이 적절하다. ㉢에서 '하나

인가 여섯인가'는 판정 의문문이므로 조사 '가'가 결합한 'ᄒᆞ나카 여슷가'가 들어가는 것이 적절하다. '하낳'은 'ㅎ' 종성 체언이므로 'ᄒᆞ나카'와 같은 형태로 실현된다.

3-2 중세 국어의 종결 표현 이해

㉠이 포함된 문장의 주어는 3인칭이고 물음말이 없으므로 '-ㄴ가'가 쓰인 '나샤미신가'가 들어가는 것이 적절하다. ㉡이 포함된 문장의 주어는 2인칭이므로 '-ㄴ다'가 사용된 '빈혼다'가 들어가는 것이 적절하다. ㉢이 포함된 문장에는 '엇던'과 같은 물음말이 사용되었으므로 '-ㄴ고'가 사용된 '뒷더신고'가 들어가는 것이 적절하다.

4 중세 국어 문장의 짜임 이해

'축추기'의 경우 '축축이'를 이어 적기한 것으로 명사형 어미 '-기'가 결합한 형태가 아니므로 ⓑ는 명사절을 포함하고 있지 않다.

오답 잡기

① ⓐ에서 '날로 ᄡᅮ메'의 '날로 ᄡᅮᆷ'이 명사절에 해당한다.
③ ⓒ에서 '부모를 현더케 홈'이 명사절에 해당한다.
④ ⓓ에서 '본향(本鄕)애 도라옴'이 명사절에 해당한다.
⑤ ⓔ에서 '가져 가디'가 명사절에 해당한다.

4-1 중세 국어 문장의 짜임 이해

(가)의 '-면'과 (다)의 '-ㄹ씨'는 모두 문장을 종속적으로 연결하는 표지에 해당한다. 따라서 문장을 대등하게 연결해 주는 표지가 다양하게 사용되었다는 진술은 적절하지 않다.

오답 잡기

① (가)의 '乞食ᄒᆞ디'가 '-디'를 이용한 명사절에 해당한다.
② (나)의 '남기 됴ᄒᆞᆯ씨'는 '나무가 좋으므로'라는 뜻으로 주어인 '이 東山ᄋᆞᆫ'의 서술어 역할을 하는 서술절이다.
③ (다)의 '불휘 기픈'은 '낡'을 수식하는 관형절이다.
④ (다)의 '곶 됴코'의 '됴코'는 '둏고'를 이어 적기한 것이다. 따라서 대등하게 연결된 이어진문장을 만들 때 연결 어미 '-고'를 사용하였다는 진술은 적절하다.

DAY 3 필수 체크 전략 ② | 22~23쪽

01 ④ 02 ⑤ 03 ① 04 ③
05 ③ 06 ③

01 중세 국어 서술격 조사의 이형태 이해

㉠에는 '나랗'에 '이라'가 연음된 '나라히라'가 들어가는 것이 적절하다. ㉡에는 선어말 어미 '-오-' 앞에 조사 '이-'가 쓰였으므로 '사ᄋᆞ리로ᄃᆡ'의 형태가 쓰이는 것이 적절하다.

02 중세 국어 합성어의 짜임 방식 이해

'뒤돌다'는 '뒤(로) 돌다'의 구조로 이해할 수 있다. 따라서 '부사어+서술어'의 관계를 이루는 사례로 적절하다.

오답 잡기

① '믈들다'는 '믈(이) 들다'의 구조로 이해할 수 있다. 따라서 '주어+서술어'의 관계를 이룬다.
② '눈멀다'는 '눈(이) 멀다'의 구조로 이해할 수 있다. 따라서 '주어+서술어'의 관계를 이룬다.
③ '맛보다'는 '맛(을) 보다'의 구조로 이해할 수 있다. 따라서 '목적어+서술어'의 관계를 이룬다.
④ '힘ᄡᅳ다'는 '힘(을) ᄡᅳ다'의 구조로 이해할 수 있다. 따라서 '목적어+서술어'의 관계를 이룬다.

03 중세 국어 명사의 형태 변화 이해

㉠은 조사 '와' 앞의 환경이므로 '아ᅀᆞ'가 들어가는 것이 적절하다. ㉡은 모음으로 시작하는 조사 '이' 앞이므로 '앗'이 들어가야 한다. 그리고 ㉢은 자음으로 시작하는 말 앞이므로 '아ᅀᆞ'가 들어가야 한다.

04 중세 국어의 시제 파악

ㄷ은 동사가 시제를 나타내는 형태 없이 과거 시제를 표현하는 문장이므로 현재 시제를 표현하고 있다는 진술은 적절하지 않다.

오답 잡기

① ㄱ은 동사 '붇-'이 현재 시제를 표현하는 '-ᄂᆞ-'와 결합하였으므로 적절한 설명이다.
② ㄴ의 '가ᄂᆞᆫ'을 보면 현재 시제를 표현하는 '-ᄂᆞ-'가 관형사형 어미 '-ㄴ' 앞에 쓰였으므로 적절한 설명이다.
④ ㄹ의 '하다'와 '젹다'의 경우 시제를 나타내는 형태 없이 현재 시제를 표현하고 있으므로 적절한 설명이다.
⑤ ㅁ의 경우 'ᄒᆞ-'에 과거 시제 선어말 어미 '-더-'가 결합하여 과거 시제를 표현하고 있으므로 적절한 설명이다.

05 중세 국어의 주체 높임법 이해

㉢에서는 '-ᄋᆞ샤-'가 어말 어미로 사용된 것이 아니라 선어말 어미로 사용되었으며 후행하는 어말 어미의 모음 'ㅏ'가 탈락하였다.

오답 잡기

① '滅度ᄒᆞ샤미'는 '滅度ᄒᆞ-+-샤-+-옴+이'로 분석되므로 적절한 설명이다.

② 'ᄲᆞᄅᆞ신고'는 'ᄲᆞᄅᆞ-+-시-+-ㄴ고'로 분석되므로 적절한 설명이다.

④ 'ᄀᆞᄐᆞ실씨'는 'ᄀᆞᇀ-+-ᄋᆞ시-+-ㄹ씨'로 분석되므로 적절한 설명이다.

⑤ '니ᄅᆞ샤ᄆᆞᆯ'은 '닐-+-ᄋᆞ샤-+-옴+ᄋᆞᆯ'로 분석되는데 '-ᄋᆞ샤-' 뒤에 오는 모음 'ㅗ'가 탈락하였으므로 적절한 설명이다.

06 중세 국어의 객체 높임법 이해

㉠에는 'ㅎ'과 'ㄱ' 사이에 객체 높임 선어말 어미가 들어가야 하므로 '-ᄉᆞᆸ-'이 쓰이고 'ㅎ'과 '-ᄉᆞᆸ-'이 결합한 '녀ᄊᆞᆸ고'가 들어가는 것이 적절하다. ㉡은 'ㄷ'과 'ㆍ' 사이에 객체 높임 선어말 어미가 들어가야 하므로 '-ᄌᆞᇦ-'이 쓰여 '듣ᄌᆞᄫᆞ며'가 들어가는 것이 적절하다. ㉢에는 'ㆍ'와 'ㄱ' 사이에 객체 높임 선어말 어미가 들어가야 하므로 '-ᄉᆞᆸ-'이 쓰여 '安否ᄒᆞᄉᆞᆸ고'가 들어가는 것이 적절하다.

누구나 합격 전략

24~27쪽

01 ①	02 ④	03 ①	04 ⑤	05 ②
06 ③	07 ②	08 ④	09 ⑤	10 ①
11 ⑤				

01 중세 국어의 조사 이해

'ᄃᆞ리'는 'ᄃᆞᆯ(달)+이'를 이어 적기한 것으로 주격 조사 '이'가 자음으로 끝나는 말 뒤에 쓰인 사례이다. 따라서 주격 조사 'ㅣ'가 모음 '이'로 끝난 체언 뒤에 쓰였다고 분석하는 것은 적절하지 않다.

오답 잡기

② '바ᄇᆞᆯ'은 '밥(밥)+ᄋᆞᆯ'로 분석된다. 자음으로 끝난 체언 '밥' 뒤에 목적격 조사 'ᄋᆞᆯ'이 쓰인 것이다. 중세 국어에서는 일반적으로 양성 모음 뒤에서는 목적격 조사로 'ᄋᆞᆯ'이, 음성 모음 뒤에서는 '을'이 쓰였다. 모음으로 끝난 체언 뒤에서는 'ᄅᆞᆯ/를'이 쓰이기도 했다.

③ '나못'은 '나모(나무)+ㅅ'으로 분석된다. '나모'가 사물을 뜻하는 체언이기 때문에 관형격 조사 'ㅅ'이 쓰인 것이다. 중세 국어의 관형격 조사로는 이 외에도 앞 체언이 존대 대상이 아닌 사람이거나 동물과 같은 유정물일 때에 'ᄋᆡ/의'가 쓰이기도 했다.

④ '님금하'는 '님금(임금)+하'로 분석된다. '님금'이 존대 대상인 체언이기 때문에 호격 조사 '하'가 쓰인 것이다. 중세 국어의 호격 조사로는 이 외에도 존대 대상이 아닌 체언 뒤에서 '아/야'가 쓰이기도 했다.

⑤ '믈로'는 '믈(물)+로'로 분석된다. '믈'이 'ㄹ'로 끝난 체언이기 때문에 부사격 조사 '로'가 쓰인 것이다. 중세 국어의 부사격 조사로는 이 외에도 'ㄹ' 이외의 자음으로 끝난 체언 뒤에서 'ᄋᆞ로/으로'가 쓰이기도 했다.

02 중세 국어의 특징 이해

㉣의 '-(ᄋᆞ/으)샤-'는 태자를 높이기 위해 사용된 주체 높임 선어말 어미이다. 따라서 객체를 높이는 선어말 어미 '-(ᄋᆞ/으)샤-'가 존재했다는 탐구 내용은 적절하지 않다.

03 'ㅎ' 종성 체언의 이해

〈보기〉에서 'ㅎ' 종성 체언이 단독형으로 쓰일 때에는 'ㅎ'이 나타나지 않는다고 하였으므로 '안ㅎ'을 단독으로 사용할 때에는 'ㅎ'을 함께 표기하지 않았을 것이다.

오답 잡기

② 〈보기〉에서 모음으로 시작하는 말과 결합할 때에는 'ㅎ'을 이어 적는다고 하였으므로 적절하다.

③, ④, ⑤ 〈보기〉에서 자음 'ㄱ, ㄷ, ㅂ'으로 시작하는 말과 결합하는 경우 'ㅎ'이 이들과 축약되어 'ㅋ, ㅌ, ㅍ'로 나타난다고 하였으므로 적절하다.

04 중세 국어의 특징 이해

'蓮花(연화)ㅣ'의 'ㅣ'는 보격 조사가 아니라 주격 조사이다. 따라서 ㉤을 통해 보격 조사 'ㅣ'가 사용되었음을 도출해 내는 것은 적절하지 않다.

오답 잡기

① '브를'은 '블을'을 이어 적기한 것이므로 적절한 진술이다.

② 'ㅄ'가 초성에 놓였으므로 적절한 진술이다.

③ 'ᄉᆞᄫᅡ'를 보면 현대 국어에서 사용하지 않는 'ㅿ', 'ㅸ', 'ㆍ'가 모두 사용되었으므로 적절한 진술이다.

④ 'ᄯᅳ니미'는 'ᄯᅳ님이'를 이어 적은 것이므로 적절한 진술이다.

05 중세 국어의 시간 표현 이해

ㄴ에서 '-며셔'는 완료상이 아니라 진행상을 나타내고 있다. 따라서 완료상을 나타내고 있다는 진술은 적절하지 않다.

오답 잡기

① '안자 잇거늘'은 보조적 연결 어미와 보조 용언이 결합된 '-아 잇-'을 통해 동작상을 나타낸 것이다.

③ '쌀아 잇더라'를 보면 '-아 잇-'을 통해 진행상을 실현하고 있으므로 적절한 진술이다.

④ '시름ᄒᆞ야 잇더니'를 보면 보조적 연결 어미 '-아'가 'ᄒᆞ-' 뒤에서 '-야'로 실현되었음을 알 수 있다.

⑤ '문 닫고셔'를 보면 '-고셔'를 통해 완료상을 실현하고 있음을 알 수 있다.

06 중세 국어의 관형어 이해

'식미'는 '싐+이'를 이어 적기한 형태로 체언에 주격 조사가 결합한 것이다. '식미 기픈'이 관형사절에 해당하며, 관형어의 역할을 하고 있다.

오답 잡기

① ⓐ의 '부텻'은 의존 명사 '것' 앞에 쓰여 생략할 수 없으므로 적절한 진술이다.

② ⓐ의 '부텻 것 도ᄌᆞᆨ혼'은 '罪(죄)'를 수식하는 관형어의 역할을 하는 관형사절이므로 적절한 진술이다.

④ ⓒ의 '새'는 관형사로 '구슬'을 수식하는 관형어의 역할을 하고 있으므로 적절한 진술이다.

⑤ ⓓ의 '臣下ㅣ'는 체언 '臣下(신하)'에 관형격 조사 'ㅣ'가 결합하여 '말'을 수식하는 관형어의 역할을 하고 있으므로 적절한 진술이다.

07 중세 국어의 특징 이해

'하니라'의 '하다'는 현대 국어에서 '많다'라는 뜻으로 형용사에 해당한다. 따라서 현대 국어의 동사 '하다'와는 품사가 다르다.

오답 잡기

① '말ᄊᆞ미'는 '말ᄊᆞᆷ+이'를 이어 적기한 것이고, '홇 배'의 '배'는 '바+ㅣ'로 분석된다. 따라서 주격 조사의 형태가 같지 않다는 진술은 적절하다.

③ 모두 글자 왼쪽에 방점이 1개씩 찍혀 있으므로 거성에 해당한다.

④ '히ᅇᅧ'와 '뻔한킈 ᄒᆞ고져'의 현대어 풀이를 보면 각각 '하여금'과 '편하게 하고자'로 모두 사동의 의미를 지님을 알 수 있다.

⑤ 'ᄡᅮ메'는 'ᄡᅳ-+-움+에'로 분석된다. 따라서 적절한 진술이다.

08 중세 국어의 부정문 이해

ⓒ의 '몯' 부정문은 단순 부정을 의미하는 것이 아니라 상황이 여의치 않음으로 인한 부정이나 능력 부정을 의미하고 있다. 따라서 단순 부정을 의미했다는 내용은 적절하지 않다.

오답 잡기

① ⓐ의 '아니'와 ⓑ의 '머디 아니ᄒᆞ-'를 통해 '안' 부정문이 존재했음을 알 수 있다.

② ⓐ의 '아니'와 ⓒ의 '몯'을 통해 단형 부정문이 사용되었음을 알 수 있다.

③ ⓑ의 '머디'와 ⓓ의 '닛디'를 통해 알 수 있다.

⑤ ⓓ의 '닛디 마ᄅᆞ쇼셔'를 통해 알 수 있다.

09 중세 국어의 시제 탐구

ⓔ는 미래 시제 선어말 어미 '-리-'를 사용하여 미래 시제를 나타낸 것이다. 따라서 시제 선어말 어미 없이 미래 시제를 나타내고 있다는 진술은 적절하지 않다.

10 중세 국어의 불규칙 활용 이해

'지ᅀᅥ'의 기본형은 '짓다'인데 '짓-'이 모음으로 시작하는 어미 앞에서 '짓-'으로 교체된 것이다. 따라서 기본형이 '짓다'이었을 것으로 추측할 수 있다는 내용은 적절하지 않다.

오답 잡기

② 현대 국어에서 '짓다'의 활용형은 '지어'로 'ㅅ' 불규칙이 나타난다. 따라서 적절한 진술이다.

③ '즐거ᄫᅳᆫ'에 'ㅸ'이 포함되어 있으므로 적절한 진술이다.

④ 〈보기 1〉에서 'ㅸ'이 'ㅡ'와 결합하면 'ㅜ'로 바뀐다고 하였으므로 적절한 진술이다.

⑤ 〈보기 1〉에서 'ᄒᆞ-'에 모음으로 시작하는 어미가 결합할 때 어미가 '-야'로 나타난다고 하였으므로 적절한 진술이다.

11 중세 국어의 높임법 탐구

'뫼ᅀᆞᆸ고'의 '-ᅀᆞᆸ-'은 객체 높임 선어말 어미로 문장의 목적어인 '어마님내'를 높이고 있다. 따라서 '-ᅀᆞᆸ-'이 문장의 부사어를 높이는 역할을 하고 있다는 진술은 적절하지 않다.

오답 잡기

① '-좁-'은 객체 높임 선어말 어미로 목적어에 해당하는 '世尊(세존)ㅅ 安否(안부)'를 높이고 있으므로 적절하다.

② '니르샤딕'의 '-샤-'와 '오시니잇고'의 '-시-'는 주체 높임 선어말 어미이므로 적절하다.

③ '오시니잇고'의 '-잇-'은 상대를 높이는 선어말 어미이므로 청자를 높인다는 진술은 적절하다.

④ ⓒ에서 주체인 '아들'을 높이는 높임 표현은 사용되지 않았으므로 적절하다.

창의·융합·코딩 전략 ①

28~29쪽

01 ⑤ 02 ③ 03 ④ 04 ② 05 ②

01 중세 국어의 시제 이해

〈보기〉에 따르면 미래 시제는 품사와 상관없이 선어말 어미 '-리-'를 통해 실현되므로 ⓑ 또한 '-리-'를 통해 실현하는 것이 적절하다. 또한 '하다'는 형용사이기 때문에 선어말 어미 '-└-'와 결합하지 않는다.

02 중세 국어 품사의 통용 이해

㉠은 체언 '구슬'을 수식하는 관형사이고, ㉡은 현대어 풀이를 보면 '새것'이라고 해석되어 있으므로 명사의 역할을 하고 있다. ㉢에서는 현대어 풀이가 '새로'라고 되어 있고 '출가한'을 수식하고 있으므로 부사의 역할을 하고 있다.

03 중세 국어 문장의 구조 분석

ㄱ에서는 '우논'이 '聖女'를 수식하고 있으므로 ⓑ에 해당한다. ㄴ에서는 '니르고져 홇'이 '바'를 수식하고 있으므로 ⓑ에 해당한다. ㄹ에서는 '남기 됴ᄒᆞᆯ씨'가 서술어 역할을 하고 있으므로 ⓐ에 해당한다. ㄷ에서 안긴문장은 '글 빅호기'로 안은문장에서 목적어 역할을 한다. ㄷ은 서술어로 쓰이지도 않고 체언을 수식하지도 않기 때문에 ⓐ, ⓑ 모두에 해당하지 않는다.

04 중세 국어의 의문문 이해

ⓐ는 '예', '아니요'의 대답을 요구하는 판정 의문문이고, ⓒ는 많은지 적은지를 선택할 것을 요구하는 판정 의문문이다. ⓑ는 '어떤', ⓓ는 '어디'에 대한 설명을 요구하는 설명 의문문이다.

05 중세 국어 단어의 구조 분석

㉠은 용언의 어간 '딕-'이 용언의 어간 '먹-'에 결합한 합성어로 어근의 배열이 우리말의 일반적인 문장 구성 방식에 맞지 않다. 따라서 [A]의 사례로 적절하다. ㉡, ㉣은 명사+명사, ㉢은 명사+동사가 결합한 합성어이므로 우리말의 일반적인 문장 구성 방식에 맞는다. 또한 ㉡은 '기슭'이 명사이고, '묏기슭'도 명사이므로 합성어의 품사와 합성어를 이루는 뒤 어근의 품사가 일치한다. ㉢도 '쓰다'가 동사이고, '힘쓰다'도 동사이므로 합성어의 품사와 합성어를 이루는 뒤 어근의 품사가 일치한다. 따라서 [C]의 사례로는 ㉡, ㉢이 적절하다. ㉣은 '날'이 명사인데 '나날'은 부사이므로 합성어의 품사와 합성어를 이루는 뒤 어근의 품사가 일치하지 않는다. 따라서 [B]의 사례로 적절하다.

창의·융합·코딩 전략 ②

30~31쪽

06 ④	07 ②	08 ④	09 ①
10 ④			

06 중세 국어 용언의 활용 이해

제시된 설명에서 어간 말음이 'ㅈ'인 경우에는 'ㅅ'으로 교체되었다고 하였으므로 '짖-'이 자음 어미 '-고'와 결합하면 '짇고'가 아니라 '짓고'로 활용된다.

오답 잡기

① '구ᇦ-'은 어간 말음이 'ㅸ'인데 자음 어미 앞에서는 'ㅂ'으로 교체되었다고 하였으므로 자음 어미 '-고'와 결합하면 '굽고'로 활용된다.
② '나ᇫ-'은 어간 말음이 'ㅿ'인데 자음 어미 앞에서는 'ㅅ'으로 교체되었다고 하였으므로 자음 어미 '-고'와 결합하면 '낫고'로 활용된다.
③ '높-'은 어간 말음이 'ㅍ'인데 자음 어미 앞에서는 'ㅂ'으로 교체되었다고 하였으므로 자음 어미 '-고'와 결합하면 '놉고'로 활용된다.
⑤ '셔ᇧ-'은 어간 말음이 'ㅺ'인데 자음 어미 앞에서는 'ㅅ'으로 교체되었다고 하였으므로 자음 어미 '-고'와 결합하면 '섯고'로 활용된다.

07 중세 국어의 높임법 이해

'묻ᄌᆞᄫᆞ샤ᄃᆡ'를 보면 객체 높임 선어말 어미 '-ᄌᆞᇦ-'과 주체 높임 선어말 어미 '-샤-'가 사용되어 있다. 또한 'ᄡᅳ시리'를 보면 주체 높임 선어말 어미 '-시-'가 사용되어 있다. 그러나 상대 높임 선어말 어미는 나타나 있지 않다.

08 중세 국어의 모음 결합 양상 이해

제시된 설명에서 'ㅣ'와 'ㅗ'가 연결될 때 'ㅛ'로 바뀐다는 것을 알 수 있다. 따라서 ④의 'ᄀᆞᄅᆞ치-'와 '-옴'의 결합형은 'ᄀᆞᄅᆞ침'이 아니라 'ᄀᆞᄅᆞ쵸ᇝ'이 되는 것이 적절하다.

오답 잡기

① 'ㆍ+ㅏ'가 'ㅏ'가 된다고 하였으므로 적절하다.
② 'ㅡ+ㅜ'가 'ㅜ'가 된다고 하였으므로 적절하다.
③ 'ㅣ+ㅓ'가 'ㅕ'가 된다고 하였으므로 적절하다.
⑤ "반모음 'ǐ'+ㅏ"가 "반모음 'ǐ'+ㅑ"가 된다고 하였으므로 적절하다.

09 중세 국어의 표기 방식 이해

'연이'와 'ᄉᆞᄅᆞᆷ으로'는 체언과 조사를 끊어 적기한 사례이고, 'ᄉᆡ미'와 'ᄆᆞᄅᆞᆫ'은 각각 '심이'와 'ᄆᆞᆯ은'을 이어 적기한 사례이다. 따라서 ㉠에는 '체언과 조사가 결합할 때 각각 구분하여 표기하는가?'와 같은 질문을 하는 것이 적절하다.

10 중세 국어 단어의 구조 분석

'너희'의 '너'는 어근이고, '-희'는 접미사이다. 따라서 ㉣에는 '어근에 접미사가 결합함.'이 들어가야 적절하다.

오답 잡기

① 단일어는 하나의 어근으로 이루어진 단어이므로 적절하다.
② 비통사적 합성어는 어근의 배열 방식이 우리말 어순이나 결합 방식과 일치하지 않는 합성어이다. '빌먹다'는 용언의 어간과 어간이 직접 결합한 비통사적 합성어이므로 적절하다.
③ 통사적 합성어는 어근의 배열 방식이 우리말 어순이나 결합 방식과 일치하는 합성어이다. '본받다'는 체언과 용언이 결합한 통사적 합성어이므로 적절하다.
⑤ '너희'는 어근인 '너'에 접미사 '-희'가 결합한 형태이므로 파생어가 적절하다.

DAY **1** 개념 돌파 전략 ①

34~37쪽

01 (1) ㉡ (2) ㉢ (3) ㉠ **02** ② **03** 책 **04** 비판적 **05** 심미적 정서 표현 **06** 규모 **07** ③ **08** (1) ○ (2) ○ **09** 문자, 음성 **10** ③ **11** ②

DAY **1** 개념 돌파 전략 ②

38~39쪽

01 ① **02** ① **03** ⑤ **04** ② **05** ③

01 매체의 특성 이해

인쇄 매체의 경우 정보 전달의 속도가 음성·영상 매체나 뉴 미디어 등에 비해 늦기 때문에 시·공간이 하나로 통합되어 있다고 보기 어렵다. 따라서 인쇄 매체의 생산자와 수용자는 인쇄 매체를 매개로 하여 간접적으로 소통한다고 볼 수 있다.

오답 잡기

② 책, 신문 등의 인쇄 매체는 대중 매체의 시작과 발달을 이끈 매체이다.

③ 전자 매체는 라디오나 텔레비전, 인터넷, 휴대 전화 등으로, 이러한 매체들은 인쇄 매체인 책이나 신문 등에 비해 정보 전달 속도가 빠르다.

④ 텔레비전과 같은 영상 매체는 최근에는 인터넷과 연계하여 피드백이 즉각적으로 이루어지기도 한다.

⑤ 인터넷 기반의 뉴 미디어에서는 누구나 정보 생산자가 될 수 있다.

02 인쇄 매체의 특성 이해

문자, 그림, 사진, 도표 등의 매체 언어를 사용하며, 목차에 따라 정보가 나뉘어 배치되는 매체는 책이다. 또한 책은 동일한 인쇄 매체인 신문에 비해 분량의 제약이 적은 것이 특징이다.

오답 잡기

② 신문은 책과 같은 인쇄 매체이나 분량의 제약이 있다. 또한 주로 시의성 있는 주제를 다루고, 표제와 전문을 통해 내용을 전반적으로 파악할 수 있다는 점이 특징이다.

③ 인터넷은 빅 데이터에 기반을 두어 사용자의 특성을 고려한 맞춤형 정보를 제공하는 특성이 있다. 다양한 주제의 정보를 확인할 수 있으나 정보의 신뢰성 확인이 필요하다는 점이 특징이다.

④ 텔레비전은 대표적인 영상 매체로, 음성 언어, 영상, 음향 등을 복합적으로 활용하여 정보를 구성한다. 또한 인쇄 매체에 비해 많은 사람들에게 대량의 정보를 전달할 수 있다는 점이 특징이다.

⑤ 휴대 전화는 음성뿐 아니라 문자 메시지를 이용한 쌍방향 소통을 가능하게 하며, 인터넷 등과 결합하여 매체적 특성이 확장되고 있다.

03 매체 자료의 비판적 수용 이해

매체의 정보 제공 속도는 매체 자료를 비판적으로 수용하기 위한 체크 항목이라고 보기 어렵다. 단, 정보 제공 속도가 너무 빠르면 잘못된 정보를 걸러 내기 어렵고 그러한 정보가 단시간에 많이 퍼질 수 있는 위험성이 있다.

오답 잡기

① 매체 자료의 내용과 관련된 이해관계에 따라 우호적이거나 비판적인 여론을 조성할 수도 있다.

② 생산자가 강조한 정보와 누락한 정보를 파악해 봄으로써 매체 자료가 객관적인지 판단할 수 있다.

③ 매체 자료가 주관적인 관점에 따라 생산되었다면, 특정 내용을 부각하거나 누락할 수 있다.

④ 매체 자료의 출처와 생산자를 확인하는 것은 정보의 신뢰성을 판단하는 기준 중 하나이다.

04 인터넷 매체의 특성 이해

제시된 자료는 인터넷을 기반으로 하는 누리 소통망(SNS) 화면이다. 인터넷 매체는 누구나 쉽게 접근하여 정보를 생산하거나 수용할 수 있다는 특성이 있으므로, 구독을 신청하거나 정보를 구매한 사람에게만 정보가 제공되는 것은 아니다.

오답 잡기

① 인터넷 매체에서는 생산자와 수용자 간의 상호 작용이 실시간으로 활발하게 이루어진다.

③ 인터넷 기반의 뉴 미디어에서는 누구나 정보를 쉽게 생산할 수 있다.

④ 인터넷 매체는 정보를 실시간으로 전달할 수 있어 정보 전달 속도가 매우 빠른 것이 특징이다.

⑤ 인터넷 매체에서는 문자, 음성, 소리, 이미지, 영상 등 다양한 매체 언어를 통합하여 정보를 구성할 수 있다.

05 매체 자료의 생산 목적 파악

제시된 자료는 '어린이들을 보호하며 조심히 운전하자.'라는 주제로 구성된 공익 광고이다. 사진과 문구를 통해 주제를 효과적으로 드러내고 있으며, 수용자의 행동 변화를 유도하고 있다.

오답 잡기

① 정서 표현을 주된 목적으로 하는 것은 심미적 정서 표현을 위한 매체 자료 생산에 관한 설명이다.

② 사적 영역 또는 공적 영역에 관한 맥락을 고려하며 제작하는 것은 사회적 상호 작용을 목적으로 하는 매체 자료 생산에 관한 설명이다. 해당 광고를 통해 사회적 상호 작용이 가능할 수 있으나, 이는 사적 영역에서의 소통이라 할 수 없다.
④ 아름다움과 즐거움을 느낄 수 있는 내용을 위주로 구성하는 것은 심미적 정서 표현을 위한 매체 자료 생산에 관한 설명이다.
⑤ 객관적인 전달을 중시하는 것은 정보 전달을 목적으로 하는 매체 자료 생산에 관한 설명이다. 제시된 자료는 설득을 목적으로 하는 매체 자료로서 '어린이는 걸어 다니는 빨간 신호등입니다.'와 같은 비유적 표현을 통해 표현 효과를 높이고 있다.

개념 더 보기

목적을 고려한 매체 자료 생산

정보 전달	간결하고 명확한 표현을 사용하며, 정확하고 신뢰성 있는 내용으로 구성함. 예 뉴스, 보도문, 공고문
설득	자신의 주장이나 관점을 명확히 하고 타당한 논거를 제시하여 구성함. 특정 사건을 강조하여 행동의 방향을 유도하기도 함. 예 광고, 칼럼
심미적 정서 표현	정서를 구체화하여 표현함. 일상에서 생각하고 느낀 것을 기록으로 남기거나, 아름다움과 즐거움을 느낄 수 있는 내용으로 구성함. 사진, 동영상 등을 활용해 표현 효과를 높이기도 함. 예 문학 작품, 드라마, 블로그 게시물
사회적 상호 작용	사회적 관계를 바탕으로 사회 구성원들과 소통하며 문화 형성에 기여함. 사적 영역과 공적 영역의 맥락을 고려함. 예 전자 우편, 누리 소통망, 모바일 메신저 대화

DAY

2 필수 체크 전략 ① 40~43쪽

1 ③ 1-1 ② 2 ③ 2-1 ④
3 ⑤ 3-1 ②

대표 유형 1

가 종이 신문
• 시년 윗무문 배치, 기사의 분량 등을 통해 기사의 중요도를 드러냄.
• 표제, 부제가 기사문의 내용을 압축적으로 제시함.
• 문자, 사진 등을 사용하여 정보를 전달하고 있음.

나 인터넷 포털 사이트
• 검색어에 따라 검색 결과가 달라지고, 필요한 정보를 확인할 수 있음.
• 독자가 선택한 배열 기준에 따라 기사의 순서를 배열할 수 있음.
• 한 화면에 여러 언론사의 기사를 확인할 수 있어 다양한 정보를 접하기 용이함.

1 매체의 특성 이해
(나)는 뉴스의 검색 결과를 해당 검색어와 연관성이 높은 순서에 따라 배열하는 '관련도순', 해당 검색어가 들어가는 기사를 최근 날짜 순서에 따라 배열하는 '최신순'의 두 기준을 선택하여 기사의 배열 순서를 다르게 할 수 있다. 이는 인터넷 매체인 (나)에만 해당하는 특징으로, 인쇄 매체인 (가)에는 없는 기능이다.

오답 잡기
① (나)는 각 기사의 표제 크기가 동일하게 제공되므로 표제의 크기가 독자의 기사 선택에 영향을 미친다는 설명은 적절하지 않다.
② (나)에는 (가)와 달리 부제가 드러나 있지 않다.
④, ⑤ 모두 (나)에 해당하는 설명이다.

1-1 매체의 특성 이해
신문 구독자를 대상으로 정보가 제공되는 (가)와 달리 (나)는 인터넷을 이용하는 사람이면 누구나 정보를 제공받을 수 있다. 따라서 (가)는 (나)에 비해 정보 제공의 개방성이 낮다.

오답 잡기
① (가)는 인쇄 매체이므로 인터넷 매체인 (나)보다 실시간으로 정보를 반영하기 어렵고 정보 전달의 속도가 느리다.
③ (가)는 인쇄 매체이므로 생산자와 수용자의 상호 작용이 어렵다. 또한 이미 인쇄된 신문의 정보를 수정하려면 다음 신문 발간을 통해 내용을 정정하여야 하므로 정보의 수정이 어렵다.
④ (나)는 '가짜 뉴스'에 대한 다양한 관점의 기사를 한꺼번에 볼 수 있지만, (가)는 '가짜 뉴스'에 대한 하나의 기사만 볼 수 있다.
⑤ (가)는 인쇄 매체이므로 동영상을 제공할 수 없으며, 문자와 사진 등을 활용하여 정보를 전달하고 있다. (나)는 문자, 사진, 그림, 동영상 등을 제공할 수 있어서 수용자의 이해를 도울 수 있다.

대표 유형 2

인터넷 신문
• 기존 신문 매체의 특성을 가지고 있음.
– 문자, 사진, 그래프 등을 사용함.
– 주로 시의성 있는 주제를 다룸.
– 표제, 부제, 전문 등을 통해 내용 전반을 파악할 수 있음.
• 인터넷과 결합하여 뉴 미디어의 특성을 가지게 됨.
– 정보 공유 속도가 빠르고 정보 제공의 개방성이 높음.
– 댓글을 통해 실시간으로 쌍방향 소통이 이루어짐.
– 수용자의 선택에 따라 다른 기사로의 접근이 용이함.

2 뉴 미디어의 특성 이해
'관련 기사(아래를 눌러 바로 가기)' 기능을 통해 기사와 연관된 다른 기사를 열람할 수 있다. 이는 수용자의 선택에 따라 보다 많은 정보를 볼 수 있게 하는 기능이다.

오답 잡기
① 'SNS에 공유' 기능을 통해 기사를 누리 소통망에 쉽게 공유할 수 있으나, 이 기능은 기사 내용을 직접 수정하는 권한과는 관련이 없다.
② '좋아요'와 '싫어요' 기능을 통해 기사에 대한 수용자들의 선호를 확인할 수 있으나, 이는 기사에 제시된 정보의 신뢰도와는 관련이 없다.

④ 기사는 문자, 사진, 그래프 등 복합 양식으로 구성되어 있으나, 이는 시각 자료에만 해당하므로 청각 자료는 사용하지 않았다.
⑤ 기사의 최초 작성 시간과 수정 시간이 기사 마지막 부분에 명시되어 있으나, 이는 다른 수용자들의 기사 열람 시간을 확인하는 것과는 관련이 없다.

2-1 뉴 미디어의 특성 이해

〈보기〉에서 강조한 뉴 미디어의 특성은 '실시간 쌍방향 소통'이다. 인터넷 신문의 댓글에서 수용자(독자)들이 기사 내용에 대한 의견을 주고받으며 공감하고 소통하는 모습을 통해 이러한 특성을 확인할 수 있다.

오답 잡기

① 인터넷 신문이 가진 수정의 용이성과 관련된 설명이므로 〈보기〉와는 관련이 없다.
② 인터넷 신문의 정보 접근 속도와 관련된 설명이므로 〈보기〉와는 관련이 없다.
③ 인터넷 신문의 복합 양식성과 관련된 설명이므로 〈보기〉와는 관련이 없다.
⑤ 인터넷 신문에 대한 바람직한 수용 태도와 관련된 설명이므로 〈보기〉와는 관련이 없다.

개념 더 보기

뉴 미디어의 특성
- 인터넷을 기반으로 함.
- 실시간으로 쌍방향 소통이 가능함.
- 대중이 정보 생산자로 참여할 기회를 확대함.
- 정보의 전달 및 공유 속도가 빠르고, 정보 제공의 개방성이 높은 편임.
- 문자, 음성, 소리, 이미지, 영상 등을 복합적으로 활용하여 정보를 구성하는 복합 양식성을 지님.

대표 유형 3

가 인터넷 블로그
- 지구 온난화의 심각성과 원인, 해결 방안을 제시하고 있음.
- 문자, 사진, 그래프, 동영상 등을 활용하여 복합 양식성을 드러냄.
- 댓글을 통해 생산자와 수용자 간의 쌍방향 소통이 가능함.
- 정보에 생산자의 주관적 관점이 반영될 수 있고, 오류가 있을 수 있으므로 정보를 비판적으로 수용해야 함.

나 텔레비전 생방송 뉴스
- 지구 온난화로 인해 발생한 가뭄의 피해 상황과 문제의 심각성을 보도하고 있음.
- 음성, 문자, 동영상 등을 활용하여 복합 양식성을 드러냄.
- 비교적 신뢰도가 높은 정보를 제공함.
- 대중에게 생생한 정보를 전달하며, 특정 사회 문제를 부각시킬 수 있음.
- 정보에 생산자의 관점과 가치가 작용할 수 있으므로 정보를 비판적으로 수용해야 함.

3 매체 자료의 생산과 수용 이해

(나)의 진행자는 윤 기자에게 가뭄의 심각한 상황에 대한 구체적인 설명을 요청하고 있다. 윤 기자는 가뭄의 심각성에 대해 말하면서 자료 영상과 인터뷰 영상을 통해 가뭄의 피해 상황을 직접적으로 보여 주고자 한다. 따라서 진행자와 윤 기자는 지구 온난화로 인한 가뭄의 심각성과 피해 상황을 시청자에게 전달하고자 하는 공통된 의도를 보여 주고 있다고 할 수 있다.

오답 잡기

① (가)와 (나) 모두 다양한 양식을 활용하여 매체 언어의 복합 양식성을 드러내고 있다.
② (가)에서 '몽돌이'가 쓴 댓글은 블로그의 그래프, 사진, 문자 등을 복합적으로 고려하여 의미를 구성한 것이다.
③ (가)의 '구르미'는 다큐멘터리 '북극곰의 오늘과 내일'의 수용자이면서 블로그 게시물 '북극곰은 지구 온난화가 싫어요'의 생산자이기도 하다. 이처럼 매체 자료의 수용자는 창의적 생산자가 되어 사회적 소통에 참여할 수 있다.
④ (나)의 진행자와 윤 기자는 가뭄의 심각성을 거듭 강조함으로써 수용자와 문제의식을 공유하려는 의도를 보여 주고 있다. 특히 윤 기자가 "이 영상을 보고 계시는 시청자분들께서도 문제의 심각성에 공감하실 것입니다."라고 말한 부분에서 그 의도가 잘 드러난다.

개념 더 보기

복합 양식성
언어 요소(음성, 문자), 청각 요소(음악, 소리 효과), 공간 요소, 몸짓 요소, 시각 요소 등이 복합적으로 작용하여 의미를 구성하는 특성

3-1 매체 자료의 생산 이해

카드 뉴스는 말하고자 하는 바를 짧고 간단하게 전달하므로 이미지를 비중 있게 사용하는 것이 적절하다. 제시된 카드 뉴스에서도 이미지를 주로 사용하고 있다.

오답 잡기

① 제시된 카드 뉴스에서는 사용한 이미지의 출처를 밝혀 매체 자료 생산의 윤리적 태도를 갖추고 있다.
③ (가)와 제시된 카드 뉴스는 지구 온난화의 심각성과 해결 방안을 알리려는 목적을 가지고 있다.
④ (가)에서 제시한 해결 방안 중 '대체 에너지 개발하기'는 대중이 일상생활에서 실천할 수 있는 방안과는 거리가 멀다.
⑤ 카드 뉴스는 시각적 요소를 활용하여 정보의 전달력을 높이는 매체이다. 제시한 카드 뉴스에서는 (나)의 방송 영상 캡처 사진을 삽입하여 지구 온난화의 심각성을 알리고 있다.

DAY
2 필수 체크 전략 ②

44~45쪽

01 ⑤   02 ②   03 ④

01~03

가 인터넷 블로그
- 중국 막고굴 장경동에 대한 정보를 전달하고 있음.
- 개인의 관심사에 따라 자유롭게 글을 올릴 수 있음.
  → 다양한 주제를 다룰 수 있음.
- 다양한 양식을 복합적으로 활용할 수 있음.
- 대중에게 미치는 영향력이 큼.
- 댓글을 통해 생산자와 수용자의 소통이 가능함.
- 정보의 정확성이나 신뢰도를 고려하여 수용해야 함.

나 인터넷 포털 사이트
- 검색어에 따라 검색 결과가 달라지고, 필요한 정보를 확인할 수 있음.
- 백과사전, 블로그, 동영상, 뉴스 등 다양한 매체 자료가 제공됨.
- 필요한 정보와 불필요한 정보가 섞여 있으므로 자신에게 필요한 정보를 선별하는 능력이 필요함.

01 뉴 미디어의 특성 이해
(나)는 문자, 사진, 영상 등의 대략적인 정보를 제시하고 있다. 따라서 수용자는 검색 결과에서 자료의 제목이나 일부 정보를 빠르게 확인한 후 자료를 선택할 수 있다. 반면에 (가)는 하나의 주제에 대한 자세한 정보를 담고 있으므로 수용자는 (나)를 수용할 때보다 (가)를 수용할 때 더 긴 시간을 필요로 하게 된다.

오답 잡기
① (가)는 문자 언어를 중심으로 사진과 영상 자료를 복합적으로 활용하여 정보를 제공하고 있다.
② (나)는 검색어 '막고굴'과 관련된 백과사전, 블로그, 동영상 등 다양한 정보를 제공하고 있다. 수용자는 이 중 필요한 정보를 선택하여 수용할 수 있다.
③ (가)와 (나)는 모두 인터넷 매체로, 인터넷을 이용하는 사람이라면 누구든지 정보에 쉽게 접근할 수 있으므로 정보 제공의 개방성이 높은 편이다.
④ (가)와 (나)는 모두 인터넷 매체이다. 인터넷 매체는 정보의 전달과 공유 속도가 빠르다는 특성을 지닌다.

02 매체 자료의 생산과 수용 이해
㉡은 (가)와 (나)에 제시된 정보를 그대로 가져와서 막고굴의 조성 과정을 설명하려 하고 있으므로 매체 자료를 창의적으로 생산하고 있다고 보기 어렵다.

오답 잡기
① (나)의 정보를 가져오되, 막고굴의 지도상 위치를 정확하게 전달하기 위해서 '지도'라는 이미지를 새로 추가하고 있다.
③ 안내 책자는 인쇄 매체이므로 동영상 자료를 활용할 수 없다. 따라서 (나)의 동영상에서 필요한 부분을 캡처하여 이미지로 제시하는 것은 매체의 특성에 맞게 자료를 변환하여 활용하는 것이라 할 수 있다.
④ 인용 출처를 밝혀 저작권을 존중하는 것은 매체 자료의 윤리적인 생산 태도이다.
⑤ '오렐 스타인', '폴 펠리오'는 (가)에 이름만 언급되었을 뿐 자세한 정보가 드러나 있지 않다. 따라서 추가 검색을 통한 정보 수집으로 세부 내용을 추가할 수 있다.

03 블로그의 특성 이해
(가)는 '막고굴 장경동'에 대한 정보를 전달하는 것을 주목적으로 하는 매체 자료이다. 따라서 의견을 주장하거나 설득을 목적으로 하는 매체 자료로 보기는 어렵다.

오답 잡기
① (가)의 하단에 댓글을 통해 생산자와 수용자가 소통하고 있다.
② (가)는 문자, 사진, 영상 등 다양한 양식을 자유롭게 사용하여 정보를 구성하고 있다.
③ (가)의 첫머리에 있는 '[취미-실크로드 여행]'을 통해 글쓴이가 자신의 취미나 관심사에 따라 자료를 생산하고 정보를 제공하고 있음을 알 수 있다.
⑤ 댓글에서 '실크로드'가 지적한 것을 통해 (가)에는 잘못된 정보가 포함되어 있음을 알 수 있다. 이처럼 블로그 게시물에는 정확하지 않은 정보가 있을 수 있으므로 정보의 정확성과 신뢰성을 고려하여 비판적으로 수용하는 태도가 필요하다.

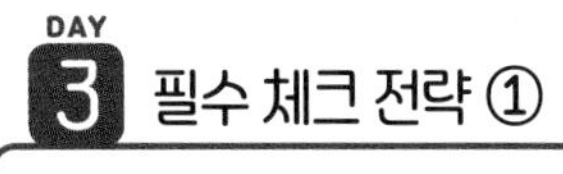

보기 돋보기

블로그

개념	자신의 관심사에 따라 자유롭게 글을 올릴 수 있는 웹 사이트 – 일상적 내용(맛집 소개, 상품 후기, 생활 팁 등)부터 전문적 내용(문화, 경제, 법률 등)까지 다양한 내용을 작성할 수 있음.
특징	• 글, 사진, 영상 등의 업로드가 자유로움. • 댓글 기능이 제공되어 타인과 의견을 나누거나 정보를 공유하기가 쉬움.

DAY
3 필수 체크 전략 ①

46~49쪽

1 ①   1-1 ⑤   2 ⑤   2-1 ③

대표 유형 4

가 휴대 전화 메신저
- 시·공간의 제약이 적은 매체로, 다수의 참여자가 대화에 참여할 수 있음.
- 사회적 관계를 바탕으로 구성되며, 사회 구성원들과 의사소통하는 것을 목적으로 함.
- 사적 영역과 공적 영역의 맥락을 고려하여 내용을 생산함.
- 하이퍼링크를 이용하여 대화 내용과 관련된 추가적인 정보를 제공할 수 있음.
- 다양한 매체 자료의 공유가 가능함.

나 인터넷 블로그
- 문자 언어 외에 사진, 동영상, 도표 등 다양한 매체 언어를 통합하여 정보를 생산할 수 있음.
- 누구나 매체 자료 생산자가 될 수 있고, 수용자와 쉽게 상호 작용할 수 있음.

1 매체 자료의 수정 및 보완

〈보기〉에서 윤영이는 세 번째 슬라이드 제목이 내용을 포괄하지 못하는 것을 문제점으로 지적하였다. 세 번째 슬라이드는 학생들의 〈글벗〉 이용 모습이 담긴 동영상과, 학생 만족도, 개선 필요 사항에 관한 내용을 담고 있는데, 제목을 ⓐ와 같이 수정할 경우 〈글벗〉 이용 모습이 담긴 동영상의 내용은 포괄하지 못한다. 따라서 '〈글벗〉 이용 모습과 학생들의 반응' 또는 '〈글벗〉 이용 모습과 만족도, 개선 필요 사항' 정도로 수정하는 것이 적절하다.

오답 잡기

② ⓑ는 상호의 제안에 따라 사진 대신 동영상으로 바꾸어 제시한 것이다.

③ ⓒ는 상호가 제기한 문제점을 고려하여 설명 순서에 따라 번호를 붙인 것이다.

④ ⓓ는 보미의 제안에 따라 '학생 만족도'를 원그래프로 바꾸어 제시한 것이다.

⑤ ⓔ는 상호의 추가 제안에 따라 '개선 필요 사항'을 표로 정리하여 제시한 것이다.

보기 돋보기

○ 발표 자료 제작 시 유의할 점
- 제목을 통해 핵심 주제를 명확히 밝힐 것.
- 제시된 자료의 순서를 보기 쉽게 배치할 것.
- 사진 및 영상 자료를 적절히 활용하여 생동감 있게 제작할 것.
- 표나 그래프를 활용하여 한눈에 볼 수 있게 제시할 것.

1-1 매체 자료의 수정 및 보완

(A)는 학교 누리집에 게시될 교내 독서 활동 안내문의 초안으로, 독서 활동에 관한 정보를 전달하고 학생들의 참여를 유도하는 목적을 지닌 글이다. (A)를 (B)와 같이 수정하였다고 할 때, 마지막 문장에 활동의 의도를 전달하는 내용은 포함되었지만 문장의 종류가 달라지지는 않았으므로 세윤이의 의견이 모두 반영되지는 않았음을 알 수 있다.

오답 잡기

① (A)는 모든 내용을 두 문단으로 작성하여 가독성이 떨어진다. (B)에서 이를 항목별로 정리하여 제시하였으므로 예림이의 의견이 반영되었음을 알 수 있다.

② (A)에는 활동 신청 방법이 제시되지 않았는데 (B)의 5번 항목에서 이러한 내용을 추가하였으므로 유주의 의견이 반영되었음을 알 수 있다.

③ 제시된 자료는 인터넷 누리집에 게시될 글이므로 사진을 함께 첨부하면 수용자의 이해도를 높이고, 흥미를 불러일으킬 수 있다. (B)의 오른쪽 부분에 활동 사진을 첨부하였으므로 은영이의 의견이 반영되었음을 알 수 있다.

④ '방과 후 한가할 때 뭐 해?'는 어떤 활동인지 짐작할 수 없는 모호한 제목이므로 (B)에서 '함께 책 읽으며 함께 꿈 꾸자.'로 수정하여 독서 활동임이 드러나게 하였다. 따라서 시완이의 의견이 반영되었음을 알 수 있다.

대표 유형 5

가 온라인 카페
- 해당 주제와 관련되거나, 해당 주제에 관심이 있는 사람들이 가입하여 자유롭게 정보를 생산하고 수용할 수 있음.
- 세부 주제별로 게시판을 구분하여 원하는 정보를 쉽게 찾아볼 수 있음.
- 댓글을 통해 의견을 나누거나 정보를 공유할 수 있음.

나 휴대 전화 메신저
- 물리적 거리의 한계를 극복할 수 있음.
- 실시간 상호 작용과 쌍방향 의사소통이 가능함.
- 온라인 링크를 전달하여 정보를 제공할 수 있음.

2 매체 언어의 창의적 표현 이해

학생들이 홍보 문구를 만들기 위해 제안한 의견은 장수 의자를 통해 기대할 수 있는 긍정적인 효과를 언급하고, 유사한 문장 구조를 반복하자는 것이다. '장수 의자, 어르신들의 안전과 휴식을 책임집니다.'에서 장수 의자를 통해 어르신들의 삶에서 기대할 수 있는 긍정적인 효과를 확인할 수 있고, '힘겨운 기다림은 이제 그만, 편안한 기다림은 이제 시작.'에서 유사한 문장 구조가 반복된 것을 확인할 수 있으므로 ⑤가 적절하다.

오답 잡기

① '나의 작은 관심, 지역의 큰 기쁨.'에서 유사한 문장 구조가 반복된 것을 확인할 수 있지만, 장수 의자를 통해 어르신들의 삶에서 기대할 수 있는 긍정적인 효과는 드러나지 않는다.

② '편안함을 위한 장수 의자, 안전함까지 드립니다.'에서 장수 의자를 통해 어르신들의 삶에서 기대할 수 있는 긍정적인 효과를 확인할 수 있지만, 유사한 문장 구조의 반복은 사용되지 않았다.

③ 장수 의자를 통해 어르신들의 삶에서 기대할 수 있는 긍정적인 효과가 제시되지 않았고, 유사한 문장 구조의 반복도 사용되지 않았다.

④ '안전을 위해'에서 장수 의자 사용을 통한 기대 효과를 확인할 수 있으나, 유사한 문장 구조의 반복은 사용되지 않았다.

2-1 매체 언어의 창의적 표현 이해

제시된 글은 구청에서 진행하는 뜨개질 강좌 수강생을 모집하는 안내문이다. ③에서는 '쉼표가 필요한 시간'에 비유적 표현이 활용되었고 '뜨개질로 내 마음을 쉬게 하는 건 어떨까요?'에서 의문문을 활용하여 참여를 권유하고 있다. 또한 배우는 내용이 뜨개질임을 '뜨개질', '예쁜 목도리' 등을 통해 알 수 있다.

오답 잡기

① '친구도 사귀고 실력도 쌓아 보면 어떨까요?'에서 의문문을 활용하였음을 알 수 있지만, 배우는 내용이 무엇인지 드러나 있지 않고 비유적 표현도 활용되지 않았다.

② '이 세상에서 가장 귀한 마음을 전하는 법을 배워 보세요.'에서 비유적 표현이 활용되었음을 알 수 있지만, 의문문은 사용되지 않았다. 또한 배우는 내용이 무엇인지 구체적으로 드러나지 않는다.

④ '목도리부터 모자, 가방, 옷까지, 여러분도 직접 만들고 싶지 않으신가요?'에서 의문문이 사용되었고, '기초만 배우면 뜨개질로 내가 원하는 것은 무엇이든 만들 수 있습니다.'에서 배우는 내용이 뜨개질임을 알 수 있다. 그러나 비유적 표현이 활용되지 않았다.

⑤ '뜨개질의 기초부터 작품 완성까지'에 배우는 내용이 드러나 있으나, 비유적 표현이나 의문문은 사용되지 않았다.

DAY

3 필수 체크 전략 ②

50~51쪽

01 ⑤ 02 ② 03 ②

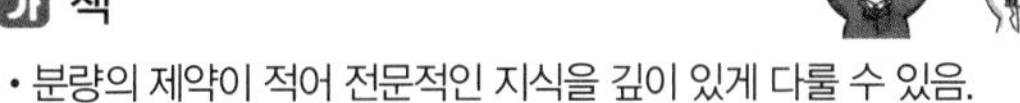

01~03

가 책

- 분량의 제약이 적어 전문적인 지식을 깊이 있게 다룰 수 있음.
- 지식과 정보의 생산이 특정 지식을 갖춘 사람들에 의해 이루어짐.
- 목차에 따라 정보가 장, 절 등으로 나뉘어 배치됨.
- 공적 영역의 성격이 강함.
- 전자 매체에 비해 정보 전달의 속도가 느림.

나 휴대 전화 메신저

- 사회적 관계를 바탕으로, 사회 구성원들과 다양한 목적으로 의사소통함.
- 사적 영역과 공적 영역의 맥락이 모두 존재할 수 있음.
- 인쇄 매체에 비해 정보 전달의 속도가 빠름.

01 매체의 특성 이해

(가)는 책의 목차이고, (나)는 휴대 전화 메신저의 대화이다. (나)는 다양한 상대와 다양한 맥락에서 대화가 이루어지는 반면, (가)는 특정한 지식을 갖춘 사람들이 전문적인 지식과 정보를 생산하고 이를 출판하여 수용자에게 전달된다. 따라서 (가)가 (나)에 비해 공적 영역의 성격이 더 강하다. 또한 (가)와 (나)에서 모두 언어 사용을 신중히 하는 것이 바람직하다.

오답 잡기

① (가)와 (나)는 공통적으로 문자 언어와 시각 자료를 통해 정보를 전달할 수 있다. (나)는 이 외에도 음성이나 동영상 자료 등을 활용할 수 있다.

③ (가)는 출판을 통해 수용자에게 전달되므로 수용자의 즉각적 반응을 확인하는 데에 한계가 있으며, 그것을 전달받는 방법 또한 제한적이다. 반면 (나)는 실시간 쌍방향 의사소통이 가능하므로 생산자와 수용자가 서로 정보를 쉽게 주고받을 수 있다.

④ (가)는 인쇄 매체이지만, (나)는 뉴 미디어로 컴퓨터, 휴대 전화 등 다양한 매체들이 상호 연결되어 운용되는 경우가 많다.

02 매체 자료의 생산과 수용 이해

ㄴ을 통해 인터넷 쇼핑의 비중이 늘어난 품목은 파악할 수 있지만 줄어든 품목은 제시되어 있지 않아 비교할 수 없다. 또한 ㄴ의 주요 내용은 최근 인터넷 쇼핑의 비중이 높아지고 방문을 통해 물품을 구매하는 비중은 낮아지고 있다는 것으로, 인터넷 쇼핑에 더 적합한 분야는 파악하기 어렵다.

오답 잡기

① ㄱ은 인터넷 쇼핑 소비자 피해의 대표 유형을 제시한 자료이다. 이를 그래프로 제시하면 유형별 소비자 피해 현황을 쉽게 파악할 수 있다.

③ ㄴ은 △△시의 최근 인터넷 쇼핑 이용 현황에 대한 자료이므로, 이를 통해 우리나라 소비자들의 인터넷 쇼핑 이용 현황 중 일부를 제시할 수 있다.

④ ㄷ은 소비자가 인터넷 쇼핑 중 피해를 겪었던 실제 사례를 제시한 자료이므로, 이를 활용하면 발표에 대한 흥미를 높일 수 있다.

⑤ ㄷ에서 한국 소비자원의 도움으로 문제를 해결했다고 한 부분을 통해 인터넷 쇼핑 중 발생한 문제 상황의 해결 방법 중 하나를 제시할 수 있다. 그러나 구체적 방법과 절차가 나타나 있지 않으므로 추가 자료 조사를 통해 이를 보완하는 것도 좋다.

03 매체 자료의 수정 및 보완

㉠과 해당 슬라이드의 제목을 고려하면, 슬라이드의 내용은 인터넷 쇼핑에서 문제 상황이 발생하기 전에 예방할 수 있는 방법을 안내하는 것이어야 한다. 그런데 '구매 후에는 일정한 기간 안에 계약을 철회할 수 있다.'는 문제 상황을 예방하는 방법이라고 볼 수 없으므로 적절하지 않다.

누구나 합격 전략 | 52~55쪽

01 ④	02 ①	03 ②	04 ⑤	05 ⑤
06 ⑤	07 ①	08 ③		

01~04

가 휴대 전화 메신저

• 대화 참여자가 한 공간에 모여야 하는 실제 대화의 한계를 극복함.
• 대화 참여자에 한해 대화가 진행되고, 자료가 공유됨.
• 문서 파일, 음악 파일 등을 쉽게 공유할 수 있음.

나 UCC 이야기판

• 휴대 전화 메신저의 대화 내용을 바탕으로 작성한 고전 소설 UCC 제작 관련 이야기판 초안임.
• 고전 소설 〈운영전〉의 등장인물과 줄거리를 소개하는 목적으로 제작함.
• 문자 언어, 음성 언어, 음향 등을 복합적으로 활용하여 정보를 구성할 수 있음.

01 매체의 특성 이해

(가)는 휴대 전화 메신저로, 여러 사람이 다 같이 만나기 어려운 상황에서 각자 다른 공간에 있더라도 해당 매체를 통해 실시간으로 의사소통할 수 있다는 특성을 지니고 있다. 이는 '만나기 어려우니까 영상 구성에 대해 여기서 이야기해 보자.'라는 진희의 말에서도 확인할 수 있다.

오답 잡기

① 서영이와 지호가 다른 대화 참여자들에게 실시간으로 파일을 전송하는 것으로 볼 때 자료를 쉽게 공유할 수 있고, 정보 제공의 속도 또한 빠르다는 것을 알 수 있다.
② 제시된 대화방에서는 대화방의 참여자만 참여할 수 있으므로 해당 구성원에 한해 정보가 제공된다.
③ 서영이가 음악 파일을 전송하는 모습을 통해 청각 자료도 사용 가능함을 알 수 있다.
⑤ 휴대 전화 메신저는 사용자가 삭제하지 않는 한 정보가 남아 있어 나중에 다시 확인이 가능하므로 실제 대화에 비해 정보 보존이 어렵다고 볼 수 없다. 또한 UCC 제작 준비와 같은 주제의 대화를 나눌 수 있으므로, 가볍고 일상적인 주제의 대화를 나누는 데에만 국한되어 사용하지는 않는다.

02 매체 자료의 생산 이해

㉠은 운영과 김 진사의 첫 만남에 대한 내용으로, 진희가 작성한 이야기판 초안에 구체적으로 반영되지 않았다.

오답 잡기

② 이야기판 2에 안평대군을 포함한 세 인물을 소개하고, 자막과 내레이션도 제시하는 것으로 구성되어 있다.
③ 이야기판 초안은 '소설 제목 소개', '등장인물 소개', '줄거리 소개'로 구성되어 있다.
④ 이야기판 1의 배경 음악으로 '구슬픈 해금 연주'가 제시되어 있다.
⑤ 이야기판 1에 만든 이의 이름을 제시하는 것으로 구성되어 있다.

03 매체 자료 생산의 적절성 파악

〈보기〉에서 매체 자료를 생산할 때는 수용자의 특성을 고려해야 한다고 하였다. 그러나 (가)에서 UCC의 수용자에 대한 구체적인 논의가 없었으므로 (나)에 대한 반응으로 수용자의 연령과 이미지의 적절성 여부에 대한 의견이 제시되기는 어렵다.

오답 잡기

① 이야기 판 1과 3에 배경 음악이 제시되어 있으나 출처는 제시하지 않았으므로 저작권을 침해하지 않는지 확인해야겠다는 반응은 적절하다.
③ 내용의 오류가 없도록 소설의 줄거리에 맞게 주요 장면을 잘 골랐는지 확인해야겠다는 반응은 적절하다.
④ UCC의 내용이 제작 목적에 맞게 구성되었는지 점검해야겠다는 반응은 적절하다.
⑤ 매체의 특성(상호 소통 방식)을 고려하여 UCC를 실시간으로 쌍방향 의사소통이 가능한 매체에 공유해야겠다는 반응은 적절하다.

04 매체 자료의 수정 및 보완

(가)에서 지호의 첫 번째 말을 통해 운영과 김 진사의 첫 만남이 수줍고 설레는 분위기를 느끼게 했음을 짐작할 수 있다. 따라서 첫 만남 장면에 무겁고 느린 리듬의 음악은 어울리지 않는다.

오답 잡기

① (가)에서 지호와 진희의 대화를 통해 운영과 김 진사가 처음 만날 때의 상황이 인상 깊었음을 알 수 있다. 따라서 '먹물 한 방울로 이어진 만남'이라는 부제를 삽입한다면 소설의 인상적인 장면을 부각할 수 있다.
② 이야기판 1의 화면 아래쪽에 작게 제시된 만든 이 이름을 단독 화면으로 제시한다면 이를 부각시킬 수 있다.
③ (가)에서 서영이의 말을 통해 〈운영전〉의 주제가 운영과 김 진사의 비극적인 사랑임을 알 수 있다. 따라서 소설의 전체적인 분위기를 고려하여 운영이 슬퍼하며 눈물을 흘리고 있는 모습의 이미지로 교체한다면 소설의 주제를 부각할 수 있다.
④ 이야기판 3의 주요 장면을 6개로 늘린다면 줄거리를 좀 더 구체적으로 표현할 수 있다.

05~08

가 인터넷 신문

- 문자, 그래프, 영상을 활용하여 정보를 전달하고 있음.
- 생산한 매체 자료의 내용은 탑재 후에도 수정이 가능함.
- 댓글을 통해 실시간 쌍방향 소통이 이루어짐.
- 수용자의 선택에 따라 다른 기사로의 접근이 용이함.

나 라디오 방송

- 진행자와 기자의 대담 형식으로 진행됨.
- 음성, 음향을 활용하여 정보를 전달하고 있음.
- 실시간 상황이 그대로 반영되어 현장감이 높음.
- 인터넷 매체와 연계하여 청취자와 쌍방향 소통이 이루어짐.
- 매체 자료의 송출 시간이 정해져 있어 이를 누리집의 다시 듣기 서비스로 보완하고 있음.

05 매체의 특성 이해

(나)는 음성과 음향으로 정보를 전달하는 라디오 방송이다. 라디오는 영상을 사용할 수 없는 매체이다.

오답 잡기

① (가)의 생산자는 댓글에서 수용자인 독자들의 반응을 직접 확인할 수 있다.
② (가)는 문자, 그래프, 영상 등을 복합적으로 활용하여 독자의 이해를 돕고 있다.
③ (가)의 수용자는 '[관련된 뉴스]' 기능을 통해 기사와 연관된 다른 기사를 열람할 수 있고, 이를 통해 추가 정보를 쉽게 얻을 수 있다.
④ (나)는 긴급 뉴스 속보로 인해 갑작스럽게 방송이 중단되면서 현장의 상황이 그대로 전달되고 있으므로 정보의 현장감이 높다.

06 매체의 유형과 특성 파악

〈보기〉에 제시된 광고는 인쇄 광고로, 매체 자료의 생산자인 학생이 '동해'의 영문 표기를 'DONG HAE/EAST SEA'로 해야 한다는 하나의 주장을 제시하고 있다. (나)는 라디오 방송으로, 매체 자료의 생산자인 진행자와 기자가 대담을 나누고 있다. 이때 진행자는 기자가 주장하는 바를 잘 드러낼 수 있게 질문을 던지는 역할을 하며, 기자는 이에 대해 답변을 함으로써 청취자에게 '동해 지명 표기 방법'에 대한 정보를 전달한다. 따라서 두 사람이 서로 다른 주장을 제시하고 있다는 것은 적절하지 않다.

오답 잡기

① 〈보기〉는 핵심 내용을 짧은 문구와 이미지로 제시하여 정보의 양이 많지 않다. 반면 (가)는 문자 언어를 중심으로 주장과 논리적인 근거를 제시하고, 이를 뒷받침하는 시각적 자료 등을 제시하여 '광고'에 비해 상대적으로 정보의 양이 많다.
② 〈보기〉는 인쇄 광고이므로 생산자의 일방향 소통만 가능하다. 반면 (가)는 인터넷 신문이므로 댓글을 통해 생산자와 수용자의 쌍방향 소통이 가능하다.
③ 〈보기〉는 '동해'의 영문 표기를 'DONG HAE/EAST SEA'로 해야 한다는 주장만 전달하고 있다. 반면 (가)는 '동해'의 영문 표기를 'DONG HAE' 또는 'DONG HAE/EAST SEA'로 해야 한다는 주장과 함께 이를 뒷받침하는 근거까지 함께 전달하고 있다.
④ 〈보기〉는 인쇄 광고로 이미지, 글자의 크기나 굵기 등 시각적 요소를 활용하는 매체이다. 이와 달리 (나)는 라디오 방송으로 음성, 음향 등 청각적 요소를 활용하는 매체이다.

07 매체의 정보 구성 방식 파악

(가)에 활용된 그래프는 '동해가 세계 지도에 단독 표기되었거나 일본해와 병기된 비율'을 시각화한 것으로, 수용자인 독자가 응답한 설문 조사 결과가 아니다. 이러한 점에서 수용자들이 정보를 주체적으로 구성하고 있다는 것은 적절하지 않다.

오답 잡기

② (나)에서 수용자인 청취자의 "세계 지도에 우리 동해가 일본해로 표기되기 시작한 이유가 무엇인가요?"라는 질문에 대해 기자가 답변하고 있다. 수용자의 질문에 따라 생산자가 정보를 제공하고 있으므로 수용자들이 정보 구성에 주체적으로 참여하고 있다고 할 수 있다.
③ 신문과 라디오 방송은 주로 시의성 있는 정보를 다루는 경향이 있다.
④, ⑤ (가)와 (나)는 동해의 지명 표기 방법과 관련하여 같은 생산자의 주장을 담고 있다. (가)는 (나)에 비해 다양한 자료를 제공하여 정보를 전달하고 있으며, (나)는 긴급 뉴스 속보로 인해 방송이 중단되었으므로 (가)에 비해 정보의 양이 충분하지 않다.

08 매체 자료 수용의 적절성 파악

㉢을 쓴 작성자는 (가)를 읽고 댓글을 남긴 수용자이면서 동시에 링크된 블로그에 동해 표기와 관련된 자료를 게시하고 의견을 나누고 있는 생산자이다. 따라서 매체 자료 수용자가 또 다른 매체 자료 생산자로서의 역할도 하고 있음을 알 수 있다.

오답 잡기

① 신문에서는 특정한 사건이나 쟁점에 관심을 두고 그 문제를 집중적으로 보도하는데, 이 과정에서 생산자의 관점과 가치가 작용하며 특정한 정보가 부각되거나 누락될 수 있다. 따라서 수용자는 자료에 담긴 관점과 가치가 공정한지, 자료의 내용을 뒷받침하는 근거가 타당한지, 제시된 정보나 자료는 신뢰할 만한 내용인지 등을 분석하고 판단하여 매체 자료를 비판적으로 수용해야 한다.
② (가)의 소통 목적은 '동해'의 영문 표기에 대한 정보와, '동해'가 세계 지도상에 올바르게 표기되도록 노력해야 한다는 주장을 알리기 위한 것이다. ㉡은 지명이 올바르게 표기되고 사용되어야 하는 이유를 강조하고 있는 부분이므로 (가)에 필요한 내용이다.
④ ㉣은 'ㅇㅇㅇ****'이 작성한 댓글 내용에 대한 다른 수용자들의 선호도를 시각적으로 보여 주는 기능을 한다.
⑤ ㉤의 '누리집 다시 듣기 서비스'를 통해 시간이 흘러도 (나)를 다시 들을 수 있음을 알 수 있다.

창의·융합·코딩 전략 ① | 56~57쪽

01 ④ **02** ④

01~02

가 휴대 전화 메신저

- 대화 참여자에 한해 대화가 진행되며, 즉각적인 소통이 가능함.
- 대화 중 문서 파일, 시각 자료, 음성 자료, 동영상 자료 등을 자유롭게 공유할 수 있음.
- 사용자가 삭제하지 않는 한 대화 내용이 남아 있어 나중에 다시 확인이 가능함.

나 동영상 이야기판

- 동영상은 문자 언어와 음성 언어, 이미지, 영상, 소리 효과 등을 복합적으로 활용하여 구성할 수 있음.
- 동영상 이야기판은 동영상 촬영을 위한 개요에 해당하는 것으로, 동영상에 포함될 다양한 매체 언어 표현에 관한 핵심 정보를 담고 있음.

01 매체 자료의 생산과 수용 이해

S#4에서 인터뷰 영상에 자막을 제시한 것은 인터뷰의 핵심 내용을 강조하거나 수용자가 이해하기 쉽게 전달하기 위해서이지, 인터뷰 참여자의 음성 없이 정보를 전달하기 위한 것이 아니다.

오답 잡기

① 동영상에 배경 음악을 활용하는 것은 특정한 분위기를 형성하는 데에 기여할 수 있다. 따라서 S#1에 삽입된 밝고 역동적인 느낌의 배경 음악은 후보자가 밝고 힘찬 사람이라는 인상을 심어 줄 수 있다.

③ S#2와 S#3에서 영상에 자막, 내레이션을 동시에 활용하는 것은 동영상 매체의 복합 양식성을 드러내는 것이며, 이를 통해 '소통과 화합'이라는 주제를 효과적으로 전달할 수 있다. 즉, 문자로는 핵심적인 내용을 제시하고, 음성으로는 그와 관련된 내용을 추가로 설명하여 주요 내용을 효과적으로 전달하는 것이다.

02 매체 자료의 수정 및 보완

'소희'가 지적한 것은 마지막의 내용이 앞의 내용과 매끄럽게 이어지지 않는다는 것이다. 그러나 학생회장 후보자에 관한 홍보 동영상이므로 '연주'의 말처럼 후보자에게 투표해 줄 것을 독려하는 내용이 마지막에 나오는 것이 구성상 어색하지는 않다. 그래서 '한신'은 이전의 내용과 S#5가 자연스럽게 이어질 수 있도록 S#4와 S#5 사이에 장면을 추가할 것을 제안하고 있다. S#2와 S#3에서 후보자가 생각하는 '소통과 화합'이라는 가치를 담은 공약을 전달하였고, S#4에서 인터뷰한 학생이 학교에 원하는 점이 학생의 의견이 잘 반영되고 소외되는 사람이 없이 학교생활을 함께할 수 있는 것임을 알 수 있다. 따라서 S#4에서 말한 점을 실현할 수 있는 사람이 해당 후보자임을 강조하는 장면을 새로 추가하고, 마지막에 후보자에게 투표할 것을 권유하는 장면이 나오는 것이 흐름상 가장 자연스럽다.

창의·융합·코딩 전략 ② | 58~59쪽

03 ⑤ **04** ⑤

03 매체 자료의 관점과 가치 파악

(나)에서는 좋은 정책이 잘 정착되기 위해서 무작정 단속을 늘리기보다 홍보를 통해 정책의 장점을 적극 알려야 한다고 하고 있다. 또한 개선해야 할 점의 둘째 항목에서 '차량 운행의 융통성을 발휘할 필요가 있다.'라고 하여 안전이 충분히 보장되는 도로에서는 운행 속도를 좀 더 높일 수 있게 해야 함을 제안하고 있기도 하다. 따라서 '단속을 통하여 정책이 원칙적으로 시행되도록' 해야 한다는 내용은 (나)의 관점과 맞지 않다.

오답 잡기

① (가)와 (나) 모두 우리나라 교통사고 현황을 제시하고 OECD 회원국과 비교함으로써 '안전운전 5030' 정책의 필요성에 대해서 공감하고 있다.

② (가)는 정책 시행의 목적과 장점을 설명하면서 인식의 전환이 필요하다는 점을 강조하고 있다. 반면 (나)는 정책의 취지에는 공감하면서도 개선해야 할 문제점이 있음을 드러내고 있다.

③ (가)의 마지막 문단에서는 차량 운행 속도를 시속 10㎞ 줄일 경우 보행자가 중상을 입을 확률이 약 20%p 감소한다는 연구 결과를 통해 정책을 시행했을 때 사고가 나더라도 충격량이 줄어 심각한 사고로 이어질 가능성이 줄어든다는 점을 제시하고 있다. (나)의 마지막 문단에서는 정책 시행 시 개선해야 할 점을 세 가지로 나누어 제시하고 있다.

④ (가)의 마지막 문단에서는 '속도 운전에서 안전 운전으로, 차량 중심에서 사람 중심으로 인식의 전환'이 필요함을 강조하고 있다. 따라서 (가)의 관점에 따르면 (나)에 나타난 운전자들의 불만은 안전과 사람을 중시하는 인식의 전환을 통해 해소해야 한다고 답할 수 있다.

04 매체의 언어적 특성 이해

자료 돋보기

가 텔레비전 방송 뉴스

- 시의성 있는 정보를 다루고 있음.
- 음성 언어, 영상, 자막 등을 활용하여 정보를 전달하고 있음.
- 생생한 정보를 실시간으로 전할 수 있음.

나 신문 기사

- 시의성 있는 정보를 다루고 있음.
- 문자, 사진 등을 활용하여 정보를 전달하고 있음.
- 표제가 기사문의 내용을 압축적으로 제시함.

(나)의 기자는 토론회를 방청한 한 시민의 의견을 인용격 조사 '라고'를 사용한 직접 인용 표현을 통해 제시하고 있다.

오답 잡기

① ㉠에서 '이'라는 지시어를 사용하고 있으나 문제 해결 가능성을 압축적으로 설명하고 있지는 않다.

② ㉡에서 '-겠-'이라는 미래 시제 선어말 어미를 사용하고 있으나 보도 내용과 관련한 기대 효과를 제시하고 있지는 않다.
③ ㉢은 평서형 문장으로, 청유형 문장이 아니다.
④ ㉣에서 '또한'이라는 접속어를 사용하여 다른 내용을 추가하고 있다. 이는 내용의 흐름을 전환하는 표현이 아니다.

후편 마무리 전략

신유형·신경향 전략

62~65쪽

01 ③	02 ②	03 ⑤	04 ⑤
05 ⑤	06 ⑤	07 ⑤	

01~02

- **사동 표현** 주어가 남에게 동작을 하도록 시키는 뜻을 나타내는 표현

중세 국어의 파생적 사동	주동사에 사동 접사 '-이-, -히-, -기-, -오/우-, -호/후-, -ᄋᆞ/으-' 등이 붙어서 만들어짐.
중세 국어의 통사적 사동	'-게/긔 ᄒᆞ다'를 통해 실현됨.

- **피동 표현** 주어가 남에 의해 동작을 당하게 되는 뜻을 나타내는 표현

중세 국어의 파생적 피동	능동사에 피동 접사 '-이-, -히-, -기-'가 붙어서 만들어짐.
중세 국어의 통사적 피동	'-아/어디다'를 통해 실현됨.

01 중세 국어의 사동 표현 탐구

지문을 보면 보조적 연결 어미는 '-게/긔'가 주로 쓰였고, '-에/의'는 모음이나 자음 'ㄹ'로 끝나는 어간 뒤, 혹은 '이다'의 '이-' 뒤에서 실현되었음을 알 수 있다. 따라서 '듣-'처럼 'ㄷ'으로 끝나는 어간 뒤에서는 '드데 ᄒᆞ-'가 아니라 '듣게 ᄒᆞ-' 혹은 '듣긔 ᄒᆞ-'로 실현될 것임을 알 수 있다.

02 중세 국어의 피동 표현 탐구

ⓐ는 피동 접사 '-히-'가 어간 '닫-'에 결합한 것이다. 따라서 피동 접사 '-이-'가 결합했다는 진술은 적절하지 않다.

오답 잡기

① ⓐ는 '닫-'에 피동 접사 '-히-'가 결합한 형태이고, ⓑ는 '열-'에 피동 접사 '-이-'가 결합한 형태이므로 모두 파생적 피동에 해당한다.

③ 지문에서 피동 접사 앞 자음이 'ㄹ'이면 '-이-'와 결합할 때 연음되지 않았다는 진술이 있고 '열이고'로 표기되어 있으므로 적절하다.

④ '박-'에 피동 접사가 결합하지 않았지만, 현대어 풀이를 보면 '박히다'로 해석되어 피동의 의미를 나타내고 있으므로 중립 동사임을 알 수 있다.

⑤ 지문에서 '-아/어디다'를 통해 실현된 것이 통사적 피동이라고 하였으므로 적절하다.

03 중세 국어 합성어의 구조 이해

'니러셔다'는 용언의 연결형과 용언의 어간이 결합한 통사적 합성어이다.

오답 잡기

① '눈믈'은 명사 '눈'과 명사 '믈'이 결합한 통사적 합성어이다.

② '즌ᄒᆞᆰ'은 용언의 관형사형 '즌'과 명사 'ᄒᆞᆰ'이 결합한 통사적 합성어이다.

③ '아라듣다'는 용언의 연결형 '아라'와 용언의 어간 '듣-'이 결합한 통사적 합성어이다.

④ '빌먹다'는 용언의 어간 '빌-'과 용언의 어간 '먹-'이 연결 어미 없이 결합한 비통사적 합성어이다.

04 중세 국어의 조사와 어미 이해

ⓜ은 '바'에 'ㅣ'가 결합된 것으로 이때의 'ㅣ'는 앞말이 문장의 주어임을 표시하는 조사이다. 따라서 '앞말이 문장의 보어임을 표시하는 조사'라는 탐구 내용은 적절하지 않다.

05~06

가 인터넷 신문

- 종이 신문의 기사문과 같은 구조를 지니지만 길이에 제한이 없음.
- 작성 시간이 자유롭고, 기사를 올린 후에 수정이 가능함.
- 사진, 동영상 등의 자료를 함께 게시할 수 있음.

나 카드 뉴스

- 전달하고자 하는 내용을 짧은 글과 이미지를 활용하여 전달함.
- 사진, 이미지 등을 비중 있게 사용하여 정보의 전달력을 높임.
- 휴대 전화와 같은 매체에 적합한 형태의 양식임.

05 매체의 언어적 특성 이해

ⓜ에는 '그러나', '그리고' 등과 같은 접속 부사가 사용되지 않았으므로, 접속 부사를 사용하여 문장을 자연스럽게 연결하고 있다는 진술은 적절하지 않다.

06 매체 자료의 생산 이해

'카드 3~6'에서는 대답에 대한 이유를 글을 중심으로 설명하고, 핵심 내용과 관련된 이미지를 함께 제시하여 내용에 대한 이해를 높이고 있다. 따라서 대답에 대한 이유를 글보다 이미지를 중심으로 하여 시각적으로 전달해야겠다는 진술은 적절하지 않다.

오답 잡기

① '카드 1'에서는 카드 뉴스의 핵심어인 '면역력'을 크게 제시하여 내용을 직관적으로 파악할 수 있게 하고 있다.

② '카드 2'에서는 면역력과 관련한 내용을 제시한다는 내용과 그 이유를 제시하고 있다.

③ '카드 3~6'에서는 질문의 핵심 내용을 재미있고 이해하기 쉽게 이미지를 사용하여 제시하고 있다.

④ '카드 3~6'에서는 질문의 대답을 '○', '×'와 같은 부호를 사용하여 크게 제시하여 강조하고 있다.

07 매체 언어의 표현 방법 이해

자료 돋보기

가 텔레비전 방송 뉴스
- 시의성 있는 정보로 구성됨.
- 음성 언어, 영상, 자막 등을 복합적으로 활용하여 정보를 구성함.

나 잡지 인쇄 광고
- 문자 언어, 이미지 등을 복합적으로 활용하여 정보를 구성함.
- 바람의 움직임을 연상하게 하는 곡선의 형태로 문구를 배치하고, 글자의 크기와 굵기를 달리함.

(나)는 유명인의 이미지를, '자료'는 제품의 이미지를 제시하고 있는 것은 맞지만, (나)의 이미지는 제품의 성능과 직접적인 관련이 있는 것은 아니다. 따라서 각 이미지를 통해 제품의 성능이 우수함을 강조하고 있다는 설명은 적절하지 않다.

오답 잡기

① (나)의 '디자인의 새로운 바람을 일으키다'에서 알 수 있다.
② '자료'의 '자사 기존 제품 대비 30% 강력해진 풍력'에서 알 수 있다.
③ '자료'의 '부드러운 날'의 이미지와 '안전을 보증하는 KC 인증'이라는 문구를 통해 제품의 안전성을 드러내고 있다.
④ (나)는 '디자인'이라는 동일한 단어를 반복하여, '자료'는 '마음속 걱정도 날리는, 내 손 안의 태풍'이라는 비유적 표현을 활용하여 제품의 장점을 제시하고 있다.

1·2등급 확보 전략

66~71쪽

01 ②	02 ③	03 ②	04 ③
05 ①	06 ④	07 ⑤	08 ②
09 ⑤	10 ②	11 ③	

01~02

힘 을 내 자

동사의 종류와 특징

① 자동사
- 움직임이 주어에만 미치는 동사 예 서다, 웃다, 눕다
- 피동사는 모두 자동사에 해당함. 예 보이다, 먹히다, 꽂히다
- 일반적으로 주어만을 필요로 하지만, 주어 외에 보어나 부사어를 필수적으로 요구하는 것이 있음.

② 타동사
- 움직임이 주어 이외에 목적어에도 미치는 동사 예 막다, 밟다, 깎다
- 사동사는 모두 타동사에 해당함. 예 앉히다, 눕히다, 웃기다
- 일반적으로 주어와 목적어만을 필요로 하지만, 이 외에 부사어를 필수로 요구하는 것이 있음.

용언의 활용과 음운의 변동

- 용언이 활용할 때에도 음운의 변동이 일어나는 경우가 있음.

먹-+-다 → 먹다[먹따]	한 음운이 다른 음운으로 바뀌는 교체가 일어남.
날-+-는 → 나는[나는]	원래 있던 음운이 없어지는 탈락이 일어남.
노랗-+-고 → 노랗고[노ː라코]	두 개의 음운이 합쳐져서 하나로 되는 축약이 일어남.

01 동사의 특성 이해

'굴다'는 '누가 어떻게 굴다'와 같은 문장 구조로 쓰이므로 주어 이외에 부사어를 필수적으로 요구하는 자동사이다. 따라서 ㉠에 해당한다. '주다'는 '누가 누구에게 무엇을 주다'와 같은 문장 구조로 쓰이므로 주어와 목적어 이외에 부사어를 필수적으로 요구하는 타동사이다. 따라서 ㉡에 해당한다.

오답 잡기

ㄷ. '남다'는 '무엇이 남다'와 같은 문장 구조로 쓰이므로 자동사에 해당한다. 제시된 문장에 쓰인 '적게'는 생략해도 문장이 성립하므로 필수 부사어가 아니다. 따라서 ㉠에 해당하지 않는다.
ㄹ. '막다'는 '누가 무엇을 막다'와 같은 문장 구조로 쓰이므로 타동사에 해당한다. 제시된 문장에는 필수 부사어가 쓰이지 않았으므로 ㉡에 해당하지 않는다.

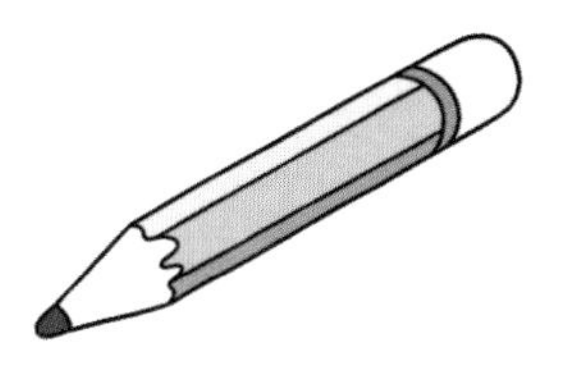

개념 더 보기

동사의 분류

동사는 다음과 같이 다양한 기준에 따라 분류될 수 있음.

• 형태상

규칙 동사	규칙 활용을 하는 동사 예 씻다(씻어, 씻으니, 씻는)
불규칙 동사	불규칙 활용을 하는 동사 예 잇다(이어, 이으니, 잇는)

• 통사상

자동사	움직임이 주어에만 미치는 동사 예 꽃이 피다.
타동사	움직임이 주어 이외에 목적어에도 미치는 동사 예 노래를 부르다.

• 기능상

본동사	보조 용언의 앞에 쓰이는 동사로, 문장 안에서 자립적으로 쓰여 서술어의 기능을 할 수 있음. 예 감상을 적어 두다.
보조 동사	문장 안에서 혼자 쓰이지 못하고 다른 용언의 뒤에 붙어 의미를 더해 주는 동사 예 감상을 적어 두다.

02 음운 변동 현상 이해

〈보기〉에서 ⓐ는 용언의 활용 중 교체가 일어난 사례, ⓑ는 탈락이 일어난 사례, ⓒ는 축약이 일어난 사례이다. ③의 '쌓네[싿네 → 싼네]'는 교체가 일어난 사례에 해당한다.

오답 잡기

① '듣다[듣따]'는 된소리되기가 일어난 것으로 이는 교체에 해당한다.

② '담가[담가]'는 동사의 어간 '담그-'와 어미 '-아'가 결합할 때 어간의 모음 'ㅡ'가 탈락한 것이다.

④ '덮다[덥다 → 덥따]'는 음절의 끝소리 규칙과 된소리되기가 일어난 것으로 이는 교체에 해당한다.

⑤ '닮고[담:고 → 담:꼬]'는 자음군 단순화와 된소리되기가 일어난 것으로 각각 탈락과 교체에 해당한다.

03 문장의 짜임 이해

ㄴ의 안긴문장은 '아침에 독서를 하는'으로, 안은문장의 주어 '학생들이'와 안긴문장의 주어 '학생들이'가 일치하여 생략되어 있다. 반면 ㄷ의 안긴문장은 '그가 이 사건의 범인이었음'으로 주어가 생략되지 않았다.

오답 잡기

① ㄱ의 안긴문장은 '이곳에 다시 방문해 주기'로 목적어의 역할을 하고 있다.

③ ㄷ의 안은문장의 서술어는 '밝혀졌다'로 '밝혀지다'는 한 자리 서술어이다. 이와 달리 ㄱ의 안은문장의 서술어는 '기대합니다'로 '기대하다'는 주어 이외에 목적어를 필수적으로 요구하는 두 자리 서술어이다.

④ ㄴ의 안긴문장은 관형어의 역할을 하고 있고, ㄷ의 안긴문장은 주어의 역할을 하고 있다.

⑤ ㄱ의 안긴문장에는 부사어 '이곳에'와 '다시'가 있고, ㄴ의 안긴문장에는 부사어 '아침에'가 있다. 그러나 ㄷ의 안긴문장에는 부사어가 없다. ㄷ의 '드디어'는 안은문장의 부사어이다.

함정문제 해결 전략

문장 안에서 안긴문장이 무엇인지, 안긴문장이 어떤 문장 성분의 역할을 하는지 등을 파악하면 쉽게 해결할 수 있는 문제이다. 안긴문장과 안은문장으로 구성된 겹문장을 두 개의 홑문장으로 나누어 보면 문장의 짜임새를 쉽게 파악할 수 있다.

04 국어 규범의 이해

'지붕'은 명사 '집'에 '-이' 이외의 모음으로 시작된 접미사가 붙어서 된 말이므로 제20항의 [붙임]에 따라 원형을 밝혀 적지 않는다. 따라서 제19항의 [붙임]에 따라 원형을 밝혀 적지 않은 것이라는 탐구 내용은 적절하지 않다.

오답 잡기

① '같이'는 어간 '같-'에 접미사 '-이'가 붙어서 부사로 된 말이므로 제19항에 따라 어간의 원형을 밝혀 적는다.

② '노름'은 어간 '놀-'에 접미사 '-음'이 붙어서 명사로 된 말이지만 어간의 본뜻에서 멀어졌으므로 제19항의 '다만'에 따라 원형을 밝혀 적지 않는다.

④ '곳곳이'는 명사 '곳곳'에 접미사 '-이'가 붙어서 부사로 된 말이므로 제20항에 따라 명사의 원형을 밝혀 적는다.

⑤ '이파리'는 명사 '잎'에 '-이' 이외의 모음으로 시작된 접미사인 '-아리'가 붙어서 된 말이므로 제20항의 [붙임]에 따라 원형을 밝혀 적지 않는다.

05 중세 국어의 조사 이해

선생님의 설명에서 중세 국어의 주격 조사는 음운 조건에 따라 '이', 'ø(영형태)', 'ㅣ'로 실현되었음을 알 수 있다. ⓐ는 '쑬+이'를 이어 적기한 것으로 주격 조사 '이'가 쓰였다. ⓑ는 모음 'ㅣ'로 끝나므로 주격 조사가 실현되지 않았다. ⓒ는 '별+이'를 이어 적기한 것으로 주격 조사 '이'가 쓰였다. ⓓ는 '부텨+ㅣ'로 주격 조사 'ㅣ'가 쓰였다. ⓔ는 '휘'의 'ㅣ'가 반모음이므로 주격 조사가 실현되지 않았다. ⓕ는 '바+ㅣ'로 주격 조사 'ㅣ'가 쓰였다.

보기 돋보기

중세 국어의 주격 조사

- 중세 국어의 주격 조사는 음운 조건에 따라 다른 형태로 실현됨.

이	자음 뒤
ø(영형태)	모음 'ㅣ'와 반모음 'ǐ' 뒤
ㅣ	모음 'ㅣ'와 반모음 'ǐ'를 제외한 나머지 모음 뒤

06~08

가 인터넷 신문
- 표제를 보고 기사를 선택하여 읽을 수 있음.
- 종이 신문과는 달리 정보 제공 속도가 매우 빠름.

나 휴대 전화 메신저
- 실시간 상호 작용과 쌍방향 의사소통이 가능함.
- 다양한 매체 자료의 공유가 가능함.

다 카드 뉴스
- 정보를 슬라이드의 형태로 제시하여 전달 효과를 높임.
- 주제에 대한 정보 중 핵심적인 내용을 간결하고 명확하게 정리하여 제공함.
- 문자 언어 외에 그림, 사진 등 시각 자료를 함께 활용하여 정보 전달력을 높임.

06 매체의 의사소통 방식 이해

'지혜'는 매체의 특성을 고려한 정보 구성 방식을 제안하고 있으며, 카드 뉴스를 접하게 될 수용자를 고려하여 글자 수를 조절하자고 하고 있다. 따라서 수용자의 입장을 고려하지 않았다는 설명은 적절하지 않다.

오답 잡기

① '은수'는 기사문 파일을 공유하여 화제를 제시하고 있다. 실시간으로 문서나 사진, 동영상 파일 등을 공유하는 것이 가능한 휴대 전화 메신저 대화의 특성을 활용한 것이다.

② '승민'은 대화 중 다른 친구가 궁금해하는 내용을 인터넷에서 검색하여 그 내용을 공유하고 있다.

③ '윤주'는 누구나 쉽게 정보에 접근할 수 있는 누리 소통망의 특성을 언급하며 카드 뉴스 제작 활동에 대해 긍정적인 태도를 드러내고 있다.

⑤ '건우'는 카드 뉴스에서 시각 자료를 활용할 수 있다고 하면서 주제와 관련된 이미지들을 활용할 것을 제안하고 있다.

07 매체 자료의 생산 이해

'슬라이드 5'와 '슬라이드 6'에서 참여 유형별 결과로 '지원금 받기'라고 간단히 제시하고 있을 뿐, 지원금 지급 방법에 관해 구체적으로 제시하지는 않았다.

오답 잡기

① ㉠에서는 제도에 관한 핵심 내용을 간단히 소개하자고 하였는데, '슬라이드 3'을 통해 이를 확인할 수 있다.

② ㉡에서는 제도 시행과 관련된 배경을 먼저 제시하자고 하였는데, '슬라이드 2'에서 이를 확인할 수 있다.

③ ㉢에서는 사업 시행 기간을 알려 주자고 하였는데, '슬라이드 4'에 이와 관련된 내용이 포함되어 있다.

④ ㉣에서는 제도의 참여 유형을 구분하여 안내하자고 하였는데, '슬라이드 4~6'에서 이를 확인할 수 있다.

08 매체 언어의 창의적 표현 이해

'지혜'는 제도의 핵심적인 내용을 포함하자고 하였고, '건우'는 참여를 우회적으로 유도하자고 하였다. 그리고 '윤주'는 문장 구조를 반복하자고 하였다. ②에서는 '실천하자, 건강 습관! 챙기자, 지원금!'에서 문장 구조가 반복되었고, 제도의 핵심 내용을 확인할 수 있어 '지혜'와 '윤주'의 의견이 반영되었다. 또 '건강 생활 실천 지원금 제도가 여러분을 기다립니다.'라고 하여 우회적으로 참여를 유도하고 있어 '건우'의 의견이 반영되었다.

오답 잡기

① 제도의 배경이 제시되어 있을 뿐 제도의 핵심적인 내용이 드러나지 않으며, 문장 구조도 반복적으로 쓰인 부분이 없다.

③ '매일 건강 관리하면, 매번 지원금이 들어옵니다.'에서 문장 구조가 반복되었고, 제도의 핵심 내용을 확인할 수 있으나 '함께 참여합시다.'라고 하여 참여를 직접적으로 권유하였다.

④ '내가 실천한 건강 생활 습관, 지원금으로 돌아옵니다.'에서 제도의 핵심 내용은 확인할 수 있지만, 문장 구조가 반복적으로 쓰인 부분이 없다.

⑤ '줄줄 새는 건강 보험금을 생활 속 작은 실천으로 지킬 수 있습니다.'는 건강 생활 실천 지원금 제도에 관한 일부 내용만 소개한 것일 뿐, 건강 습관을 실천하여 지원금을 받을 수 있다는 참여자 입장에서의 핵심 내용을 다루지 못했다.

09~11

가 텔레비전 방송 뉴스

• 음성 언어, 문자 언어, 영상, 음향 등을 복합적으로 활용하여 정보를 구성하므로 정보의 실재감이 높음.
• 정보를 비교적 빠른 시간 안에 전달할 수 있고, 동시에 많은 사람들에게 같은 정보를 전달할 수 있음.

나 인쇄 광고

• 환경 문제의 대처와 관련된 가치의 실현을 위해 대중을 설득하는 목적을 지닌 공익 광고임.
• 문자 언어와 시각 자료를 활용하여 정보를 구성함.
• 글자 크기의 차이를 통해 제목과 구체적인 정보를 구분하여 내용을 전달하고 있음.
• 주어진 분량에 맞게 정보를 압축적으로 전달함.

09 매체 자료의 수용 이해

'지난해 세계를 휩쓴 전염병으로 인해 포장과 배달이 크게 늘면서 플라스틱 폐기물 또한 급증했습니다.'라는 부분에서 플라스틱 사용이 급증한 사회적 배경을 짐작할 수 있다. 그러나 플라스틱 폐기물 문제의 개인적 해결 방안은 제시하고 있으나 사회적 해결 방안을 제안하는 내용은 찾을 수 없다.

오답 잡기

① 영상 제보자의 인터뷰 영상을 제시하여 사건의 사실성을 높이고 있다.
② 국내 플라스틱 쓰레기 발생량의 증가 현황에 관한 그래프와, 플라스틱 재활용률 현황에 관한 도표를 제시하여 수용자가 보도 내용을 쉽게 이해할 수 있게 하고 있다.
③ 주제와 관련된 영상을 방송 앞부분에 제시하여 수용자의 관심을 끌면서 내용을 전개하고 있다.
④ 설문 조사 결과에서 대다수의 사람들이 문제의 심각성을 인식하고 있으나 실천이 잘 이루어지지 않고 있음을 확인할 수 있다. 따라서 이를 통해 실천의 중요성을 강조할 수 있다.

10 매체 언어의 창의적 표현 이해

빨대를 버리는 손의 모습이 총 모양의 빨대를 쥔 것처럼 표현되어 있으나, 이는 인간의 공격성을 드러내기 위한 것이라기보다는 인간이 의도하지 않고 무분별하게 사용한 플라스틱 빨대가 자연에 위협이 될 수 있음을 드러내기 위한 것이라 할 수 있다.

오답 잡기

① '총', '800만 톤'과 같이 명사로 종결하고 '됩니다', '때입니다'와 같이 평서형으로 종결하고 있다. 이를 통해 전달하고자 하는 바를 명확하게 드러내고 있다.
③ '총'이라는 언어 표현과 빨대를 구부린 사진을 함께 제시하여 빨대가 총과 같은 무기가 될 수 있다는 새로운 의미를 구성하고 있다.
④ '전 세계 바다에 버려지는 플라스틱 빨대'를 '바다 생물을 위협하는 가장 가벼운 총'에 비유함으로써 주제를 효과적으로 전달하고 있다.
⑤ '사람들에겐 ~ 빨대 하나지만, 바다 생물들에겐 ~ 위협이 됩니다.'와 같이 유사한 문장 구조를 반복하여 매체 언어를 효과적으로 표현하고 있다.

보기 돋보기

매체 언어의 창의적 표현

• 복합 양식성을 고려한 매체 언어의 창의성
  - 여러 요소의 상호 작용을 통해 새롭고 창의적인 의미가 구성되는 경우가 많음.
  - 복합 양식성을 고려할 때 언어 자체의 특성만을 활용하는 것보다 창의적이고 효과적으로 표현할 수 있음.
• 언어 표현을 통한 매체 언어의 창의성
  - 동음이의어, 발음의 유사성, 대구와 비유 등 다양한 표현 방법을 활용하여 내용을 효과적으로 표현할 수 있음.

11 매체 자료의 수정 및 보완

플라스틱 폐기물을 줄이자는 내용이므로 여러 환경 오염 문제를 해결할 수 있는 다양한 방법을 소개하는 것은 글의 주제를 벗어난 것이라 할 수 있다.

오답 잡기

① 일회용 종이컵의 사용 문제는 플라스틱 폐기물 문제와는 거리가 있으므로 해당 기사에서 삭제하는 것이 적절하다.
② 과거에 바다거북의 코에서 빨대를 빼내는 영상이 화제가 되었던 사실을 언급하여 독자의 관심을 유발하고 있다.
④ (가)와 (나)에 제시되지 않았던 플라스틱 쓰레기 분리배출 방법을 새롭게 조사하여 독자에게 안내한 점이 유익하다고 할 수 있다.
⑤ 기사에서는 플라스틱 폐기물 문제를 제기하고, 플라스틱 사용을 줄이며 쓰레기를 올바르게 분리배출하는 등의 노력을 실천하자고 하고 있다. 따라서 이러한 내용과 좀 더 밀접하게 관련된 표제로 수정하는 것이 바람직하다고 할 수 있다.

함정문제 해결 전략

제시된 기사문은 주제를 효과적으로 드러내는 표제와 그에 관련된 내용을 상술하는 본문으로 구성되어 있다. 학생이 직접 작성한 기사문 초안의 경우 완성도가 높지 않을 수 있어 수정 방안을 마련하는 문제가 출제되는 경우가 많다. 이 경우 언어 표현상의 문제, 내용의 통일성, 표제와 내용과의 관련성 등 다양한 범위에서 수정 방안을 제안할 수 있으므로 기사문의 내용을 여러 관점에서 분석하는 것이 좋다.

수능전략

국·어·영·역

언어와 매체

부록

국어 어문 규정

국어 어문 규정

표준어 규정

제2부 표준 발음법

| 제4장 | 받침의 발음

제8항 받침소리로는 'ㄱ, ㄴ, ㄷ, ㄹ, ㅁ, ㅂ, ㅇ'의 7개 자음만 발음한다.

제9항 받침 'ㄲ, ㅋ', 'ㅅ, ㅆ, ㅈ, ㅊ, ㅌ', 'ㅍ'은 어말 또는 자음 앞에서 각각 대표음 [ㄱ, ㄷ, ㅂ]으로 발음한다.

닦다[닥따]	키읔[키윽]	키읔과[키윽꽈]
옷[옫]	웃다[욷ː따]	있다[읻따]
젖[젇]	빚다[빋따]	꽃[꼳]
쫓다[쫃따]	솥[솓]	뱉다[밷ː따]
앞[압]	덮다[덥따]	

제10항 겹받침 'ㄳ', 'ㄵ', 'ㄼ, ㄽ, ㄾ', 'ㅄ'은 어말 또는 자음 앞에서 각각 [ㄱ, ㄴ, ㄹ, ㅂ]으로 발음한다.

넋[넉]	넋과[넉꽈]	앉다[안따]
여덟[여덜]	넓다[널따]	외곬[외골]
핥다[할따]	값[갑]	없다[업ː따]

다만, '밟-'은 자음 앞에서 [밥]으로 발음하고, '넓-'은 다음과 같은 경우에 [넙]으로 발음한다.

(1)

밟다[밥ː따]	밟소[밥ː쏘]	밟지[밥ː찌]
밟는[밥ː는 → 밤ː는]	밟게[밥ː께]	밟고[밥ː꼬]

(2)

넓-죽하다[넙쭈카다] 넓-둥글다[넙뚱글다]

제11항 겹받침 'ㄺ, ㄻ, ㄿ'은 어말 또는 자음 앞에서 각각 [ㄱ, ㅁ, ㅂ]으로 발음한다.

닭[닥]	흙과[흑꽈]	맑다[막따]	늙지[늑찌]
삶[삼ː]	젊다[점ː따]	읊고[읍꼬]	읊다[읍따]

다만, 용언의 어간 말음 'ㄺ'은 'ㄱ' 앞에서 [ㄹ]로 발음한다.

맑게[말께]	묽고[물꼬]	얽거나[얼꺼나]

제12항 받침 'ㅎ'의 발음은 다음과 같다.

1. 'ㅎ(ㄶ, ㅀ)' 뒤에 'ㄱ, ㄷ, ㅈ'이 결합되는 경우에는, 뒤 음절 첫소리와 합쳐서 [ㅋ, ㅌ, ㅊ]으로 발음한다.

놓고[노코]	좋던[조ː턴]	쌓지[싸치]
많고[만ː코]	않던[안턴]	닳지[달치]

[붙임 1] 받침 'ㄱ(ㄺ), ㄷ, ㅂ(ㄼ), ㅈ(ㄵ)'이 뒤 음절 첫소리 'ㅎ'과 결합되는 경우에도, 역시 두 음을 합쳐서 [ㅋ, ㅌ, ㅍ, ㅊ]으로 발음한다.

각하[가카]	먹히다[머키다]
밝히다[발키다]	맏형[마텽]
좁히다[조피다]	넓히다[널피다]
꽂히다[꼬치다]	앉히다[안치다]

[붙임 2] 규정에 따라 [ㄷ]으로 발음되는 'ㅅ, ㅈ, ㅊ, ㅌ'의 경우에도 이에 준한다.

옷 한 벌[오탄벌]	낮 한때[나탄때]
꽃 한 송이[꼬탄송이]	숱하다[수타다]

2. 'ㅎ(ㄶ, ㅀ)' 뒤에 'ㅅ'이 결합되는 경우에는, 'ㅅ'을 [ㅆ]으로 발음한다.

닿소[다ː쏘]	많소[만ː쏘]	싫소[실쏘]

3. 'ㅎ' 뒤에 'ㄴ'이 결합되는 경우에는, [ㄴ]으로 발음한다.

놓는[논는]	쌓네[싼네]

[붙임] 'ㄶ, ㅀ' 뒤에 'ㄴ'이 결합되는 경우에는, 'ㅎ'을 발음하지 않는다.

않네[안네]	않는[안는]
뚫네[뚤네 → 뚤레]	뚫는[뚤는 → 뚤른]

4. 'ㅎ(ㄶ, ㅀ)' 뒤에 모음으로 시작된 어미나 접미사가 결합되는 경우에는, 'ㅎ'을 발음하지 않는다.

낳은[나은]	놓아[노아]	쌓이다[싸이다]
많아[마ː나]	않은[아는]	닳아[다라]
싫어도[시러도]		

제13항 홑받침이나 쌍받침이 모음으로 시작된 조사나 어미, 접미사와 결합되는 경우에는, 제 음가대로 뒤 음절 첫소리로 옮겨 발음한다.

깎아[까까]	옷이[오시]	있어[이써]
낮이[나지]	꽂아[꼬자]	꽃을[꼬츨]
쫓아[쪼차]	밭에[바테]	앞으로[아프로]
덮이다[더피다]		

제14항 겹받침이 모음으로 시작된 조사나 어미, 접미사와 결합되는 경우에는, 뒤엣것만을 뒤 음절 첫소리로 옮겨 발음한다.(이 경우, 'ㅅ'은 된소리로 발음함.)

넋이[넉씨]	앉아[안자]	닭을[달글]
젊어[절머]	곬이[골씨]	핥아[할타]
읊어[을퍼]	값을[갑쓸]	없어[업:써]

제16항 한글 자모의 이름은 그 받침소리를 연음하되, 'ㄷ, ㅈ, ㅊ, ㅋ, ㅌ, ㅍ, ㅎ'의 경우에는 특별히 다음과 같이 발음한다.

디귿이[디그시]	디귿을[디그슬]	디귿에[디그세]
지읒이[지으시]	지읒을[지으슬]	지읒에[지으세]
치읓이[치으시]	치읓을[치으슬]	치읓에[치으세]
키읔이[키으기]	키읔을[키으글]	키읔에[키으게]
티읕이[티으시]	티읕을[티으슬]	티읕에[티으세]
피읖이[피으비]	피읖을[피으블]	피읖에[피으베]
히읗이[히으시]	히읗을[히으슬]	히읗에[히으세]

| 제5장 | 음의 동화

제17항 받침 'ㄷ, ㅌ(ㄾ)'이 조사나 접미사의 모음 'ㅣ'와 결합되는 경우에는, [ㅈ, ㅊ]으로 바꾸어서 뒤 음절 첫소리로 옮겨 발음한다.

곧이듣다[고지듣따]	굳이[구지]	미닫이[미:다지]
땀받이[땀바지]	밭이[바치]	벼훑이[벼훌치]

[붙임] 'ㄷ' 뒤에 접미사 '히'가 결합되어 '티'를 이루는 것은 [치]로 발음한다.

굳히다[구치다]	닫히다[다치다]	묻히다[무치다]

제18항 받침 'ㄱ(ㄲ, ㅋ, ㄳ, ㄺ), ㄷ(ㅅ, ㅆ, ㅈ, ㅊ, ㅌ, ㅎ), ㅂ(ㅍ, ㄼ, ㄿ, ㅄ)'은 'ㄴ, ㅁ' 앞에서 [ㅇ, ㄴ, ㅁ]으로 발음한다.

먹는[멍는]	국물[궁물]	깎는[깡는]
키읔만[키응만]	몫몫이[몽목씨]	긁는[긍는]
흙만[흥만]	닫는[단는]	짓는[진:는]
옷맵시[온맵씨]	있는[인는]	맞는[만는]
젖멍울[전멍울]	쫓는[쫀는]	꽃망울[꼰망울]
붙는[분는]	놓는[논는]	잡는[잠는]
밥물[밤물]	앞마당[암마당]	밟는[밤:는]
읊는[음는]	없는[엄:는]	

[붙임] 두 단어를 이어서 한 마디로 발음하는 경우에도 이와 같다.

책 넣는다[챙넌는다]	흙 말리다[흥말리다]
옷 맞추다[온맏추다]	밥 먹는다[밤멍는다]
값 매기다[감매기다]	

| 제6장 | 경음화

제23항 받침 'ㄱ(ㄲ, ㅋ, ㄳ, ㄺ), ㄷ(ㅅ, ㅆ, ㅈ, ㅊ, ㅌ), ㅂ(ㅍ, ㄼ, ㄿ, ㅄ)' 뒤에 연결되는 'ㄱ, ㄷ, ㅂ, ㅅ, ㅈ'은 된소리로 발음한다.

국밥[국빱]	깎다[깍따]	넋받이[넉빠지]
삯돈[삭똔]	닭장[닥짱]	칡범[칙뻠]
뻗대다[뻗때다]	옷고름[옫꼬름]	있던[읻떤]
꽂고[꼳꼬]	꽃다발[꼳따발]	낯설다[낟썰다]
밭갈이[받까리]	솥전[솓쩐]	곱돌[곱똘]
덮개[덥깨]	옆집[엽찝]	넓죽하다[넙쭈카다]
읊조리다[읍쪼리다]	값지다[갑찌다]	

제24항 어간 받침 'ㄴ(ㄵ), ㅁ(ㄻ)' 뒤에 결합되는 어미의 첫소리 'ㄱ, ㄷ, ㅅ, ㅈ'은 된소리로 발음한다.

신고[신:꼬]	껴안다[껴안따]	앉고[안꼬]
얹다[언따]	삼고[삼:꼬]	더듬지[더듬찌]
닮고[담:꼬]	젊지[점:찌]	

다만, 피동, 사동의 접미사 '-기-'는 된소리로 발음하지 않는다.

안기다	감기다	굶기다	옮기다

제25항 어간 받침 'ㄼ, ㄾ' 뒤에 결합되는 어미의 첫소리 'ㄱ, ㄷ, ㅅ, ㅈ'은 된소리로 발음한다.

넓게[널께]	핥다[할따]	훑소[훌쏘]
떫지[떨ː찌]		

제26항 한자어에서, 'ㄹ' 받침 뒤에 연결되는 'ㄷ, ㅅ, ㅈ'은 된소리로 발음한다.

갈등[갈뜽]	발동[발똥]	절도[절또]
말살[말쌀]	불소[불쏘](弗素)	일시[일씨]
갈증[갈쯩]	물질[물찔]	발전[발쩐]
몰상식[몰쌍식]	불세출[불쎄출]	

다만, 같은 한자가 겹쳐진 단어의 경우에는 된소리로 발음하지 않는다.

허허실실[허허실실](虛虛實實)　절절-하다[절절하다](切切-)

제27항 관형사형 '-(으)ㄹ' 뒤에 연결되는 'ㄱ, ㄷ, ㅂ, ㅅ, ㅈ'은 된소리로 발음한다.

할 것을[할꺼슬]	갈 데가[갈떼가]	할 바를[할빠를]
할 수는[할쑤는]	할 적에[할쩌게]	갈 곳[갈꼳]
할 도리[할또리]	만날 사람[만날싸람]	

다만, 끊어서 말할 적에는 예사소리로 발음한다.

[붙임] '-(으)ㄹ'로 시작되는 어미의 경우에도 이에 준한다.

할걸[할껄]	할밖에[할빠께]	할세라[할쎄라]
할수록[할쑤록]	할지라도[할찌라도]	할지언정[할찌언정]
할진대[할찐대]		

제28항 표기상으로는 사이시옷이 없더라도, 관형격 기능을 지니는 사이시옷이 있어야 할(휴지가 성립되는) 합성어의 경우에는, 뒤 단어의 첫소리 'ㄱ, ㄷ, ㅂ, ㅅ, ㅈ'을 된소리로 발음한다.

문-고리[문꼬리]	눈-동자[눈똥자]	신-바람[신빠람]
산-새[산쌔]	손-재주[손째주]	길-가[길까]
물-동이[물똥이]	발-바닥[발빠닥]	굴-속[굴ː쏙]
술-잔[술짠]	바람-결[바람껼]	그믐-달[그믐딸]
아침-밥[아침빱]	잠-자리[잠짜리]	강-가[강까]
초승-달[초승딸]	등-불[등뿔]	창-살[창쌀]
강-줄기[강쭐기]		

| 제7장 | 음의 첨가

제29항 합성어 및 파생어에서, 앞 단어나 접두사의 끝이 자음이고 뒤 단어나 접미사의 첫음절이 '이, 야, 여, 요, 유'인 경우에는, 'ㄴ' 음을 첨가하여 [니, 냐, 녀, 뇨, 뉴]로 발음한다.

솜-이불[솜ː니불]	홑-이불[혼니불]
막-일[망닐]	삯-일[상닐]
맨-입[맨닙]	꽃-잎[꼰닙]
내복-약[내ː봉냑]	한-여름[한녀름]
남존-여비[남존녀비]	신-여성[신녀성]
색-연필[생년필]	직행-열차[지캥녈차]
늑막-염[능망념]	콩-엿[콩녇]
담-요[담ː뇨]	눈-요기[눈뇨기]
영업-용[영엄뇽]	식용-유[시굥뉴]
백분-율[백뿐뉼]	밤-윷[밤ː뉻]

다만, 다음과 같은 말들은 'ㄴ' 음을 첨가하여 발음하되, 표기대로 발음할 수 있다.

이죽-이죽[이중니죽/이주기죽]
야금-야금[야금냐금/야그먀금]
검열[검ː녈/거ː멸]
욜랑-욜랑[욜랑뇰랑/욜랑욜랑]
금융[금늉/그뮹]

[붙임 1] 'ㄹ' 받침 뒤에 첨가되는 'ㄴ' 음은 [ㄹ]로 발음한다.

들-일[들ː릴]	솔-잎[솔립]
설-익다[설릭따]	물-약[물략]
불-여우[불려우]	서울-역[서울력]
물-엿[물렫]	휘발-유[휘발류]
유들-유들[유들류들]	

[붙임 2] 두 단어를 이어서 한 마디로 발음하는 경우에도 이에 준한다.

한 일[한닐]	옷 입다[온닙따]
서른여섯[서른녀섣]	3연대[삼년대]
먹은 엿[머근녇]	할 일[할릴]
잘 입다[잘립따]	스물여섯[스물려섣]
1연대[일련대]	먹을 엿[머글렫]

다만, 다음과 같은 단어에서는 'ㄴ(ㄹ)' 음을 첨가하여 발음하지 않는다.

6·25[유기오]	3·1절[사밀쩔]
송별-연[송ː벼련]	등-용문[등용문]

| 제4장 | 형태에 관한 것

제5절 준말

제32항 단어의 끝모음이 줄어지고 자음만 남은 것은 그 앞의 음절에 받침으로 적는다.

본말	준말
기러기야	기럭아
어제그저께	엊그저께
어제저녁	엊저녁
가지고, 가지지	갖고, 갖지
디디고, 디디지	딛고, 딛지

제33항 체언과 조사가 어울려 줄어지는 경우에는 준 대로 적는다.

본말	준말
그것은	그건
그것이	그게
그것으로	그걸로
나는	난
나를	날
너는	넌
너를	널
무엇을	뭣을/무얼/뭘
무엇이	뭣이/무에

제34항 모음 'ㅏ, ㅓ'로 끝난 어간에 '-아/-어, -았-/-었-'이 어울릴 적에는 준 대로 적는다.

본말	준말	본말	준말
가아	가	가았다	갔다
나아	나	나았다	났다
타아	타	타았다	탔다
서어	서	서었다	섰다
켜어	켜	켜었다	켰다
펴어	펴	펴었다	폈다

[붙임 1] 'ㅐ, ㅔ' 뒤에 '-어, -었-'이 어울려 줄 적에는 준 대로 적는다.

본말	준말	본말	준말
개어	개	개었다	갰다
내어	내	내었다	냈다
베어	베	베었다	벴다
세어	세	세었다	셌다

[붙임 2] '하여'가 한 음절로 줄어서 '해'로 될 적에는 준 대로 적는다.

본말	준말	본말	준말
하여	해	하였다	했다
더하여	더해	더하였다	더했다
흔하여	흔해	흔하였다	흔했다

제35항 모음 'ㅗ, ㅜ'로 끝난 어간에 '-아/-어, -았-/-었-'이 어울려 'ㅘ/ㅝ, ㅘㅆ/ㅝㅆ'으로 될 적에는 준 대로 적는다.

본말	준말	본말	준말
꼬아	꽈	꼬았다	꽜다
보아	봐	보았다	봤다
쏘아	쏴	쏘았다	쐈다
두어	둬	두었다	뒀다
쑤어	쒀	쑤었다	쒔다
주어	줘	주었다	줬다

[붙임 1] '놓아'가 '놔'로 줄 적에는 준 대로 적는다.

[붙임 2] 'ㅚ' 뒤에 '-어, -었-'이 어울려 'ㅙ, ㅙㅆ'으로 될 적에도 준 대로 적는다.

본말	준말	본말	준말
괴어	괘	괴었다	괬다
되어	돼	되었다	됐다
뵈어	봬	뵈었다	뵀다
쇠어	쇄	쇠었다	쇘다
쐬어	쐐	쐬었다	쐤다

제36항 'ㅣ' 뒤에 '-어'가 와서 'ㅕ'로 줄 적에는 준 대로 적는다.

본말	준말	본말	준말
가지어	가져	가지었다	가졌다
견디어	견뎌	견디었다	견뎠다
다니어	다녀	다니었다	다녔다
막히어	막혀	막히었다	막혔다
버티어	버텨	버티었다	버텼다
치이어	치여	치이었다	치였다

제37항 'ㅏ, ㅕ, ㅗ, ㅜ, ㅡ'로 끝난 어간에 '-이-'가 와서 각각 'ㅐ, ㅖ, ㅚ, ㅟ, ㅢ'로 줄 적에는 준 대로 적는다.

본말	준말	본말	준말
싸이다	쌔다	누이다	뉘다
펴이다	폐다	뜨이다	띄다
보이다	뵈다	쓰이다	씌다

제38항 ‘ㅏ, ㅗ, ㅜ, ㅡ’ 뒤에 ‘-이어’가 어울려 줄어질 적에는 준 대로 적는다.

본말	준말	본말	준말
싸이어	쌔어 싸여	뜨이어	띄어
보이어	뵈어 보여	쓰이어	씌어 쓰여
쏘이어	쐬어 쏘여	트이어	틔어 트여
누이어	뉘어 누여		

제39항 어미 ‘-지’ 뒤에 ‘않-’이 어울려 ‘-잖-’이 될 적과 ‘-하지’ 뒤에 ‘않-’이 어울려 ‘-찮-’이 될 적에는 준 대로 적는다.

본말	준말	본말	준말
그렇지 않은	그렇잖은	만만하지 않다	만만찮다
적지 않은	적잖은	변변하지 않다	변변찮다

제40항 어간의 끝음절 ‘하’의 ‘ㅏ’가 줄고 ‘ㅎ’이 다음 음절의 첫소리와 어울려 거센소리로 될 적에는 거센소리로 적는다.

본말	준말	본말	준말
간편하게	간편케	다정하다	다정타
연구하도록	연구토록	정결하다	정결타
가하다	가타	흔하다	흔타

[붙임 1] ‘ㅎ’이 어간의 끝소리로 굳어진 것은 받침으로 적는다.

않다	않고	않지	않든지
그렇다	그렇고	그렇지	그렇든지
아무렇다	아무렇고	아무렇지	아무렇든지
어떻다	어떻고	어떻지	어떻든지
이렇다	이렇고	이렇지	이렇든지
저렇다	저렇고	저렇지	저렇든지

[붙임 2] 어간의 끝음절 ‘하’가 아주 줄 적에는 준 대로 적는다.

본말	준말
거북하지	거북지
생각하건대	생각건대
생각하다 못해	생각다 못해
깨끗하지 않다	깨끗지 않다
넉넉하지 않다	넉넉지 않다
못하지 않다	못지않다
섭섭하지 않다	섭섭지 않다
익숙하지 않다	익숙지 않다

[붙임 3] 다음과 같은 부사는 소리대로 적는다.

결단코	결코	기필코	무심코
아무튼	요컨대	정녕코	필연코
하마터면	하여튼	한사코	

memo
시
험
대
박

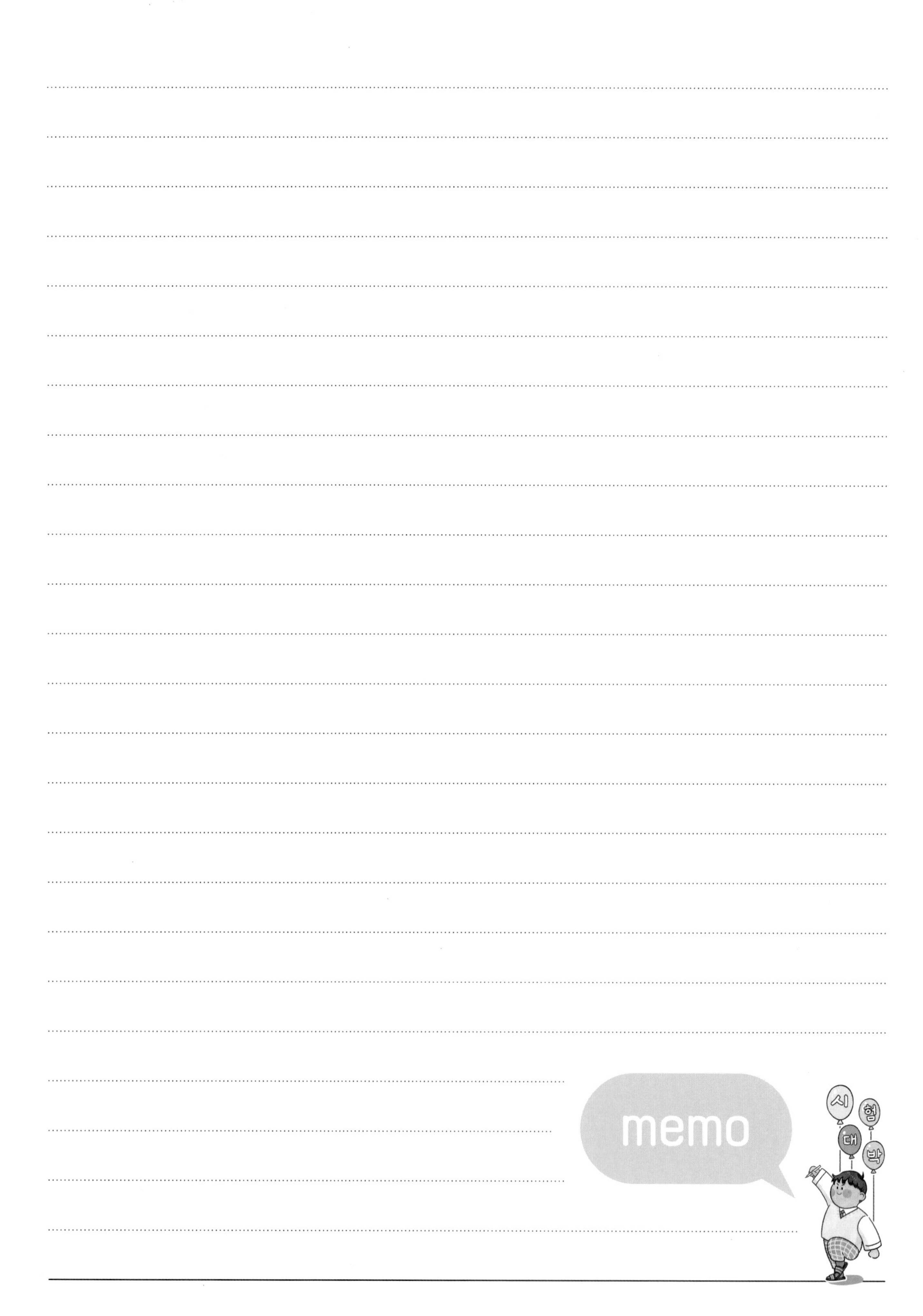
memo
시
험
대
박

◀ 정답은
이안에
있어!